9
10
11
12
13
14
15
(Land of Great Dread)
DOR-DAEDELOTH
DAE
road (71) Dor-na-Daerachas
Lothland
Battle of Fire
-NA-FAUGLITH
[Ard-galen]
Riders of the Folk of Fëanor
Angrod
Drûn
Egnor
Gorlim
Folk of Bëor & Barahir
Dor-Thonion
Aeluin
Ladros
-NA-FUIN
Maedros
Marches of Maedros
Pass of Aglond
Hill of Himring
Mt.Rerir
Gorgoroth
Dor Dínen
Ford
Celegorm & Curufin
Maedros
Little Gelion
Maglor
Greater Gelion
L. Helevorn
Himlad
Dor Caranthir
R. Celon
Nan Elmoth
Gladuial
north road of Dwarves
R. Aros
Radrim
Caranthir
later
Folk of Uldor
Estoland
Forest of Region
R. Gelion
Thargelion
Ered Lindon
Garthurian
Diriel
Belegast
Mt. Dolmed

Dangweth Pengoloð

the Answer of Pengolod

to Aelfwine who asked him how came it that the tongues of the Elves changed and were sundered

Now you question me, Ælfwine, concerning the tongues of the Elves, saying that you wonder much to discover that they are many, akin indeed and yet unalike; for seeing that they die not and their memories reach back into ages long past, you understand not why all the race of the Quendi have not maintained the language that they had of old in common still one and the same in all their kindreds. But behold! Ælfwine, within Eä all things change, even the Valar; for in Eä we perceive the unfolding of a History in the unfolding: as a man may read a great book, and when it is full-read it is rounded and complete in his mind, according to his measure. Then at last he perceives that some fair thing that long endured: as some mountain or river of renown, some realm, or some great city; or else some mighty being, as a king, or maker, or a woman of beauty and majesty, or even one, maybe of the Lords of the West: that each of these is, if at all, all that is said of them from the beginning even to the end. From the spring in the mountains to the mouths of the sea, all is Sirion; and from its first upwelling even to its passing away when the land was broken in the great battle, that also is Sirion, and nothing less. Though we, who are set to behold the great History, read line by line, may speak of the river changing as it flows and grows broad, or dying as it is spilled or devoured by the sea. Yea, even from his f[illegible] coming into Eä from the side of Ilúvatar, and from [illegible]

A HISTÓRIA DA TERRA-MÉDIA

X

O ANEL DE MORGOTH

J.R.R. TOLKIEN

A HISTÓRIA DA TERRA-MÉDIA

X

O ANEL DE MORGOTH

Editado por CHRISTOPHER TOLKIEN

Tradução de
REINALDO JOSÉ LOPES

Harper Collins
Rio de Janeiro, 2025

Título original: *Morgoth's Ring*

COPIDESQUE Leonardo Dantas do Carmo
REVISÃO Gabriel Oliva Brum, Letícia Oliveira e Renata Litz
DESIGN DE CAPA Alexandre Azevedo
DIAGRAMAÇÃO Sonia Peticov

Dados Internacionais de Catalogação na Publicação (CIP)
(Câmara Brasileira do Livro, SP, Brasil)

T649p
1. ed. Tolkien, J.R.R.(John Ronald Reuel)1892-1973
O Anel de Margoth / J.R.R. Tolkien; tradução Reinaldo José Lopes. – 1. ed. – Rio de Janeiro: HarperCollins, 2025.
544 p.; 13,5 × 20,8 cm. – (História da terra-média, box 4; 10)

Título original: Morgoth's ring
ISBN 978-65-5511-722-6 (capa dura)

1. Ficção de fantasia. I. Lopes, Reinaldo José. II. Título. III. Série.

05-2025/17 CDD 823

Índice para catálogo sistemático: 1. Ficção de fantasia: Literatura inglesa 823
Bibliotecária responsável: Aline Graziele Benitez – Bibliotecária – CRB-1/3129

Rua da Quitanda, 86, sala 601A - Centro
Rio de Janeiro/RJ - CEP 20091-005
Tel.: (21) 3175-1030
www.harpercollins.com.br

Sumário

Prefácio

O *Quenta Silmarillion*, junto com o *Ainulindalë*, os *Anais de Valinor* e os *Anais de Beleriand*, na situação em que estavam quando meu pai começou a escrever *O Senhor dos Anéis* no fim de 1937, foram publicados seis anos atrás em *A Estrada Perdida e Outros Escritos*. Essa foi a primeira grande quebra no desenvolvimento contínuo d'*O Silmarillion* desde suas origens em *O Livro dos Contos Perdidos*; mas, ainda que se possa lamentar, de fato, que as coisas tenham tomado esse rumo justamente naquela época, quando o *Quenta Silmarillion* estava próximo de ser concluído, a interrupção, em si, não foi desastrosa. Embora, como veremos na Parte Um deste livro, dúvidas potencialmente destrutivas tenham surgido antes que meu pai terminasse de trabalhar n'*O Senhor dos Anéis*, mesmo assim, nos anos que se seguiram imediatamente ao fim da escrita do livro, ele embarcou numa recriação e ampliação ambiciosas de toda a Matéria dos Dias Antigos, sem se afastar dos elementos essenciais da estrutura original.

A força criativa e a confiança dessa época são inconfundíveis. Em julho de 1949, ao escrever para seus editores sobre uma continuação do livro *Mestre Giles D'Aldeia*, disse que, quando finalmente tivesse concluído *O Senhor dos Anéis*, "a primavera livre poderá dar alguns frutos"; e, numa carta a Stanley Unwin, datada de fevereiro de 1950, quando, conforme afirmou, esse objetivo tinha sido finalmente atingido, ele escreveu: "Para mim, o principal é que sinto que toda a questão está agora 'exorcizada' e não mais me atormenta. Posso agora me dedicar a outras coisas..." Também é muito significativo, acredito eu, que naquela época ele estava profundamente comprometido com a ideia da publicação de *O Silmarillion* e *O Senhor dos Anéis* "em conjunto ou em ligação" como uma única obra, "uma longa Saga das Joias e dos Anéis".

Mas pouca coisa de todo o trabalho iniciado naquela época foi completada. A nova *Balada de Leithian*, o novo conto de Tuor e a Queda de Gondolin, os *Anais Cinzentos* (de Beleriand), a revisão do *Quenta Silmarillion*, tudo isso foi abandonado. Tenho poucas dúvidas de que a falta de esperança de publicação, pelo menos na forma que ele considerava essencial, foi a causa primordial disso. As negociações com a editora Collins para publicar ambas as obras tinham entrado em colapso. Em junho de 1952, ele escreveu para Rayner Unwin:

> Quanto a *O Senhor dos Anéis* e *O Silmarillion*, estão onde estavam. Um terminado (e o final revisado) e o outro ainda inacabado (ou não revisado), e ambos juntando poeira. Vez ou outra tenho estado tanto doente demais como sobrecarregado demais para fazer muita coisa a respeito deles, e desanimado demais. Observando a falta de papel e os custos aumentando contra mim. Mas mudei bastante minhas opiniões. Melhor alguma coisa do que nada! Ainda que para mim tudo seja uma única coisa, e o "Senhor dos Anéis" ficaria melhor (e mais fácil) como parte do todo, consideraria alegremente a publicação de qualquer parte desse material. Os anos estão se tornando preciosos...

Assim, ele se curvou diante da necessidade, mas aquilo foi uma fonte de pesar para meu pai.

Essa segunda quebra foi destrutiva — no sentido de que, depois dela, *O Silmarillion* nunca mais seria realmente concluído. Nos anos que se seguiram, ele ficou sobrecarregado: as exigências de seu cargo na Universidade e a necessidade de fazer uma mudança o levaram a declarar que a preparação de *O Senhor dos Anéis* para publicação, que deveria ter sido"um trabalho de prazer", tinha se "transformado em um pesadelo". À publicação se seguiu um enorme volume de correspondência com discussões, explicações e análises, das quais os exemplos recuperados e publicados no volume de suas cartas trazem evidências abundantes. Ao que parece, foi só no fim dos anos 1950 que ele se voltou seriamente mais uma vez para a narrativa do *Silmarillion* (para a qual então havia uma demanda insistente). Mas era tarde demais. Como se verá na parte posterior deste livro, muita coisa tinha mudado desde (e, como estou inclinado a achar, em relação direta com) a publicação de *O Senhor dos Anéis* e o período logo depois dela. Meditando longamente sobre o mundo ao qual dera o ser e que agora tinha sido, em parte, revelado, ele ficara absorvido em especulações analíticas acerca de seus postulados subjacentes. Antes que conseguisse preparar um novo e definitivo *Silmarillion*, precisava satisfazer os requisitos de um sistema teológico e metafísico coerente, que agora se tornava mais complexo em sua apresentação, quando se supunha a presença de elementos obscuros e conflitantes em suas raízes e tradição.

Entre as principais concepções "estruturais" da mitologia sobre as quais ponderou naqueles anos estavam o mito da Luz; a natureza de Aman; a imortalidade (e morte) dos Elfos; a maneira como a reencarnação deles ocorria; a Queda dos Homens e a duração da história antiga deles; a origem dos Orques; e, acima de tudo, o poder e a significância de Melkor-Morgoth, os quais foram ampliados até se tornar a base e a fonte da corrupção de Arda. Foi por essa razão que escolhi *O Anel de Morgoth* como título deste livro. A expressão é derivada de uma passagem do ensaio de meu pai "Notas sobre motivos do *Silmarillion*" (p. 475 e seguintes), no qual ele comparou a natureza do poder de Sauron, concentrado no Um Anel, com a do poder de Morgoth, enormemente maior, mas disperso ou disseminado na própria matéria de Arda: "o todo da Terra-média era o Anel de Morgoth".

Assim, este livro e (espero) o livro seguinte tentam documentar duas "fases" radicalmente distintas: a que se seguiu à conclusão de *O Senhor dos Anéis* e a que veio depois da publicação do livro. Por uma série de razões, entretanto, achei que a apresentação mais satisfatória exigiria dividir o material não de acordo com essas duas "fases", mas separando a narrativa em duas partes. Embora essa divisão seja artificial, fui capaz de incluir neste livro uma proporção elevada de tudo o que meu pai escreveu nos anos após o fim da escrita de *O Senhor dos Anéis*, tanto em forma narrativa como de discussões (às quais, é claro, deve ser acrescentado todo o material do volume de cartas), versando sobre os Dias Antigos anteriores à Ocultação de Valinor. O volume seguinte conterá, de acordo com minhas intenções, todos os textos (ou pelo menos a maioria deles) relacionados às lendas de Beleriand e à Guerra das Joias, incluindo o texto completo dos *Anais Cinzentos* e uma narrativa de grande porte que ainda é inédita e desconhecida, *As Andanças de Húrin*.

A publicação dos textos deste livro faz com que seja possível remontar os onze primeiros capítulos do *Silmarillion* publicado às suas fontes, ainda que não em todos os pontos ou todos os detalhes (com exceção do Capítulo II, "De Aulë e Yavanna", e do Capítulo X, "Dos Sindar"). Esse não é o propósito do livro, e não discuti a construção geral do texto publicado; tenho apresentado o material em termos de sua evolução a partir de formas mais antigas, e, naqueles trechos relacionados à revisão e reescrita do *Quenta Silmarillion*, mantive a numeração de parágrafos derivada do texto pré-*Senhor dos Anéis* apresentado no volume V, para que a comparação seja simples. Mas a documentação (inevitavelmente complexa) do *Quenta Silmarillion* revisado foi montada com a intenção de mostrar claramente a relação muito curiosa que ele tem com os *Anais de Aman*, coisa que teve enorme peso na formação do texto da primeira parte da obra publicada.

Tenho uma grande dívida com o Sr. Charles Noad, o qual, mais uma vez, empreendeu a onerosa tarefa de ler as provas do texto de forma e checar todas as referências e citações com cuidadoso escrupuloso, o que melhorou muito o livro.

Sou muito grato pelas seguintes correspondências acerca do Volume IX, *Sauron Derrotado.* O Sr. John D. Rateliff chamou a minha atenção para uma anotação no diário de W.H. Lewis datada de 22 de agosto de 1946 (*Brothers and Friends: The Diaries of Major Warren Hamilton Lewis*, ed. C.S. Kilby e M.L. Mcad, 1982, p. 194). Nessa data, Warnie Lewis registrou que, no encontro dos Inklings daquela noite, meu pai leu "um mito magnífico que amarra e conclui o seu Documentos do Clube Notions [*sic*]". Esse mito corresponde, é claro, à Submersão de Anadûnê. Eu estava presente nessa ocasião, mas não me recordo do encontro (a esse respeito, ver *Sauron Derrotado*, p. 464).

O Sr. William Hicklin explicou por que John Rashbold, o aluno de graduação que é membro do Clube Notion e não tem falas, tem "Jethro" como nome do meio. No Antigo Testamento, o sogro de Moisés recebe tanto o nome de *Jetro* quanto o de *Raguel*, ou *Reuel* em inglês (Êxodo 2,13 e 3,1); assim, *John Jethro Rashbold* = *John Reul Tolkien* (ver *Sauron Derrotado*, pp. 192, 202).

Não consegui explicar a referência (pp. 336–7) à retirada dos daneses, que saíram de Porlock, em Somerset, e foram para a "Relíquia Larga", mas a Srta. Rhona Beare mostrou que "Relíquia

Larga" e "Relíquia Íngreme" na verdade são nomes usados em manuscritos da Crônica Anglo-Saxã para designar as ilhas de Flatholme e Steepholme, na embocadura do rio Severn (ver *A Estrada Perdida e Outros Escritos*, p. 99); de acordo com Earle e Plummer, *Two of the Saxon Chronicles Parallel* (1892; II. 128), "O nome 'Relíquia' pode indicar a presença de alguns assentamentos religiosos irlandeses nessas ilhas; o termo 'relicc' (= latim *reliquiae*) é o termo usual em irlandês para designar um cemitério".

Por fim, é preciso mencionar que, depois que o texto deste livro estava no prelo, acrescentei uma discussão sobre o significado dos nomes de estrelas que aparecem na p. 199 à nota que encabeça o Índice Remissivo.

PARTE UM

AINULINDALË

Há evidências claras de que, quando *O Senhor dos Anéis* finalmente foi concluído, meu pai voltou com grande energia às lendas dos Dias Antigos. Estava trabalhando na nova versão da *Balada de Leithian* em 1950 (III. 387); e observou (V. 351) que tinha revisado o *Quenta Silmarillion* até o fim do conto de Beren e Lúthien em 10 de maio de 1951. A última página da forma tardia do *Conto de Tuor*, na qual o manuscrito se resume a algumas notas antes de finalmente ser interrompido (*Contos Inacabados*, p. 85), foi escrita numa folha de um calendário de compromissos datado de setembro de 1951, e o mesmo calendário, com datas de setembro, outubro e novembro de 1951, foi usado para a escrita de inserções de *Tuor* e dos *Anéis Cinzentos* (a última versão dos *Anais de Beleriand*, uma obra que acompanha de perto os *Anais de Aman*, os quais são, por sua vez, a última versão dos *Anais de Valinor*). O relato de cerca de dez mil palavras sobre os "ciclos" das lendas, escrito para Milton Waldman, da editora londrina Collins, e apresentado parcialmente em *As Cartas de J.R.R. Tolkien* (nº 131), muito provavelmente foi composto mais para o fim desse ano.

Até recentemente, eu tinha imaginado, sem questionamentos, que todos os elementos desses novos trabalhos sobre os Dias Antigos vinham dos anos de 1950 e 1951; mas agora descobri evidências irrefutáveis de que meu pai, na verdade, tinha voltado ao *Ainulindalë* alguns anos antes de terminar *O Senhor dos Anéis*. Como se verá, não se trata de uma simples questão de entender corretamente a história textual, mas sim de algo com grande significado.

Fazia muito tempo que eu estava ciente de fatos extremamente confusos ligados à história da reescrita do *Ainulindalë*. O caprichado manuscrito pré-*Senhor dos Anéis*, designado com a letra "**B**", foi descrito e publicado em V. 185 e seguintes; como observei naquele livro (p. 186), "o manuscrito tornou-se o meio de amplas reescritas muitos anos mais tarde, quando grandes mudanças na concepção cosmológica haviam sido inseridas". Essa revisão foi tão drástica (com grande quantidade de material novo sendo escrito nas páginas em branco do verso) que o resultado é que dois textos distintos da obra, totalmente divergentes entre si em aspectos essenciais, existem fisicamente no mesmo manuscrito. Vou chamar esse novo texto de "**C**".

Mas há ainda outro texto, uma versão datilografada feita por meu pai, que também se baseia diretamente no *Ainulindalë* B dos anos 1930; e nela aparece uma mudança muito mais radical — poderíamos dizer até devastadora — na cosmologia: pois, nessa versão, o Sol já existe desde o princípio de Arda. Vou me referir a essa versão como "**C***".

Uma das peculiaridades de C* é que, durante boa parte do texto, ele tem relação muito próxima com o texto C, e, no entanto, difere constantemente dele, ainda que sempre de maneiras quase insignificantes. Em muitos casos, meu pai, mais tarde, *acabou escrevendo de novo a versão do texto C* no material datilografado. Ilustrarei esse ponto com um único exemplo, uma passagem em §25 (p. 17). Nesse ponto, o texto C*, quando foi datilografado, dizia:

> Mas, quando se trajaram, os Valar se ataviaram na forma e no temperamento que eram em alguns de macho e em outros de fêmea; e a escolha que fizeram quanto a isso procedeu, sem dúvida, daquele temperamento que cada um tinha em seu mais íntimo princípio; pois ser macho e fêmea não é matéria que derive apenas do corpo, não mais do que da vestimenta.

No trecho equivalente, o texto C diz:

> Mas, quando se trajaram, os Valar se ataviaram em formas que são algumas de macho e outras de fêmea; pois aquela diferença de temperamento eles tinham já desde seu princípio, e ela é só incorporada pela escolha de cada um, não feita pela escolha; assim como conosco macho e fêmea podem ser revelados pela vestimenta, mas não feitos por ela.

Ora, em C essa passagem foi escrita ao mesmo tempo que os trechos que a precedem e os que a seguem — é tudo uma única composição; enquanto isso, em C*, a passagem datilografada original foi toda riscada e o texto C foi inserido no lugar dela a lápis.

Parecia não haver outra explicação possível além da hipótese de que o texto C* precedeu C; contudo, parecia extraordinário, e até mesmo incrível, imaginar que meu pai tivesse feito *primeiro* uma nova versão, datilografada e clara, do antigo manuscrito B, e *só então* retornasse àquele manuscrito para cobri-lo, de modo um tanto caótico, com um novo texto — ainda mais porque C* e C são, durante boa parte de sua extensão, muito similares.

Quando estava trabalhando na edição d'*Os Documentos do Clube Notion*, encontrei, em meio a anotações rápidas e rabiscos sobre a língua adûnaica, a metade de uma folha rasgada do mesmo papel que traz uma passagem do *Ainulindalë*, escrita a lápis com a caligrafia mais rápida que meu pai usava. Embora isso não prove que ele estava trabalhando no *Ainulindalë* já em 1946 (ano ao qual atribuo o desenvolvimento do adûnaico, quando *O Senhor dos Anéis* estava parado havia muito tempo e *O Retorno do Rei* tinha apenas começado a ser escrito; ver IX. 27–9, 186), trata-se de uma forte indicação de que esse era o caso; e, como veremos em breve, há evidências claras de que o texto C* já existia em 1948. Além do mais, no que diz respeito a uma importante característica estrutural da narrativa, a versão C* acompanha esse fragmento de texto, enquanto a C não o faz (ver p. 60); parece muito provável, portanto, que C* foi datilografado com base num texto muito rudimentar, e a metade da folha rasgada seria tudo o que sobrou dele.

Aqui é preciso mencionar que, na primeira página de C*, meu pai escreveu, mais tarde, "Versão com Mundo Redondo", e (obviamente, ao mesmo tempo), na página de título de B/C, ele anotou "Versão Antiga com Mundo Plano" — a palavra "Antiga" foi um acréscimo posterior. Obviamente, seria muito interessante saber quando ele colocou esses rótulos nos textos; e a resposta vem das seguintes evidências. A primeira é o rascunho de uma carta, sem data e sem nenhuma indicação de destinatário:

> Em termos ficcionais, estes contos seriam uma tradução das obras preservadas de Ælfwine da Inglaterra (por volta do ano 900 d.C.), chamado de Eriol pelos Elfos, o qual, ao ser levado pelos ventos a oeste da Irlanda, acabou se deparando com a "Rota Reta" e encontrou Tol Eressëa, a Ilha Solitária.

Ao voltar, ele trouxe consigo cópias e traduções de muitas obras. Não vou incomodar você com as formas em anglo-saxão. (O único traço delas é o uso da letra *c* no lugar de *k*, como em *Celeb-*, equivalente de *Keleb-*.)

Todas essas histórias são narradas pelos Elfos e não têm os Homens como seu foco principal.

Decidi incluir 2 outras [narrativas].

Uma versão no estilo "Mundo Redondo" da "Música dos Ainur".

(2) Uma versão da *Queda de Númenor* contada a partir do ponto de vista dos Homens, e com nomes numa língua não élfica. "A Submersão de Anadūnê". Essa variante também é do "Mundo Redondo".[1]

Os mitos élficos correspondem ao "Mundo Plano". Uma pena, na verdade, mas é uma parte integral demais das histórias para que seja possível alterá-la.

Na parte de trás do papel, ele escreveu: "No momento, não consigo achar o Conto chamado *Os Anéis de Poder*", e se referiu mais uma vez, com palavras muito parecidas, a "dois outros contos" que estava "incluindo" na missiva.

Há outro rascunho dessa carta, o qual, embora também não tenha data, foi escrito no Merton College e endereçado à Sra. Katherine Farrer, esposa do Dr. Austin Farrer, teólogo e, na época, Capelão do Trinity College:

Cara Sra. Farrer,

Em termos ficcionais, esses contos (cuja fraca moldura narrativa não incluo aqui) seriam uma tradução da obra preservada de Ælfwine da Inglaterra (por volta do ano 900 d.C.), o qual, ao ser levado pelos ventos a oeste da Irlanda, acabou se deparando com a "rota reta" e encontrou a Ilha Solitária, Tol Eressëa, além dos mares.

Lá, ele aprendeu saberes antigos e trouxe de volta traduções e excertos de obras de sabedoria élfica. Os trechos do original "anglo-saxão" não estão incluídos aqui.

NB Todas essas histórias são contadas pelos Elfos e não têm os Homens como seu foco principal.

Decidi incluir, além do "Silmarillion" ou crônica principal, um ou dois outros "mitos" relacionados a ele: "A Música dos

Ainur", o Princípio; e os Contos Posteriores:[2] "Os Anéis de Poder" e "A Queda de Númenor", que se conectam com a tradição dos Hobbits na "Terceira Era" posterior.

Sinceramente
JRRT

O fim dessa carta, a partir de "e os Contos Posteriores", foi riscado e recebeu a observação "não incluídos".

Não há como duvidar de que esses rascunhos correspondem à carta sem data para Katherine Farrer publicada como a de número 115 em *As Cartas de J.R.R. Tolkien*, pois, embora não tenha sobrado muita coisa dos esboços na versão final, ela contém a frase "Estou aflito (por mim mesmo) por não ser capaz de encontrar o 'Anéis de Poder' que, com a 'Queda de Númenor', faz a ligação entre o *Silmarillion* e o mundo do Hobbit".

Meu pai afirma, no primeiro dos dois rascunhos apresentados acima, que estava incluindo entre as narrativas que emprestaria a Katherine Farrer "duas outras", uma das quais era "uma versão no estilo 'Mundo Redondo' da 'Música dos Ainur'"; e uma interpretação possível disso é que ele estava enviando para ela duas versões, "Mundo Plano" e "Mundo Redondo". Ora, um trecho de uma carta de Katherine Farrer endereçada a ele foi preservado, e nesse fragmento meu pai escreveu a seguinte data a lápis: "outubro de 1948". Nessa época, a Sra. Farrer tinha recebido e lido os textos que ele enviara, e, em meio a seus comentários iluminadores e profundamente entusiasmados, ela diz o seguinte: "Gosto mais das versões da Terra Plana. A esperança de alcançar o Céu é a única coisa que faz com que a astronomia moderna seja tolerável: do contrário, é preciso haver um Leste, um Oeste e Muralhas: metas e escolhas, e não um círculo infindável de andanças".

Deve ter sido durante a preparação dos textos para ela que meu pai escreveu as palavras "Versão com Mundo Plano" e "Versão com Mundo Redondo" nos textos B/C e C* do *Ainulindalë*. Ir além disso só é possível por conjecturas; mas meu palpite é que a "Versão com Mundo Plano" era a do antigo manuscrito B *antes* que fosse coberta com as revisões e os novos elementos que constituem a versão C. Pode ser que a opinião de Katherine Farrer tenha tido alguma influência sobre meu pai, com a decisão de produzir essa nova versão C no manuscrito antigo — derivando boa parte dela do texto C* e fazendo emendas nele em conformidade com novas variantes. Assim, temos:

- *Ainulindalë* B, um manuscrito dos anos 1930. Ao emprestá-lo para Katherine Farrer em 1948, ele escreveu no texto "Versão com Mundo Plano".
- Uma versão nova, que se perdeu, com exceção de uma única folha rasgada, e que foi escrita em 1946.
- Uma versão datilografada, o *Ainulindalë* C*, beseada no texto desaparecido. Antes de emprestá-lo em 1948, escreveu nele a designação "Versão com Mundo Redondo".
- *Ainulindalë* C, produzido após a devolução dos textos, cobrindo o antigo manuscrito B com uma nova versão e retirando alguns elementos radicalmente inovadores que estavam presentes no texto C*.

Dessa maneira, o fato de que o texto datilografado C* *precedeu* a revisão confusa e complicada (C) do manuscrito antigo seria inteiramente explicável — e esse seria o precursor da última versão da obra que meu pai escreveu, o *Ainulindalë* "**D**", muito provavelmente escrito não muito depois do texto C.

Assim, o *Ainulindalë* C* foi um experimento, concebido e colocado em prática, ao que parece, antes da escrita de *O Retorno do Rei*, e certamente antes que *O Senhor dos Anéis* fosse terminado. O texto foi posto de lado; mas, como veremos mais tarde neste livro, não foi de modo algum totalmente esquecido.

A versão C*, portanto, se a cronologia fosse seguida à risca, deveria ser apresentada primeiro; mas, em vista de suas peculiaridades, ela não pode funcionar como texto-base. É necessário, portanto, alterar a ordem cronológica, e apresento primeiro a versão C completa, prosseguindo com um relato completo do desenvolvimento do texto final D e adiando as considerações sobre C* até o fim da Parte Um.

Entretanto, antes de apresentarmos o texto da versão C, há um outro documento breve que é útil para propósitos de datação. Trata-se de uma lista breve e isolada de nomes e suas definições, com o título *Alterações na última revisão 1951*.[3]

Atani em n[oldorin], *Edain* = Homens Ocidentais ou Pais de Homens

Pengoloð[4]

Aman nome da terra além das Pelóri ou montanhas de Valinor, da qual Valinor é parte
Melkor[5]
Arda nome élfico da Terra = nosso mundo. Também *Reino de Arda* = região cercada. Campo de Arda.
Illuin Lamparina do Norte = *Helkar*[6]
Ormal Lamparina do Sul = *Ringil*[6]
Ilha de Almaren no Grande Lago
Valaróma = Trompa de Oromë
Eru = Ilúvatar
Ëa = Universo daquilo que É

Nem todos esses nomes foram criados do zero nesse momento, é claro: por exemplo, *Eru* e *Arda* remontam ao trabalho de meu pai com *Os Documentos do Clube Notion* e *A Submersão de Anadûnê*, e o mesmo vale para *Aman* (nesses textos, entretanto, esse é o nome adûnaico de Manwë).

No *Ainulindalë* C aparecem os termos *Arda*, *Melkor* e *Pelóri*, mas as Lamparinas são chamadas de *Foros* e *Hyaras*, não *Illuin* e *Ormal*, e a Ilha no Grande Lago é *Almar*, não *Almaren*. O texto final D, da maneira como foi originalmente escrito, traz as formas *Atani*, *Almaren* e *Aman*, mas o significado de *Aman* não era "Reino Abençoado"; as Lamparinas são chamadas de *Forontë* e *Hyarantë*, e a trompa de Oromë recebe o nome de *Rombaras*. Essas diferenças em relação à "lista de 1951" mostram que o *Ainulindalë* D foi escrito antes desse momento.

Apresento agora o texto completo do *Ainulindalë* C. Uma vez que, apesar de mudanças radicais na estrutura, e do acréscimo de muitos materiais novos, uma boa parte da forma antiga sobreviveu, não é propriamente necessário fazer isso. Mas apresentar a versão parcialmente, na forma de notas textuais, dificultaria muito acompanhar o desenvolvimento da narrativa; e o *Ainulindalë* C é um documento importante na história da concepção mitológica do Universo criado. O remodelamento que levou à constituição do texto C a partir de B foi, de fato, realizado em momentos diferentes e, em certos pontos, é caótico, cheio de alterações e substituições. Não tentei esmiuçar as diferentes camadas desse processo, mas apresento aqui a forma final, depois de todas as mudanças, com uns poucos desenvolvimentos (que tiveram lugar enquanto C estava sendo escrito) registrados nas notas que se seguem ao texto (p. 46). Numerei os parágrafos como meio de facilitar as referências posteriormente.

Na página de rosto, a frase original, "Isto foi escrito por Rúmil de Tûn" (V. 186), foi ampliada da seguinte forma:

> Isto foi escrito por Rúmil de Túna
> e narrado a Ælfwine em Eressëa
> (tal como ele o registra)
> por Pengoloð, o Sábio

A forma *Túna*, substituindo *Tûn* como o nome da cidade, foi inserida durante a mais antiga camada de emendas ao texto QS (pré-*Senhor dos Anéis,* ver V. 267, §39). Já que a cidade é chamada de *Tirion* em *O Senhor dos Anéis,* pode-se pensar que essa ampliação do título tenha sido feita no período anterior; porém, numa versão posterior da página de rosto (p. 47), meu pai manteve o nome "Rúmil de Túna", e nos *Anais de Aman* ele usou com frequência o termo *Túna* (ao lado de *Tirion*) como forma de referência geral à "cidade sobre o monte" (ver p. 118, §67).

Não se afirma em nenhuma das páginas de rosto dos textos do período anterior que Pengoloð (Pengolod) tenha instruído pessoalmente o próprio Ælfwine; ele costuma ser citado como o autor de obras que Ælfwine leu e traduziu.[7]

A Música dos Ainur e a Vinda dos Valar

Estas são as palavras que foram ditas por Pengoloð[8] a Ælfwine acerca do princípio do Mundo.

§1 Havia Ilúvatar, o Pai-de-todos, e ele fez primeiro os Ainur, os Sacros, que eram os rebentos de seu pensamento e estavam com ele antes que qualquer outra coisa fosse feita. E falou com eles, propondo-lhes temas de música, e cantaram diante dele, e ele estava contente. Mas, por muito tempo, cantaram cada um a sós, ou apenas alguns juntos, enquanto os demais escutavam; pois cada um compreendia apenas aquela parte da mente de Ilúvatar da qual viera, e na compreensão de seus irmãos só cresciam devagar. Contudo, enquanto ouviam, chegavam sempre a um entendimento mais profundo e aumentavam em uníssono e harmonia.

§2 E veio a acontecer que Ilúvatar reuniu todos os Ainur e declarou a eles um tema poderoso, mostrando-lhes coisas maiores e mais maravilhosas do que as que revelara até então; e a glória de seu começo e o esplendor de seu fim deslumbraram os Ainur, de modo que eles se curvaram diante de Ilúvatar e ficaram em silêncio.

§3 Então disse Ilúvatar: "Do tema que declarei a vós, desejo agora que façais, em harmonia e juntos, uma Grande Música. E, já que vos inflamei com a Imperecível Chama, mostrareis vossos poderes ao adornar esse tema, cada um com seus próprios pensamentos e desígnios, se desejar. Mas sentar-me-ei e escutarei e ficarei contente que através de vós grande beleza despertou em canção."

§4 Então, as vozes dos Ainur, tal como harpas e alaúdes, e flautas e trombetas, e violas e órgãos, e tal como incontáveis corais cantando com palavras, começaram a moldar o tema de Ilúvatar em uma grande música; e um som se levantou de intermináveis melodias cambiantes, tecidas em harmonia, que passou além da audição para as profundezas e para as alturas, e os lugares da habitação de Ilúvatar se encheram até transbordar, e a música e o eco da música saíram para o Vazio, e ele não era mais vazio. Nunca, desde então, fizeram os Ainur música alguma semelhante a essa música, embora se diga que outra maior ainda há de ser feita diante de Ilúvatar pelos corais dos Ainur e dos Filhos de Ilúvatar depois do fim dos dias.[9] Então os temas de Ilúvatar hão de ser tocados com acerto, adquirindo Ser no momento de sua emissão, pois todos então hão de entender o propósito dele em sua parte da música, e hão de conhecer a compreensão de cada um, e Ilúvatar há de dar a seus pensamentos o fogo secreto, comprazendo-se neles.

§5 Mas, então, Ilúvatar se sentou e escutou, e durante muito tempo lhe pareceu bom, pois na música não havia falhas. Mas, conforme o tema progredia, entrou no coração de Melkor o entretecer de matérias de seu próprio imaginar que não estavam acordes com o tema de Ilúvatar; pois ele buscava com isso aumentar o poder e a glória da parte designada a si próprio. A Melkor, entre os Ainur, tinham sido dados os maiores dons de poder e conhecimento, e ele tinha um quinhão de todos os dons de seus irmãos; e ele fora amiúde sozinho aos lugares vazios buscando a Chama Imperecível. Pois crescia o desejo ardente, dentro dele, de trazer ao Ser coisas só suas, e lhe parecia que Ilúvatar não tinha em mente o

Vazio, e ele estava impaciente por esse vácuo. Contudo, não achou o Fogo, pois esse está com Ilúvatar. Mas, ficando só, ele começara a conceber pensamentos só seus, diferentes dos de seus irmãos.

§6 Alguns desses pensamentos ele, então, entreteceu em sua música, e de imediato surgiu o desacordo à volta dele, e muitos dos que cantavam a seu lado perderam ânimo e seu pensamento foi perturbado e sua música hesitou; mas alguns começaram a afinar sua música com a dele em vez de com o pensamento que tinham no início. Então o desacordo de Melkor se espalhou cada vez mais, e as melodias que tinham sido ouvidas de início afundaram em um mar de som turbulento. Mas Ilúvatar se sentou e escutou, até parecer que em torno de seu trono havia uma tempestade raivosa, como de águas escuras que faziam guerra umas às outras em uma fúria sem fim, que não queria ser abrandada.

§7 Então Ilúvatar se levantou, e os Ainur perceberam que ele sorria; e ergueu a sua mão esquerda, e um novo tema começou em meio à tempestade, semelhante e, contudo, dessemelhante ao tema anterior, e reuniu poder e tinha nova beleza. Mas o desacordo de Melkor se ergueu em alarido e contendeu com ele, e havia de novo uma guerra de som mais violenta do que antes, até que muitos dos Ainur ficaram desanimados e não tocaram mais, e Melkor tinha o comando. Então de novo Ilúvatar se levantou, e os Ainur perceberam que seu semblante era severo; e ele ergueu sua mão direita; e eis que um terceiro tema cresceu em meio à confusão, e era diferente dos outros. Pois parecia a princípio suave e doce, um mero ondejar de sons gentis em melodias delicadas, mas não podia ser extinto, e crescia, e tomava para si poder e profundidade. E parecia, enfim, que havia duas músicas progredindo de uma vez só diante do assento de Ilúvatar, e elas estavam em completa oposição. Uma era profunda e ampla e bela, mas lenta e infundida de uma tristeza imensurável, da qual sua beleza principalmente vinha. A outra tinha então alcançado uma unidade própria; mas era alta, e vã, e infinitamente repetida, e tinha pouca harmonia, mas era antes um uníssono clamoroso como o de muitas trombetas zurrando algumas poucas notas. E buscava afogar a outra música pela violência de sua voz, mas parecia que suas notas mais triunfantes eram tomadas pela outra e entretecidas em seu próprio padrão solene.

§8 Em meio a essa contenda, na qual os salões de Ilúvatar vibravam e um tremor corria pelos silêncios até então imóveis, Ilúvatar se levantou uma terceira vez, e seu rosto era terrível de se contemplar. Então ele ergueu ambas as suas mãos, e num só acorde, mais profundo que o Abismo, mais alto que o Firmamento, mais glorioso que o Sol, penetrante como a luz do olho de Ilúvatar, a Música cessou.

§9 Então, Ilúvatar falou, e ele disse: "Poderosos são os Ainur, e o mais poderoso entre eles é Melkor; mas para que ele saiba, e saibam todos os Ainur, que eu sou Ilúvatar, essas coisas que cantastes e tocastes, eis que vou mostrá-las, para que vejais o que fizestes. E tu, Melkor, hás de ver que nenhum tema pode ser tocado que não tenha sua fonte última em mim, nem pode alguém alterar a música à minha revelia. Pois aquele que tentar isso há de ser apenas instrumento meu para a criação de coisas mais maravilhosas, que ele próprio não imaginou."

§10 Então os Ainur ficaram com medo, e ainda não compreendiam as palavras que lhes tinham sido ditas; e Melkor estava cheio de vergonha, da qual vinha raiva secreta. Mas Ilúvatar se levantou em esplendor e partiu das belas regiões que fizera para os Ainur; e os Ainur o seguiram.

§11 Mas, quando entraram no Vazio, Ilúvatar disse a eles: "Eis vossa Música!" E lhes mostrou uma visão, dando-lhes vista onde antes só havia audição: e observaram um novo Mundo que se tornara visível diante deles, e ele estava englobado em meio ao Vazio, e sustentado lá dentro, mas não era parte dele. E, conforme olhavam e se maravilhavam, esse Mundo começou a desenrolar sua história, e lhes parecia que ele vivia e crescia.

§12 E, quando os Ainur tinham observado por algum tempo e estavam em silêncio, Ilúvatar disse de novo: "Eis vossa Música! Esta é vossa obra de menestréis; e cada um de vós há de achar contidas lá dentro, em meio ao desígnio que dispus diante de vós, todas aquelas coisas que podem parecer que ele próprio planejou ou acrescentou. E tu, Melkor, descobrirás todos os pensamentos secretos de tua mente, e perceberás que eles são apenas uma parte do todo e tributários de sua glória."

§13 E muitas outras coisas Ilúvatar disse aos Ainur naquela hora, e por causa de sua memória das palavras dele, e do conhecimento que cada um tem da música que ele próprio criou, os Ainur sabem muito do que foi, e do que é, e do que há de vir, e poucas coisas são imprevistas para eles. Contudo, algumas coisas há que eles não conseguem ver, nem sozinhos e nem se aconselhando juntos (como hás de ouvir, Ælfwine); pois para ninguém além de si mesmo Ilúvatar revelou tudo o que reserva, e em cada era surgem coisas que são novas e não foram prenunciadas, pois não brotam do passado. E assim foi que, conforme essa visão do Mundo passava diante deles, os Ainur viram que ela continha coisas que não tinham pensado. E viram com assombro a chegada dos Filhos de Ilúvatar, e a habitação que estava preparada para eles; e perceberam que eles mesmos, no labor de sua música, tinham se ocupado da preparação dessa morada e, contudo, não sabiam que ela tinha qualquer propósito além de sua própria beleza. Pois os Filhos de Ilúvatar foram concebidos por ele apenas; e vieram com o Terceiro Tema,[10] e não estavam no tema que Ilúvatar propusera no princípio, e nenhum dos Ainur tomara parte na sua criação. Portanto, quando os Ainur os viram, ainda mais os amaram, sendo coisas outras que eles mesmos, estranhas e livres, nas quais viam a mente de Ilúvatar refletida uma nova vez e aprenderam ainda um pouco mais da sabedoria dele, a qual, de outro modo, teria ficado escondida até mesmo dos Sacros.

§14 Ora, os Filhos de Ilúvatar são Elfos e Homens, os Primogênitos e os Seguidores. E entre todos os esplendores do Mundo, seus vastos salões e espaços e seus fogos volteantes, Ilúvatar escolheu um lugar para a habitação deles nas Profundezas do Tempo e em meio às Estrelas inumeráveis. E essa habitação pode parecer uma coisa pequena para aqueles que consideram só a majestade dos Ainur, e não sua terrível agudeza — como quem tomasse todo o campo do Sol pelas fundações de um pilar e, assim, o elevasse até que o cone de seu topo fosse mais afilado que uma agulha — ou quem considera só a imensurável vastidão do Mundo, que ainda os Ainur estão moldando, e não a meticulosa precisão com a qual eles moldam todas as coisas ali. Mas deves compreender, Ælfwine, que quando os Ainur haviam contemplado essa habitação numa visão e observado os Filhos de Ilúvatar surgirem nela, então muitos dos mais poderosos dos Sacros debruçaram todo o seu pensamento e desejo na direção daquele lugar. E, desses, Melkor era o principal, assim como ele fora no princípio o maior dos Ainur que tomaram parte na Música. E ele fingiu, até para si mesmo no começo, que desejava ir até lá e ordenar todas as coisas para o bem dos Filhos de Ilúvatar, controlando as perturbações do calor e do frio que tinham vindo a acontecer por meio dele. Mas o que desejava de fato era submeter à sua vontade tanto Elfos como Homens, invejando as dádivas com as quais Ilúvatar prometera dotá-los; e ele próprio desejava ter súditos e serviçais, e ser chamado de Senhor, e ser um mestre de outras vontades.

§15 Mas os outros Ainur contemplaram essa habitação nos Salões de Aman,[11] que os Elfos chamam de Arda, a Terra, e, contemplando a luz, ficaram jubilosos, e seus olhos, vendo muitas cores, ficaram cheios de contentamento; mas, por causa do rugir do mar, sentiram uma grande inquietação. E observaram os ventos e o ar, e as matérias das quais a Terra-média era feita,[12] de ferro e pedra e prata e ouro e muitas substâncias; mas, entre todas essas, a água é que eles mais grandemente louvaram. E diz-se entre os Eldar que na água vive ainda o eco da Música dos Ainur, e muitos dos Filhos de Ilúvatar escutam ainda insaciados as vozes do Mar e, contudo, não sabem o que ouvem.

§a16 Ora, para a água é que aquele Ainu a quem chamamos de Ulmo mais voltara seu pensamento, e, de todos, foi ele que Ilúvatar instruíra mais profundamente em música. Mas sobre os ares e ventos Manwë foi o que mais ponderara, ele que era o mais nobre dos Ainur. No arcabouço da Terra Aulë pensara, a quem Ilúvatar dera engenho e conhecimento pouco menos do que a Melkor; mas o deleite e o orgulho de Aulë estava no ato de fazer, e na coisa feita, e não na posse, nem em si mesmo, donde ele se tornou um artífice e tutor, e ninguém o chama de senhor.

§17 Ora, Ilúvatar falou a Ulmo, e ele disse: "Não vês tu como aqui, neste pequeno reino nas Profundezas do Tempo e meio às estrelas inumeráveis, Melkor fez guerra à tua província? De seu pensar veio o agudo e imoderado frio e, contudo, ele não destruiu a beleza de tuas fontes, nem a de tuas claras lagoas. Contempla a neve e a obra sagaz da geada! Contempla as torres e mansões do gelo! Melkor planejou calores e fogo sem controle e não secou teu desejo nem de todo abateu a música do mar. Contempla antes a altura e a glória das nuvens, e as brumas e os vapores sempre cambiantes, e ouve o cair da chuva sobre a Terra! E nessas nuvens tu te chegas ainda mais perto de Manwë, teu amigo, a quem amas."

§18 Então Ulmo respondeu: "Sim, em verdade, a Água agora se tornou mais bela do que o meu coração imaginara, nem meu pensamento secreto concebera o floco de neve, nem em toda a minha música estava contido o cair da chuva. Sus! Buscarei Manwë, para que ele e eu possamos fazer melodias por todo o sempre para teu deleite!" E Manwë e Ulmo têm sido desde o princípio aliados, e em todas as coisas têm servido mui fielmente aos propósitos de Ilúvatar.

§19 Mas eis que, bem quando Ulmo falava, e enquanto os Ainur estavam ainda observando essa visão, ela foi retirada e escondida da vista deles; e lhes parecia que naquele momento percebiam uma coisa nova, Escuridão, a qual não tinham conhecido antes, exceto em pensamento. Mas tinham ficado enamorados da beleza da visão, e enlevados com o desenrolar do Mundo que lá viera a ser, e suas mentes estavam cheias dele; pois a história estava incompleta, e os círculos, não de todo traçados quando a visão foi retirada, e houve desassossego entre eles.

§20 Portanto, Ilúvatar os chamou e disse: "Conheço o desejo de vossas mentes de que o que vistes possa em verdade ser, não apenas em vosso pensamento, mas tal como vós próprios sois e, contudo, de outro modo. Portanto eu digo: Que essas coisas Sejam! E eu mandarei a imperecível chama Vazio adentro, e ela há de estar no coração do Mundo, e o Mundo há de Ser; e aqueles de vós que desejarem poderão descer a ele". E, de repente, os Ainur viram ao longe uma luz, como se fosse uma nuvem com um coração vivente de chama; e souberam que essa não era visão apenas, mas que Ilúvatar fizera uma coisa nova.

§21 Assim veio a se dar que, dos Sacros, alguns residiram ainda com Ilúvatar além dos confins do Mundo; mas outros, e, entre eles, muitos dos maiores e mais belos, despediram-se de Ilúvatar e desceram ao mundo. Mas esta condição Ilúvatar impôs, ou é a necessidade do amor deles, que seu poder deveria dali por diante estar contido no Mundo e a ele atado, e estar dentro dele para sempre, de maneira que eles são sua vida, e ele, a deles. E portanto, Ælfwine, o nome que lhes damos é Valar, os Poderes do Mundo.

§22 Mas eis que, quando os Valar adentraram o Mundo, ficaram, de início, espantados e em confusão, pois era como se nada estivesse ainda feito do que tinham observado em visão, e tudo estava como que a ponto de começar, e ainda sem forma; e estava escuro. Pois a Grande Música fora não mais que o crescimento e florescer do pensamento nos Salões Atemporais, e a Visão apenas um prenúncio; mas dessa vez eles tinham adentrado o princípio do

Tempo, e os Valar perceberam que o Mundo fora apenas previsto e predito, e que eles deviam realizá-lo.

§23 Assim começaram seus grandes labores em ermos desmesurados e inexplorados, e em eras incontáveis e esquecidas, até que, nas Profundezas do Tempo e em meio aos vastos salões do Mundo, veio a ser aquela hora e aquele lugar onde foi feita a habitação dos Filhos de Ilúvatar. E, nessa obra, a parte principal coube a Manwë e a Aulë e a Ulmo. Mas Melkor também estava lá desde o começo, e ele se intrometia em tudo o que era feito, voltando as coisas, se pudesse, para seus próprios desejos e propósitos; e atiçou grandes fogos. Quando, portanto, a Terra era ainda jovem e cheia de chama, Melkor a cobiçou, e disse aos Valar: "Este há de ser meu próprio reino! E nele ponho meu nome!"

§24 Mas Manwë era o irmão de Melkor na mente de Ilúvatar, e foi ele o instrumento principal do segundo tema que Ilúvatar erguera contra o desacordo de Melkor; e chamou para si outros de sua parentela e muitos espíritos, tanto dos maiores como dos menores, e eles desceram aos Salões de Aman e auxiliaram Manwë, antes que Melkor impedisse o cumprimento do labor deles para sempre, e que a Terra fenecesse antes de florescer. E Manwë disse a Melkor: "Este reino não hás de tomar para ti injustamente, pois muitos outros labutaram aqui não menos do que tu". E houve contenda entre Melkor e os Valar; e por algum tempo Melkor partiu e se retirou para outras regiões e lá fez o que queria, mas a Terra ele não pôde tirar de seu coração. Pois estava sozinho, sem amigo ou companheiro, e por ora tinha apenas pequeno séquito; pois daqueles que tinham afinado sua música com a dele no princípio nem todos tinham se disposto a descer com ele ao Mundo, e poucos dos que tinham vindo já suportavam a servidão a ele.

§25 Mas os Valar tomaram para si feição e forma; e, porque foram atraídos até lá por amor aos Filhos de Ilúvatar, por quem esperavam, tomaram forma segundo aquela maneira que tinham contemplado na Visão de Ilúvatar; salvo apenas em sua majestade e esplendor, pois eles são poderosos e sacros. Além do mais, a forma deles vem de seu conhecimento do Mundo visível e desejo por ele, em vez de do Mundo em si, e não precisam dela, salvo apenas como nós usamos vestimenta e, contudo, podemos estar nus e não sofrer perda alguma de nosso ser. Portanto, os Valar podem caminhar despidos, por assim dizer, e então mesmo os Eldar não conseguem percebê-los claramente, embora estejam presentes. Mas, quando se trajaram, os Valar se ataviaram em formas que são algumas de macho e outras de fêmea; pois aquela diferença de temperamento eles tinham já desde seu princípio, e ela é só incorporada pela escolha de cada um, não feita pela escolha; assim como conosco macho e fêmea podem ser revelados pela vestimenta, mas não feitos por ela. E Manwë e Ulmo e Aulë eram como Reis; mas Varda era a Rainha dos Valar, e a esposa de Manwë, e sua beleza é subida e terrível e de grande reverência. Yavanna era irmã dela, e Yavanna desposou Aulë; mas Nienna habita sozinha, tal como o faz Ulmo. E esses, junto com Melkor, são os Sete Grandes do Reino de Arda.[13] Mas não penses, Ælfwine, que as formas com as quais os Grandes Seres se ataviam são em todas as horas semelhantes às formas dos reis e das rainhas dos Filhos de Ilúvatar; pois por vezes eles podem se vestir em seu próprio pensamento, tornado visível em terríveis e maravilhosas formas. E eu mesmo, longos anos atrás, na Terra dos Valar,[14] vi Yavanna na semelhança de uma Árvore; e a beleza e a majestade daquela forma não podia ser descrita em palavras, não a menos que todas as coisas que crescem na terra, da menor até a maior, cantassem juntas em coro, fazendo à sua rainha uma oferenda de canção, para que fosse posta diante do trono de Ilúvatar.

§26 E eis que os Valar atraíram para si muitos companheiros, alguns menores, alguns quase tão grandes quanto eles próprios, e labutaram no ordenar da Terra, e no acalmar de seus tumultos. Então Melkor viu o que era feito, e que os Valar caminhavam sobre a Terra como visíveis poderes, trajados com a vestimenta do Mundo, e eram adoráveis e gloriosos de se ver, e ditosos; e que a Terra havia se tornado como um jardim para o deleite deles, pois seus tumultos eram subjugados. Sua inveja cresceu então ainda mais dentro dele; e também tomou forma visível, mas, por causa de seu ânimo e da malícia que crescia nele, aquela forma era escura e terrível. E ele desceu sobre a Terra em poder e majestade maiores que os de qualquer outro dos Valar, como uma montanha que vadeia o mar e tem sua cabeça acima das nuvens e está trajada de gelo e coroada com fogo e fumaça; e a luz dos olhos dele era semelhante a uma chama que faz secar com calor e penetra com um frio mortal.

§27 Assim começou a primeira batalha dos Valar e de Melkor pelo domínio de Arda; e daqueles tumultos só sabemos pouco;

pois que saibas, Ælfwine, que o que te declaro vem dos próprios Valar, com quem nós, dos Eldalië, falamos na terra de Valinor, e fomos instruídos por eles; mas pouco jamais quiseram nos contar dos dias de guerra antes da vinda dos Elfos. Mas isto sabemos: que os Valar conseguiram sempre, a despeito de Melkor, reger a Terra e prepará-la para a vinda dos Filhos; e eles construíram terras, e Melkor as destruiu; vales cavaram, e Melkor os ergueu; montanhas esculpiram, e Melkor as derrubou; mares abriram, e Melkor os derramou; e nada podia chegar a ter paz ou crescimento duradouro, pois tão certo quanto os Valar começavam um labor, assim Melkor o desfazia ou corrompia. E, contudo, o labor deles não foi em vão, e lentamente a Terra foi moldada e se tornou firme.

§28 Mas, de todas as matérias desse jaez, Ælfwine, outros hão de te contar, ou hás de ler em outras obras; pois não é meu papel, neste momento, instruir-te na história da Terra. E agora eis que está a habitação dos Filhos de Ilúvatar estabelecida enfim nas profundezas do Tempo e em meio às estrelas inumeráveis. E aqui estão os Valar, os Poderes do Mundo, pelejando pela posse da joia de Ilúvatar; e assim teus pés estão postos no princípio da estrada.

Palavras de Pengolod[15]

§29 E, quando terminou o *Ainulindalë*, tal como Rúmil o compusera, Pengolod, o Sábio, fez uma pausa por algum tempo; e Ælfwine lhe disse: Pouco, dizes, queriam os Valar contar aos Eldar acerca dos dias antes da vinda deles; mas não conhecem os sábios entre vós algo mais sobre aquelas guerras antigas que Rúmil aqui mencionou? Ou não podes contar mais acerca dos Valar, tal como eram quando vossa parentela primeiro os contemplou e conheceu?

§30 E Pengoloð respondeu: Muito do que conheço, ou aprendi do saber dos anciãos, já escrevi; e o que escrevi hás de ler, se desejares, quando aprenderes melhor a língua dos Noldor e suas escritas. Pois essas matérias são grandes e multíplices demais para serem faladas ou ensinadas em fala dentro dos limites de paciência e atenção daqueles de raça mortal. Mas um pouco mais posso te contar agora, já que assim me pedes.

§31 Esta história ouvi também entre os mestres do saber dos Noldor em eras passadas. Pois eles nos contam que a guerra começou antes que Arda estivesse de todo moldada, e ainda antes que houvesse coisa alguma que crescesse ou caminhasse sobre a terra, e por muito tempo Melkor prevaleceu. Mas, em meio à guerra, um espírito de grande força e robustez veio ao auxílio dos Valar, ao ouvir, no firmamento distante, que havia batalha no Pequeno Mundo. E ele veio como uma tempestade de riso e forte canção, e a Terra tremeu debaixo de seus grandes pés dourados. Assim chegou Tulkas, o Forte e Alegre, cuja raiva passa feito um vento poderoso, espalhando nuvem e escuridão diante dela. E Melkor tremeu diante do riso de Tulkas, e fugiu da Terra; e houve paz por uma longa era. E Tulkas permaneceu e se tornou um dos Valar do Reino de Arda; mas Melkor conspirava na escuridão de fora, e Tulkas foi alvo de seu ódio para sempre depois disso. Naquele tempo, os Valar trouxeram ordem aos mares e às terras e às montanhas, e plantaram sementes; e já que, quando os fogos foram subjugados ou enterrados sob os montes primevos, havia necessidade de luz, eles fizeram duas magnas lamparinas para a iluminação da Terra-média que tinham construído em meio aos Mares Circundantes, e puseram as lamparinas sobre altos pilares, mais elevados de longe do que quaisquer das montanhas dos dias posteriores. Uma eles ergueram perto do Norte da Terra-média, e recebeu o nome de Foros; e a outra ergueram no Sul, e foi chamada de Hyaras.[16] E a luz das lamparinas dos Valar manou sobre a Terra, de modo que tudo estava aceso como se fosse em um dia imutável. Então as sementes que os Valar tinham plantado principiaram rapidamente a brotar e medrar, e assim surgiu uma multidão de coisas que cresciam, grandes e pequenas, relvas, e flores de muitas cores, e árvores cuja florada era como neve sobre as montanhas,[17] mas cujos pés estavam envoltos na sombra de seus magnos galhos. E feras e aves vieram e habitaram nas planícies verdejantes ou nos rios e nos lagos, ou caminharam na escuridão dos bosques. E era mais rico o vicejar de planta e fera nas partes do interior da Terra, onde a luz de ambas as lamparinas se encontravam e mesclavam. E lá, sobre a Ilha de Almar,[18] num grande lago, ficava a primeira morada dos deuses, quando todas as coisas eram novas, e o verde era ainda uma maravilha aos olhos dos criadores.

§32 Mas por fim Melkor retornou em segredo, e ao longe, no Norte, onde a luz de Foros só chegava fraca, fez uma morada oculta. E lançou afora seu poder e fez com que se voltasse para o mal muito do que tinha começado bem, de modo que os pântanos se tornaram cheios de fedor e venenosos, e as florestas, perigosas e repletas de medo, e as feras se tornaram monstros de chifre e marfim e tingiram a Terra com sangue. E, quando percebeu uma oportunidade, ele se revelou e fez guerra de novo aos Valar, seus irmãos; e derribou as lamparinas, e uma nova escuridão caiu sobre a Terra, e todo crescimento cessou; e, na queda das lamparinas (que eram muito grandes) os mares se levantaram em fúria, e muitas terras foram submersas. E os Valar, naquele tempo, havia muito habitavam uma ilha no meio da Terra,[19] mas então foram forçados a partir de novo; e fizeram seu lar no mais extremo Oeste,[20] e o fortificaram; e construíram muitas mansões naquela terra sobre as fronteiras dos Mundo, a qual é chamada de Valinor; e, para cercar aquela terra e separá-la do Leste, construíram as Pelóri Valion,[21] as Montanhas de Valinor, que eram as mais altas sobre a Terra. De lá vieram com guerra contra Melkor; mas ele crescera em estatura e malícia, de modo que não puderam, naquele tempo, ou sobrepujá-lo ou fazer dele cativo, e ele escapou da ira deles e construiu para si uma magna fortaleza no Norte da Terra-média, e abriu grandes cavernas debaixo do chão, e reuniu lá muitos poderes menores que, vendo a grandeza e crescente força dele, estavam agora dispostos a servi-lo; e o nome daquele lugar forte e maligno era Utumno.

§33 Assim foi que a Terra jazeu envolta em escuridão de novo, salvo em Valinor, conforme as eras se aproximavam da hora designada para a vinda dos Primogênitos dos Filhos de Ilúvatar. E, na escuridão, Melkor habitava e ainda caminhava amiúde pela Terra-média; e usava frio e fogo, dos topos das montanhas às fornalhas profundas que existem debaixo delas; e o que quer que fosse violento ou cruel ou mortal naqueles dias é atribuído a ele.

§34 E em Valinor habitavam os Valar e todos os de sua gente e seu povo, e, por causa da ventura e beleza daquela terra, vinham pouco à Terra-média. Porém, Yavanna, a quem todas as coisas que crescem são caras, não abandonou a Terra[22] de todo, e, deixando a casa de Aulë e a luz de Valinor, vinha por vezes e sanava as feridas feitas por Melkor; e, retornando, incitava sempre os Valar àquela guerra com o poder maligno dele que certamente deviam travar antes da vinda dos Primogênitos. E também Oromë, o caçador, cavalgava em certas horas na escuridão das florestas não iluminadas, soando sua magna trompa, ao que as sombras de Utumno, e mesmo o próprio Melkor, fugiam para longe.

§35 Em meio ao Reino Abençoado Aulë habitava, e labutou longamente, pois no criar de todas as coisas naquela terra ele teve o papel principal; e obrou lá muitas coisas belas e formosas, tanto abertamente como em segredo. Dele vem o amor e o conhecimento da Terra e de todas aquelas coisas que ela contém, seja o saber daqueles que não criam, mas buscam apenas o entendimento daquilo que é, estudando o arcabouço da Terra e a mescla e mutação de seus elementos, ou o saber de todos os artífices: o lavrador e o fazendeiro, o tecelão, o que dá forma à madeira, ou o que forja os metais. [E a Aulë damos o nome de Amigo dos Noldor, pois dele aprenderam muito nos dias que vieram depois, e eles são os mais sábios e habilidosos dos Elfos. E, à sua própria maneira, de acordo com seus próprios dons, que Ilúvatar lhes deu, acrescentaram muito ao ensinamento dele, deleitando-se em línguas e alfabetos e nas figuras do bordado, do desenho e dos entalhes. E os Noldor foram os que alcançaram a invenção das gemas preciosas, que não existiam no mundo antes da vinda deles; e as mais belas de todas as gemas eram as Silmarils, e elas estão perdidas.][23]

§36 Mas Manwë Súlimo, mais elevado e mais sacro dos Valar, sentava-se nas fronteiras do Oeste, não abandonando em seu pensamento as Terras de Fora. Pois seu trono estava posto em majestade sobre o pináculo de Taniquetil, a qual era a mais alta das montanhas do mundo, postada sobre a margem dos Mares. Espíritos na forma de falcões e águias voavam sempre de lá para cá em seus salões; e os olhos deles viam até as profundezas do mar e conseguiam penetrar as cavernas ocultas debaixo do mundo, e suas asas podiam levá-los através das três regiões do firmamento, além das luzes do céu, até a borda da Escuridão. Assim, traziam-lhe notícia de quase tudo o que se passava em Aman:[24] porém, algumas coisas estavam escondidas até mesmo dos olhos de Manwë, pois onde Melkor se assentava em seu pensamento sombrio jaziam sombras impenetráveis. Com Manwë habitava Varda, a mais bela, a quem os Noldor dão o nome de Elbereth, Rainha dos Valar; ela é que fez as estrelas. E os rebentos de Manwë e Varda são Fionwë Úrion, seu filho, e Ilmarë, sua filha;[25] e esses eram os mais velhos dos filhos dos Valar. Eles habitavam com Manwë, e com eles havia uma grande hoste de belos espíritos em grande bem-aventurança. Elfos e Homens reverenciam Manwë mais que todos os Valar, pois ele não pensa em sua própria honra e não é cioso de seu poder, mas rege a todos para a paz. [Aos Lindar ele mais amava de todos os Elfos, e dele receberam canção e poesia. Pois a poesia é o deleite de Manwë, e a canção das palavras é sua música.][26] Eis que a vestimenta de Manwë é azul, e azul é o fogo de seus olhos, e seu cetro é de safira, que os Noldor lhe fizeram; e ele é Rei do mundo para deuses e elfos e homens, e a defesa principal contra Melkor.

§37 Mas Ulmo estava sozinho, e ele não tinha morada em Valinor, mas habitava desde o princípio de Arda no Oceano de Fora, como ainda o faz; e de lá ele governava o fluir de todas as águas, e os cursos de todos os rios, o provimento das fontes e o destilar da chuva e do orvalho por todo o mundo. Nos lugares profundos ele se põe a pensar em música grande e terrível; e o eco dela corre por todas as veias da Terra,[27] e seu júbilo é como o júbilo de uma fonte ao sol, cujas nascentes estão nos poços de pesar desmedido nas fundações do mundo. Os Teleri aprenderam muito com ele, e, por essa razão, a música deles tem tanto tristeza como encantamento. Salmar veio com Ulmo a Arda, ele que fez as conchas de Ulmo; e Ossë e Uinen também, a quem ele deu o controle das ondas e dos mares de dentro; e muitos outros espíritos além deles. E assim, mesmo sob a escuridão de Melkor, a vida corria ainda por muitos veios secretos, e a Terra não morreu; e sempre, desde então, a todos os que estavam perdidos naquela escuridão ou vagavam longe da luz dos Valar os ouvidos de Ulmo estiveram abertos; nem abandonou ele jamais a Terra-média, e o que quer que tenha desde então ocorrido de ruína ou de mudança, ele não cessou de ter nada em seu pensamento, e não cessará até o fim.[28]

§38 Depois da partida dos Valar houve silêncio por toda uma era, e Ilúvatar ficou sentado só, em pensamento. Então falou, e ele disse: "Eis que eu amo o mundo, e ele é uma mansão para Elfos e Homens. Mas os Elfos hão de ser as mais belas das criaturas terrenas, e eles hão de ter e conceber mais beleza do que todos os meus filhos, e hão de ter a maior ventura neste mundo. Mas para os Homens darei um novo dom."

§39 Portanto, desejou ele que os corações dos Homens buscassem para além do mundo e não achassem repouso dentro dele; mas eles deveriam ter a virtude de dar feição às suas vidas, em meio aos poderes e acasos do mundo, além da Música dos Ainur, que é como sina para todas as coisas outras. E pela operação deles tudo deveria ser, em forma e fato, completado, e o mundo, cumprido até a última e menor das coisas. Eis que até mesmo nós, os Elfos, descobrimos para nosso pesar que os Homens têm um estranho poder para o bem ou para o mal, e para desviar as coisas do propósito dos Valar ou dos Elfos; de modo que se diz entre nós que o Destino não é o mestre dos filhos dos Homens; contudo, são eles cegos, e seu regozijo é pequeno, o qual devia ser grande.

§40 Mas Ilúvatar sabia que os Homens, estando postos em meio aos tumultos dos poderes do mundo, desviar-se-iam amiúde e não usariam seu dom em harmonia; e disse ele: "Esses também, a seu tempo, hão de descobrir que tudo o que fazem redunda, no fim, apenas para a glória de minha obra". Contudo, os Elfos dizem que os Homens são, muitas vezes, um pesar até mesmo para Manwë, que conhece mais a mente de Ilúvatar. Pois os Homens se assemelham a Melkor mais do que a todos os Ainur, e, no entanto, ele sempre os temeu e odiou, mesmo aqueles que o serviam.[29] É parte desse dom de liberdade que os filhos dos Homens habitem vivos apenas por um intervalo curto no mundo, e, contudo, não estejam presos a ele, e partam para um lugar que não conhecemos. Enquanto os Eldar permanecem até o fim dos dias, e seu amor pelo mundo é mais profundo, portanto, e mais cheio de pesar. Mas eles não morrem até que mundo morra, a menos que sejam assassinados ou definhem de tristeza — pois a ambas essas mortes aparentes eles estão sujeitos — nem a idade subjuga a força deles, a menos que fiquem exaustos após dez mil séculos; e, morrendo, são recolhidos aos salões de Mandos em Valinor, donde amiúde retornam e renascem em seus filhos. Mas os filhos dos Homens morrem de fato e deixam o Mundo; pelo que são chamados os Hóspedes, ou os Forasteiros. A morte é sua sina, o dom de Ilúvatar a eles, o qual, conforme se desgasta o Tempo, até os Poderes hão de invejar. Mas Melkor lançou sua sombra sobre esse dom e o confundiu com escuridão, e fez vir mal do bem, e medo da esperança. Contudo, diz-se que eles unir-se-ão à Segunda Música dos Ainur, enquanto Ilúvatar não revelou o que propõe para os Elfos depois do fim do Mundo; e Melkor não o descobriu.

NOTAS

1 Foi só depois da publicação de *Sauron Derrotado* que me lembrei dessa referência à *Submersão de Anadûnê* como uma "versão da *Queda de Númenor* contada

a partir do ponto de vista dos Homens", e a descrição dela como um texto do "Mundo Redondo": ver IX. 470–1, 486.

2 A segunda página da terceira versão de *A Queda de Númenor* (IX. 398) traz o cabeçalho "Os Últimos Contos", e a própria narrativa está marcada com o número "1".

3 Já me referi a essa lista antes, em V. 352 e 405–6. Na segunda passagem, assumi que essa "revisão" seria do *Quenta Silmarillion*; mas, uma vez que nem todos os nomes da lista ocorrem nela, a referência pode ser mais geral.

4 *Pengoloð*: isto é, não é a forma *Pengolod*. Ver a nota 15.

5 *Melkor*: isto é, não é a forma *Melko*; ver V. 405–6.

6 Os nomes *Helkar* e *Ringil* foram riscados quando o texto foi escrito; trata-se de uma abreviação, com o significado "*Illuin* e *Ormal* substituem *Helkar* e *Ringil*, que foram rejeitados". Ver a nota 16.

7 Sobre a presença de Ælfwine em Tol Eressëa, ver meu resumo em IX. 339–40.

8 Rúmil em *Ainulindalë* B (V. 186).

9 Ver V. 194–5, nota 2.

10 Nas versões anteriores, não há indicação nenhuma de que os Filhos de Ilúvatar foram inseridos na Música com o Terceiro Tema.

11 Aqui e em §24 meu pai escreveu *os Salões de Anar*, trocando *Anar* por *Aman* mais tarde (cf. as notas 13 e 24). Sobre o uso desses nomes, ver p. 44, 63.

12 Ver V. 195, nota 9.

13 *Reino de Arda* substituiu *Reino de Anar* quando o texto foi escrito; cf. a nota 11.

14 Pengoloð se refere à época anterior à Fuga dos Noldor.

15 Essas palavras foram escritas levemente a lápis no manuscrito. O nome foi grafado claramente como *Pengolod* aqui e no parágrafo seguinte, mas como *Pengoloð* em §30.

16 No *Ambarkanta*, a lamparina do norte era *Helkar* e a do sul era *Ringil*; ver p. 21 e nota 6, bem como IV. 301.

17 No *Quenta Silmarillion*, §38 (V. 264), repetindo as palavras do *Quenta* (IV. 105), afirma-se que "as primeiras flores que jamais existiram a leste das Montanhas dos Deuses" desabrocharam nas costas ocidentais de Tol Eressëa, à luz das Árvores que atravessava o Passo de Kalakilya.

18 O nome da ilha foi escrito inicialmente como *Eccuilë*, trocado de imediato para *Eremar*, forma que foi alterada mais tarde para *Almar* (*Almaren* na lista de alterações feitas em 1951, p. 21).

19 A frase que conclui §31, acerca da habitação dos Valar na "Ilha de Almar, num grande lago", foi um acréscimo ao corpo principal do novo texto; daí a repetição aqui.

20 Meu pai escreveu inicialmente aqui: "nas partes mais profundas de Andúnë".

21 O nome *Pelóri (Valion)* ocorre pela primeira vez aqui: também é encontrado (debaixo de *Aman*) na lista de alterações feitas em 1951 (p. 21).

22 Meu pai escreveu primeiro aqui a palavra "mundo", trocando-a de imediato por "terra", que eu grafei com maiúscula — como também em duas outras

ocorrências: o uso das maiúsculas é inconsistente no *Ainulindalë* C, em parte devido à retenção de passagens do texto original B.

23 Os colchetes colocados na passagem (desenvolvida a partir de *Ainulindalë* B, V. 192) provavelmente implicam que a proposta era excluí-la.

24 As palavras *em Aman* foram acrescentadas mais tarde, ao mesmo tempo em que houve a mudança de *os Salões de Anar* para *os Salões de Aman* em §§15, 24 (ver a nota 11).

25 Ver V. 196, nota 20.

26 Assim como na nota 23.

27 O *Ainulindalë B* diz "todas as veias do mundo": isso foi alterado para "da Terra", creio que simplesmente para evitar a repetição, já que a frase termina com "fundações do mundo".

28 A partir desse ponto, não há indicação das intenções de meu pai no manuscrito, mas, levando em conta a versão seguinte, a D, parece claro que devemos continuar com o trecho que conclui o antigo texto B (a partir de"Depois da partida dos Valar", V. 193). No texto D, entretanto, há uma passagem de ligação (ver p. 52-3) que conecta melhor a conclusão com o trecho que a precede. — Esses parágrafos finais (§§38–40) ficaram inalterados, em larga medida (ainda que com mudanças significativas em §40), em relação ao texto B, mas decidi apresentá-los em sua totalidade para que se tenha um texto completo nesse ponto.

29 Esse trecho foi alterado em relação à versão B, "Pois os Homens se assemelham a Melko mais do que a todos os Ainur, embora eles o tenham sempre temido e odiado".

Comentário ao texto C do Ainulindalë

A revisão C introduz uma reorganização radical da matéria original do *Ainulindalë*, junto com muitos elementos que são novos; e é mais fácil mostrar isso com a ajuda de uma tabela. Não se trata, em sentido nenhum, de uma sinopse do conteúdo, mas simplesmente de um esquema que mostra as interrelações estruturais da obra.

B	**C**
A música é tocada	A Música é tocada
Desacordo de Melkor, os Três Temas	Desacordo de Melkor, os Três Temas
Declaração de Ilúvatar aos Ainur: *a Música recebeu o Ser;* as coisas que Melko introduziu no Desígnio	Declaração de Ilúvatar aos Ainur "Mostrarei as coisas que tocastes"

Os Ainur veem o Mundo, que se tornou real	Os Ainur veem o Mundo em visão; observam a vinda dos Filhos de Ilúvatar
	Elfos e Homens feitos por Ilúvatar apenas; o amor dos Ainur por eles
	Desejo dos Ainur pelo Mundo e desejo de Melkor de ter domínio sobre ele
Regozijo dos Ainur com os elementos da Terra	Regozijo dos Ainur com os elementos da Terra
Ligação de Ulmo com as águas, de Manwë com os ares e de Aulë com o arcabouço da Terra	Ligação de Ulmo com as águas, de Manwë com os ares e de Aulë com o arcabouço da Terra
Desejo dos Ainur pelo Mundo e desejo de Melkor de ter domínio sobre ele	
Elfos e Homens feitos por Ilúvatar apenas; natureza dos Filhos e suas relações com os Ainur	A visão do Mundo é retirada; desassossego dos Ainuir
	Ilúvatar confere o Ser à visão
Entrada dos Ainur no Mundo	Entrada dos Ainur no Mundo
Melko caminha sozinho; Ulmo habita no Oceano de Fora; Aulë em Valinor; Manwë com Varda em Taniquetil. Relações com os Teleri, Noldor, Lindar	
As formas assumidas pelos Valar, algumas de macho, outros de fêmea	O Mundo ainda informe; labuta dos Valar durante eras
	Contenda entre Melkor e os Valar; Melkor recua da Terra
	As formas assumidas pelos Valar, algumas de macho, outras de fêmea: "Vi Yavanna"
	Retorno de Melkor; primeira batalha dos Valar pelo domínio de Arda; conflito entre os elementos

Fim do Ainulindalë de Rúmil contado a Ælfwine por Pengoloð

Palavras de Pengoloð

Pergunta de Ælfwine e resposta de Pengoloð

Chegada de Tulkas e derrota de Melkor

Construção das Lamparinas. Terra iluminada; surgimento de aves, feras e flores

Morada dos Valar na ilha do grande lago

Retorno Secreto de Melkor; doenças e monstruosidades se espalham de sua morada oculta no Norte; ele derruba as Lamparinas

Retirada dos Valar para o Oeste e fundação de Valinor

Os Valar saem à guerra contra Melkor, mas não conseguem sobrepujá-lo; Melkor constrói Utumno

Melkor sai a andar pela Terra-média

Os Valar visitam raramente a Terra-média, com exceção de Yavanna e Oromë

Aulë habita em Valinor; Manwë junto com Varda em Taniquetil; Ulmo no Oceano de Fora. Relações com os Noldor, Lindar, Teleri

Depois da partida dos Valar, silêncio de Ilúvatar e, depois, sua declaração acerca de Elfos e Homens: o dom da liberdade e da morte dado aos Homens; natureza da imortalidade dos Elfos

Fim do Ainulindalë, narrado por Rúmil a Ælfwine

A mudança central no mito da Criação está, é claro, no fato de que, em sua forma antiga, quando os Ainur contemplam o Mundo, regozijam-se com essa contemplação e o desejam, o mundo já foi agraciado com o Ser por Ilúvatar, enquanto em C ele é uma Visão que ainda não recebeu o Ser. Em relação a isso, podemos examinar as palavras de meu pai no relato sobre suas obras escrito para Milton Waldman em 1951 (*Cartas* nº 131, p. 217):

> [Os Valar] são "divinos", isto é, originalmente estavam "fora" e existiam "antes" da criação do mundo. Seu poder e sua sabedoria são derivados de seu Conhecimento do drama cosmogônico, o qual perceberam primeiramente como um drama (ou seja, de certo modo como percebemos uma história composta por outra pessoa) e posteriormente como uma "realidade".

Ademais, na Visão, na qual os Ainur enxergam o desenrolar da história do Mundo ainda não criado, eles veem surgir dentro dele os Filhos de Ilúvatar (§13); e, quando a Visão se torna real e os Ainur descem ao Mundo, é o conhecimento e o amor que têm pelos Filhos de Ilúvatar que virão que direciona a forma e feição deles quando se tornam visíveis (§25). Várias passagens nas cartas de meu pai nos anos 1956–9 têm relação próxima com essas concepções (ver *Cartas* nº 181, 200, 212).

Mas a natureza e a extensão do *Ainulindalë* também foi grandemente alterada: ele agora contém a primeira batalha de Melkor com os Valar pelo domínio de Arda, mas não contém a passagem original de conclusão acerca da Dádiva de Ilúvatar aos Homens, nem os relatos sobre Manwë, Ulmo e Aulë: esses últimos, junto com muitos materiais novos acerca das primeiras guerras em Arda, foram colocados numa espécie de Apêndice, as Palavras de Pengoloð a Ælfwine. Isso lembra a versão original da *Música dos Ainur* em *O Livro dos Contos Perdidos*, na qual Ælfwine (Eriol) aparece em pessoa questionando os Elfos.

Nos textos pré-*Senhor dos Anéis*, o papel de Melko no princípio da história da Terra era concebido de forma muito mais simples. Num texto já bem tardio, o *Ambarkanta* (IV. 282–3), a narrativa dizia que

> os Valar, ao entrarem no Mundo, baixaram primeiro à Terra-média no seu centro, salvo Melko, que baixou ao Norte mais distante. Mas os Valar tomaram uma porção de terra e fizeram uma ilha e a consagraram, e a puseram no Mar do Oeste e

> habitaram nela, enquanto se ocupavam da exploração e do primeiro ordenamento do Mundo. Como é contado, eles desejavam fazer lamparinas, e Melko ofereceu-se para engendrar uma nova substância de grande força e beleza para os pilares deles. E ele pôs esses grandes pilares ao norte e ao sul do meio da Terra, porém mais próximo dela do que do abismo; e os Deuses puseram lamparinas sobre eles e a Terra teve luz por um tempo.

No *Quenta Silmarillion* (V. 247) e nos *Anais Tardios de Valinor* (V. 135), não há indicações de que Melko teria partido da Terra depois da primeira vinda dos Valar, e, de fato, a cosmologia descrita no *Ambarkanta* não teria como permitir isso. Como eu disse em meu comentário (IV. 298):

> Não é explicado de fato no Ambarkanta como os Valar entraram no mundo no início deste, passando pelas Muralhas intransponíveis, e talvez não devêssemos esperar que fosse explicado. Mas a ideia central nessa época é clara: do Princípio à Grande Batalha na qual Melko foi sobrepujado, o mundo com todos os seus habitantes estava inescapavelmente cercado; mas no fim, para lançar Melko no Vazio, os Valar foram capazes de atravessar as Muralhas por uma Porta.

O relato muito mais complexo, na nova obra, dos movimentos de Melkor e de sua contenda com os Valar é, portanto, uma indicação imediata de que aconteceram mudanças na cosmologia.

No *Ainulindalë* propriamente dito agora se afirma que Melkor adentrou o Mundo com os outros Ainur no princípio — ele "estava lá desde o começo", e reivindicou a Terra para si (§23); mas estava sozinho, incapaz de resistir aos Valar, e "se retirou para outras regiões" (§24). Depois disso vieram as labutas dos Valar "no ordenar da Terra, e no acalmar de seus tumultos", e Melkor viu de longe que "a Terra havia se tornado como um jardim para eles"; então, cheio de inveja e malícia, ele "desceu sobre a Terra" para iniciar "a primeira batalha dos Valar e de Melkor pelo domínio de Arda" (§§26–7). As palavras "a Terra havia se tornado como um jardim para eles" não devem ser interpretadas como uma referência à "Primavera de Arda", pois a descrição dela aparece depois, nas Palavras de Pengoloð. Nessa segunda seção, aparece também o elemento totalmente novo de que Tulkas não era um dos Ainur que adentraram o mundo no princípio, mas veio apenas quando, "no firmamento distante", ele ouviu falar da guerra "no Pequeno Mundo" (§31).

Depois disso vem a construção das Lamparinas e a Primavera de Arda; pois Melkor tinha fugido da Terra uma segunda vez, sobrepujado por Tulkas, e "conspirava na escuridão de fora". Ao fim de uma "longa era", retornou em segredo ao extremo Norte da Terra-média, de onde seu poder maligno se espalhou, e de onde saiu a atacar os Valar numa nova guerra, derrubando as Lamparinas (§32). Então os Valar partiram da ilha de Almar, no grande lago, e fizeram sua morada no extremo Oeste; e, de Valinor, vieram atacar Melkor de novo. Mas não conseguiram derrotá-lo, e, nessa época, ele construiu Utumno. Assim, há quatro períodos distintos de conflito entre Melkor e os Valar, e ele partiu de Arda e retornou a ela duas vezes.

Chegamos, portanto, ao complexo problema da concepção subjacente do Mundo nessa fase da obra tardia de meu pai. Na *Música dos Ainur* original em *O Livro dos Contos Perdidos*, Ilúvatar "fez-lhes [para os Ainur] moradas no vazio, e habitou em meio a eles (I. 71); no fim da música, ele "partiu de suas moradas, passando pelas belas regiões que fizera para os Ainur, rumo aos lugares escuros" (I. 74–5); e "quando alcançaram o meio do vazio, tiveram uma visão de excepcional beleza e encanto onde antes havia vacância": "os Ainur se maravilharam ao ver como o mundo estava englobado em meio ao vazio e, ainda assim, apartado dele" (I. 75). Essa pode não ser uma concepção simples, mas pictoricamente ela é, de fato, simples. No *Ainulindalë* B, isso não foi alterado (V. 189). No *Ambarkanta*, "o Mundo" (*Ilu*) está "englobado" dentro das invisíveis e intransponíveis Muralhas do Mundo (*Ilurambar*) e "o Mundo está disposto em meio a Kúma, o Vazio, a Noite sem forma ou tempo" (IV. 282). Considero que esses relatos estão em concordância entre si. "O Mundo" abrange "a Terra" (*Ambar*), a região dos corpos celestes que passam por cima dela, e o Mar de Fora (*Vaiya*), "mais como mar debaixo da Terra e mais como ar acima da Terra", que envolve ou "engloba" tudo (IV. 278).

No texto C, do mesmo modo, Ilúvatar "partiu das belas regiões que fizera para os Ainur", e eles entraram no Vazio (§§10–11). Ali, Ilúvatar lhes mostrou uma Visão, "e observaram um novo

Mundo ... englobado em meio ao Vazio, e sustentado lá dentro, mas não era parte dele" (repetindo as palavras de B, embora elas tenham sido escritas de novo). Mas, depois disso, o texto C diz (14) que "entre todos os esplendores do Mundo, seus vastos salões e espaços e seus fogos volteantes, Ilúvatar escolheu um lugar para a habitação deles [isto é, para a habitação dos Filhos de Ilúvatar] nas Profundezas do Tempo e em meio às Estrelas inumeráveis." Essa habitação é "Arda, a Terra", que fica "nos Salões de Aman" (§15). Quando Ilúvatar conferiu Ser à Visão, disse (§20): "Que essas coisas Sejam! E eu mandarei a imperecível chama Vazio adentro, e ela há de estar no coração do Mundo, e o Mundo há de Ser; e aqueles de vós que desejarem poderão descer a ele." Alguns dos Ainur "alguns residiram ainda com Ilúvatar além dos confins do Mundo" (§21); mas aqueles que "adentraram o Mundo" (§22) são os Valar, os Poderes do Mundo, e eles labutaram "em ermos desmesurados e inexplorados ... até que, nas Profundezas do Tempo e em meio aos vastos salões do Mundo, veio a ser aquela hora e aquele lugar onde foi feita a habitação dos Filhos de Ilúvatar" (§23). Também se afirma (§24) que os espíritos menores que auxiliaram Manwë "desceram aos Salões de Aman". Fica claro que "os Salões de Aman" são equivalentes ao "Mundo" (e, de fato, no texto seguinte, o D, a expressão de C em §23, "os vastos salões do Mundo", passa a ser "os vastos salões de Aman"). Entretanto, não sou capaz de lançar luz nenhuma sobre o uso do nome *Aman* nos textos tardios do *Ainulindalë*. Em *A Submersão de Anadûnê*, onde o termo aparece pela primeira vez, *Aman* era o nome adûnaico de Manwë, mas esse sentido, decerto, não está presente aqui.

Percebe-se, portanto, que a palavra "Mundo" está sendo usada explicitamente num novo sentido. No diagrama I do *Ambarkanta* (IV. 287) Ilu é "o Mundo", a Terra e o Céu, duas metades de um globo que está, ele próprio, englobado dentro de Vaiya. Em C, Arda, a Terra, habitação de Elfos e Homens, está *dentro* "do mundo", dos "Salões de Aman". O fato evidente de que meu pai também usou "Mundo" com outro sentido no texto C (o caso mais claro sendo o trecho "naquela terra sobre as fronteiras dos Mundo, a qual é chamada de Valinor", §32) não facilita em nada as coisas, mas não contradiz essa distinção.

Para que entendamos as implicações dessa mudança, é preciso primeiro perguntar: o que pode ser dito sobre a natureza de *Arda* nessa nova concepção?

No diagrama I do *Ambarkanta*, meu pai, muito tempo depois, alterou a palavra-título *Ilu* para *Arda* (IV. 286). Ele dificilmente teria feito isso se as concepções por trás dos dois nomes não continuassem a carregar uma semelhança substancial entre elas. *Arda*, então, mantém características importantes da imagem de *Ilu*, e isso é indicado pelo que se diz no próprio texto de C: o fato de que Ulmo "habitava desde o princípio de Arda no Oceano de Fora" e que o eco de sua música "corre por todas as veias da Terra" (§37), ou que os espíritos que saem voando dos salões de Manwë na forma de falcões e águias eram levados por suas asas "*através das três regiões do firmamento*" (§36).

Com base nisso, pode-se dizer que a grande diferença na nova concepção é que, enquanto Arda fisicamente é a mesma coisa que Ilu, ela não é mais "o Mundo englobado em meio ao Vazio": pois Arda está dentro do "Mundo" — o qual, ele próprio, está "englobado em meio ao Vazio (§11).

Mas, de imediato, encontramos uma dificuldade séria — e nenhum segundo *Ambarkanta* foi escrito para ajudar a resolvê-la. Pois "o Mundo", "os Salões de Aman", que cercam Arda, não é o Vazio: embora Arda possa "parecer uma coisa pequena para aqueles que consideram ... só a imensurável vastidão do Mundo" (§14), o Mundo é definido espacialmente ("englobado", §11) e contém "esplendores ... e fogos volteantes"; e Ilúvatar escolheu a habitação dos Filhos, que é Arda, "em meio às Estrelas inumeráveis". Como é possível que haja concordância entre isso e a ideia (IV. 285, 287) de Tinwë-mallë, o caminho das estrelas, que fica no "ar médio" de Ilmen, a segunda região do firmamento de Ilu? Contudo, no texto C (§36), os espíritos que saem voando de Taniquetil atravessam "as três regiões do firmamento, *além das luzes do céu, até a borda da Escuridão*". Uma vez que esse trecho foi derivado, sem alterações, do texto B (V. 193), e uma vez que C é uma reelaboração do próprio manuscrito B, pode-se pensar que essa passagem foi mantida de forma não intencional; mas, de fato, ela aparece numa parte do texto que é inteiramente nova, não correspondendo a uma emenda do manuscrito original (boa parte de C foi escrita novamente, mesmo quando o texto antigo estava sendo seguido em larga medida).

Já vimos (p. 43) que a história muito ampliada de Melkor e dos Valar no princípio dos tempos depende em parte, da cosmologia alterada, pois ele partiu duas vezes de Arda. Isso levanta a questão da travessia das Muralhas do Mundo e, de fato, da forma que essa concepção agora assumiu: pois, como veremos, a ideia das Muralhas não tinha sido abandonada. Mas adiarei novas discussões desse tema confuso até os próximos textos que o impactam sejam alcançados.

Ainulindalë D

A versão seguinte do *Ainulindalë* é um manuscrito de esplendor incomum, de capitulares com iluminuras e escrito com uma linda letra, no qual, durante parte do texto, meu pai fez uso das formas anglo-saxãs das letras — ao ponto de até usar antigas abreviações, como a letra *thorn** com um risco atravessando a haste para representar a palavra *that*. Essa característica o associa de imediato com o *Ainulindalë* C, no qual, nas longas passagens do novo texto escritas no manuscrito antigo, ele fez o mesmo aqui e ali. De qualquer modo, não pode haver muitas dúvidas de que essa nova versão foi produzida pouco depois de C, que era um texto muito difícil e caótico e precisava receber uma forma mais clara; e ela compartilha uma característica comum de várias séries dos manuscritos de meu pai, começando como uma cópia próxima (de fato, nesse caso, quase exata) do texto anterior, mas divergindo de forma mais e mais marcada conforme avança. Nesse caso, apresento o texto completo apenas em algumas passagens e, de resto, listo as mudanças (com exceção de um pequeno número de alterações estilísticas mínimas de uma palavra ou duas, sem significado para a concepção da narrativa) fazendo referências aos parágrafos de C.

O texto D foi emendado posteriormente, ainda que não de forma intensa, em várias "camadas", as primeiras feitas com cuidado, as posteriores mais toscamente; onde forem de alguma importância, serão destacadas na representação textual que se segue.

D tem uma bonita página de rosto independente, com *Ainulindalë* em tengwar e depois:

Ainulindalë
A Música dos
Ainur

*Trata-se do som de th, ainda presente no inglês moderno, representado por uma única letra, þ. Originalmente, era uma runa. [N.T]

> Esta obra foi feita por Rúmil de Túna nos Dias Antigos. Está escrita aqui conforme foi narrada em Eressëa a Ælfwine por Pengoloð, o Sábio. A ela foram acrescentadas as palavras pronunciadas depois por Pengoloð, acerca dos Valar, dos Eldar e dos Atani; dos quais mais se diz doravante

A primeira página do texto está intitualada *Ainulindalë* (escrito também em tengwar) e, então, está como em C (p. 21), com a seguinte frase acrescentada subsequentemente: "Primeiramente, ele lhe recitou o Ainulindalë como Rúmil compusera".

§13 "(como hás de ouvir, Ælfwine)" foi omitido.

§14 "todo o campo do Sol"; em D, "todo o campo de Arda".

§15 "os Salões de Aman" tal como em C; não foi emendado mais tarde (ver p. 54).

§16 Quando escrito originalmente, D manteve o fraseado de C: "e não na posse, nem em si mesmo, donde ele se tornou um artífice e tutor, e ninguém o tem chamado de Senhor". Esse trecho foi emendado para: "e não na posse, nem em seu próprio domínio; donde ele dá e não entesoura e está livre de cuidados, passando sempre para alguma nova obra". O novo texto, por estar no presente, entra em conflito com "o deleite ... de Aulë estava no ato de fazer", texto que acabou de precedê-lo.

§17 "Contempla as torres e mansões do gelo!" — trecho omitido, talvez de forma não intencional.

§19 Depois de "quando a visão foi retirada", há uma nota de rodapé que parece ter sido um acréscimo feito logo:

> E alguns disseram que a Visão cessou antes da plenitude do Domínio dos Homens e do esvanecimento dos Primogênitos; donde, embora a Música esteja acima de tudo, os Valar ainda não viram, como que com visão, as Eras Posteriores ou o final do Mundo. Assim disse Pengoloð.

§20 Antes de "Que essas coisas Sejam!", a palavra *"Ea!"* foi acrescentada mais tarde; e depois de "Ilúvatar fizera uma coisa nova", foi acrescentada a expressão "Ea, o Mundo que É".

§23 "em meio aos vastos salões do Mundo"; em D, "em meio aos vastos salões de Aman"; "Aman", aqui, foi emendado mais tarde para "Ea" (ver nota 15, acima, e p. 55).

§24 "desceram aos Salões de Aman"; em D, "desceram aos campos de Arda".

"mas a Terra ele não pôde tirar de seu coração"; em D, "mas não tirou o desejo pelo Reino de Arda de seu coração".

A passagem que conclui esse parágrafo, a partir de "Pois estava sozinho, sem amigo ou companheiro ...", foi omitida.

§25 "feição e forma"; em D, a expressão foi emendada para "matiz".

§27 "Mas isto sabemos"; em D, "Mas isto disse Rúmil no fim do Ainulindalë, que recontei para ti:"

"a vinda dos Filhos"; em D, "a vinda dos Primogênitos".

"E, contudo, o labor deles não foi em vão, e lentamente a Terra foi moldada e se tornou firme"; em D, "E, contudo, o labor deles não foi todo em vão; e embora em nenhum lugar e em nenhuma obra tenham a vontade e o propósito deles totalmente se cumprido, e todas as coisas estivessem em matiz e forma diversas do que os Valar no começo pretendiam, lentamente, mesmo assim, a Terra foi moldada e se tornou firme."

Subtítulo antes do parágrafo 29: "Palavras de Pengolod"; em D, "Aqui estão as palavras de Pengoloð a Ælfwine".

§29 "Pengolod"; em D, "Pengoloð" (mas "Pengoloð" em C §30).

§31 "os mestres do saber dos Noldor"; em D, "os mestres do saber".

"o Pequeno Mundo", em D, "o Pequeno Reino".

Depois da passagem sobre a vinda de Tulkas em §31, o texto de D traz tantas mudanças em relação a C que apresento a parte seguinte na íntegra.

Naquele tempo, os Valar trouxeram ordem aos mares e às terras e às montanhas, e Yavanna plantou, por fim, as sementes que havia muito engendrara. E já que, quando os fogos foram subjugados ou enterrados sob os montes primevos, havia necessidade de luz, Aulë fez duas poderosas lamparinas para a iluminação da Terra-média que ele tinha construído em meio aos Mares Circundantes. Então Varda encheu as lamparinas e Manwë as abençoou, e os Valar as puseram sobre altos pilares, mais elevados de longe do que quaisquer montanhas dos dias posteriores. Uma lamparina eles ergueram perto do Norte da Terra-média, e recebeu o nome de [Forontë >] Illuin; e a outra foi erguida no Sul, e recebeu o nome de [Hyarantë >] Ormal; e a luz das Lamparinas dos Valar manou sobre a Terra, de modo que tudo estava aceso como se fora um Dia imutável.

Então as sementes que Yavanna semeara principiaram rapidamente a brotar e medrar, e assim surgiu uma multidão de coisas que cresciam, grandes e pequenas, [relvas, e flores de muitos matizes, e árvores cuja florada era como neve sobre as montanhas, tão altas eram, >] musgos e relva, e grandes avencas, e árvores cujos dosséis estavam coroados com nuvem, como se elas fossem montanhas vivas, / mas cujos pés estavam envoltos em um crepúsculo verde. E feras [*riscado*: e aves] vieram e habitaram nas planícies gramadas, ou nos rios e lagos, ou caminharam na sombra dos bosques. [E o crescer de planta e fera era mais rico no meio >] Por ora, nenhuma flor tinha desabrochado, nem ave alguma cantara, pois essas coisas esperavam ainda seu tempo no seio de Palúrien; mas riqueza havia de seu imaginar, e em nenhum lugar este era mais rico do que nas partes do interior / da Terra, onde a luz de ambas as Lamparinas se encontrava e mesclava. E lá, sobre a Ilha de Almaren, no Grande Lago, ficava a primeira morada dos deuses quando todas as coisas eram jovens, e o verde recém-criado era ainda uma maravilha aos olhos dos [criadores. >] criadores; e ficaram contentes por muito tempo.

§32 Mas por fim Melkor retornou em segredo e, ao longe, no Norte, onde os raios de [Forontë >] Illuin eram frios e fracos, ele fez uma morada oculta. De lá lançou adiante seu poder e distorceu de novo para o mal muito do que tinha começado bem; de maneira que as coisas verdes adoeceram e apodreceram, e os rios foram sufocados com mato e limo, e se fizeram pântanos, cheios de fedor e veneno, lugares onde moscas procriavam; e as florestas se tornaram escuras e perigosas, locais de medo; e as feras se tornaram monstros de chifre e marfim e tingiram a terra com sangue. E, quando viu que a hora era propícia, Melkor se revelou e fez guerra uma vez mais aos Valar, seus irmãos; e derribou as Lamparinas, e uma nova escuridão caiu, e todo crescimento cessou. E, com a queda das Lamparinas, que eram muito grandes, os mares se alçaram em fúria, e muitas terras foram submersas. Então os Valar foram tirados de sua morada em Almaren e deixaram a Terra-média, fazendo seu lar no último Oeste, [*acrescentado*:] em Aman, a Abençoada, / e a fortificaram contra a investida de Melkor. Muitas mansões construíram naquela terra nas bordas do mundo, a qual, desde então, é chamada de Valinor, cujas margens a oeste despencam nas brumas do Mar de Fora, e cujas cercas contra o Leste são as [Pelóri] Pelóre Valion, Montanhas de Valinor, as mais altas sobre a Terra.

De lá vieram, por fim, com uma grande hoste contra Melkor, para arrancar dele o governo da Terra-média; mas agora ele crescera em malícia e força e era mestre de muitos monstros e coisas malignas, de modo que não conseguiram, naquele tempo, sobrepujá-lo totalmente, nem fazer dele cativo; e ele escapou de sua ira e ficou escondido até que tivessem partido. Então Melkor retornou à sua habitação no Norte e lá construiu para si magna fortaleza, e abriu grandes cavernas no subsolo, seguras de qualquer assalto, e reuniu consigo muitos poderes menores que, vendo sua grandeza e força crescente, estavam agora dispostos a servi-lo; e o nome daquela fortaleza maligna era Utumno.

§33 Assim foi que a Terra ficou na penumbra de novo, salvo apenas em Valinor, conforme as eras avançavam para a hora estabelecida por Ilúvatar para a vinda dos Primogênitos. E na escuridão Melkor habitava e ainda andava afora amiúde, em muitas formas de poder e medo; e usava frio e fogo, do alto das montanhas às fornalhas profundas que existem debaixo delas; e tudo o que era cruel ou violento ou mortal naqueles dias é atribuído a ele.

§34 Mas em Valinor os Valar habitavam com toda a sua parentela e o seu povo, e, por causa da beleza e ventura daquele reino, eles agora pouco vinham à Terra-média, mas davam à Terra além das Montanhas seus maiores cuidados e amor.

O texto D omite o restante de C §34, acerca das visitas de Yavanna e Oromë à Terra-média (ver p. 52) e continua a partir do início de C §35: "E em meio ao Reino Abençoado estavam as mansões de Aulë, e lá ele labutou longamente". A partir desse ponto, D se torna, mais uma vez, um texto muito mais próximo de C, e as diferenças podem ser apresentadas em forma de notas.

§35 "Dele vem o amor e o conhecimento da Terra"; D "Dele vem o saber ..." (ambas as versões são inequívocas).

"o arcabouço da Terra"; D, "o arcabouço do mundo".

"o lavrador e o fazendeiro, o tecelão, o que dá forma à madeira, ou o que forja os metais"; em D, "o tecelão, o que dá forma à madeira e o que trabalha os metais; e o lavrador e o fazendeiro também. Embora esses últimos e todos os que lidam com coisas que crescem e produzem fruto devem também dar atenção à consorte de Aulë, Yavanna Palúrien".

A passagem acerca dos Noldor, colocada entre colchetes em C, foi mantida em D, com a alteração de "e eles são os mais sábios e habilidosos dos Elfos" para "e eles são os mais habilidosos dos Elfos".

§36 "tudo o que se passava em Aman" foi mantido em D (cf. nota a §23 acima).

"dos olhos de Manwë"; em D, "dos olhos de Manwë e dos serviçais de Manwë".

"ela é que fez as estrelas" foi alterado (tardiamente) em D para "ela é que fez as Grandes Estrelas".

Imediatamente depois disso, uma passagem do texto D foi coberta com tinta, tornando-se totalmente ilegível; mas obviamente se trata da passagem que se segue nesse ponto no texto C: "E os rebentos de Manwë e Varda são Fionwë Úrion, seu filho, e Ilmarë, sua filha; e esses eram os mais velhos dos filhos dos Valar. Eles habitavam com Manwë". Um ponto-e-vírgula foi colocado depois de "Estrelas", e o texto D, após as emendas, prossegue com "e com eles havia uma grande hoste de belos espíritos" etc.

A passagem acerca dos Lindar, colocada entre colchetes em C, foi mantida em D, com uma mudança tardia de "Lindar" para "Vanyar".

"e a defesa principal contra Melkor"; em D, "o vice-regente de Ilúvatar, e a principal defesa contra o mal de Melkor".

A partir de §37, apresento o texto completo de D, até o fim da narrativa.

§37 Mas Ulmo estava sozinho, e ele não tinha morada em Valinor, nem ia jamais até lá a menos que houvesse necessidade de um grande concílio; habitava desde o princípio de Arda no Oceano de Fora e ainda habita naquele lugar. De lá ele governava o fluir de todas as águas e os refluxos, os cursos de todos os rios e o provimento das fontes, o destilar de todos os orvalhos e a chuva em toda terra sob o céu. Nos lugares profundos ele se põe a pensar em músicas grandes e terríveis; e o eco de tais músicas corre por todas as veias do mundo em pesar e em júbilo; pois se jubilosa é a fonte que surge no sol, suas nascentes estão nos poços de pesar desmedido nas fundações da Terra. Os Teleri aprenderam muito com

Ulmo, e, por essa razão, a música deles tem tanto tristeza como encantamento. Salmar veio com ele a Arda, ele que fez as conchas de Ulmo, que ninguém jamais pode esquecer se as ouviu alguma vez; e Ossë e Uinen também, a quem ele deu o governo das ondas e dos movimentos dos Mares de Dentro, e muitos outros espíritos também. E assim foi que [*acrescentado*:], pelo poder de Ulmo /, mesmo sob a escuridão de Melkor, a vida ainda correu por muitos veios secretos, e a Terra não morreu; e a todos os que estavam perdidos naquela escuridão ou vagavam longe da luz dos Valar o ouvido de Ulmo estava sempre aberto; nem abandonou ele jamais a Terra-média, e o que quer que tenha desde então ocorrido de ruína ou de mudança, ele não cessou de o ter em seu pensamento e não cessará até o fim dos dias.

A seguinte passagem acerca de Yavanna e Oromë deriva de §34 em C; ela foi omitida naquele ponto no texto D (p. 50).

[§34] E, naquele tempo de treva, Yavanna também não estava disposta a abandonar completamente as terras de fora: pois todas as coisas que crescem lhe são caras, e ela pranteava as obras que tinha começado na Terra-média, mas que Melkor desfigurara. Portanto, deixando a casa de Aulë e os prados floridos de Valinor, ela vinha por vezes e curava as feridas abertas por Melkor; e, retornando, incitava sempre os Valar àquela guerra contra o domínio maligno dele, que certamente deviam travar antes da vinda dos Primogênitos. E Oromë, domador de feras, cavalgava também, de quando em vez, na escuridão das florestas não iluminadas; como um caçador poderoso, vinha com lança e arco, [perseguindo até a morte os monstros e as criaturas cruéis do reino de Melkor. Então, levado por sua montaria incansável de crina luzente e casco dourado, soava a grande trompa Rombaras, ao que >] em sua montaria incansável de crina luzente e casco dourado, perseguindo até a morte os monstros e criaturas cruéis do reino de Melkor. Então, no crepúsculo do mundo, soava sua grande trompa, a Valaróma, sobre as planícies de Arda, ao que / as montanhas ecoavam, e as sombras de Utumno fugiam, e até o coração do próprio Melkor tremia, pressagiando a ira que viria.

O parágrafo seguinte, depois da fala de Pengoloð a Ælfwine (que não está em C), retoma uma passagem do *Ainulindalë* B, V.

190–1 (que, em si, não foi muito modificada em relação à *Música dos Ainur* original em *O Livro dos Contos Perdidos*, I. 77), a qual não foi usada em C:

Agora tudo já te foi dito, Ælfwine, por ora, acerca da feição da Terra e de seus regentes no tempo anterior aos dias e antes que o mundo se tornasse tal como os Filhos o conheceram. Sobre esses nada perguntaste, mas um pouco direi e, assim, chegarei ao fim. Pois Elfos e Homens são os Filhos; e, já que não entenderam completamente aquele tema pelo qual eles adentraram a Música, nenhum dos Ainur ousou acrescentar qualquer coisa à feição deles. Por tal razão, os Valar são para essas gentes mais como seus anciãos e chefes do que seus mestres; e se alguma vez em seu trato com Elfos e Homens os Ainur procuraram forçá-los quando não queriam ser guiados, isso raramente resultou no bem, por melhor que fosse a intenção. Os Ainur têm tratado mormente com os Elfos, pois Ilúvatar fez os Eldar mais semelhantes em natureza aos Ainur, embora menores em poder e estatura, enquanto aos Homens ele deu estranhos dons.

§38 Pois se diz que depois da partida dos Valar houve silêncio, e por toda uma era Ilúvatar se sentou só, em pensamento. Então ele falou, e ele disse: "Eis que eu amo a Terra, que há de ser uma mansão para os Eldar e os Atani! Mas os Eldar hão de ser as mais belas de todas as criaturas terrenas e hão de ter e conceber e gerar mais beleza do que todos os meus filhos; e hão de ter a maior ventura neste mundo. Mas para os Atani (os quais são os Homens) darei um novo dom."

§39 Portanto, desejou ele que os corações dos Homens buscassem para além do mundo e não achassem repouso dentro dele; mas eles deveriam ter a virtude de moldar sua vida, em meio aos poderes e acasos do mundo, além da Música dos Ainur, que é como sina para todas as coisas outras; e da operação deles tudo deveria ser, em forma e ato, completado, e o mundo, cumprido até a última e menor das coisas. [*A seguinte passagem foi riscada*: Eis que até mesmo nós, dos Eldalië, descobrimos para nosso pesar que os Homens têm um estranho poder para o bem ou para o mal, e para desviar as coisas do propósito dos Valar ou dos Elfos; de modo que se diz entre nós que o Destino não é o mestre dos filhos dos Homens; contudo, são eles cegos, e seu regozijo é pequeno, o qual devia ser grande.]

§40 Mas Ilúvatar sabia que os Homens, estando postos em meio aos tumultos dos poderes do mundo, desviar-se-iam amiúde e não usariam seus dons em harmonia; e disse ele: "Esses também, a seu tempo, hão de descobrir que tudo o que fazem redunda, no fim, apenas para a glória de minha obra". Contudo, nós, dos Eldar, cremos que os Homens são, muitas vezes, fonte de tristeza para Manwë, que conhece mais a mente de Ilúvatar. Pois a nós parece que os Homens se assemelham a Melkor mais do que a todos os Ainur, e, no entanto, ele sempre os temeu e odiou, mesmo aqueles que o serviam.

É parte desse dom de liberdade que os filhos dos Homens habitem vivos apenas por um intervalo curto no mundo e não estejam presos a ele, e partam logo para um lugar que não conhecemos. Enquanto os Eldar permanecem até o fim dos dias, e seu amor pela Terra e por todo o mundo é mais singular e mais pungente, portanto e, conforme se esticam os anos, cada vez mais cheio de pesar. A memória é nosso fardo. Pois os Eldar não morrem até que o mundo morra, a menos que sejam assassinados ou feneçam de tristeza (e a essas duas mortes aparentes eles estão sujeitos); nem a idade subjuga a força deles, a menos que fiquem exaustos após dez mil séculos; e, morrendo, são recolhidos aos salões de Mandos em Valinor, donde amiúde retornam e renascem em meio a seus filhos. Mas os filhos dos Homens morrem de fato e deixam o mundo (é o que se diz); donde são chamados os Hóspedes, ou os Forasteiros. A morte é sua sina, o dom de Ilúvatar, o qual, conforme se desgasta o Tempo, até os Poderes hão de invejar. Mas Melkor lançou sua sombra sobre esse dom e o confundiu com escuridão, e fez vir mal do bem, e medo da esperança. Contudo, desde outrora os Valar nos disseram que os Homens hão de se unir à Segunda Música dos Ainur, enquanto Ilúvatar não revelou seu propósito para os Elfos depois do fim do Mundo, e Melkor não o descobriu.

Comentário ao texto D do Ainulindalë

Veremos que esse texto, o qual só em parte pode ser classificado como uma nova versão, não amplia, contradiz ou esclarece a "nova cosmologia" em nenhum aspecto — isto é, da maneira como D foi escrito originalmente. A alteração em §24, de "desceram aos Salões de Aman" para "desceram aos campos de Arda" apenas faz com que essa passagem em particular fique mais coerente: pois Arda, então, tinha sido estabelecida, e foi para o conflito em Arda que aqueles outros espíritos vieram. A mudança em §23, de "em meio aos vastos salões do Mundo" para "em meio aos vastos salões de Aman", presumivelmente não é significativa, uma vez que a primeira expressão claramente equivale à outra (ver p. 44).

Com os acréscimos e correções ao texto, entretanto, surge um novo elemento: *Ea*. Foi essa a palavra que Ilúvatar pronunciou no momento da Criação do Mundo: "*Ea!* Que essas coisas Sejam!", quando os Ainur souberam que "Ilúvatar fizera uma coisa nova, Ea, o Mundo que É (§20). Em §23, onde a variante de C, "os vastos salões do Mundo" se transformara em "os vastos salões de Aman" em D, a palavra "Aman" foi substituída por "Ea". O erro ao não trocar "os Salões de Aman" por "os Salões de Ea" em §15 obviamente foi uma distração. O significado posterior de "Aman", o de Reino Abençoado, aparece num acréscimo ao texto em §32.

Não há dúvida alguma de que *Ea*, a Palavra da Criação que também é a palavra que designa o Mundo Criado, tem aqui a mesma função de *Aman*: o "Ser" que a palavra contém e traz à existência era o "novo Mundo ... englobado em meio ao Vazio" que os Ainur tinham observado em visão (§11), o qual agora eles viam como uma luz ao longe, "como se fosse uma nuvem com um coração vivente de chama" (§20), e dentro da qual aqueles que o desejaram acabaram descendo.

Mas fica perfeitamente explícito que os Ainur, criados por Ilúvatar (§1) habitavam as "belas regiões" que Ilúvatar fizera para eles (§10); alguns deles permaneceram "além dos confins do Mundo" (§21) — e Tulkas ouviu falar "no firmamento distante" sobre a Guerra em Arda. Como, então, é possível que a palavra *Ea* seja definida na lista de "alterações de 1951" (p. 21) como "Universo daquilo que É"? Essa expressão certamente não pode ser considerada equivalente a "o Mundo que É" (§20). Será que o "Universo daquilo que É" não deve conter "*Ea*, o Mundo", e os Ainur que o viram ser criado?

Outras questões ligadas às diferenças entre C e D e às emendas feitas em D são abordadas a partir dos parágrafos em que ocorrem:

§31 A omissão das palavras "dos Noldor" depois de "mestres do saber" provavelmente aconteceu porque Pengoloð é expressamente um Noldo: cf. §36, onde o texto D diz "a quem nós, os Noldor, damos o nome de Elbereth".

Na segunda parte desse parágrafo, que foi substancialmente revisada (p. 49; texto C, p. 31), os nomes das Lamparinas foram alterados de novo, de *Foros* e *Hyaras* para *Forontë* e *Hyarantë*; e, após emendas feitas logo depois, eles alcançam enfim as formas definitivas *Illuin* e *Ormal* (apresentadas na lista das "alterações de 1951", p. 21). Nesse ponto, é explicitamente Yavanna quem planta sementes na Terra-média; e é Aulë que faz as Lamparinas — mais isso foi contado tanto nas primeiras versões como nas tardias dos *Anais de Valinor* (IV. 311, V. 135) e, de fato, é algo que remonta à *Música dos Ainur* original (I. 90).

Na correção feita na passagem sobre o desabrochar inicial de Arda sob a luz das Lamparinas, a narrativa reverte à antiga tradição acerca das primeiras flores (contudo, "relvas" já apareciam); ver p. 37, nota 17.

"Almaren, no Grande Lago", tal como na lista de 1951 (p. 21), agora substitui "Almar, num grande lago".

§32 *Aman*, num acréscimo ao manuscrito, agora adquire seu significado mais tardio. — O relato sobre o ataque a Melkor empreendido pelos Valar que partem de Valinor foi ligeiramente ampliado em D: eles chegaram "com uma grande hoste", e Melkor "ficou escondido até que eles tivessem partido"; depois, "retornou à sua habitação no Norte", onde construiu Utumno.

§36 A alteração tardia de "ela é que fez as Estrelas" para "ela é que fez as Grandes Estrelas" é notável: a implicação disso deve ser a de que Varda fez *apenas* as Grandes Estrelas. Ver p. 453 e nota 4.

§34 (p. 52; passagem omitida no lugar que ocupava em C). O nome *Rombaras*, usado para a Trompa de Oromë, é encontrado unicamente aqui; o nome que o substitui na revisão da passagem, *Valaróma*, aparece na lista de 1951 (p. 21).

O texto D foi a última versão do *Ainulindalë*. Um texto datilografado foi feito a partir dele, mas trata-se de uma versão de amanuense sem grande significado, exceto por algumas notas que meu pai inseriu nela. Esse texto foi copiado de D quando a maioria das correções, mas não todas, foram feitas nele. No alto da primeira página, ele escreveu a lápis a seguinte nota (infelizmente, ela não está totalmente legível):

> O Mundo deveria ser equivalente a Arda (o reino) = nosso planeta. Criação o Universo (........ universo) deveria ser Ea, O Que É.

Essa frase levanta de novo a questão discutida nas pp. 54-5 e de novo o faz de forma inconclusiva. A nota é clara ao menos no seguinte ponto: o de que "o Mundo" não se refere mais ao "novo Mundo ... englobado em meio ao Vazio" que os Ainur viram (§11), mas é um termo a ser aplicado a Arda — e isso, é claro, é um retorno, no que diz respeito ao uso dessa palavra, ao estágio do *Ambarkanta*, no qual *Ilu* (Arda) é "o Mundo" (ver p. 43). Mas a dificuldade com a definição de *Ea* como o "Universo daquilo que É" na lista de 1951, ou como "Criação o Universo" na presente nota, permanece — permanece, isto é, se a concepção de um "Mundo englobado em meio ao Vazio" e separado do Vazio permaneceu. De fato, parece que meu pai estava pensando em termos bastante diferentes: Arda, o Mundo, está posta dentro de uma vastidão indefinida na qual toda a "Criação" é abrangida; mas não há meio de saber quando essa nota foi escrita. Ver ainda pp. 77-9.

Outra nota a lápis na primeira página do texto datilografado diz: "Ilúvatar Pai-de-tudo (*ilúve* 'o todo')"; cf. as *Etimologias* (V. 346): radical IL "tudo, todo", ILU "universo", quenya *ilu, ilúve*; *Ilúvatar*. Para a etimologia original de Ilúvatar ("Pai-do-Céu"), ver I. 308.

Na página de rosto do texto datilografado, meu pai escreveu: "*Atani* (Segundos) Seguidores = Homens". *Atani* (termo que foi listado nas alterações de 1951) não se encontra no *Ainulindalë* C, mas aparece em D (página de rosto e §38).

*Ainulindalë C**

Já discuti a relação entre essa versão muito interessante e o *Ainulindalë* C, mostrando que ela precedeu o texto C e foi composta antes que *O Senhor dos Anéis* fosse concluído (ver pp. 15-20). Notei também que, quando emprestou o texto datilografado C* a Katherine Farrer em 1948, meu pai o marcou como "Versão com Mundo Redondo", e que ele também enviou a ela o antigo manuscrito B (muito provavelmente, antes que o cobrisse com um novo texto para produzir a versão C), o qual ele marcou como "Versão com Mundo Plano".

Há apenas dois detalhes a serem observados na primeira parte dessa versão. Em §15, C* traz, tal como C, "os Salões de Anar", e mais uma vez, como em C, isso foi emendado para "os Salões de Aman". Essa emenda foi feita ao mesmo tempo em ambos os textos; mas em C* meu pai acrescentou uma nota de rodapé: "*Anar* = o Sol" (ver p. 63). E, em §19, enquanto tanto C como D dizem "pois a história estava incompleta, e os círculos, não de todo traçados quando a visão foi retirada", C* diz "os círculos de tempo" (essa versão foi adotada no *Silmarillion* publicado, p. 45).

Mas, a partir da metade de §23 até o final de §24, C* desenvolve o texto B de forma bastante diferente da de C:

§23 Assim começaram seus grandes labores [*rejeitado imediatamente*: no princípio do Tempo e em esquecidas eras imensuráveis] em ermos imensuráveis e inexplorados, e em eras incontáveis e esquecidas, até que, nas Profundezas do Tempo e em meio aos vastos salões do Mundo, veio a existir aquela hora e aquele lugar onde foi feita a habitação dos Filhos de Ilúvatar. E muitos dos Valar se dirigiram para lá, vindos das partes mais extremas do firmamento. Mas o primeiro desses foi Melkor. E Melkor tomou a Terra, enquanto era ainda jovem e cheia de fogo, para ser seu próprio reino.

§24 Mas Manwë era o irmão de Melkor, e foi o principal instrumento do segundo Tema que Ilúvatar tinha suscitado contra o desacordo de Melkor. E ele chamou para junto de si outros de seus irmãos e muitos espíritos, tanto maiores quanto menores, e disse a eles: "Vamos aos Salões de Anar [*não emendado*], *onde o Sol do Pequeno Mundo está aceso*, e vigiemos para que Melkor não traga ruína a tudo!".

E eles foram até lá, Manwë e Ulmo e Aulë, e outros de quem hás de ouvir falar ainda, Ælfwine, e eis que Melkor estava diante deles; mas ele tinha pouca companhia, salvo por uns poucos daqueles espíritos menores que tinham afinado sua música à dele; e ele caminhava sozinho; e a Terra estava em chamas. A vinda dos Valar não era, de fato, bem-vinda para Melkor, pois ele desejava não amigos, mas serviçais, e disse: "Este é meu reino, no qual pus meu nome". Mas os Valar responderam que isso ele não poderia fazer com justiça, pois no criar e na governança eles todos tinham tido seu papel. E houve contenda entre os Valar e Melkor; e, por algum tempo, Melkor partiu e *recuou para além das flechas do Sol*, e remoeu seu desejo.

A respeito das duas frases que marquei com itálico, ver pp. 62-3. A narrativa nessa versão difere da de C, uma vez que aqui Melkor precedeu os outros Ainur, e a convocação de Manwë não foi feita de Arda para outros espíritos que ainda não tinham chegado, mas foi um convite para adentrar Arda junto com ele.

A partir do começo de §25, C* volta a seguir o texto comum (mais precisamente, a partir desse ponto C segue C*); a expressão "Reino de Anar" em §25 foi emendada mais tarde para "Reino de Arda" (em C, essa mudança foi feita no momento da escrita, p. 30, nota 13). Mas, perto do fim de §27, o texto C* diverge de novo:

> ... pois, tão certo quanto os Valar principiavam seu labor, assim Melkor o desfazia ou corrompia; de modo que as florestas se tornaram ferozes e malcheirosas e venenosas, e as feras se tornaram monstros de chifre e marfim, e lutavam, e tingiam a terra com sangue.

Em C, essa passagem aparece mais tarde (§32), e a corrupção descrita é a operada por Melkor nas coisas vivas que vieram ao ser sob a luz das Lamparinas; mas em C*, como veremos, a história das Lamparinas tinha sido abandonada (p. 62).

C* então salta do fim de §27 para §31, o qual, em C, é parte das palavras de Pengolod (Pengoloð) depois do fim do *Ainulindalë* propriamente dito, e prossegue da seguinte maneira:

§31 E esta história também ouvi entre os sábios dos Noldor em eras passadas: que em meio à Guerra, e antes que inda houvesse coisa alguma que crescesse ou caminhasse sobre a Terra, houve um tempo em que os Valar chegaram perto da vitória; pois um espírito de grande força e robustez veio ao auxílio deles, ouvindo no firmamento distante que havia batalha no Pequeno Mundo. E ele veio feito uma tempestade de riso e forte canção, e a Terra tremeu sob seus grandes pés dourados. Assim chegou Tulkas, o Forte e Alegre, cuja raiva passa feito um vento poderoso, espalhando nuvem e escuridão diante de si. E Melkor foi abalado pelo riso de Tulkas e fugiu da Terra. Então se recobrou e chamou para si todo o seu poder e seu ódio, e disse: "Rasgarei a Terra ao meio, e quebrá-la-ei, e ninguém há de possuí-la".

Mas isso Melkor não pôde fazer, pois a Terra não pode ser de todo destruída à revelia de seu destino; não obstante, Melkor agarrou uma porção dela, e a tomou para si, e a lançou para longe; e fez dela uma pequena terra só sua, e ela girava ao redor no céu, seguindo a terra maior aonde quer que fosse, de modo que Melkor pudesse observar de lá tudo o que acontecia abaixo, e lançasse adiante sua malícia e perturbasse os mares e abalasse as terras. E ainda há rumores entre os Eldar sobre a guerra na qual os Valar tomaram de assalto a praça-forte de Melkor, e o lançaram fora, e a levaram para mais longe da Terra, e ela permanece no céu, Ithil, a quem os Homens chamam a Lua. Nela há tanto calor cegante quanto frio intolerável, como seria de esperar em qualquer obra de Melkor, mas agora pelo menos está limpa, ainda que profundamente estéril; e nada vive lá, nem jamais viveu, nem há de viver. E aqui se revelam mais uma vez as palavras de Ilúvatar; pois Ithil se tornou um espelho para a Terra maior, captando a luz do Sol quando ela está invisível; e, por causa da malícia de Melkor, a prata foi feita a partir do ouro, e o luar, da luz solar, e a Terra, em sua angústia e perda, foi grandemente enriquecida.

Mas, de todas as matérias desse jaez, Ælfwine, outros hão de te contar ...

Essas últimas palavras são o início de §28 em C, o fim do *Ainulindalë* propriamente dito, e o parágrafo aparece em C* com quase exatamente a mesma forma. Depois disso, C* termina de forma abrupta com a passagem de conclusão, C §§38–40, na qual, entretanto, há algumas diferenças notáveis. §38 tem a seguinte forma em C*:

Mas além do Mundo, nos Salões Atemporais, depois da partida dos Valar houve silêncio, e Ilúvatar assentou-se em pensamento, e os Sacros que estavam perto não se moviam. Então Ilúvatar falou, e ele disse: "Em verdade, eu amo o Mundo e estou contente que ele Seja. E meu pensamento se inclina para aquele lugar onde estão as mansões dos Elfos e dos Homens. Eis que os Eldar hão de ser as mais belas das criaturas terrenas, e hão de ter e conceber mais beleza do que todos os outros rebentos do meu pensamento; e hão de ter a maior ventura no Mundo. Mas para os Homens darei um novo dom."

Deve-se notar que o fragmento de manuscrito encontrado com os documentos adûnaicos, discutido na p. 7, tem precisamente a mesma estrutura de C*: começa com "Mas, de todas as matérias desse jaez, Ælfwine ..." e continua até o fim do parágrafo "... e assim teus pés estão postos no princípio da estrada", seguido de "Mas além do Mundo, nos Salões Atemporais ..."

§39 é virtualmente o mesmo em ambos os textos; mas §40, depois da frase de abertura (as palavras de Ilúvatar acerca dos Homens), continua da seguinte maneira até o fim:

Contudo, os Eldar sabem que os Homens têm sido amiúde uma tristeza para os Valar, que os amam, e não menos para Manwë, o que mais conhece da mente de Ilúvatar. Pois os Homens se assemelham a Melkor mais do que a todos os Ainur; e, contudo, ele sempre os temeu e odiou, mesmo aqueles que o servem.

É parte desse dom de liberdade que os filhos dos Homens habitem vivos apenas por um intervalo curto no mundo e, contudo, não estejam presos a ele, nem pereçam completamente para sempre. Enquanto os Eldar permanecem até o fim dos dias, e, portanto, seu amor pelo mundo é mais profundo e mais jubiloso, exceto pelo fato de que, quando o mal é feito a ele, ou quando sua beleza é espoliada, então eles se entristecem amargamente, e o pesar dos Elfos por aquilo que poderia ter sido enche agora toda a Terra com lágrimas que os Homens não escutam. Mas os filhos dos Homens morrem de fato e deixam aquilo que fizeram ou desfiguraram. Contudo, os Valar dizem que os Homens hão de se unir à Segunda Música dos Ainur, mas só Manwë sabe o que Ilúvatar tem como propósito para os Elfos depois do fim do Mundo: os Elfos não o sabem, e Melkor não o descobriu.

A seção de conclusão §§38–40 foi riscada e, ao lado dela, meu pai escreveu uma pergunta, cogitando se devia colocá-la "no Silmarillion" ou inseri-la "com forma modificada" num trecho anterior do presente texto.

A diferença fundamental entre C* e C é o fato de que, em C*, o Sol já está presente desde o princípio de Arda (ver as passagens em itálico em §24, p. 58), e a origem da Lua, também "desmitologizada" pela retirada de todas as associações com as Duas Árvores, é integrada ao contexto dos tumultos da criação de Arda. Parece estranho, de fato, que meu pai estivesse preparado para conceber a Lua — justamente a Lua, que acalenta a memória dos Elfos (V. 143, 285) — como um restolho morto e destroçado do ódio de Melkor, por mais bela que fosse sua luz. Consequentemente, a antiga lenda das Lamparinas também foi abandonada: daí a posição diferente da passagem sobre a perversão das coisas vivas por Melkor, p. 59.

Não há qualquer indicação de como o mito das Duas Árvores deveria ser acomodado a essas novas ideias. Mas, naquele momento, a versão "desmitologizante" C* foi posta de lado; e o texto D foi feito a partir de C sem nenhum traço delas. Os *Anais de Aman*, certamente mais tardios que o fim da série do *Ainulindalë*, contêm um relato completo da Criação do Sol e da Lua; e, na longa carta de meu pai a Milton Waldman, escrita quase certamente em 1951, o velho mito está totalmente presente, com um significado definido (*Cartas*, nº 131):

> Havia a Luz de Valinor tornada visível nas Duas Árvores de Prata e Ouro. Estas foram mortas pelo Inimigo por malícia e Valinor foi escurecida, embora delas, antes de morrerem por completo, tenham se derivado as luzes do Sol e da Lua. (Uma diferença evidente aqui entre essas lendas e a maioria das demais é que o Sol não é um símbolo divino, mas algo de segunda categoria, e "luz do Sol" (o mundo sob o sol) torna-se um termo para designar um mundo caído e uma visão imperfeita e deslocada.)

Para concluir, resta ainda a questão intrigante do nome *Anar* em C* e C, para a qual não consigo achar nenhuma solução satisfatória. *Anar* é um termo que ocorre pela primeira vez em §15, onde se faz referência à "habitação *nos Salões de Anar* que os Elfos chamam de Arda, a Terra"; e aqui, em ambos os textos, meu pai emendou mais tarde a palavra "Anar" para "Aman", enquanto em C* ele acrescentou uma nota de rodapé: "*Anar* = o Sol". Em §24, os espíritos que Manwë convocou para auxiliá-lo "desceram aos Salões de Anar", e aqui, novamente, "Anar" foi alterado mais tarde para "Aman" em C; no texto C*, a formulação é um pouco diferente, e, nesse texto, o termo "Anar" foi mantido: Manwë diz aos outros espíritos "Vamos aos Salões de Anar, onde o Sol do Pequeno Mundo está aceso". A presença de "Anar" em C* parece, entretanto, não ser nada além de um descuido. Finalmente, em §25, são citados "os Sete Grandes do Reino de Anar", título alterado mais tarde em C*, mas logo depois da escrita em C, para "do Reino de Arda".

O nome *Anar* (*Anor*) = "o Sol" vem de muito tempo antes — está presente em *A Estrada Perdida*, no *Quenta Silmarillion* e nas *Etimologias* (ver o Índice Remissivo do Vol. V), e tinha sido repetido em *Os Documentos do Clube Notion* (IX. 365, 369), além das ocorrências de *Minas Anor*, *Anárion* e *Anórien* em *O Senhor dos Anéis*. Portanto, à primeira vista parece muito provável que *Anar* signifique "o Sol" nesses textos do *Ainulindalë*. Com base nessa premissa, a nota de rodapé a §15 do texto C* seria apenas uma glosa explanatória; ao mesmo tempo, "o Reino de Anar" em §25 = "o Reino do Sol" ("o Sol do Pequeno Mundo"): cf. a alteração em D §14 (p. 47) de "todo o campo do Sol" para "todo o campo de Arda". O fato de que, em C, texto no qual o mito da Criação do Sol e da Lua está presente de modo implícito, meu pai tenha escrito "o Reino de Anar", seria explicado com base no detalhe de que ele tinha o texto C* na sua frente e escreveu "Anar" inadvertidamente antes de trocá-lo imediatamente por "Arda".

Há, entretanto, uma objeção radical a essa explicação. Em §§15, 24, "os Salões de Anar" é o nome dado aos "vastos salões do Mundo", com seus "fogos volteantes", nos quais Ilúvatar escolheu um lugar para a habitação de elfos e Homens; e, mais tarde, *Anar* > *Aman* > *Ea* (p. 47, §23). Aqui, a interpretação de que *Anar* é "o Sol" parece impossível. Pode ser, portanto, que a nota de meu pai a C* §15, "*Anar* = o Sol" (feita ao mesmo tempo em que ele trocou "Anar" por "Aman" no corpo do texto) implica que ele tinha usado o nome em outro sentido, mas agora estava afirmando que esse, e nenhum outro, era o significado de *Anar*.

[illegible] ainda [illegible] última, são como pouco [illegible]
[illegible] o [illegible] [illegible]
[illegible] [illegible] [illegible] onde a [illegible]
[illegible] [illegible] parte [illegible]
[illegible] [illegible] [illegible] em [illegible]
[illegible] [illegible] [illegible] [illegible]
[illegible] [illegible] [illegible] [illegible]
[illegible] [illegible] de direito [illegible]
[illegible]

[illegible]

[illegible] [illegible] [illegible]
[illegible] [illegible] [illegible]
[illegible] [illegible] [illegible]
[illegible] [illegible] [illegible]
[illegible]

PARTE DOIS

Os Anais de Aman

A segunda versão (pré-*Senhor dos Anéis*) dos *Anais de Valinor* (**AV 2**) foi apresentada no volume V, p. 133 e seguintes. Mencionei então que a primeira parte de AV 2 foi — anos mais tarde — coberta com emendas e novos textos, e que esse novo trabalho era o esboço inicial dos *Anais de Aman*. Nesse caso, não despenderei tempo com o rascunho original, exceto quanto a alguns detalhes que aparecem nele, os quais são mencionados nas notas. O rascunho não avança muito — não chega nem ao surgimento das Duas Árvores, e, até onde prossegue, é extremamente próximo dos *Anais de Aman*; mas meu pai, evidentemente, logo decidiu embarcar num texto totalmente novo.

Quanto aos *Anais de Aman*, aos quais me referirei ao longo do livro com a abreviatura "**AAm**", há um manuscrito bastante claro, com uma quantidade considerável de correções em diferentes "camadas". Emendas correspondentes à época da composição, ou logo depois, foram feitas com cuidado; e o manuscrito dá a impressão de ser uma "cópia passada a limpo", um segundo texto. Mas, enquanto passagens de esboços podem ter sido perdidas, duvido muito que um "primeiro texto" completo dos *Anais* tenha existido (ver ainda a p. 154 nota 17). A obra indubitavelmente faz parte do grande desenvolvimento e reformulação da Matéria dos Dias Antigos que meu pai empreendeu quando *O Senhor dos Anéis* foi concluído (ver a p. 15), e tem relação estreita com a revisão, naquela época, das partes correspondentes do *Quenta Silmarillion* (V. 235-288, citado no livro todo como **QS**), o texto que tinha sido abandonado no fim de 1937. De forma igualmente clara, os *Anais* vieram depois do último texto do *Ainulindalë* (D).

Há um texto datilografado de AAm feito por uma secretária que traz algumas emendas e notas, junto com sua cópia-carbono, com pouquíssimas emendas, mas que são diferentes; estou inclinado a datar esse texto de 1958, embora as evidências em favor disso sejam questão de inferência e sugestão (ver pp. 177-8, 364). Há também um texto datilografado interessante, que diverge na parte inicial da obra, feito por meu pai (pp. 87-93, 106-7).

Apresento aqui o texto completo da narrativa dos *Anais*, incorporando as emendas feitas a ele; onde as variantes mais antigas são de interesse, elas foram registradas nas notas. Numero os parágrafos para referências posteriores e, uma vez que o texto é longo, eu o dividi, para conveniência, em seis seções. As seções são seguidas de notas textuais numeradas (não no caso da seção 2) e, depois, de um comentário que referencia os números de parágrafos.

As datas dos anais em Anos das Árvores foram alteradas com muita frequência — em alguns casos houve até seis substituições — e apresento apenas a forma final. Já que a alteração contínua das datas não parece, em caso nenhum, estar associada a mudanças na narrativa propriamente dita, e já que a articulação final das datas parece ter sido alcançada antes que o manuscrito fosse completado, creio que é suficiente notar que meu pai, de início, estabeleceu um período mais longo de anos entre o surgimento das Árvores e sua destruição. Assim, de início, as Silmarils foram terminadas por Fëanor no Ano das Árvores de 1600 (mais tarde, 1450), e Tulkas foi enviado para capturar Melkor em 1700 (mais tarde, 1490) — embora outras datas além dessas tenham sido propostas e rejeitadas. A partir desse ponto, a datação revisada (1490–1500) é a única, mas aqui também as datas foram muito alteradas nos detalhes, e o resultado final não é perfeitamente claro em todos os pontos.

Primeira seção dos Anais de Aman

A primeira página de AAm está preservada em duas formas; ambas são bonitos manuscritos, praticamente idênticos em seu texto, mas diferentes no título e no breve preâmbulo. O primeiro traz o título *Os Anais de Valinor* e sua abertura é esta: "Aqui principiam os Anais de Valinor, que falam da vinda dos Valar a Arda"; ao lado do título foi acrescentado: "Esses foram escritos por Quennar i Onótimo, que aprendeu muito, e também tomou muito de empréstimo, de Rúmil; mas foram ampliados por Pengoloð." Isso foi riscado, e o título e o preâmbulo foram emendados até atingir a forma que têm na segunda cópia, conforme apresentada abaixo, com *Valinor* > *Aman* e o acréscimo das palavras "que Rúmil escreveu (fez)". Imagino que meu pai tenha recopiado a página porque desejava que ela tivesse uma aparência boa e a tinha estragado com essas alterações. O título *Anais de Aman* foi inserido nesse momento, portanto, e muito possivelmente também o sentido final do nome *Aman*; ele ocorre uma vez no *Ainulindalë* D, mas como um acréscimo ao texto (p. 49, §32).

OS ANAIS DE AMAN

Aqui principiam os Anais de Aman, que Rúmil fez, e que falam da vinda dos Valar a Arda:

§1 No Princípio, Eru Ilúvatar fez Ëa, o Mundo que é,[1] e os Valar o adentraram, e eles são os Poderes de Ëa. Estes são os nove chefes dos Valar que habitam em Arda: Manwë, Ulmo, Aulë, Oromë, Tulkas, Ossë, Mandos, Lorien[2] e Melkor.

§2 Desses Manwë e Melkor eram os mais pujantes e eram irmãos. Manwë é senhor dos Valar, e sacro; mas Melkor se voltou para a cobiça do poder e a soberba, e se tornou maligno e violento, e seu nome é amaldiçoado, e não é pronunciado; ele é denominado Morgoth. Oromë e Tulkas eram mais jovens no pensamento de Eru antes que fosse imaginado o Mundo, e Tulkas veio por último ao reino de Arda. As rainhas dos Valar são sete: Varda, Yavanna, Niënna, Vairë, Vana, Nessa e Uinen. Não menores em poder e majestade são elas que os chefes, e assentam-se sempre nos concílios dos Valar.

§3 Varda era a esposa de Manwë desde o princípio, mas Aulë desposou Yavanna, irmã dela, em Ëa.[3] Vana, a bela, irmã mais nova de Yavanna, é a espoa de Oromë; e Nessa, a irmã de Oromë, é a esposa de Tulkas; e Uinen, senhora dos mares, é a esposa de Ossë. Vairë, a Tecelã, habita com Mandos. Nenhuma esposa tem Ulmo, nem a tem Melkor. Nenhum senhor tem Niënna, a pesarosa, rainha de sombra, irmã de Manwë e de Melkor. A esposa de Lorien é Estë, a pálida, mas ela não vai aos concílios dos Valar e não é contada entre os regentes de Arda, mas é a principal dos Maiar.

§4 Com esses grandes poderes vieram muitos outros espíritos de tipo semelhante, mas de menos poder e autoridade; esses são os Maiar, os Belos,[4] a gente dos Valar. E com eles são contados também os Valarindi, os rebentos dos Valar, seus filhos gerados em Arda, porém da raça dos Ainur que existiam antes do Mundo; eles são muitos e formosos.

Nesse ponto, meu pai inseriu esta frase: *Isto é retirado da obra de Quennar Onótimo*. Essas palavras se referem não ao trecho precedente, mas à passagem a seguir, com o subtítulo *Do Princípio do Tempo e de sua Contagem* (embora o preâmbulo — riscado — da primeira página rejeitada de AAm diga que Quennar i Onótimo é o autor dos *Anais* como um todo, p. 69).

A seção inteira sobre o tema da Contagem do Tempo foi, mais tarde, marcada com lápis: "Transferir para o Conto dos Anos". *O Conto dos Anos*, uma lista cronológica do mesmo tipo que aquela no Apêndice B de *O Senhor dos Anéis*, existe em diferentes formas, ligadas aos anais mais antigos e mais tardios; a forma tardia, estreitamente associadas a AAm e sua contraparte, os *Anais Cinzentos (Anais de Beleriand)*, talvez seja o texto mais complexo e difícil de todos os deixados por meu pai. Não é necessário nos preocuparmos com ele aqui; mas, em associação com esse texto, há dois manuscritos muito cuidadosos (um deles, o segundo, está entre os mais bonitos que ele produziu), apresentando, com forma quase idêntica, o mesmo texto *Do Princípio do Tempo e de sua Contagem* encontrado aqui em AAm, mas colocando-o como a abertura de *O Conto dos Anos* e o prelúdio da lista cronológica de eventos. Esses dois manuscritos são, é claro, posteriores ao texto em AAm, e algumas variantes nas quais diferem dele são apresentadas nas notas. AAm prossegue:

Isto é retirado da obra de Quennar Onótimo.[5]

Do Princípio do Tempo e de sua Contagem

§5 O Tempo, de fato, principiou com o princípio de Ëa, e naquele princípio os Valar adentraram o Mundo. Mas a medição que os Valar fizeram das eras de seus labores não é conhecida de nenhum dos Filhos de Ilúvatar, até o primeiro florescimento de Telperion em Valinor. Dali em diante os Valar contaram o tempo pelas eras de Valinor, nas quais cada era continha *cem* dos anos dos Valar; mas cada um de tais anos era mais longo do que *nove* anos sob o Sol.[6]

§6 Ora, medidas pelo florescimento das Árvores, havia *doze* horas em cada Dia dos Valar, e *mil* de tais dias os Valar tomavam como um ano em seu reino. De fato, supõem os Mestres-do-saber que os Valar de tal maneira estabeleceram as horas das Árvores que *cem* de tais anos, assim medidos, fossem, em duração, como uma era dos Valar[7] (tal como eram aquelas eras nos dias de seus labores antes da fundação de Valinor).[8] Não obstante, isso não é sabido com certeza.

§7 Mas, quanto aos Anos das Árvores e aqueles que vieram depois,[9] um de tais Anos era mais longo do que nove anos tais como os que agora existem. Pois havia em cada um de tais Anos *doze mil* horas. Contudo, as horas das Árvores eram, cada uma, *sete* vezes mais longas que *uma* hora de um dia inteiro na Terra-média, de um nascer do Sol a outro, quando a luz e a treva estão divididas igualmente.[10] Portanto, cada dia dos Valar durava *quatro e oitenta* das nossas horas, e cada Ano durava *quatro e oitenta mil horas*: o que é o mesmo que *três mil e quinhentos* dos nossos dias, e é pouco mais do que *nove e meio* dos nossos anos (nove e meio e oito centésimos e mais um pouco).[11]

§8 Está registrado pelos Mestres-do-saber que isso não corresponde corretamente ao que os Valar estabeleceram ao criar e ordenar[12] a Lua e o Sol. Pois era a intenção deles que *dez* anos do Sol, não mais e não menos, fossem, em duração, o mesmo que um Ano das Árvores tinha sido; e foi seu primeiro alvitre que cada ano do Sol contivesse *setecentos* tempos de luz solar e luar, e cada um desses tempos contivesse *doze* horas, cada uma com duração de um *sétimo* de uma hora das Árvores. Por essa contagem, cada ano do Sol conteria *trezentos e cinquenta* dias completos de luar e luz solar divididas, isto é, *oito mil e quatrocentas* horas, equivalendo a *doze centenas* de horas da Árvores, ou *um décimo* de um Ano Valiano. Mas a Lua e o Sol se mostraram mais inconstantes e lentos em sua passagem do que os Valar tinham pretendido, como daqui em diante se conta,[13] e um ano do Sol é um pouco mais longo do que um décimo de um Ano nos Dias das Árvores.

§9 O ano mais curto do Sol foi criado desse modo[14] por causa da maior velocidade de todo crescimento, e, da mesma forma, de toda mudança e fenecimento, que os Valar sabiam que viria a acontecer depois da morte das Árvores. E, depois que aquele mal sobreviera, os Valar contavam o tempo em Arda pelas eras do

Sol, e ainda o fazem, mesmo depois da Mudança do Mundo e a ocultação de Aman; mas dez anos do Sol eles consideram agora que é apenas um ano,[15] e mil, apenas um século. Isso é retirado do Yénonótië de Quennar: disse Pengoloð.[16]

§10 Foi calculado, por parte dos mestres-do-saber, que os Valar vieram ao reino de Arda, o qual é a Terra, cinco mil Anos Valianos antes do primeiro nascer da Lua, o que é bem perto de dizer quarenta e sete mil e novecentos e um dos nossos anos. Desses, três mil e quinhentos (ou trinta e três mil quinhentos e trinta da nossa contagem) passaram-se antes que a primeira medição do tempo conhecida dos Eldar começasse, com o florescimento das Árvores. Aqueles foram os Dias antes dos dias. Dali em diante, mil e quatrocentos e cinco e noventa Anos Valianos (ou catorze mil trezentos e vinte dois dos nossos anos) seguiram-se, durante os quais a Luz das Árvores brilhou em Valinor. Aqueles foram os Dias de Ventura. Naqueles dias, no Ano mil e cinquenta dos Valar, os Elfos despertaram em Kuiviénen, e a Primeira Era dos Filhos de Ilúvatar principiou.[17]

1 O Primeiro Ano dos Valar em Arda

§11 Depois de eras de labor além do conhecimento ou da conta, nos grandes salões de Ëa, os Valar desceram a Arda no princípio de seu ser e principiaram ali seu labor prefigurado para dar forma às terras e águas, desde as fundações até as mais altas torres do Ar.

§12 Mas seus labores foram frustrados e desviados e de seu desígnio, pois Melkor cobiçava o domínio de Arda e reivindicava a realeza, e estava em contenda com Manwë. E Melkor obrou grande ruína com fogo e frio mortal e desfigurou tudo o que os outros Valar faziam.

1500

§13 Veio a se passar que, ouvindo ao longe sobre a guerra em Arda, Tulkas, o Forte, foi para lá vindo de regiões distantes de Ëa, para auxílio de Manwë. Então Arda se encheu com o som de seu riso, mas ele voltou uma face de raiva na direção de Melkor; e Melkor fugiu diante de sua ira e seu júbilo, e abandonou Arda, e houve longa paz.

§14 Ora, os Valar recomeçaram seus labores; e, quando as terras e as águas foram ordenadas, os Valar tinham necessidade de luz, para que as sementes da criação de Yavanna pudessem crescer e ter vida. Aulë, portanto, fez duas grandes lamparinas, como se fossem de prata e d'ouro, e contudo translúcidas, e Varda as encheu de fogo consagrado, para trazer luz à Terra. Illuin e Ormal são os nomes que receberam. **1900** E foram postas sobre magnos pilares, feito montanhas no meio de Arda, no rumo do norte e no rumo do sul.

§15 Então os Valar continuaram seus labores até que todo o reino de Arda estivesse ordenado e pronto, e havia grande crescimento de árvores e ervas, e feras e aves vieram e habitaram nas planícies e nas águas, e as montanhas eram verdes e belas de se contemplar. E os Valar fizeram sua habitação numa ilha verdejante em meio a um lago; e aquele lago ficava entre Illuin e Ormal, no centro de Arda; e ali, na ilha de Almaren, por causa da mescla das luzes, todas as coisas eram de mais rico crescimento e de mais bela cor. Mas os Valar raro se reuniam em uma só companhia, pois sempre andavam longe por Arda, cada qual com sua própria ocupação.

§16 E veio a se passar que, por fim, os Valar ficaram contentes, e tinham em mente descansar um pouco do labor e observar o crescimento e o desenrolar das coisas que tinham imaginado e principiado. Portanto, Manwë ordenou que se fizesse uma grande festa e convocou todos os Valar e as rainhas dos Valar para Almaren, juntamente com todo o seu povo. E eles vieram a seu pedido; mas Aulë, diz-se, e Tulkas estavam cansados; pois o engenho de Aulë e a força de Tulkas tinham estado a serviço de todos sem cessar nos dias do labor deles.

§17 Ora, Melkor sabia de tudo o que estava sendo feito; pois mesmo então tinha amigos secretos e espiões em meio aos Maiar, a quem tinha convertido à sua causa, e desses o principal, como depois se soube, era Sauron, um grande artífice da casa de Aulë. E ao longe, nos lugares escuros, Melkor estava cheio de ódio, tendo inveja da obra de seus pares, a quem desejava transformar em seus súditos. Portanto, reuniu consigo espíritos vindos dos vazios de Ëa, que ele pervertera a seu serviço, e julgou que era forte. E, vendo que agora era o tempo propício, aproximou-se de novo de Arda, e olhou para ela lá embaixo, e a beleza da Terra em sua Primavera o encheu ainda mais de ódio.

3400

§18 Assim, portanto, os Valar estavam reunidos em Almaren e se banqueteavam e alegravam, sem temer mal nenhum, e, por causa da luz de Illuin, não perceberam a sombra no Norte que era lançada de longe por Melkor; pois ele se tornara escuro como a Noite do Vazio.[18] E canta-se que nesse banquete da Primavera de Arda Tulkas desposou Nessa, a irmã de Oromë, e Vana [a] trajou com suas flores, e ela dançou diante dos Valar sobre a relva verde de Almaren.

§19 Então Tulkas adormeceu, estando cansado e contente, e Melkor julgou que sua hora chegara. E ele passou, portanto, por cima das Muralhas da Noite[19] com sua hoste e veio à Terra-média, no Norte; e os Valar não estavam cientes dele.

§20 Melkor, pois, começou a escavar e construir uma vasta fortaleza no fundo da Terra, sob montanhas escuras onde a luz de Illuin era fraca.[20] Essa praça-forte recebeu o nome de Utumno. E, embora os Valar nada soubessem dela por ora, mesmo assim o mal de Melkor e a praga de seu ódio fluíram de lá, e a Primavera de Arda foi desfigurada, e as coisas viventes se tornaram doentias e apodreceram, ou foram corrompidas, tomando formas monstruosas.

3450

§21 Então os Valar souberam que de fato Melkor estava operando de novo e buscaram seu esconderijo. Mas Melkor, confiando na força de Utumno e no poder de seus serviçais, saiu de improviso à guerra e assestou o primeiro golpe, antes que os Valar estivessem preparados. E ele assediou as luzes de Illuin e Ormal, e derribou seus pilares, e quebrou suas lamparinas. Então, na derrocada dos magnos pilares, terras foram destroçadas e mares se ergueram em tumulto; e, quando as lamparinas foram derramadas, chama destruidora foi espalhada pela Terra. E a forma de Arda e a simetria de suas águas e suas terras foram desfiguradas naquele tempo, de modo que os desígnios primeiros dos Valar nunca foram restaurados depois.

§22 Na confusão e na treva, Melkor escapou, embora o medo caísse sobre ele; pois, acima do rugir dos mares, ele ouvia a voz de Manwë feito um vento poderoso, e a terra tremia sob os pés de Tulkas. Mas ele chegou a Utumno antes que Tulkas pudesse alcançá-lo; e ali jazeu, escondido. E os Valar não puderam, naquele tempo, sobrepujá-lo, pois a maior parte da força deles era necessária para refrear os tumultos da Terra e salvar da ruína tudo o que pudesse ser salvo do labor deles; e, depois disso, temiam fender a Terra de novo, até que soubessem onde os Filhos de Ilúvatar estavam habitando, eles que ainda haviam de vir num tempo que estava oculto dos Valar.

§23 Assim terminou a Primavera de Arda. E a habitação dos Valar em Almaren foi totalmente destruída, e os deuses não tinham lugar de morada sobre a face da terra. Portanto, retiraram-se da Terra-média e foram para a Terra de Aman, que era a mais ocidental de todas as regiões, nas fronteiras do mundo; pois suas costas a oeste davam para o Mar de Fora que circundava o reino de Arda, e além dele estavam as Muralhas da Noite.[21] Mas as costas a leste de Aman são a extremidade última do Grande Mar do Oeste; e, uma vez que Melkor retornara à Terra-média, e eles não conseguiam ainda sobrepujá-lo, os Valar fortificaram sua habitação e, sobre as costas do Mar, ergueram as Pelóri, as Montanhas de Aman, as mais altas sobre a Terra. E, acima de todas as montanhas das Pelóri estava aquela elevação sobre cujo cimo Manwë pôs seu trono. Mas detrás das muralhas das Pelóri os Valar estabeleceram suas mansões e seu domínio naquela região que é chamada de Valinor. Lá, no Reino Protegido, reuniram grande reserva de luz e de todas as coisas mais belas que tinham salvado da ruína; e muitas outras coisas ainda mais belas fizeram de novo, e Valinor se tornou ainda mais formosa que a própria Terra-média durante a Primavera de Arda; e foi abençoada, pois os deuses lá habitavam, e ali nada esvanecia nem fenecia, nem havia qualquer mancha sobre flor ou folha naquela terra, nem qualquer corrupção ou enfermidade em coisa alguma que vivesse; pois as próprias pedras e águas eram abençoadas.

§24 Portanto, os Valar e todo o seu povo se tornaram jubilosos de novo, e por longo tempo permaneceram bem contentes, e raramente atravessavam as montanhas para vir às Terras de Fora; e a Terra-média jazia num crepúsculo sob as estrelas que Varda fizera nas eras esquecidas de seus labores em Ëa.

3500

§25 E veio a acontecer que, depois que Valinor estava completa e as mansões dos Valar estabelecidas e seus jardins e bosques ataviados, os Valar construíram sua cidade em meio à planície além das Pelóri. A essa cidade deram o nome de Valmar, a Abençoada. E diante de seu portão oeste havia um teso verde, e estava desnudo, exceto por um gramado de relva sempre verde.

§26 Então Yavanna e Niënna foram até aquele Teso Verdejante; e Yavanna o abençoou, e sentou-se ali longamente sobre a relva verde e cantou uma canção de grande poder, na qual foi posto todo o seu pensamento sobre as coisas que crescem na terra. Mas Niënna meditou em silêncio e aguou o solo com lágrimas. Então todos os Valar se reuniram juntos para dar ouvido à canção de Yavanna; e o teso ficava no meio do Círculo do Julgamento diante dos portões de Valmar, e os Valar se sentaram em torno dele em silêncio, em seus tronos de concílio, e seu povo se espalhava diante de seus pés. E, conforme os deuses observavam, eis que sobre o teso brotaram duas mudas verdes, e elas cresceram e se tornaram belas e altas, e chegaram ao florescer.

§27 Assim despertaram no mundo as Duas Árvores de Valinor, de todas as coisas que crescem as mais belas e mais renomadas, cuja sina está entretecida com a sina de Arda. A mais velha das Árvores recebeu o nome de Telperion, e suas flores eram de um branco luzente, e um orvalho de luz prateada se derramava delas. Laurelin é como a Árvore mais nova foi chamada; suas folhas verdes tinham bordas d'ouro, e suas flores eram semelhantes a ajuntamentos de chama amarela, e uma chuva d'ouro pingava delas até o chão. Daquelas Árvores saía uma grande luz, e toda Valinor ficou repleta dela. Então a ventura dos Valar cresceu; pois a luz das Árvores era sacra e de grande poder, de modo que, se algo era bom ou formoso ou de valor, naquela luz sua formosura e seu valor eram plenamente revelados; e tudo aquilo que caminhava naquela luz ficava contente em seu coração.

§28 Mas a luz que se derramava das Árvores subsistia longamente antes que fosse incorporada pelos ares ou afundasse na terra para enriquecimento de ambos. Portanto, dessa abundância costumava fazer grande reserva, e era entesourada em magnos tonéis perto do Teso Verde. Dali os Maiar a tiravam e levavam às brenhas e aos campos, mesmo àqueles muito afastados de Valmar, de modo que todas as regiões de Valinor eram nutridas e se faziam cada vez mais belas.

§29 Assim principiaram os Dias da Ventura de Valinor, e assim começou também a contagem do Tempo. Pois as Árvores chegavam ao florescer e à luz plenos, e minguavam de novo, incessantemente, sem mudança de velocidade ou plenitude. Telperion era a primeira a ter flor, e um pouco antes que ela cessasse de brilhar, surgiam em Laurelin os botões de flor; e, de novo, antes que Laurelin tivesse escurecido, Telperion despertava uma vez mais. Portanto, os Valar decidiram que o tempo do florescer, primeiro o de Telperion e depois o de Laurelin, era, para eles, o de um Dia em Valinor; e o tempo em que cada Árvore estava florescendo sozinha eles dividiram em cinco horas, cada uma equivalente ao tempo do mesclar de suas luzes, que se dava duas vezes a cada Dia. Havia assim doze de tais horas em cada Dia dos Valar; e mil desses Dias eram contados como um Ano, pois então nas Árvores crescia um novo galho e sua estatura aumentava.

A seção de abertura dos *Anais de Aman* termina aqui; ela é seguida por um subtítulo que diz *Aqui começa uma nova Contagem na Luz das Árvores*, com datas que começam com A.A.1, o Primeiro Ano das Árvores.

NOTAS

1 A definição de Ëa como "o Mundo que É" encontra-se também na aparição do nome em um acréscimo ao texto do *Ainulindalë* D, p. 47, §20. Apresento o termo aqui com a forma que ele tem nos textos, *Ea, Ëa, Eä.*

2 A forma original do nome era *Lórien*, mas ele foi alterado para *Lŏrien* no manuscrito do QS.

3 O AV 2 dizia, neste trecho (V. 134): "Yavanna, a quem Aulë desposou posteriormente no mundo, em Valinor"; na reescrita posterior do manuscrito do AV 2 que levou diretamente aos AAm (p. 67), a frase passa a ser "Yavanna, a quem Aulë desposou em Arda", enquanto AAm diz "em Ëa".

4 O AV 2 diz aqui (V. 134–5), "esses eram os Vanimor, os Belos", trecho alterado na reescrita posterior (ver nota 3) para "esses são os Mairi ...", e depois para "esses são os Maiar ...". É aí que provavelmente a palavra *Maiar* surgiu.

5 No manuscrito mais antigo da abertura de *O Conto dos Anos* (e só nele), o subtítulo *Do Princípio do Tempo e de sua Contagem* foi, mais tarde, ampliado com o acréscimo de *A partir da obra de Quennar Onótimo*; ver nota 6.

6 Quando essa frase foi escrita inicialmente no esboço para o começo dos AAm (a reescrita do AV 2), ela dizia: "cada um de tais anos é, em comprimento, igual ao que dez anos do Sol são agora", isto é, meu pai ainda mantinha o cálculo antigo muito mais simples que remontava ao AV 2 (V. 135) e o AV 1 (IV. 310). Isso foi alterado no rascunho para "cada um de tais anos é mais longo do que

são nove anos do Sol que existe agora". Na versão mais antiga do *Conto dos Anos*, as palavras "são agora" foram escritas a lápis depois de "nove anos sob o Sol", enquanto a segunda versão diz "do que são agora nove anos sob o Sol".

A segunda versão do *Conto dos Anos*, que não se refere a Quennar Onótimo no subtítulo *Do Princípio do Tempo e de sua Contagem* (nota 5), diz aqui: "Assim falou Quennar Onótimo acerca dessa matéria". O que vem depois desse ponto, em todos os textos, está escrito numa letra claramente menor, de modo que a referência a Quennar parece mais apropriada aqui.

7 A versão posterior do *Conto dos Anos* (e apenas ela) diz "um quinto de uma era dos Valar" no lugar de "uma era dos Valar".

8 A mais antiga das versões do *Conto dos Anos* acrescenta aqui: "enquanto cada era dos Valar é uma parte exata (quão grande ou pequena apenas eles sabem) do todo da história de Ëa. Mas essas coisas não são conhecidas com certeza nem mesmo pelos Eldar"; a segunda começa com a passagem adicional da mesma maneira, mas termina dizendo: "... de toda a história de Ëa, de seu princípio até o Fim que há de ser. Mas essas coisas não são conhecidas com certeza nem mesmo [pelos] Vanyar."

9 As versões do *Conto dos Anos* dizem aqui: "Quanto aos Anos das Árvores em comparação com aqueles que vieram depois", o que deixa o significado mais claro.

10 Na versão mais antiga do *Conto dos Anos* a expressão "de um nascer do Sol a outro" foi alterada a lápis para "de um pôr-do-sol a outro", e a frase seguinte, "quando a luz e a treva estão divididas igualmente", foi colocada entre colchetes. A segunda versão tem forma diferente: "de um pôr-do-sol a outro ao lado das Costas do Grande Mar".

11 Nas versões do *Conto dos Anos* essas palavras — "(nove e meio e oito centésimos e mais um pouco)" — são omitidas.

12 Nas versões do *Conto dos Anos* as palavras "e ordenar" foram omitidas.

13 No lugar de "como daqui em diante se conta" (frase que se refere ao relato sobre o Sol e a Lua que aparece mais tarde nos AAm), as versões do *Conto dos Anos* dizem "como se conta alhures".

14 Em vez de "foi criado desse modo", as versões do *Conto dos Anos* dizem "foi designado pelos Valar".

15 "apenas um ano" passa a ser, nas versões do *Conto dos Anos*, "apenas um ano para seus propósitos".

16 As versões do *Conto dos Anos* dizem aqui: "Assim diz o *Yénonótië* de Quennar". Sobre *Yénonótië* cf. *Yénië Valinóren*, "Anais de Valinor" nas páginas de rosto do QS (V. 239), e o próprio nome *Onótimo*; ver as *Etimologias*, radicais NOT "contar", YEN "ano" (V. 459, 488).

17 O parágrafo §10 tem a seguinte forma no esboço do início dos AAm:

OS ANAIS DE AMAN

Foi calculado pelos Mestres do Saber que os Valar vieram ao Reino de Arda, o qual é esta Terra, cinco e quarenta mil anos de nosso tempo antes do primeiro nascer da Lua. E desses trinta mil passaram antes que a medição do Tempo principiasse com o florescer das Árvores. Esses foram os Dias antes dos Dias. E quinze mil anos vieram depois, durante os quais a Luz das Árvores ainda vivia, e quase seiscentos anos mais do Novo Sol e da Lua depois da matança das Árvores. E esses são chamados de os Dias Antigos, e com seu fim findou a Primeira Era do Tempo, e Melkor foi lançado fora do mundo.

Assim, enquanto em AV 1 e AV 2 a contagem era esta (A.V. = Ano(s) Valiano(s), A.S. = Ano(s) do Sol):

A.V. 1000 = A.S. 10000	Primeiro florescer das Árvores
A.V. 3000 = A.S. 30000	Nascer da Lua

essa primeira revisão traz:

A.S. 30000	Primeiro florescer das Árvores
A.S. 45000	Nascer da Lua

Essa contagem foi, então, substituída de novo:

A.V. 3500 = A.S. 33530	Primeiro florescer das Árvores
A.V. 5300 = A.S. 50775	Nascer da Lua

Esses números mostram uma razão de 1 A.V. = 9.58 A.S. (ver o comentário a §§5–10, pp. 80-2). Essa última contagem era a forma adotada nos AAm quando o texto foi escrito inicialmente, depois alterada muitas vezes até chegar ao texto publicado agora.

18 O texto, conforme escrito, dizia "escuro como a noite que havia antes de Ea", alterado mais tarde para "escuro como a Noite do Vazio".

19 A forma original do texto dizia "por sobre as fronteiras de Ëa"; isso foi alterado mais tarde para "por sobre as Muralhas da Noite, nas fronteiras de Arda", e depois "nas fronteiras de Arda" foi riscado.

20 O texto originalmente dizia "longe da luz de Illuin".

21 De início, o texto dizia "que é a mais ocidental de todas as terras", e "dão para o Mar de Fora que circunda o reino de Arda"; as mudanças do verbo para o passado foram, talvez, feitas no momento da escrita, já que a frase seguinte, "e além dele estavam as Muralhas da Noite", estava no passado desde o começo. Por outro lado, a frase seguinte usa o verbo no presente ("Mas as costas a leste de Aman são a extremidade última do Grande Mar do Oeste"), trecho onde o verbo *são* foi mantido no texto.

Comentário sobre a primeira seção dos Anais de Aman

§§1–3 Sobre a ocorrência do nome *Eru*, ver p. 21. O trecho sobre as interrelações dos Valar e das rainhas dos Valar continua se baseando de perto no do AV 2 (V. 134) e mantém frases antigas (tais como "Manwë e Melkor eram os mais pujantes e eram irmãos") remontando aos *Anais* originais (IV. 310). Há, entretanto, alguns desenvolvimentos nessa seção de abertura. Quanto à frase de §2, "Oromë e Tulkas eram mais jovens no pensamento de Eru antes que fosse imaginado o Mundo", ver V. 145. A afirmação de que Tulkas chegou por último a Arda deriva do *Ainulindalë* reescrito (§31).

Não se afirma agora, diferentemente do AV 2, que Oromë era filho de Yavanna. Por outro lado, o texto agora afirma, tal como no *Quenta* (**Q**) e no QS, que Vana era irmã de Yavanna (e Varda), enquanto isso não é afirmado no AV2. Essas diferenças talvez estejam relacionadas; pois, se ambos os relatos forem combinados, a esposa de Oromë é irmã de sua mãe. Mas isso pode corresponder a uma visão demasiado convencional dos relacionamentos divinos.

As afirmações de que Estë "não vai aos concílios dos Valar e não é contada entre os regentes de Arda", e de que ela é a principal dos Maiar (ver nota 4 acima), são inteiramente novas.

§4 A passagem relativa aos "espíritos menores" não mostra nenhum desenvolvimento significativo em relação ao do AV 2 (V. 134–5), exceto pela substituição de *Vanimor* por *Maiar* (traduzido como "os Belos", tal como *Vanimor*); os *Valarindi*, Filhos dos Valar, "gerados em Arda" e contados entre os Maiar, permanecem. Quanto à história anterior dessas concepções, ver V. 146; e ver ainda p. 93-4.

§5 O nome *Telperion* apareceu pela primeira vez em QS §16 (V. 248), mas não como o nome principal da Mais Antiga das Árvores, que continuou sendo *Silpion*. *Telperion*, denominação usada em *O Senhor dos Anéis*, tornou-se agora o nome principal.

§§5–10 O relato da Contagem do Tempo é, à primeira vista, um tanto desconcertante, mas pode ser esclarecido.

(i) De acordo com a contagem pelas Árvores

12 horas (florescer completo de ambas as Árvores) = 1 dia

1.000 dias (12.000 horas) = 1 ano

100 anos = 1 era dos Valar (como os Valar contavam as eras antes das Árvores, de acordo com uma suposição dos Mestres-do-saber dos Elfos; ver notas 7 e 8 ao texto)

(ii) Relação da contagem pelas Árvores com a contagem pelo Sol

1 hora das Árvores = 7 horas do nosso tempo

1 dia das Árvores = (7 x 12) 84 horas do nosso tempo

1 ano das Árvores = (7 x 12.000) 84.000 horas do nosso tempo

Há (365,25 x 24) 8.766 horas num Ano do Sol, e assim:

1 ano das Árvores = (84.000/8.766) 9,582 Anos do Sol**

(iii) *Intenção original dos Valar para a nova contagem usando o Sol e a Lua*

12 horas de luz da Lua + 12 horas de luz do Sol = 24 horas = 1 dia completo

700 vezes a soma da luz lunar e solar = 350 dias completos = 1 Ano do Sol

1 hora = 1/7 de 1 hora das Árvores

Portanto:

1 Ano do Sol teria (24 x 350) 8.400 horas = (8.400/7) 1.200 horas das Árvores = 1/10 de um Ano Valiano (ver (i) acima); assim, 1 Ano Valiano seria = 10 Anos do Sol

O esquema pode ser apresentado de forma mais concisa assim:

1 ano das Árvores = (7 x 12.000) 84.000 horas do nosso tempo

84.000/(350 x 24) 8.400 = 10

mas

84.000/(365,25 x 24) 8.766 = 9,582

(iv) As datas do primeiro florescer das Árvores e do primeiro nascer da Lua (§10)

As Árvores floresceram pela primeira vez depois que se passaram 3.500 Anos Valianos, o que, dizem os textos, é equivalente a 33.530 Anos do Sol (isso pressupõe uma equivalência de 9,58 para 1; com 9,582, o número é 33.537).

A Lua nasceu pela primeira vez depois que transcorreram 5.000 Anos Valianos, o que, afirma-se, são iguais a 47.901 Anos do Sol (isso pressupõe uma equivalência de 9,5802 para 1; se a equivalência for de 9,582 para 1, o número de Anos do Sol seria de 47.910, ou de 47.900 se o multiplicador for 9,58).

** Cf. o texto (parágrafo 7): "nove e meio e oito centésimos *e mais um pouco*".

As Árvores brilharam durante 1.495 Anos Valianos, iguais a 14.322 Anos do Sol, segundo o texto (o que pressupõe uma equivalência de quase exatamente 9,58 para 1).

§§11–29A grande expansão da narrativa pré-*Senhor dos Anéis* (QS, AV 2) deriva em parte do *Ainulindalë* mais tardio (o fato de que os AAm vieram depois da última versão daquela obra, a D, é perceptível em vários detalhes, como, por exemplo, nos nomes Ëa, Illuin e *Ormal*, sendo que o primeiro deles apareceu em D num acréscimo posterior, e os das Lamparinas substituíram *Forontë* e *Hyarantë* em emendas). Mas há muita coisa que é inteiramente nova: o fato de que Manwë realizou um grande banquete na Ilha de Almaren, no qual Tulkas desposou Nessa; o de que Sauron era "um grande artífice da casa de Aulë"; o de que os Valar não conseguiram sobrepujar Melkor naquela época por causa da necessidade de subjugar as turbulências da Terra e preservar o que pudessem daquilo que tinham realizado; e outras características do texto mencionadas a seguir. — A questão da cosmologia é discutida no fim deste comentário.

§15 A afirmação de que, sob a luz das Lamparinas, "havia grande crescimento de árvores e ervas, e feras e aves vieram" (cf. também §18, onde Vana trajou Nessa com flores nos festejos em Almaren) deriva do Ainulindalë (§31): "flores de muitos matizes, e árvores cuja florada era como neve sobre as montanhas ... feras e aves vieram" — onde, entretanto, o texto foi corrigido ("Por ora, nenhuma flor tinha desabrochado, nem ave alguma cantara"). Ver p. 37, nota 17, e p. 55-6, §31.

§20 Uma diferença estrutural entre os AAm e o *Ainulindalë* é que nesse último Melkor só começou a escavar Utumno *depois* da derrubada das Lamparinas e de sua fuga dos Valar (§32) — uma história que remonta aos textos do antigo "Esboço da Mitologia". Nos AAm, por outro lado, Melkor construiu Utumno, ou pelo menos estava muito avançado no trabalho, antes de os Valar ficarem cientes dele, e era de Utumno que a pestilência e a corrupção procediam; os Valar então perceberam a presença dele em Arda e "procuraram seu esconderijo", e foi isso (ao que parece) que levou à irrupção repentino de Melkor em guerra aberta e à derrubada das Lamparinas.

§22 O ataque a Melkor empreendido pelos Valar retornando de Valinor, descrito no *Ainulindalë* (§32), não é mencionado nos AAm, que dizem apenas que eles "não puderam, naquele tempo, sobrepujá-lo", retomando as palavras de QS §12 (V. 247). O fato de que a ideia tinha sido abandonada fica claro posteriormente, p. 105, §47.

§23 A afirmação de que toda a vida em Aman estava livre de qualquer desvanecimento ou fenecimento, e livre também de pragas e enfermidades, não tinha chegado a ser feita em textos anteriores.

§24 Enquanto nos textos da década de 1930 a antiga ideia dos *Contos Perdidos* segundo a qual as estrelas foram criadas em dois atos separados (I. 90, 126, 143) havia sido abandonada, agora o tema reaparece: Varda fez estrelas "nas eras esquecidas de seus labores em Ëa" e, mais tarde nos AAm (p. 96, §35) afirma-se que ela "criou novas e mais brilhantes estrelas" antes do despertar dos Elfos. Presume-se que isso esteja associado à concepção do *Ainulindalë* tardio (§§14, 28) sobre o estabelecimento de Arda "no meio das estrelas inumeráveis".

§§25–6 A afirmação de que as Árvores cresceram em um teso verdejante no Círculo do Julgamento é um detalhe novo, embora a implicação de QS §14 (V. 248) seja de que as Árvores ficavam no Círculo. Aqui se afirma que o Círculo e o Teso ficavam diante do portão oeste de Valmar; nos *Contos Perdidos* as Árvores ficavam ao norte da cidade e, além disso, estavam "separadas por léguas" uma da outra (I. 92, 177).

§28 Esse relato sobre a luz que emanava das Árvores sendo tirada pelos Maiar dos poços de Varda para "aguar" todas as terras de Valinor tem suas raízes na antiga ideia de que as Árvores "precisavam ser regadas com luz para que tivessem seiva e vida" (I. 94).

§29 No final desse parágrafo há um novo detalhe notável, o de que, depois de mil dias, as Árvores produziam um novo galho; e de que era por isso que um Ano Valiano correspondia a essa soma. Fica claro — e é afirmado aqui expressamente — que o dia Valiano tinha doze horas porque o período de luz mesclada correspondia a exatamente um quinto do período de florescimento luminoso completo de Telperion ou Laurelin; se tivesse tido um terço da duração, o dia teria tido oito horas, e assim por diante. O dia valiano, portanto, estava ligado à natureza das

Árvores. Agora descobrimos que o ano valiano de 1.000 dias também *se devia à natureza das Árvores*, já que após esse período as Árvores ganhavam um novo galho.

Não há sugestão aqui de que o cálculo extra segundo o qual cem anos constituíam uma Era Valiana (o que remonta à versão mais antiga dos *Anais*, IV. 310) estivesse relacionado à estrutura interna das Árvores; mas afirma-se na seção *Do Princípio do Tempo e de sua Contagem* (§6) que os Mestres-do-saber supunham "que os Valar de tal maneira *estabeleceram* as horas das Árvores que cem de tais anos, assim medidos, fossem, em duração, como uma era dos Valar (*tal como eram aquelas eras nos dias de seus labores antes da fundação de Valinor*)" — isto é, antes das Árvores. Já que as duas passagens só estão separadas por algumas páginas no mesmo manuscrito, presume-se que não são contraditórias; e, vistas em conjunto, o significado só pode ser que os períodos das Árvores, que estavam ligados à sua natureza, mesmo assim estavam relacionados a uma modalidade de medida do tempo antes que as Árvores viessem a existir. Isso, por sua vez, parece exigir que os Valar conheciam, e tinham "estabelecido", antes mesmo que Yavanna e Nienna fossem ao Teso Verdejante, a natureza periódica da luz das Árvores.

Aqui temos novas evidências relativas ao problema cosmológico. As afirmações relevantes nessa primeira seção dos AAm são:

§1 Ëa corresponde a "o Mundo que é"; os Valar são "os Poderes de Ëa".

§11 Depois de eras de labor "nos grandes salões de Ëa, os Valar desceram a Arda no princípio de seu ser".

§13 Tulkas veio a Arda "de regiões distantes de Ëa".

§17 Melkor reuniu espíritos "vindos dos vazios de Ëa"; e ele "aproximou-se de novo de Arda, e olhou para ela lá embaixo".

§18 Os Valar não perceberam a sombra escura "lançada de longe por Melkor".

§19 Melkor "passou pelas fronteiras de Ëa" > "passou por cima das Muralhas da Noite nas fronteiras de Arda" > "passou por cima das Muralhas da Noite" (nota 19).

§23 O Mar de Fora "circundava o reino de Arda, e além dele estavam as Muralhas da Noite".

As Muralhas da Noite não tinham sido citadas em outros textos, mas é difícil de achar, especialmente com base na frase citada em §23, que elas não são a mesma coisa que as Muralhas do Mundo. Afirmei (p. 45) que a partida de Melkor de Arda no *Ainulindalë* — a nova história que foi introduzida depois de *O Senhor dos Anéis* — levanta uma questão sobre a passagem pelas Muralhas do Mundo e sobre a forma que essa concepção assumiu agora. A ideia por trás de tal passagem na verdade apareceu, e de forma muitíssimo confusa, no período anterior, no fim do Q, quando se afirma que alguns acreditam que Melko às vezes retorna ao mundo, e que ele "insinua-se, escalando as Muralhas" (IV. 188, 297). A passagem em AAm §19 (conforme emendada) é inequívoca: Melkor *passou por cima* das Muralhas da Noite. Voltamos ao mais antigo retrato imaginário das Muralhas: cf. minha observação em I. 272–3, "parece clara a implicação de que as Muralhas foram concebidas, originalmente, como se fossem muralhas de cidades terrenas, ou jardins — muros com um cimo, um 'cinturão amuralhado'". Foi assim, podemos supor, que Melkor pôde "olhar para Arda lá embaixo" (§17); foi assim que sua vasta sombra pôde ser lançada até mesmo antes que ele passasse por cima das Muralhas (§18); e foi assim que Tulkas (§13) e os espíritos convocados por Melkor (§19) conseguiram entrar na "região cercada" (definição de *Arda*, p. 21).

Mas a frase "passou por cima das Muralhas da Noite" é uma emenda do que meu pai escreveu de início: "passou pelas fronteiras de Ëa". Será que isso pode ter algum significado que não seja o de que, ao entrar em Arda, Melkor saiu de Ëa? A esse respeito, é possível voltar aos dois diagramas de "Ilu" do *Ambarkanta* (IV. 287—9), nos quais, muito mais tarde (talvez por volta dessa época), meu pai fez correções a lápis ao termo *Ilurambar,* "as Muralhas do Mundo", alterando-o para *Eärambar* ("as Muralhas de Ea"). (É claro que, se as Muralhas não são mais concebidas como uma casca esférica — de onde veio a expressão "englobado em meio ao Vazio" conforme foi usada nas versões mais antigas do *Ainulindalë*) —, mas como uma fortificação que pode ser escalada, as Ëarambar não podem mais ser consideradas como o mesmo conceito que as *Ilurambar*, mas apenas como um novo nome para as Muralhas, agora concebidas de forma diferente; e a inserção do novo nome nos diagramas antigos é, portanto, nesse sentido, enganosa.) Do mesmo modo, é difícil entender o que Ëarambar pode significar se não "as Muralhas que *funcionam como cerca diante* dos ermos sombrios dos 'vazios de Ëa'" (uma expressão usada em §17), por oposição a *Ilurambar*, "as Muralhas que *cercam* Ilu."

A dificuldade nesse caso, é claro, é que Ëa, em outros lugares, é definido como "o Universo daquilo que É" (p. 21), "Criação o Universo" (p. 57), e Ëa, portanto, necessariamente abrange Arda; de qualquer modo, fica abundantemente claro com base em todos os textos do período tardio que Arda fica dentro de Ëa. Mas pode ser que Arda possa, mesmo assim, ser considerada como algo separado de Ëa quando Ëa é visto como o "Espaço".

Em meio a todas as ambiguidades (acima de tudo, a que envolve o uso da palavra "Mundo"), as evidências parecem indicar que, nesses textos, a imagem do mundo do *Ambarkanta* sobreviveu, ao menos na concepção do Mar de Fora que se estendia até as Muralhas do Mundo, agora chamadas de Muralhas da Noite — embora a estrutura delas tenha passado a ser concebida de modo diferente (ver também p. 170, §168). Agora, na revisão de "O Silmarillion" feita em 1951, a frase em QS §12 (V. 247), "as Muralhas do Mundo a separam do Vazio e da Escuridão Antiga" — uma frase em perfeita concordância, é claro, com o *Ambarkanta* — foi mantida (p. 181). Essa é uma dificuldade central em relação ao *Ainulindalë*, onde fica tão claro quanto se poderia desejar que Ëa passou a existir *no Vazio*, estava *englobada em meio ao Vazio* (§§11, 20 e ver pp. 54-6); como então é possível que as Muralhas de Arda a separem "do Vazio e da Escuridão Antiga"?

Uma explicação possível, em algum sentido, pode ser entrevista nas palavras citadas acima, de AAm §17: Melkor reuniu espíritos *vindos dos vazios de Ëa*. Pode ser que, embora os AAm não estejam distantes, no tempo, da última versão (D) do *Ainulindalë*, a concepção de meu pai, na verdade, não estivesse inteiramente de acordo com o que ele tinha escrito lá; e que (conforme sugeri, p. 57) ele agora estivesse pensando em Arda como algo "posto dentro de uma vastidão indefinida na qual toda a 'Criação' é abrangida", em vez de numa Ëa cercada e posta, ela própria, "em meio ao Vazio". Assim, além das Muralhas da Noite, os limites de Arda, estendem-se "os vazios de Ëa". Mas essa sugestão, é claro, não esclarece todos os problemas, ambiguidades e aparentes contradições da cosmologia do período tardio, os quais foram discutidos anteriormente.

Já mencionei (p. 67) que existe um texto datilografado da primeira parte dos AAm que é bastante distinto da versão datilografada por uma secretária. Eu não estava ciente de sua existência quando o texto de *O Silmarillion* foi preparado para publicação. Essa versão foi feita diretamente a partir do manuscrito dos AAm e baseado nele, e certamente foi produzida por meu pai, que introduziu mudanças em relação ao manuscrito conforme datilografava. Esse texto traz, de fato, um grande número dessas mudanças, em geral pequenas ou muito pequenas, mas também algumas alterações e alguns acréscimos importantes; e ele não inclui a seção *Do Princípio do Tempo e de sua Contagem.* Nenhuma dessas mudanças aparece nas emendas feitas no texto datilografado ou na sua cópia carbono, exceto a remoção da seção sobre a Contagem do Tempo (p. 93).

Vou me referir a esse texto como "**AAm***". Não parece haver meio de determinar com certeza quando ele foi produzido, e só posso registrar minha sensação de que ele corresponde à época de composição do manuscrito dos AAm, e não a algum momento posterior. De qualquer forma, meu pai logo o abandonou (ver p. 106). Pode ser que, tendo-o deixado de lado, ele se esqueceu dessa versão ou a perdeu; e, quando surgiu a oportunidade de pedir que o texto fosse passado a limpo por uma secretária que era uma datilógrafa treinada (como parece ser o caso), ele simplesmente entregou o manuscrito dos AAm da maneira que estava naquele momento (incluindo, portanto, a seção sobre a Contagem do Tempo, embora em AAm* ele a tenha cortado).

Apresento agora as alterações dignas de nota nos AAm* (que se estendem por um trecho curto depois do ponto alcançado nesta primeira seção; para o restante do texto, ver as pp. 106-7).

O preâmbulo

Aqui principiam os "Anais de Aman". Rúmil os escreveu nos Dias Antigos, e os Exilados os guardavam na memória. Aquelas partes que aprendemos e recordarmos foram, assim, registradas em Númenor antes que a Sombra caísse sobre ela.

Esse trecho é especialmente interessante, uma vez que mostra um modo diferente de transmissão se comparado à tradição "Pengoloð

– Ælfwine": os *Anais* são concebidos como uma obra escrita em Númenor, derivada dos "Exilados", os Noldor na Terra-média, os quais, por sua vez, derivaram-na da obra de Rúmil. A ideia de que Númenor era um elemento essencial na transmissão das lendas dos Dias Antigos vai reaparecer (ver especialmente pp. 446, 450-1, 482-3).

§1 No lugar de "chefes dos Valar", os AAm* trazem a expressão "senhores dos Valar" nesse trecho e nos seguintes. *Lorien* foi alterado no texto datilografado para *Lorion* (mas não na passagem citada em §3 abaixo).

§2 Nos AAm a antiga frase "Manwë e Melkor eram os mais pujantes e eram irmãos" foi preservada, mas os AAm* possuem nesse ponto:

> Melkor e Manwë eram irmãos no pensamento de Eru, e os mais velhos de sua gente, e seu poder era igual entre si e maior do que todos os outros que habitavam em Arda. Manwë é Rei dos Valar ...

Afirma-se no *Ainulindalë* tardio (§§5, 9) que Melkor era o mais poderoso dos Ainur, e isso, de fato, remonta ao texto B, pré--*Senhor dos Anéis*, dessa narrativa (ver V. 195, nota 4, para as diferentes afirmações feitas sobre esse assunto). Mais tardenos AAm (p. 126-7, §102) Fëanor "trancou as portas de sua casa no rosto do mais poderoso de todos os habitantes de Ëa".
Esse texto diz "Oromë e Tulkas eram os mais jovens no pensamento de Eru" no ponto onde os AAm dizem apenas "mais jovens".

§3 Há uma mistura estranha de tempos verbais do presente e do passado nessa passagem: assim, "Vána, a bela, é a esposa de Oromë", "Vairë, a Tecelã, vive com Mandos", mas "Nenhuma esposa tinha Ulmo, nem a tinha Melkor", "Nenhum senhor tinha Nienna", "a esposa de Lorien era Estë, a Pálida". Sobre essa questão, ver pp. 253-4.

Não se afirma agora que Vana (acentuada como "Vána" na primeira ocorrência, mas não nas seguintes) era irmã de Yavanna (ver pp. 80).

Conforme datilografada, a passagem que começa com "Nenhum senhor tinha Nienna" (grafada dessa maneira, não como "Niënna", em todas as ocorrências nos AAm*) tinha a seguinte forma:

> Nenhum senhor tinha Nienna, rainha de Sombra, irmã de Manwë. A esposa de Tulkas era Nessa, a Jovem; e a esposa de Lorien era Estë, a Pálida. Essas não têm assento nos concílios dos Valar, mas são as mais elevadas entre os Maiar.

Nos AAm, a afirmação de que "ela não vai aos concílios dos Valar" refere-se apenas a Estë, e o nome dela não aparece na lista das rainhas dos Valar: ela é "a principal dos Maiar". No presente texto, a despeito de Nessa também ser excluída dos concílios, e da afirmação de que ela e Estë "são as mais elevadas entre os Maiar", seu nome ainda está presente na lista das rainhas. Emendas contemporâneas ao texto datilografado produziram esta notável alteração:

> Nenhum senhor tinha Nienna, irmã de Manwë; nem Nessa, a Sempre-donzela. A esposa de Tulkas era Lëa, a Jovem; e a esposa de Lorien era Estë, a Pálida …

O texto, então, continua como antes, de modo que as duas que não têm assento nos concílios dos Valar e são "as mais elevadas entre os Maiar" passam a ser Lëa e Estë. Não há traços desse desenvolvimento em nenhum outro texto, mas Lëa aparece de novo nos AAm* quando o texto foi datilografado (ver abaixo em §18);

§4 Esse parágrafo recebeu uma extensão substancial:

> Com esses grandes poderes vieram muitos outros espíritos da mesma estirpe, gerados no pensamento de Eru antes da criação de Eä, mas tendo menos poder e autoridade. Esses são os Maiar, o povo dos Valar; eles são belos, mas seu número não é conhecido e poucos têm nomes entre Elfos ou Homens.

> Há também aqueles a quem chamamos de Valarindi, que são os Filhos dos Valar, gerados de seu amor depois da entrada deles em Eä. São os filhos mais velhos do Mundo; e, embora seu ser tenha começado dentro de Eä, são, contudo, da raça dos Ainur, que existiam antes do mundo, e têm poder e posição abaixo apenas dos Valar.

§12 No fim desse parágrafo, os AAm* acrescentam: "Assim transcorreram muitos anos dos Valar em contenda".

§14 A data A.V. 1900 para a construção das Lamparinas foi omitida nos AAm*.

§15 Os AAm* mantêm as palavras dos AAm, "e havia grande crescimento de árvores e ervas, e feras e aves vieram …". Ver o comentário sobre essa passagem, p. 81: a referência ao aparecimento de aves e flores nessa época foi retirado do *Ainulindalë* D no que parece ser uma alteração relativamente precoce do texto, e há nisso uma indicação de que as duas versões da abertura dos *Anais de Aman* foram produzidas em momentos bastante próximos (ver p. 87).

§17 Esse parágrafo passou por várias modificações:

> Ora, Melkor sabia de tudo o que se fazia; pois mesmo então já tinha amigos secretos em meio aos Maiar, a quem convertera à sua causa, seja no primeiro tocar do Ainulindalë, seja mais tarde, em Eä. Desses, o principal, como mais tarde se soube, era Sauron, um grande artífice da casa de Aulë. Assim, ao longe, nos lugares sombrios de Eä, para os quais tinha recuado, Melkor estava cheio de novo ódio, estando enciumado da obra de seus pares, a quem desejava sujeitar a si próprio. Portanto, reuniu consigo espíritos saídos dos vazios de Eä, que o serviam, até julgar que se tornara forte; e, vendo agora o momento propício, aproximou-se de Arda de novo; e olhou para ela lá embaixo, e a beleza da Terra em sua Primavera o encheu de assombro, mas, porque não era sua, resolveu-se a destruí-la.

§18 Aqui a esposa de Tulkas, Lëa, a Jovem, aparece de novo, desta vez no texto quando datilografado e não como emenda (ver em §3 acima), citada agora como *Lëa-vinya* ("Lëa, a Jovem"):

Conta-se que naquele banquete da Primavera de Arda Tulkas desposou Lëa-vinya, mais formosa das donzelas de Yavanna, e Vana a trajou de flores que chegaram então pela primeira vez a seu desabrochar; e ela dançou diante dos Valar ...

Sobre a referência às primeiras flores, ver em §15 acima.

§19 Os AAm* dizem "as Muralhas de Noite" no lugar de "as Muralhas da Noite", e o mesmo ocorre em §23.

§20 "Então Melkor iniciou a escavação e construção de uma vasta fortaleza nas funduras da Terra, [*riscado*: debaixo das raízes da] longe da luz de Illuin; e ele ergueu grandes montanhas acima de seus salões. Essa praça-forte foi mais tarde chamada de Utumno, a Oculta-nas-profundezas; e, embora os Valar por muito tempo nada soubessem dela ...

Nos AAm, Utumno foi cavada "sob montanhas escuras"; o novo texto, no qual Melkor ergueu montanhas acima dela (tal como as Thangorodrim acima de Angband) surgiu no momento em que o texto foi datilografado.

§21 Onde os AAm dizem "E ele assediou as luzes de Illuin e Ormal", os AAm* trazem:

Ele desceu feito uma tempestade negra do Norte e assediou as luzes de Illuin e Ormal.

§22 A conclusão desse parágrafo nos AAm, "que ainda haviam de vir num tempo que estava oculto dos Valar", é omitida nos AAm*.

§23 A palavra "deuses" foi removida nos AAm* em ambas as ocorrências: no começo do parágrafo, "os deuses não tinham lugar de morada" passa a ser "eles tinham", e perto do fim "pois os deuses lá habitavam" fica "pois os Serviçais de Ilúvatar lá habitavam".

A Terra de Aman ficava "nas fronteiras do mundo antigo" (isto é, o mundo antes do Cataclismo); "nas fronteiras do mundo" nos AAm. A passagem acerca de Taniquetil foi alterada para a seguinte forma:

Mas, acima de todas as montanhas das Pelóri ficava aquela elevação que recebeu o nome de Taniquetil Oiolossë, o pico luzente da Semprebranca, sobre cujo cimo Manwë pôs seu trono, diante das portas dos salões abobadados de Varda.

§25 Nos AAm afirma-se que "os Valar construíram sua cidade"; os AAm* dizem:

> ... em meio à planície a oeste das Pelóri Aulë e seu povo construíram para eles uma bela cidade. A essa cidade deram o nome de Valimar, a Abençoada.

Isso remonta ao texto dos *Contos Perdidos*: cf. I. 100: "E eis que agora relatei a maneira das moradas de todos os grandes Deuses, as quais Aulë ergueu com sua perícia em Valinor". — Essa é a primeira ocorrência da forma *Valimar* (que reaparece em §§26, 28 desse texto).

§26 Depois das palavras "Mas Nienna meditou sentada em silêncio, e suas lágrimas caíam sobre o chão", há uma nota de rodapé à nova versão:

> Pois o que se diz é que mesmo na Música Nienna teve pequeno papel, mas escutou atenta a tudo o que ouvia. Portanto, era rica em memória e enxergava longe, percebendo como os temas desenrolar-se-iam no Conto de Arda. Mas ela tinha pouco regozijo, e todo o seu amor se mesclava à piedade, sofrendo pelas feridas do mundo e pelas coisas que falharam em se cumprir. Tão grande era sua lástima, dizem, que não pôde suportar a Música até o fim. Portanto, ela não tem a esperança de Manwë; ele enxerga mais longe; mas a Piedade é o coração de Nienna.

Quanto a essa passagem, ver p. 467 e nota 2. A afirmação aqui de que Nienna "não pôde suportar a Música até o fim" e que "portanto, ela não tem a esperança de Manwë", é muito impactante; mas não se diz em que Manwë deposita sua esperança. É possível que seja relevante recordar a nota de rodapé de Pengoloð ao Ainulindalë D, §19 (p. 47):

> E alguns disseram que a Visão cessou antes da plenitude do Domínio dos Homens e do esvanecimento dos Primogênitos;

donde, embora a Música esteja acima de tudo, os Valar ainda não viram, como que com visão, as Eras Posteriores ou o final do Mundo.

§28 No lugar de "entesourada em magnos tonéis", os AAm* dizem "entesourada em lagoas profundas".

Resta considerar as pouquíssimas emendas feitas ao texto dos AAm datilografado por uma secretária nessa seção de abertura, e aquelas (quase inteiramente diferentes) feitas na cópia-carbono. Essas alterações foram apressadas e casuais, não sendo em sentido algum uma revisão verdadeira da obra. Foram feitas em algum momento posterior que sou incapaz de definir; mas têm como efeito criar uma concordância entre a abertura dos AAm e a forma final da outra tradição, que deriva do capítulo 1 do QS, "Dos Valar", e, em última instância, desemboca na curta obra independente *Valaquenta*.

Na cópia original do texto datilografado, foram riscadas não apenas a seção sobre a Contagem do Tempo (p. 87) como também o relato resumido sobre os Valar no início: uma nota na página de rosto do texto explicita que os *Anais* devem começar no Primeiro Ano dos Valar em Arda (§11 neste livro). Mas mudanças a lápis foram feitas em §§1–4 antes disso:

§1 "nove chefes" > "sete chefes"; Ossë e Melkor foram riscados da lista. Sobre a remoção de Ossë, ver p. 120, §70.

§2 A palavra "também" foi acrescentada: "As rainhas dos Valar são também sete"; Estë foi acrescentada e Uinen foi retirada, de modo que a lista passa a ser "Varda, Yavanna, Nienna, Estë, Vairë, Vana e Nessa".

§3 "Varda era a esposa de Manwë desde o princípio" > "Varda era a esposa de Manwë desde o princípio de Arda".

"e Uinen, senhora dos mares, é a esposa de Ossë" foi riscado (simplesmente uma consequência de Ossë não ser mais contado entre os "chefes").

"irmã de Manwë e Melkor" (em referência a Nienna) foi riscado.

"mas ela não vai aos concílios dos Valar e não é contada entre os regentes de Arda, mas é a principal dos Maiar" (sobre Estë) também é um trecho riscado (uma consequência de Estë agora estar incluída na lista das "rainhas").

§4 O trecho "E com eles são contados também os Valarindi ..." até o fim desse parágrafo também foi riscado (ver abaixo).

§28 "magnos tonéis" > "poços luzentes" (cf. a alteração feita nos AAm*, p. 91).

Alterações bem diferentes foram feitas na cópia-carbono dessa seção sobre os Valar. Em §3, "a esposa de Oromë" e "esposa de Tulkas" foram alterados para "a consorte de Oromë" e "a consorte de Tulkas"; "Nenhum senhor tem Nienna" foi alterado para "Nenhum companheiro tem Nienna"; e, na margem, ao lado dessas mudanças, meu pai escreveu:

> Note-se que "consorte" significa apenas uma "associação". Os Valar não tinham corpos, mas podiam assumir formas. Depois da vinda dos Eldar, o que eles faziam com mais frequência era usar formas "humanas", embora mais altas (*não* gigantescas) e magníficas.

Ao mesmo tempo, a passagem acerca dos Valarindi (os Filhos dos Valar) no fim de §4 foi riscada (tal como o foi na versão original), já que essa nota é uma afirmação das mais definitivas de que qualquer concepção desse tipo estava fora de questão.

Algumas outras anotações a lápis foram feitas em pontos subsequentes da cópia-carbono:

§20 Ao lado de *Utumno* está escrito a lápis: "Utupnŭ √TUI? cobrir, esconder"; sobre isso, cf. AAm* §20 (p. 91): "Essa praça-forte foi mais tarde chamada de Utumno, a Oculta-nas-profundezas", e ver as *Etimologias* (V. 481), radical TUB, onde a forma original do nome é citada como **Utubnu*.

§23 Onde a palavra "deuses" foi substituída por "os Serviçais de Ilúvatar" nos AAm* (p. 91), meu pai a corrigiu na cópia-carbono para "os Sem-Morte". Nas ocorrências de "deuses" no começo do parágrafo, ele fez a mesma alteração (para "eles") que a presente nos AAm*.

§25 Depois de "um teso verdejante" foi acrescentado o nome *Ezellohar*; e, em §26, *Ezellohar* substitui "aquele Teso Verdejante".

Segunda seção dos Anais de Aman

Aqui principia uma nova Contagem à Luz das Árvores

1*

§30 Por mil anos das Árvores os Valar habitaram em ventura em Valinor, além das Montanhas de Aman, e toda a Terra-média jazeu num crepúsculo sob as estrelas. Para lá os Valar pouco iam, exceto apenas Yavanna e Oromë: e Yavanna caminhava amiúde por lá nas sombras, pesarosa, pois todo o crescimento e toda a promessa da Primavera de Arda tinham sido detidos. E ela pôs um sono sobre muitas coisas belas que tinham surgido na Primavera, árvore e erva e fera e ave, de modo que não envelhecessem, mas esperassem um tempo de despertar que ainda haveria de vir. Mas Melkor habitava em Utumno, e ele não dormia, mas vigiava e labutava; e as coisas malignas que tinha pervertido caminhavam soltas, e as matas sombrias e adormecidas eram assombradas por monstros e formas de horror. E em Utumno ele fez a raça de demônios a quem os Elfos mais tarde deram o nome de Balrogs. Mas esses ainda não saíam dos portões de Utumno, por causa da vigilância de Oromë.

§31 Ora, Oromë muito amava todas as obras de Yavanna, e estava sempre pronto a fazer o que ela lhe pedia. E por essa razão, e porque ele desejava por vezes cavalgar em florestas maiores e mais amplas que as boscagens de Valinor, amiúde também ele vinha à Terra-média e ali saía a caçar sob as estrelas. Então seu cavalo branco, Nahar, brilhava feito prata nas sombras; e a terra adormecida tremia ao bater de seus cascos dourados. E Oromë soprava sua trompa poderosa, ao que as montanhas tremiam, e coisas malignas fugiam para longe; mas Melkor se encolhia em Utumno e não ousava se aventurar fora dali. Pois se diz que, ao passo que sua

* Escrita a lápis ao lado de "1" está a abreviação "AA" (Ano das Árvores), e também "AV 3501" (isto é, Ano dos Valar). — As datas no formato "AA" foram alteradas com muita frequência no manuscrito, e, em certos lugares, é muito difícil interpretar as mudanças; apresento apenas as formas finais (ver as pp. 67-8).

malícia crescia, bem como a força de seu ódio, assim também a coragem de Melkor fraquejava; e, com todo o seu conhecimento e o seu poder e os seus muitos serviçais, ele se tornou um poltrão, saindo à batalha apenas contra os de pouca força, atormentando os fracos e confiando sempre em seus escravos e suas criaturas para operar sua obra maligna. Contudo, seu domínio se espalhava sempre no rumo sul pela Terra-média, pois, logo que Oromë passava, os serviçais de Melkor se ajuntavam de novo; e a Terra estava cheia de sombras e engodos.

1000

§32 Veio a se passar que os Valar celebraram concílio, pois tinham ficado perturbados pelas novas que Yavanna e Oromë traziam das Terras de Fora. E Yavanna falou diante dos Valar e predisse que a vinda dos Filhos de Ilúvatar estava se aproximando, inda que a hora e o lugar daquela vinda fossem conhecidos apenas de Ilúvatar. E Yavanna suplicou a Manwë que se desse luz à Terra-média, para deter os males de Melkor e confortar os Filhos; e Oromë e Tulkas falaram de modo semelhante, estando ávidos por fazer guerra a Utumno.

§33 Mas Mandos falou e disse que, embora a Vinda estivesse preparada, não dar-se-ia ainda por muitos Anos; e os Filhos Mais Velhos haviam de vir na escuridão e contemplar primeiro as Estrelas. Pois assim estava ordenado.

§34 Então Varda saiu do concílio e olhou da altura de Taniquetil, e contemplou a escuridão da Terra sob as estrelas inumeráveis, tênues e distantes. Então principiou um grande labor, a maior de todas as obras dos Valar desde sua vinda a Arda.

1000–1050

§35 Ora, Varda tomou a luz que saía de Telperion e estava armazenada em Valinor e fez novas e mais brilhantes estrelas. E muitas outras das estrelas antigas ela reuniu juntas e dispôs como signos nos firmamentos de Arda. O maior desses era Menelmakar, o Espadachim do Céu. Esse, dizem, era um signo de Túrin Turambar, que havia de vir ao mundo, e um prenúncio da Última Batalha que há de se dar no fim dos Dias.

1050

§36 Por último Varda fez o signo de estrelas luzentes que é chamado de Valakirka, a Foice dos Deuses, e esse ela estabeleceu no Norte como uma ameaça a Utumno e um sinal da perdição de Melkor.

§37 Naquela hora, dizem, os Quendi, os Filhos Mais Velhos de Ilúvatar, despertaram: a esses os Homens chamavam de Elfos, e de muitos outros nomes. À beira das Águas do Despertar, Kuiviénen, eles se levantaram do sono de Ilúvatar, e seus olhos contemplaram, antes de todas as coisas, as estrelas do firmamento. Portanto, eles sempre amaram a luz das estrelas e têm reverenciado Varda Elentárië acima de todos os Valar.

§38 Nas mudanças do mundo, as formas de terras e de mares foram destroçadas e refeitas; rios não mantiveram seus cursos, nem montanhas permaneceram firmes; e para Kuiviénen não há como retornar. Mas conta-se entre os Quendi que o lago ficava num trecho distante da Terra-média, a leste de Endon (que é seu ponto médio) e no rumo norte; e era uma baía no Mar Interior de Helkar. E esse mar ficava onde outrora as raízes da montanha de Illuin estiveram antes que Melkor a derrubasse. Muitas águas corriam para lá de elevações no Leste, e o primeiro som escutado pelos ouvidos dos Elfos foi o som de água corrente, e o som d'água caindo sobre a pedra.

§39 Longamente os Quendi habitaram em seu primeiro lar à beira d'água, sob as estrelas, e caminharam pela Terra em assombro; e começaram a criar uma fala e a dar nomes a todas as coisas que percebiam. E a si mesmos deram o nome de Quendi, significando aqueles que falam com vozes; pois até então não tinham encontrado nenhuma outra coisa viva que falasse ou cantasse.

§40 E nesse tempo também, dizem, Melian, mais bela dos Maiar, desejando contemplar as estrelas, subiu a Taniquctil; e de repente ela desejou ver a Terra-média e deixou Valinor e caminhou no crepúsculo.

1085

§41 E, quando os Elfos já tinham habitado o mundo por cinco e trinta dos Anos dos Valar (que são como trezentos e trinta e cinco dos nossos anos), aconteceu que Oromë cavalgou para Endon em sua caçada, e virou para o norte nas costas de Helkar e passou sob as sombras das Orokarni, as Montanhas do Leste. E, súbito, Nahar soltou um grande rincho e depois ficou parado. E Oromë se admirou e se sentou em silêncio, e lhe parecia que, na quietude da terra sob as estrelas, estava ouvindo ao longe muitas vozes cantando.

§42 Assim foi que os Valar acharam enfim, como se fora por acaso, aqueles a quem tinham tanto esperado. E, quando Oromë os contemplou, encheu-se de assombro, como se eles fossem coisas imprevistas e não imaginadas; e amou os Quendi, e lhes deu o nome de Eldar, o povo das estrelas.

A página do manuscrito original tinha uma interpolação nesse ponto, uma passagem escrita na margem, a seguir:

> Contudo, a partir de conhecimento adquirido depois, os mestres do saber dizem com tristeza que Oromë não foi, quiçá, o primeiro dos Grandes a contemplar os Elfos. Pois Melkor estava à espreita, e seus espiões eram muitos. E imagina-se que, demorando-se ali perto, seus serviçais tinham desencaminhado alguns dos Quendi que se aventuravam longe de casa, e os levaram como cativos para Utumno, e lá os escravizaram. Desses escravos sustenta-se que vieram os Orkor, que, mais tarde, foram os principais adversários dos Eldar. E as mentiras de Melkor logo se espalharam, de modo que sussurros se ouviam em meio aos Quendi, advertindo-os de que, se alguém de sua gente se embrenhasse nas sombras e não fosse mais visto, eles deveriam tomar cuidado com um fero caçador montado num grande cavalo, pois ele é que os levava para devorá-los. Assim foi que, com a aproximação de Oromë, muitos dos Quendi fugiram e se esconderam.

O texto original então continua, com uma nova data, 1086, "Rapidamente Oromë cavalgou de volta a Valinor e levou novas aos Valar" (ver §46 abaixo). Mas a passagem interpolada que acabei de apresentar foi, mais tarde, substituída por uma nova página com a seguinte passagem, longa e importante, em §§43–5 (presente no texto datilografado desde o começo):

§43 Contudo, muitos dos Quendi ficaram aterrorizados à sua chegada. Isso era obra de Melkor. Pois, com o que descobriram depois, os mestres do saber dizem que Melkor, sempre vigilante, foi o primeiro a ficar ciente do despertar dos Quendi, e enviou sombras e espíritos maus para vigiá-los e emboscá-los. Assim veio a se passar, alguns anos antes da vinda de Oromë, que, se alguns dos Elfos se desgarravam muito, sozinhos ou uns poucos juntos, amiúde desapareciam e nunca retornavam; e os Quendi diziam que o Caçador os pegara e tinham medo. De fato, nas mais antigas canções do nosso povo, das quais alguns ecos ainda são lembrados no Oeste, ouvimos falar das formas de sombra que caminhavam nos montes acima de Kuiviénen ou passavam de repente por sobre as estrelas; e do Cavaleiro escuro em seu cavalo selvagem que perseguia aqueles que vagavam para pegá-los e devorá-los. Ora, Melkor odiava e temia grandemente as cavalgadas de Oromë e ele ou, em verdade, mandou seus serviçais sombrios como cavaleiros, ou lançou adiante sussurros mentirosos com o propósito de que os Quendi evitassem Oromë se quiçá o encontrassem.

§44 Assim foi que, quando Nahar rinchou e Oromë de fato chegou em meio a eles, alguns dos Quendi se esconderam, e alguns fugiram e se perderam. Mas aqueles que tiveram a coragem de ficar perceberam rapidamente que o Grande Cavaleiro era nobre e belo e não era nenhuma forma vinda da Escuridão; pois a Luz de Aman estava em seu rosto, e todos os mais nobres dos Quendi eram atraídos a ele.

§45 Mas daqueles infelizes que foram apanhados por Melkor pouco se sabe com certeza. Pois quem dentre os vivos desceu às covas de Utumno ou explorou a escuridão dos conselhos de Melkor? Contudo, isto é considerado verdadeiro pelos sábios de Eressëa: que todos aqueles dos Quendi que caíram nas mãos de Melkor, antes que Utumno fosse destroçada, lá foram postos na prisão e, por lentas artes de crueldade e perversidade, foram corrompidos e escravizados. Assim Melkor fez procriar a raça hedionda dos Orkor em inveja e arremedo dos Eldar, de quem foram depois os inimigos mais amargos. Pois os Orkor tinham vida e se multiplicavam à maneira dos Filhos de Ilúvatar; e nada que tivesse vida por si mesmo, nem a semelhança de vida, podia Melkor jamais criar desde sua rebelião no Ainulindalë antes do Princípio: assim dizem os sábios. E, no fundo de seus corações sombrios, os Orkor abominavam o Mestre a quem serviam por medo, criador somente de sua miséria. Pode ser que este tenha sido o feito mais vil de Melkor e o mais odioso para Eru.

1086

§46 Oromë se demorou um pouco entre os Quendi e então cavalgou rapidamente de volta a Valinor e trouxe as novas aos Valar. E falou das sombras que atormentavam Kuiviénen. Então os Valar se sentaram em concílio e debateram longamente o que seria melhor fazer para a guarda dos Quendi; mas Oromë retornou de imediato à Terra-média e fez morada entre os Elfos.

1090

§47 Manwë se sentou longamente em pensamento sobre Taniquetil, e resolveu-se enfim a fazer guerra a Melkor, embora Arda fosse receber ainda mais feridas naquela contenda. Pela primeira vez, portanto, os Valar assediaram Melkor, e não ele os Valar, e saíram à guerra em todo o seu poderio, e o derrotaram por completo. Isso fizeram em favor dos Elfos, e Melkor bem o sabia, e não o esqueceu.

1090–2

§48 Melkor enfrentou o ataque dos Valar no Noroeste da Terra-média, e toda aquela região foi muito destroçada. Mas essa vitória inicial das hostes do Oeste foi rápida e fácil, e os serviçais de Melkor fugiram diante delas para Utumno. Então os Valar marcharam pela Terra-média e puseram uma guarda sobre Kuiviénen; e dali por diante os Quendi nada souberam da Grande Guerra dos Deuses, salvo que a Terra tremia e gemia debaixo deles, e que as águas se remexiam; e que, no Norte, havia luzes como as de fogos magnos. Mas, depois de dois anos, os Valar passaram-se para o Norte distante e iniciaram o longo cerco de Utumno.

1092–1100

§49 Aquele cerco foi longo e duro, e muitas batalhas foram travadas diante dos portões, das quais nada além de rumores é conhecido dos Quendi. A Terra-média foi tremendamente abalada naquele tempo, e o Grande Mar que a separava de Aman se tornou largo e profundo. E todas as terras do Norte distante se fizeram desoladas naqueles dias, e assim sempre permaneceram; pois ali Utumno fora escavada a extrema profundidade, e suas covas e cavernas avançavam muito longe sob a terra, e estavam repletas de fogos e grandes hostes dos serviçais de Melkor.

1099

§50 Veio a se passar, por fim, que os portões de Utumno foram quebrados, e os tetos de seus salões, arrancados, e Melkor buscou refúgio na cova mais profunda. Dali, vendo que tudo estava perdido (ao menos naquela hora), ele soltou de repente uma hoste de Balrogs, os últimos de seus serviçais que restavam, e eles assediaram o estandarte de Manwë, como se fossem uma maré de chama. Mas feneceram no vento de sua ira e foram mortos com o relâmpago de sua espada; e Melkor ficou, por fim, sozinho. Então Tulkas se pôs à frente, como campeão dos Valar, e lutou com ele e o lançou sobre seu rosto, e o atou com a corrente Angainor. Assim terminou a primeira guerra do Oeste contra o Norte.

Comentário à segunda seção dos Anais de Aman

(Não há notas textuais sobre essa seção da narrativa.) No trecho apresentado acima, os *Anais de Aman* correspondem à abertura do Capítulo 3, *Da Vinda dos Elfos*, na outra tradição, a do "Silmarillion" (QS §§18–21, V. 251–3). Um trabalho contemporâneo (mais ou menos) da escrita dos *Anais de Aman* foi a grande revisão do *Quenta Silmarillion*, mas aqui a comparação obviamente deve ficar restrita ao texto pré-*Senhor dos Anéis*, junto com o AV2, anais A.V. 1000–1990 (V. 135–6).

§30 Nos AAm agora se reconta o momento em que Yavanna lança um sono sobre as coisas vivas que tinham despertado na Primavera de Arda, sobre o qual não há sinais no QS (ou nas reescritas tardias).

A criação dos Balrogs é então mencionada; e, enquanto nos AAm (§17) o relato sobre a "hoste" de Melkor, os espíritos "vindos dos vazios de Ëa" e seus "amigos secretos e espiões entre os Maiar", seja mais completo do que na outra tradição em qualquer estágio, ainda se declara firmemente que os Balrogs seriam *demônios criados por ele próprio*, e, ademais, que eles foram criados em Utumno nesse momento. Sobre a concepção dos Balrogs nos AAm, ver ainda §§42–5, 50 neste comentários, e especialmente p. 106, §30.

§31 A afirmação de que o cavalo de Oromë era branco e tinha ferraduras de ouro está presente no QS (§24) e no Q (§2), mas essa é a primeira aparição do nome *Nahar*. Oromë é aqui representado como uma presença guardiã na Terra-média, em tal medida que os Balrogs não saem de Utumno por conta dele (§30); cf. o AV2 (V. 135): "Morgoth recuava diante de sua trompa".

§§34–6 Quanto aos dois momentos de criação das estrelas, ver p. 83, §24. Aqui está presente a afirmação notável de que *Menelmakar* (Órion) era "um signo de Túrin Turambar, que havia de vir ao mundo, e um prenúncio da Última Batalha que há de se dar no fim dos Dias". Essa é uma referência à Segunda Profecia de Mandos (no *Quenta*, IV. 187):

> Então há de se ajuntar a última batalha nos campos de Valinor. Naquele dia, Tulkas há de combater com Melko, e à sua direita há de estar Fionwë e à sua esquerda, Túrin Turambar, filho de Húrin, Conquistador do Destino, vindo dos salões de Mandos; e há de ser a espada negra de Túrin a dar a Melko sua morte e fim definitivo; e assim hão de ser vingados os filhos de Húrin e todos os Homens.

O nome em quenya *Menelmacar* é mencionado no Apêndice E (I) de *O Senhor dos Anéis*: em *A Sociedade do Anel* (p. 143), aparece a forma sindarin: "o Espadachim do Céu, Menelvagor com seu cinto luminoso".

§37 No AV2 (V. 136) afirma-se que os Elfos despertaram quando a Foice dos Deuses brilhou pela primeira vez; "com a abertura das primeiras estrelas", QS §20.

§38 A referência à localização de Kuiviénen é interessante. Sobre isso não se diz mais na outra tradição além de que o lugar ficava "no Leste da Terra-média" (QS §20, preservado em todos os textos tardios). Nos AAm Kuiviénen ficava a NE de Endon, o ponto médio do continente. Na lista de nomes que acompanham o

Ambarkanta (IV. 285), aparece o termo "*ambar-endya* ou Terra Média, da qual *Endor* é o ponto central", e a palavra *Endor* está escrita no centro do continente do meio nos diagramas do *Ambarkanta* (IV. 287, 289) — no mapa (IV. 293, 295) o lugar está marcado como um ponto: "Endor meio da Terra", e ali o nome foi corrigido para *Endon*, a forma na presente passagem dos AAm, embora mais tarde alterada de volta para *Endor* (também no texto datilografado dos AAm meu pai trocou *Endon* por *Endor* aqui e em §41, p. 107). Ver IV. 299–300).

Nos AAm, Kuiviénen era "uma baía no Mar Interior de Helkar"; nos QS, é "a lagoa iluminada pelas estrelas" (assim como no Q), termo que foi mantido nos textos tardios. No mapa do *Ambarkanta*, o local aparece a NE de Endor (Endon) e está marcado no lado oriental do Mar de Helkar; no texto, fica "à beira das águas do Helkar" (IV. 284). Não está claro se essas várias afirmações mostram exatamente o mesmo conceito. Aqui nos AAm temos a primeira referência ao Mar de Helkar (formado depois da queda da Lamparina do norte) desde o *Ambarkanta* — texto no qual a própria Lamparina era chamada de *Helkar*; ver IV. 301.

§39 Cf. QS §20: "Por um tempo [Oromë] habitou entre eles, e ensinou-lhes o idioma dos Deuses, a partir do qual mais tarde eles fizeram a bela fala élfica", e o *Lhamas* (V. 199): "E dele [Oromë] aprenderam segundo sua capacidade a fala dos Valar; e todas as línguas que foram derivadas dali podem ser chamadas de oromianas ou quendianas". Afirma-se agora nos AAm que os Quendi já tinham desenvolvido a linguagem e que deram nomes "a todas as coisas que percebiam", antes mesmo que Oromë chegasse até eles (o que ocorreu 335 Anos do Sol depois do despertar dos Elfos). Cf. *O Conto de Gilfanon* em *O Livro dos Contos Perdidos* (I. 278): "Ora, os Eldar, ou Qendi, receberam o dom da fala diretamente de Ilúvatar".

§40 Esse parágrafo foi interpolado no manuscrito; ele aparece no texto datilografado desde o começo. A colocação da partida de Melian nesse momento deriva dos *Anais de Valinor* (IV. 311, V. 136); no QS (§31), afirma-se que ela "vagou de Valinor em longas jornadas às Terras de Cá". O significado das palavras dos AAm, segundo as quais Melian, "desejando contemplar as estrelas, subiu a Taniquetil", é presumivelmente o de que ela escalou as encostas orientais de Taniquetil, onde a luz das Árvores estava oculta.

§41 Conforme observado em IV. 302, a afirmação de que Oromë "virou para o norte nas costas de Helkar e passou sob as sombras das Orokarni, as Montanhas do Leste" está perfeitamente de acordo com o mapa do *Ambarkanta* (IV. 293; no mapa, as Orokarni são chamadas de Montanhas Vermelhas),

"Estava ouvindo ao longe muitas vozes cantando": cf. QS §20: "Mas Oromë os encontrou ... enquanto eles habitavam ainda em silêncio às margens da lagoa iluminada pelas estrelas, Kuiviénen". Ver também §39 acima.

§42 O QS (§20) traz neste ponto a afirmação extraordinária que "Oromë, contemplando os Elfos, encheu-se de amor e assombro; pois a vinda deles não estava na Música dos Ainur, e ficou oculta no pensamento secreto de Ilúvatar"; ver minha discussão acerca dessa passagem em V. 257.

Quanto à história do significado do nome *Eldar*, ver as referências ao termo apresentadas no verbete *Eldar* no Índice Remissivo do vol. V.

§§42–5 *A origem dos Orques.* A primeira aparição da ideia de que a origem deles estava ligada à dos Elfos está em QS §18 e mais tarde, no QS (§62) afirma-se que, *quando Morgoth voltou à Terra-média* depois da destruição das Árvores

> ele trouxe à existência a raça dos Orques, e eles cresceram e se multiplicaram nas entranhas da terra. Esses Orques Morgoth fez em inveja e zombaria dos Elfos, e eles eram feitos de pedra, mas seus corações, de ódio.

(Para as visões cambiantes de meu pai acerca da época da origem dos Orques na cronologia dos Dias Antigos, ver IV. 366, V. 209.) Na interpolação do manuscrito dos AAm e em sua reescrita e expansão subsequentes (pp. 97-100) aparece, junto com a história do Cavaleiro que, segundo os rumores, levava embora os Quendi que se desgarravam, a teoria de que Melkor fizera procriar os Orques (aqui chamados de *Orkor*) "em inveja e arremedo dos Eldar" *a partir de Quendi escravizados no leste da Terra-média* antes mesmo que Oromë topasse com eles. Fica explícito (§45) que Melkor não podia *criar* nada que tivesse vida própria desde sua rebelião; mas isso está em completa contradição com

§30, onde afirma-se que "em Utumno ele *fez* a raça de demônios a quem os Elfos mais tarde deram o nome de Balrogs". Não creio que a interpolação na qual a primeira dessas afirmações aparece foi escrita depois de um intervalo longo: as visões de meu pai sobre esse assunto parecem ter passado por mudanças rápidas nessa época, e um relato diferente sobre a origem dos Balrogs encontra-se no texto escrito a máquina logo abandonado que chamei de AAm* (ver p. 106, §30). A permanência da afirmação em §30, apesar de ela contradizer a de §45, sem dúvida se deveu a um descuido, e ambas aparecem no texto datilografado principal dos AAm. — Ver, ainda sobre a questão da origem dos Orques, p. 156, §127, e p. 491 e seguintes.

§47 As palavras "Pela primeira vez, portanto, os Valar assediaram Melkor, e não ele os Valar" mostram que a história presente no *Ainulindalë*, segundo a qual os Valar saíram contra ele vindos de Valinor depois da queda das Lamparinas, tinha sido abandonada (p. 83, §22).

§49 Quanto às mudanças na Terra na época da Grande Guerra dos Deuses, conforme descrita no *Ambarkanta*, ver IV. 284. Embora os dois textos não necessariamente se contradigam, é curioso que os AAm afirmem que nessa época "o Grande Mar que a separava de Aman se tornou largo e profundo"; pois no *Ambarkanta* (*ibid.*, e ver ainda o mapa, IV.295), a largura muito maior do Mar do Oeste em relação ao do Leste surgiu por volta da época da fundação de Valinor:

> Para sua maior proteção, os Valar empurraram a Terra-média para longe em seu centro e a comprimiram para o leste, de maneira que foi curvada, e o grande mar do Oeste é muito amplo no meio, a mais vasta de todas as águas da Terra. A forma da Terra no Leste era muito semelhante àquela no Oeste, salvo pelo estreitamento do Mar do Leste, e pelo deslocamento da terra naquela direção.

§50 É notável que os Balrogs, nessa época, quando *O Senhor dos Anéis* já tinha sido concluído, ainda fossem concebidos como criaturas que existiam em grandes números (Melkor enviou "uma hoste de Balrogs"); ver p. 107, §50.

O texto datilografado (AAm*) que meu pai começou a escrever, mas logo abandonou, continua até um pouco depois do ponto alcançado pela primeira sessão (p. 93). As diferenças significativas em relação a AAm são as seguintes:

§30 … Mas Melkor habitava em Utumno, e não dormia, mas vigiava e labutava; e qualquer bem que Yavanna operasse naquelas terras ele desfazia, se pudesse, e as coisas malignas que ele tinha pervertido caminhavam mundo afora, e as matas sombrias e adormecidas eram assombradas por monstros e formas de horror. E em Utumno ele multiplicou a raça dos espíritos malignos que o seguiam, os Úmaiar, de quem os principais eram aqueles demônios a quem os Elfos mais tarde deram o nome de Balrogath. Mas eles ainda não saíam pelos portões de Utumno, por causa de seu medo de Oromë.

A segunda parte dessa passagem é muito interessante por mostrar um desenvolvimento considerável da ideia de que Melkor "fez" os Balrogs nessa época (ver p. 104). Eles agora passam a ser "espíritos malignos" (Úmaiar) que o seguiam" — mas ele era capaz de "multiplicá-los". O termo Úmaiar, que não tinha aparecido antes, tem a mesma relação com *Maiar* que a palavra Úvanimor tem com *Vanimor* (ver IV. 344, nota de rodapé).

§31 … e ali saía a caçar sob as estrelas. Ele tinha grande amor por cavalos e cães, mas todas as feras estavam em seu pensamento, e caçava apenas os monstros e criaturas ferozes de Melkor. Se os descortinava ao longe, ou se seus grandes cães sentiam o cheiro deles, então seu cavalo branco, Nahar, brilhava feito prata conforme corria através das sombras, e a terra adormecida tremia ao bater de seus cascos dourados. E na hora do abate** Oromë soava sua grande trompa, até que as montanhas chacoalhava…

… e confiando sempre em seus escravos para operar suas obras malignas. [seus escravos e suas criaturas, AAm]

§32 Veio a se passar que Manwë convocou os Valar para um concílio, pois estavam perturbados pelas novas que Yavanna e Oromë tinham trazido das Terras de Fora, dizendo que, se

** Em inglês, *mort*: o toque de trompa emitido quando a presa é morta. [N.T.]

Melkor fosse deixado por mais tempo a fazer sua vontade sem impedimento, toda a Terra-média cairia em irrecuperável ruína; e Manwë sabia, ademais, que a vinda dos Filhos de Ilúvatar estava agora se aproximando, embora a hora e o lugar exatos de sua vinda fossem conhecidos apenas do próprio Ilúvatar. E Manwë falou disso aos Valar; e Yavanna implorou-lhe que trouxesse luz à Terra-média, como barreira aos males de Melkor e conforto para os Filhos; e

Aqui termina o texto datilografado AAm*, num pé de página. Mais uma vez, o que começou como uma cópia estava se transformando numa nova versão de forma cada vez mais rápida. Mas não vejo razão para achar que algo mais desse texto tenha chegado a existir.

Resta registrar algumas poucas mudanças tardias, rabiscadas, e notas feitas em uma ou outra das cópias datilografadas do texto inteiro.

§§38, 41 *Endon* > *Endor* (ver p. 102, §38).

§42 "e lhes deu o nome de Eldar, o povo das estrelas" > "e os chamou de povo das estrelas". Na margem, meu pai escreveu (isto é, em referência ao texto original): "mas ele não podia ter feito isso — [?já que o termo] é da forma posterior do quenya."

§43 Junto ao meio desse parágrafo há uma nota na margem: "Alterar isso. Orques não são élficos". Ver as p. 491 e seguintes.

§50 "uma hoste de Balrogs, os últimos de seus serviçais que restavam" > "seus Balrogs, os últimos de seus serviçais que permaneciam fiéis a ele". Na margem, meu pai escreveu: "Não se deve supor que mais do que, digamos, 3 ou no máximo 7 chegaram a existir". Ver p. 105, §50.

Terceira seção dos Anais de Aman

1100

O Acorrentamento de Melkor

§51 Então os Valar retornaram à Terra de Aman, e Melkor foi levado em cativeiro, atado nas mãos e nos pés e vendado; e foi trazido ao Círculo do Julgamento. Ali jazeu sobre sua face diante dos pés de Manwë, e implorou perdão e liberdade, recordando seu parentesco com Manwë. Mas sua prece foi negada, e diz-se que naquela hora os Valar de bom grado tê-lo-iam condenado à morte. Mas a morte ninguém pode dar a qualquer um da raça dos Valar, nem pode qualquer um, exceto Eru apenas, retirá-los de Ëa, o Mundo que é, querendo eles ou não o querendo. Portanto, Manwë lançou Melkor na prisão, e ele foi trancafiado na masmorra de Mandos, donde ninguém é capaz de escapar.

§52 E os Valar condenaram Melkor a ali ficar por três eras de Valinor antes que pudesse sair outra vez para ser julgado por seus pares e implorar uma vez mais por condições de perdão. E isso foi feito, e a paz voltou ao reino de Arda; e esse foi o Zênite do Reino Abençoado. Contudo, muitas outras coisas malignas ainda se demoravam na Terra-média, as quais tinham fugido da ira dos Senhores do Oeste ou jaziam ocultas nas profundezas da terra. Pois as covas de Utumno eram muitas, e estavam ocultas com engodo, e nem todas foram descobertas pelos Valar.

1101

§53 Então os Valar se assentaram novamente em concílio e debateram o que deveriam fazer para conforto e guia dos Filhos de Ilúvatar. E, por fim, por causa do grande amor que os Valar tinham pelos Quendi, enviaram-lhes uma convocação, pedindo que partissem e habitassem venturosos em Aman e à Luz das Árvores. E Oromë levou a mensagem dos Valar a Kuiviénen.

1102

§54 Os Quendi ficaram assustados com as convocações dos Valar, e estavam indesejosos de partir da Terra-média. Portanto, Oromë foi enviado de novo até eles e escolheu entre os Elfos embaixadores que deviam ir a Valinor e falar em nome de seu povo. E três apenas dos chefes dos Quendi estavam desejosos de se aventurar na jornada: Ingwë, Finwë e Elwë, que mais tarde foram reis.

§55 Os três senhores-élficos foram trazidos, portanto, até Valmar, e ali falaram com Manwë e os Valar; e ficaram cheios de assombro, mas a beleza e os esplendor da terra de Valinor sobrepujou seu medo, e eles passaram a desejar a Luz das Árvores.

1104

§56 E, depois que habitaram em Valinor por algum tempo, Oromë os trouxe de volta a Kuiviénen, e falaram diante de seu povo e o aconselharam a dar ouvido às convocações dos Valar e transplantar-se para o Oeste.

1105

§57 Então sobreveio a primeira divisão do Povo-élfico. Pois a gente de Ingwë, e a maior parte das gentes de Finwë e Olwë, foram convencidas pelas palavras de seus senhores e estavam desejosas de partir e seguir a Oromë. E essas ficaram conhecidas sempre, depois disso, como os Eldar, por causa do nome que Oromë lhes deu em sua própria língua. Mas as gentes de Morwë e Nurwë estavam indesejosas de partir e recusaram a convocação, preferindo a luz das estrelas e os largos espaços da Terra ao rumor da Árvores. Ora, essas habitavam mais longe das águas de Kuiviénen e vagavam nas colinas, e não tinham visto Oromë em sua primeira chegada, e dos Valar não conheciam mais do que formas e rumores de ira e poder conforme eles marchavam à guerra. E quiçá as mentiras de Melkor acerca de Oromë e Nahar (as quais foram acima recordadas) viviam ainda no meio deles, de modo que o temiam como se fora um demônio que queria devorá-los.[1] Esses são os Avari, os Indesejosos, e eles ficaram separados, naquele tempo, dos Eldar, e nunca mais se encontraram até que muitas eras tivessem passado.

§58 Os Eldar então se prepararam para a sua Grande Marcha e partiram em três hostes. Primeiro vinham os Vanyar, os mais ávidos pela estrada, o povo de Ingwë. Depois vinham os Noldor, uma hoste maior (embora alguns ficassem para trás), o povo de Finwë. Por último vinham os Teleri, e eles eram os menos ávidos. Contudo, a hoste deles que começou a Marcha era a maior de todas, e eles, portanto, tinham dois senhores: Elwë Singollo e Olwë, seu irmão. E, quando tudo foi aprontado, Oromë cavalgou diante deles montado em Nahar, alvo à luz das estrelas. E principiaram sua longa jornada e passaram pelo Mar de Helkar antes que dobrassem um pouco a oeste.[2] E diz-se que diante deles grandes nuvens ainda pendiam negras no Norte, acima das ruínas da guerra, e as estrelas naquela região estavam ocultas. Então não poucos deles ficaram com medo e se arrependeram e voltaram atrás, e estão esquecidos.

1115

§59 Longa e lenta foi a Marcha dos Eldar para Oeste, pois as léguas da Terra-média eram incontáveis, e exaustivas e sem trilhas. Nem desejavam os Eldar se apressar, pois ficavam cheios de assombro diante de tudo o que viam, e em muitas terras e à beira de muitos rios queriam ficar; e, embora todos ainda estivessem desejosos de vagar, não poucos antes temiam o fim de sua jornada do que o ansiavam. Portanto, sempre que Oromë partia, como às vezes fazia, tendo outras matérias a tratar, eles paravam e não mais iam em frente até que ele voltasse para guiá-los.

§60 E veio a acontecer que, depois de dez Anos de jornada dessa maneira (o que equivale a dizer, num tempo tal como nós agora contaríamos, bem perto de um século de nossos anos), os Eldar atravessaram uma floresta e chegaram a um grande rio, mais amplo e largo do que qualquer um que já tivessem visto, e além dele havia montanhas cujas pontas agudas pareciam transpassar o reino das estrelas.[3]

§61 Esse rio, dizem, era nada menos que aquele rio mais tarde chamado de Anduin, o Grande, e que foi sempre a fronteira das Regiões do Oeste da Terra-média. Mas as montanhas eram as Hithaeglir, as Torres de Névoa nas fronteiras de Eriador; contudo, eram mais altas e mais terríveis naqueles dias e foram erguidas por Melkor para atrapalhar as cavalgadas de Oromë.[4] Ora, os Teleri habitaram longamente na margem leste do Rio e desejavam permanecer ali, mas os Vanyar e os Noldor atravessaram o Rio com o auxílio de Oromë, e ele os levou até os passos das montanhas.[5] E, quando Oromë foi adiante, os Teleri olharam para as alturas sombrias e tiveram medo.

§62 Então se levantou um dos da hoste de Olwë, que era sempre o último na marcha, e seu nome era Nano (ou Dân na língua de seu próprio povo). E ele abandonou a marcha para o oeste e levou embora um povo numeroso, e eles foram para o sul descendo o Rio, e passaram além do conhecimento dos Eldar até que longos anos se passassem. Esses eram os Nandor.

1125

§63 E quando, mais uma vez, dez anos tinham passado, os Vanyar e os Noldor atravessaram enfim as montanhas que ficavam entre Eriador e a região mais a oeste da Terra-média, a que os Elfos, depois, deram o nome de Beleriand. E as companhias da vanguarda cruzaram o Vale do Sirion e chegaram às costas do Grande Mar. Então um grande medo lhes sobreveio, e muitos se arrependeram amargamente de sua jornada e recuaram para dentro das matas de Beleriand. E Oromë retornou a Valinor para buscar o conselho de Manwë.

1128

§64 Ora, a hoste dos Teleri chegou afinal a Beleriand e habitou na região do leste, além do Rio Gelion. E vieram com pouca vontade, sendo incitados por Elwë, seu rei; pois ele estava deveras ávido para retornar a Valinor e a luz que tinha contemplado (embora sua sina o proibisse disso); e não desejava ser separado dos Noldor, pois tinha grande amizade por Finwë, seu senhor.

1130

§65 Nesse tempo Elwë se desgarrou nas matas de Beleriand e ficou perdido, e seu povo o buscou longamente em vão. Pois, conforme viajava para casa depois de encontrar-se com Finwë, ele passou pelas bordas de Nan Elmoth. Ali ouviu os rouxinóis cantando e ficou enfeitiçado, pois eles eram os pássaros de Melian, a Maia, que viera dos jardins de Lorien no Reino Abençoado. E Elwë seguiu os pássaros até o fundo de Nan Elmoth, e ali viu Melian de pé numa clareira aberta ao firmamento, e uma névoa estrelada a cercava. Assim começou o amor de Elwë Mantogris e Melian, a bela; e ele tomou sua mão, e diz-se que assim ficaram postados enquanto as estrelas mediam os decursos de muitos Anos, e as árvores de Nan Elmoth cresciam altas e escuras à volta deles.

1132

§66 Então Ulmo, segundo o conselho dos Valar, veio às costas da Terra-média e falou aos Eldar; e, por causa das suas palavras e da música que fez para eles em suas conchas, seu medo do mar tornou-se antes desejo. Portanto, Ulmo e seus serviçais agarraram uma ilha que por muito tempo estivera sozinha em meio ao Mar, desde os tumultos da queda de Illuin, e a moveram e trouxeram até a baía cinzenta de Balar, como se fosse um navio magno. E os Vanyar e os Noldor embarcaram na ilha, Eressëa, e foram levados através do mar, e chegaram, por fim, à terra de Aman.[6] Mas os Teleri permaneceram ainda na Terra-média; pois muitos habitavam Beleriand Leste e não ouviram as convocações de Ulmo até ser tarde demais; e muitos inda buscavam a Elwë Singollo, seu rei, e não queriam partir sem ele. Mas, quando os Teleri souberam que Ingwë e Finwë e seus povos tinham ido, apressaram-se para a costa, e ali habitaram em anseio por seus amigos que tinham partido. E tomaram Olwë, irmão de Elwë, como seu rei. E Ossë e Uinen vieram até eles e se fizeram seus amigos, e lhes ensinaram toda maneira de saber-do-mar e música-do-mar. Assim veio a se dar que os Teleri, que eram desde o princípio amantes da água, e os mais belos cantores do Povo-élfico, depois disso se enamoraram dos mares, e suas canções ficaram repletas do som das ondas sobre a costa.

1133

§67 Nesse Ano os Vanyar e os Noldor chegaram a Aman, e a fenda do Kalakiryan[7] foi aberta nas Pelóri; e os Elfos tomaram posse de Eldamar e iniciaram a construção da colina verde de Túna à vista do Mar. E sobre Túna ergueram as muralhas brancas da Cidade Vigilante, Tirion, a Sagrada.

1140

§68 Nesse ano Tirion foi completada, e a Torre de Ingwë foi erigida, Mindon Eldaliéva, e sua lamparina de prata foi acesa. Mas Ingwë e muitos dos Vanyar ansiavam pela Luz das Árvores, e ele e muitos dos de sua casa partiram e foram para Valinor, e habitaram para sempre com o povo de Manwë. E embora outros dos Vanyar habitassem ainda em Tirion em companhia dos Noldor, a separação daquelas gentes e de sua língua começara; pois de quando em vez ainda mais dos Vanyar partiam.

1142

§69 Nesse ano Yavanna deu aos Noldor a Árvore Branca, Galathilion, imagem da Árvore Telperion, e ela foi plantada sob a Mindon e cresceu e floresceu.

1149

§70 Nesse ano Ulmo deu ouvido aos rogos de Finwë e foi de novo à Terra-média para trazer Elwë e seu povo para Aman, se desejassem vir. E a maioria deles então se mostrou de fato disposta a isso; mas Ossë se entristeceu. Pois seus cuidados eram dados aos mares da Terra-média e às costas das Terras de Cá, e ele ia raramente a Aman, a menos quando convocado para concílios; e lhe desagradava que as belas vozes dos Teleri não mais fossem ouvidas na Terra-média. Alguns, portanto, ele persuadiu a ficar, e esses eram os Eldar que longamente moraram nas costas de Beleriand, os primeiros marinheiros sobre a terra e os primeiros construtores de navios. Seus portos ficavam em Brithombar e Eglarest. Cirdan, o Armador, era seu senhor.

1150

§71 A parentela e os amigos de Elwë também não estavam desejosos de partir; mas Olwë queria ir embora, e por fim Ulmo pôs todos os que queriam embarcar em cima de Eressëa e os levou pelo mar profundo. E os amigos de Elwë foram deixados para trás, e chamaram a si mesmos de Eglath, o Povo Abandonado. E buscavam ainda a Elwë em pesar. Mas não era a sina dele jamais retornar à Luz das Árvores, embora grandemente o tivesse desejado. Contudo, a Luz de Aman estava no rosto de Melian, a bela, e naquela luz ele estava contente.

1151

§72 Então Ossë seguiu os Teleri e, quando vinham chegando perto da Baía de Eldamar, ele os chamou, e eles reconheceram sua voz, e imploraram a Ulmo que interrompesse a viagem. E Ulmo lhes concedeu isso, e a seu pedido Ossë prendeu a ilha e a enraizou nas fundações do Mar; e ali os Teleri moravam, conforme desejavam, ainda sob as estrelas do firmamento, e contudo à vista de Aman e da costa sem-morte; e podiam ver ao longe a Luz das Árvores conforme ela passava pelo Kalakyrian e dava às ondas escuras um toque de prata e ouro.

§73 Ulmo fez isso com maior presteza porque entendia os corações dos Teleri e, no concílio dos Valar, falara mormente contra a convocação, julgando que seria melhor para os Quendi permanecerem na Terra-média. Mas aos Valar pouco agradou descobrir o que ele fizera; e Finwë se entristeceu quando os Teleri não vieram, e ainda mais quando descobriu que Elwë fora abandonado, e soube que não haveria de vê-lo de novo, a menos que fosse nos salões de Mandos.

1152

§74 Nesse tempo Elwë Singollo, dizem, despertou de seu transe e passou a habitar com Melian nas matas de Beleriand. Mas era um grande e nobre senhor, o maior em estatura de todos os Filhos de Ilúvatar, e à semelhança de um senhor dos Maiar; e uma alta sina estava diante dele. Pois se tornou um rei renomado, e seu povo eram todos os Eldar de Beleriand; Sindar foi o nome dado a eles, os Elfos-cinzentos, os Elfos do Crepúsculo, e Rei Manto-gris era ele, Elu Thingol na língua dos Sindar. E Melian era sua Rainha, mais sábia do que qualquer filha da Terra-média; e do amor de Thingol e Melian veio ao mundo a mais bela de todos os Filhos de Ilúvatar que existiram ou jamais hão de existir.

1161

§75 Veio a se dar que, depois que os Teleri habitaram por cem anos da nossa contagem na Ilha Solitária, seus corações ficaram mudados, e eles foram atraídos na direção da Luz que fluía de Aman. Portanto, Ossë[8] lhes ensinou o ofício da construção e navios, e, quando seus navios ficaram prontos, ele lhes trouxe, como seu presente de despedida, muitos cisnes de asas fortes. E os cisnes puxaram os navios brancos dos Teleri através do mar sem vento. Assim, por último e afinal, eles chegaram a Aman e às costas de Eldamar; e ali os Noldor os receberam com regozijo.

1162

§76 Nesse ano Olwë, senhor dos Teleri, com o auxílio de Finwë e dos Noldor, começou a construção de Alqualondë, o Porto-cisne, sobre a costa de Eldamar, a norte do Kalakyrian.

1165

§77 Nesse ano os últimos dos Vanyar partiram de Tirion, e os Noldor habitaram ali sozinhos, e seu colóquio e sua amizade dali em diante era antes com os Teleri.

NOTAS

1 Essa frase é uma interpolação no manuscrito, e ela própria corresponde a uma reescrita a partir de uma interpolação anterior:

> E essa, talvez, tenha sido também uma das primícias das mentiras de Melkor para engano dos Quendi, que, apesar de sua morada entre eles, muitos ainda temiam a ele e a Nahar, sua montaria.

O texto datilografado tem a forma apresentada nos parágrafos acima.

2 Trata-se de uma emenda de "foi para o norte até Helkar ser ultrapassado, e depois para noroeste"; o texto datilografado tem a frase alterada.

3 Meu pai acrescentou apressadamente aqui, usando uma caneta esferográfica, o que, portanto, significa que fez isso aparentemente muito mais tarde (ver p. 132, §78):

> Ali habitaram por um ano, e ali Indis, esposa de Finwë, deu-lhe um filho, o mais velho de toda a segunda geração dos Eldar. Ele recebeu primeiro o nome de Minyon, Primeiro-gerado, mas depois o de Curufinwë ou Fëanor.

Esse trecho foi riscado, talvez assim que foi escrito; ver nota 5.

4 "e foram erguidas por Melkor para atrapalhar as cavalgadas de Oromë" é um acréscimo a lápis que aparece no texto datilografado logo depois de ele ser escrito.

5 O trecho a seguir foi acrescentado ao manuscrito aqui ao mesmo tempo e da mesma maneira que a passagem apresentada na nota 3 (e riscada ao mesmo tempo que ela):

> Ali Indis, esposa de Finwë, perdeu-se e caiu de uma grande altura. E seu corpo foi encontrado em um desfiladeiro profundo e ali enterrado. E, quando Finwë não quis avançar e desejou permanecer lá, Oromë falou com ele sobre a sina dos Quendi e de como eles poderiam retornar novamente, se quisessem, depois de algum tempo. Pois seus espíritos não morrem, e, contudo, não deixam Arda, e, por ordem de Eru, uma morada está preparada para eles em Aman. Então Finwë se tornou ávido para seguir em frente.

6 Depois disso o manuscrito dizia: "e Ingwë e sua casa adentraram Valinor e habitam para sempre com o povo de Manwë." A frase foi riscada e não está no texto datilografado, mas reaparece no anal correspondente a 1140.

7 *Kalakiryan* é uma emenda a lápis de *Kalakirya*, assim como em ocorrências subsequentes (mas, no final dos *Anais*, p. 167, §180, *Kalakiryan* é a forma grafada no manuscrito desde o início).

8 *Ulmo* é o nome que aparece inicialmente no manuscrito, logo trocado por *Ossë*.

Comentário àterceira seção dos Anais de Aman

Essa seção dos AAm corresponde ao Capítulo 3 do QS, *Da Vinda dos Elfos* (incluindo 3(b), *De Thingol*, e 3(c), *De Kôr e Alqualondë*), de §22 a §39 e com elementos de §43–5; e também a AV 2, Anos Valianos 1980–2111. Esses textos são encontrados em V. 253 e seguintes, 136–137.

Uma comparação rápida mostra que ocorreu uma enorme extensão em geral e nos detalhes; e, embora o desenvolvimento simultâneo tenha prosseguido também na tradição do "Silmarillion" (com a qual os AAm têm uma quantidade considerável de frases em comum), os AAm são uma narrativa muito distinta, com um grande número de características ausentes da outra tradição e algumas divergências reais. Aqui, como antes, faço observações sobre os mais importantes desenvolvimentos nos AAm em relação às narrativas pré-*Senhor dos Anéis*; e, em muitos casos limito-me a uma simples referência aos novos elementos que adentraram as lendas, ficando implícito, em tais casos, que a matéria em questão é totalmente nova.

§51 Melkor implora perdão no Círculo do Julgamento; os Valar desejavam condená-lo à morte, mas ninguém, com exceção de Eru, pode matar um ser de raça valarin, nem removê-lo de Eä.

§52 Melkor foi condenado por Mandos a três eras de prisão (trezentos Anos Valianos); no AV 2 e no QS (§47), a condenação era de sete eras.

§54 Elwë, o terceiro dos "embaixadores", é agora o próprio Thingol, enquanto no QS ele era irmão de Thingol; ver V. 253, §23, e cf. o AV 2 (V. 137): "Thingol, irmão de Elwë, senhor dos Teleri". O irmão de Elwë-Thingol agora passa a ser Olwë (§58).

§57 Apenas "a maior parte" das gentes de Finwë e Olwë estava desejosa de partir. Os Avari eram as gentes de Morwë e Nurwë (e presumivelmente aqueles das outras gentes que não queriam ir embora); e é apresentada uma explicação para o fato de eles não terem ido: esses povos moravam mais longe de Kuiviénen e não tinham visto Oromë em sua primeira vinda.

§58 A Primeira Hoste agora leva o nome de *Vanyar*, não *Lindar*, como anteriormente (cf. p. 51, §36). A Terceira Hoste, a dos Teleri, tinha dois senhores, os irmãos Elwë e Olwë; e Elwë agora é chamado de *Singollo* ("Mantogris", §65; no QS, *Sindo* "o Cinzento", §30). — A rota percorrida pelos Eldar na Grande Marcha está descrita (e combina bem com a trilha mostrada no mapa do *Ambarkanta*, IV. 295). Muitos voltaram com medo das grandes nuvens que ainda pendiam no Norte.

§59 Descreve-se a lentidão da viagem: o maravilhamento dos Elfos, a relutância de muitos em completar a jornada, as longas paradas. A jornada levou vinte Anos Valianos; no AV 1, demorou dez (IV. 319), e aparentemente também teve essa duração no AV 2.

§§60–1 Nomes importantes de *O Senhor dos Anéis* aparecem pela primeira vez: *Anduin*, *Eriador*, *Hithaeglir* ("as Torres da Névoa"); a floresta a leste do rio não tem nome, mas é claro que é Trevamata. A origem das Hithaeglir é contada: elas foram erguidas por Melkor para impedir a cavalgada de Oromë. Já observei (IV. 302), com relação ao mapa do *Ambarkanta*, que não há ali nenhum vestígio das Montanhas Nevoentas ou do Anduin (que apareceu pela primeira vez, assim como Trevamata, em *O Hobbit*, onde o rio é chamado de Grande Rio das Terras-selváticas).

Os Teleri permaneceram na margem oriental do Anduin quando os Vanyar e os Noldor cruzaram o rio e subiram para os passos das Montanhas Nevoentas.

§62 Foi nesse ponto da Grande Marcha que os Nandor se separaram e seguiram para o sul, descendo o Anduin; eles provinham dos Teleri (da hoste de Olwë), e o nome de seu líder era *Nano*, ou Dân no falar de seu próprio povo. No QS (§28) e no AV 2 esse povo provinha dos Noldor, e no QS eles eram chamados de *Danas* em sua própria língua, por causa de seu primeiro líder, Dân; algo similar aparece no *Lhammas* (V. 206). O nome *Nandor* não aparece nessas obras, mas ver as *Etimologias*, radicais DAN e NDAN (V. 426, 455), e também V. 221.

§63 O medo do Mar entre os Vanyar e Noldor fez com que muitos recuassem da costa para as florestas de Beleriand; e Oromë voltou a Valinor para buscar o conselho de Manwë

§64 Os Teleri vieram relutantemente para Beleriand, instigados por Elwë, e habitaram inicialmente no leste, além do Rio Gelion. Elwë tinha grande amizade com Finwë.

§65 Elwë estava voltando para casa depois de uma reunião com Finwë quando entrou em Nan Elmoth. Esse nome surgiu pela primeira vez na reescrita pós-*Senhor dos Anéis* da *Balada de Leithian* (Ill. 403–4, 406). No QS (§32), não se diz onde ocorreu o encontro de Thingol e Melian; no AV 2 "Melian o encantou nas matas de Beleriand". O transe em que Elwë caiu perdurou por muitos Anos Valianos (anais 1130, 1152: isto é, por mais de dois séculos medidos pelo Sol).

§66 Ulmo fez música para os Elfos e transformou seu medo do Mar em desejo. Os Teleri chegaram às margens do Mar quando ouviram que os Vanyar e os Noldor haviam partido e fizeram de Olwë seu rei.

§67 O nome *Kalakilya*, "Passo de Luz" é encontrado no QS e no *Lhammas*; cf. o quenya *kilya*, "fenda, passo entre colinas, desfiladeiro, garganta" nas *Etimologias*, radical KIL (V. 441). A forma nos AAm, *Kalakiryan*, substituiu a versão anterior *Kalakirya* (nota 7 acima).

"Os Elfos tomaram posse de Eldamar e iniciaram a construção da colina verde de Túna"; cf. também §§75–6 "as costas de Eldamar". Isso contradiz a nota de rodapé de QS §39 (nunca alterada mais tarde, p. 218) na qual *Eldamar* é um nome da própria cidade élfica e *Eldanor* ou *Elendë* é o da região onde os Elfos viviam (anteriormente, no mapa do *Ambarkanta* em IV. 293, Casadelfos recebe o nome de *Eldaros*). O uso da palavra aqui (encontrado também na versão reescrita da *Balada de Leithian*) é, na verdade, um retorno ao significado mais antigo de *Eldamar*; ver I. 304.

A cidade agora se chama Tirion sobre Túna, e não Túna sobre Kôr; ver QS §39 e o comentário, e também I. 311 (*Kortirion*). Mas meu pai continuou a usar *Túna* também como nome da cidade: por exemplo, p. 126, §101, onde Melkor fala das palavras de Fëanor "em Túna". Tirion é chamada aqui de *Tirion, a Sagrada,* tal como acontece na canção de Bilbo em Valfenda (VII. 117, 123, 126).

§68 A Torre de Ingwë (*Ingwemindon* no QS) agora se chama *Mindon Eldaliéva*. — Nos AAm, Ingwë e "muitos de sua casa" mudaram-se de Tirion apenas sete Anos Valianos após a vinda dos Vanyar e dos Noldor a Aman, e no ano de conclusão de Tirion e do acendimento da lamparina de Ingwë; e a partida do resto dos Vanyar é representada como um longo movimento paulatino ao longo de 25 Anos Valianos (ver §77). No QS (§45), a impressão é de um processo diferente, pois afirma-se que "*conforme as eras decorriam*, os Lindar passaram a amar a terra dos Deuses e a luz plena das Árvores, e abandonaram a cidade de Túna".

§69 No QS (§16), *Galathilion* é o nome gnômico de Silpion (Telperion), e não há menção de uma "imagem" da Mais Antiga das Árvores sendo dada por Yavanna aos Noldor de Tirion (ver IX. 82–3).

§70 O retorno de Ulmo às costas da Terra-média foi por conta dos rogos de Finwë. A afirmação de que Ossë "ia raramente a Aman, a menos quando convocado para concílios" reflete a preservação nos AAm (p. 69, §1) de seu antigo status como um dos Valar. O nome do porto mais ao sul da Falas agora volta a ter a forma *Eglarest*, que precedeu *Eglorest*, a do QS e do AV 2. Círdan, o Armador, senhor dos Portos, é importado de *O Senhor dos Anéis*.

§71 Embora não seja dito no QS que quaisquer outros Teleri, além dos Elfos da Falas, permaneceram na Terra-média quando Ulmo voltou, mas apenas que o povo de Thingol "procurou por ele em vão" (§32), afirma-se no *Lhammas* §6 (V. 205) que Thingol era "rei em Beleriand dos muitos Teleri que … permaneceram na Falassë, e de outros que não partiram porque se demoraram à procura de Thingol nas matas". Nos AAm, "a parentela e os amigos de Elwë também não estavam desejosos de partir", e eles foram deixados pra trás e se autodenominaram *Eglath*, o Povo Abandonado.

§§72–3 Ulmo atendeu prontamente ao pedido dos Teleri, pois tinha se oposto à convocação dos Quendi para Valinor, e Ossë enraizou Tol Eressëa no fundo do mar por ordem de Ulmo; mas esse fato não agradou aos Valar, e Finwë se entristeceu (acima de tudo por saber que Elwë Singollo, seu amigo, não estava em Tol Eressëa). A forma final da lenda, assim, agora está presente; ver QS §37 e os comentários associados a ele.

§74 O povo de Thingol correspondia a "todos os Eldar de Beleriand", e eles eram chamados de *Sindar*, os Elfos-cinzentos. Essa é a primeira vez que encontramos esse nome nos textos (tal como aqui apresentados); ele não ocorre em *O Senhor dos Anéis*, com exceção dos Apêndices. O nome sindarin de Elwë Singollo é *Elu Thingol* (ver II. 66).

§75 Os Teleri viveram durante 100 anos do Sol em Tol Eressëa; no QS (§43) e no AV 2 eles viveram ali por 100 Anos Valianos (ver p. 226, §43).

Foi Ossë, e não, como no QS, Ulmo, quem ensinou aos Teleri o ofício de construir navios; mas, na versão original do texto (nota 8 acima), foi Ulmo quem o fez, e foi Ulmo também quem lhes deu os cisnes (Ossë no QS).

§76 Os Teleri contaram com a ajuda de Finwë e dos Noldor na construção de Alqualondë.

As duas passagens acerca de Indis, esposa de Finwë, escritas de forma rápida ao lado de §§60 e 61 (notas 3 e 5 acima) e depois riscadas, são notáveis como os primeiros indícios do que se tornaria um grande desenvolvimento posterior das lendas valinorianas, embora as histórias contadas aqui não tenham nenhuma relação com a narrativa posterior. Essas ideias brevemente esboçadas podem ter sido apenas passageiras, rejeitadas assim que colocadas no papel; mas mostram a preocupação de meu pai com Fëanor, sentindo que a grandeza de seus poderes e natureza formidável estavam relacionados a uma singularidade de origem — ele era *o primogênito dos Eldar*: isto é, não teria "acordado" à beira de Kuiviénen, mas tinha um pai e uma mãe e nascera na Terra-média. A ideia de que Finwë estava enlutado também aparece; e essa é a primeira aparição do nome *Curufinwë* para Fëanor.

Por fim, registro algumas notas muito tardias sobre um ou outro dos textos datilografados (original e cópia carbono) dos *Anais de Aman*:

§65 "as árvores de Nan Elmoth" > "as jovens árvores de Nan Elmoth".

§66 Ao lado da palavra "conchas": "flautas feitas de concha espiralada", com um ponto de interrogação.

§70 Ao lado da primeira frase, meu pai escreveu "Precisa de revisão"; mas eu não sei em que aspecto ele pretendia fazê-la. Ao lado de "convocado para concílios", ele colocou um X e escreveu "ele [Ossë] não era um Vala, mas um chefe dos Maiar, serviçal de Ulmo". Ele tinha sido retirado da lista dos Valar numa emenda ao texto datilografado em §1 (p. 93).

Quarta seção dos Anais de Aman

[Esta seção dos *Anais* traz uma grande quantidade de mudanças feitas no momento da escrita, e também várias alterações e acréscimos

— alguns deles substanciais — que certamente parecem corresponder mais ou menos a esse momento. Elas foram incorporadas no texto apresentado aqui, com detalhes das alterações mais importantes registrados nas notas que o seguem. Alguns poucos acréscimos que são decididamente posteriores foram colocados nas notas.]

1179

§78 Fëanor, filho mais velho de Finwë, nasceu em Tirion sobre Túna. Sua mãe era Byrde Míriel.[1]

§79 Ora, os Noldor[2] se deleitavam com todo saber e todos os ofícios, e Aulë e seu povo vinham amiúde em meio a eles. Contudo, tamanho engenho Ilúvatar lhes concedera que em muitas matérias, especialmente naquelas que exigiam destreza e fineza de mão, eles logo superavam seus professores. Diz-se que por volta desse tempo os construtores da Casa de Finwë, procurando nas montanhas pedra para seu trabalho (pois se deleitavam na construção de torres elevadas) descobriram pela primeira vez as gemas-da-terra, nas quais a Terra de Aman era, de fato, sobremaneira rica. E seus artífices inventaram ferramentas para cortar e dar forma às gemas, e as esculpiram em muitas formas de luzente beleza; e as não entesouravam, mas davam-nas livremente para todos os que as desejavam, e toda Valinor foi enriquecida por seu labor.[3]

§80 Nesse ano Rúmil, mais renomado dos mestres do saber da fala, inventou pela primeira vez letras e começou a registrar em escrita as línguas dos Eldar e suas canções e sabedoria.[4]

1190

§81 Nesse ano nasceu Fingolfin, filho de Finwë, que mais tarde foi Rei dos Exilados.

1230

§82 Nasce Finrod, filho de Finwë.

1250

§83 Nesse tempo começou a florescer o engenho de Fëanor, filho de Finwë, que era de todos os Noldor o maior criador e artífice. E ele refletiu e inventou novas letras, melhorando as criadas por Rúmil, e aquelas letras os Eldar têm usado sempre desde aqueles dias. Esse não foi mais que o princípio das obras de Fëanor. Grandemente amava gemas, e começou a estudar como, pelo engenho de sua mão e mente, ele poderia fazer outras, maiores e mais brilhantes que aquelas escondidas dentro da terra.[5]

§84 [Nesse tempo também, diz-se entre os Sindar, os Naugrim,[6] a quem também damos o nome de Nornwaith (os Anãos), atravessaram as montanhas rumo a Beleriand e se tornaram conhecidos dos Elfos. Ora, os Anãos eram grandes ferreiros e construtores, tendo sido, de fato (pelo que se acredita), trazidos à existência por Aulë; contudo, outrora, pouca beleza havia em suas obras. Portanto, cada um dos povos tinha grande proveito ao lidar com o outro, embora a amizade deles fosse sempre fria. Mas naquele tempo nenhum pesar jazia entre eles, e o Rei Thingol os recebeu bem; e os Barbas-longas de Belegost o auxiliaram a escavar e construir os grandes salões de Menegroth, que ele depois habitou com Melian, sua rainha. Assim diz Pengoloð.][7]

1280

§85 Nesse ano, Finrod, filho de Finwë, desposou Ëarwen, filha do Rei Olwë de Alqualondë, e houve um grande banquete na terra dos Teleri. Assim, os filhos de Finrod, Inglor e Galadriel, eram da parentela do Rei Thingol Mantogris, em Beleriand.

1350

§86 [Nesse tempo uma parte dos Elfos perdidos do povo de Dân, depois de longas andanças, subiu a Beleriand vindo do Sul. Seu líder era Denethor, filho de Dân, e ele os trouxe para Ossiriand, onde sete rios descem das Montanhas de Lindon. Esses são os Elfos-verdes. Eles tinham a amizade de Thingol. Assim diz Pengoloð.][8]

1400

§87 Ora, veio a se passar que Melkor tinha habitado sozinho a masmorra de Mandos pelas três eras a que tinha sido condenado pelos Valar, e veio diante do conclave deles para ser julgado. E Melkor implorou perdão aos pés de Manwë, e se humilhou, e jurou obedecer a seu governo, e auxiliar os Valar de todas as maneiras que pudesse, para o bem de Arda, e o proveito de Valar e dos Eldar, se lhe fosse concedida liberdade, e um lugar entre os menores de todo o povo de Valinor.

§88 E Niënna o auxiliou em seus rogos (por causa de seu parentesco), e Manwë os atendeu, pois, estando ele próprio livre de todo o mal, não enxergava as profundezas do coração de Melkor e acreditou em seus juramentos. Mas Mandos ficou em silêncio, e o coração de Ulmo lhe dizia para se preocupar.

1410

§89 Então Melkor habitou por algum tempo uma casa humilde em Valmar, sob vigilância, e ainda não lhe era franqueado andar livremente sozinho. Mas já que naquele tempo todas as suas palavras e obras pareciam belas, e ele se tornou, em forma e aparência exteriores, tal como os Valar, seus irmãos, Manwë lhe concedeu sua liberdade dentro de Valinor. Contudo, o júbilo de Tulkas se nublava sempre que ele via Melkor passar, e as unhas de seus dedos feriam as palmas das mãos por causa do freio que tinha de colocar sobre si mesmo.

§90 E de fato Melkor foi falso e traiu a clemência de Manwë, e usou sua liberdade para espalhar mentiras ao vento e envenenar a paz de Valinor. Assim, uma sombra caiu sobre a Terra Abençoada, e seu Zênite dourado passou; contudo, tardou antes que as mentiras de Melkor dessem fruto, e os Valar ainda habitaram longamente em ventura.

§91 Ora, em seu coração, Melkor odiava mormente aos Eldar, tanto porque eram belos e ditosos quanto porque neles via o motivo para a ascensão dos Valar e sua própria queda e sujeição. Portanto, ainda mais fingia ele amor aos Elfos, e buscava sua amizade e lhes oferecia os serviços de seu saber e labor em qualquer grande feito que desejassem fazer. E muitos dos Noldor, por causa de seu desejo por todo conhecimento, deram-lhe ouvido e tinham deleite com seu ensinamento. Mas os Vanyar não queriam ter parte alguma com ele.

1449

§92 Nesse Ano Fëanor começou aquele seu labor que é o mais renomado, acima de todas as obras dos Eldalië; pois seu coração concebeu as Silmarils, e ele se dedicou a muito estudo e muitos ensaios antes que pudesse começar a lhes dar feição. E, embora Melkor dissesse depois que Fëanor contara com sua instrução naquela obra, ele mentiu, em sua cobiça e sua inveja; pois Fëanor era empurrado pelo fogo de seu próprio coração apenas, e era ávido e soberbo, trabalhando cada vez mais celeremente e sozinho, sem pedir nenhum auxílio e sem aceitar nenhum conselho.

1450

As Silmarilli de Fëanor são feitas

§93 Nesse ano, as Silmarils foram completadas, o assombro de Arda. Como três grandes joias eram elas na forma. Mas não até chegar o Fim, quando Fëanor há de retornar, ele que pereceu quando o Sol era jovem e está sentado agora nos Salões da Espera e não vem mais em meio à sua gente; não até que o Sol passe e a Lua caia há de se conhecer de que substância elas eram feitas. Semelhante ao cristal de diamantes parecia e, contudo, era mais forte que adamante, de modo que nenhuma violência dentro das muralhas deste mundo podia maculá-la ou quebrá-la. Contudo, aquele cristal era para as Silmarils não mais do que o corpo é para os Filhos de Ilúvatar: a casa de seu fogo interno, que está dentro dela e, contudo, em todas as partes dela, e é a sua vida. E o fogo interno das Silmarils Fëanor fez com a luz mesclada das Árvores de Valinor, a qual vive nelas ainda, embora as Árvores há muito tenham definhado e não brilhem mais. Portanto, mesmo na escuridão máxima as Silmarils, de sua própria radiância, brilhavam como as estrelas de Varda; e, contudo, como se fossem elas de fato coisas vivas, regozijavam-se na luz e a recebiam e devolviam em tons mais adoráveis do que antes.

§94 E todo o povo de Valinor estava maravilhado com a obra das mãos de Fëanor, e cheio de assombro e deleite, e Varda consagrou as Silmarils, de modo que, dali em diante, nenhuma carne mortal, nem nenhuma coisa maligna ou impura pudesse tocá-las, mas era escorchada e ardia com dor intolerável. E Melkor cobiçou as Silmarils, e a mera memória de sua radiância era semelhante a um fogo devorador em seu coração.[9]

1450–1490

§95 Portanto, embora ele ainda dissimulasse seus propósitos com grande astúcia, Melkor procurava agora com cada vez mais avidez um meio de destruir Fëanor e encerrar a amizade entre os Valar e os Eldar. Longamente esteve a agir; e lento, a princípio, e sem fruto foi seu labor. Mas aquele que semeia mentiras no fim não há de ficar sem colheita e logo poderá descansar do trabalho, de fato, enquanto outros colhem e semeiam em seu lugar. Sempre Melkor achava alguns ouvidos que lhe davam atenção e algumas línguas que aumentavam o que tinham ouvido. Pois as mentiras de Melkor criam raízes pela verdade que está nelas.

§96 Assim foi que sussurros surgiram em Eldamar dizendo que os Valar tinham trazido os Eldar a Valinor por serem ciumentos de sua beleza e engenho e temerem que eles se tornassem fortes demais para ser governados nas terras livres do Leste. E então Melkor predisse a vinda dos Homens, da qual os Valar ainda não tinham falado aos Elfos, e de novo espalhou-se o sussurro de que os deuses pretendiam reservar os reinos da Terra-média para a raça mais jovem e mais fraca, a quem poderiam mais facilmente reger, defraudando os Elfos da herança de Ilúvatar.

§97 Então, por fim, os príncipes dos Noldor começaram a murmurar contra os Valar, e muitos ficaram cheios de soberba, esquecendo tudo o que os Valar lhes tinham ensinado e dado. E, naquele tempo (tendo agora despertado a raiva e a soberba), Melkor falou aos Eldar acerca de armas, que antes eles não tinham possuído ou conhecido; pois os arsenais dos Valar depois do acorrentamento de Melkor ficaram trancados. Mas então os Noldor começaram o forjar de espadas e machados e lanças; e escudos eles fizeram, mostrando os signos de muitas casas e gentes que competiam umas com as outras.

§98 Um grande ferreiro era Fëanor naqueles dias, e um príncipe soberbo e imperioso, cioso de tudo o que tinha; e Melkor o vigiava. Pois ainda cobiçava as Silmarils; mas Fëanor agora as trazia raramente à luz e as mantinha antes trancadas na escuridão da sala do tesouro em Túna; e começou a negar a vista delas a todos, exceto a seu genitor e seus sete filhos. Portanto, Melkor espalhou novas mentiras, dizendo que Fingolfin conspirava para suplantar Fëanor e seu pai nos favores dos Valar, e provavelmente conseguiria, pois os Valar estavam desagradados com o fato de que as Silmarils não tinham sido entregues a seus cuidados. Dessas mentiras querelas surgiram entre os soberbos filhos de Finwë, e Melkor se agradou disso; pois tudo agora seguia de acordo com o seu desígnio. E de repente, antes que os Valar se dessem conta, a paz de Valinor foi rompida, e espadas foram desembainhadas em Eldamar.

1490

§99 Então os deuses se iraram e convocaram Fëanor diante deles. E desnudaram todas as mentiras de Melkor; mas, porque foi Fëanor que primeiro rompera a paz e ameaçara usar violência em Aman, ele foi, pelo julgamento deles, banido por vinte[10] anos de Tirion. E ele partiu e habitou a norte de Valinor, perto dos salões de Mandos, e construiu um novo tesouro e praça-forte em Formenos; e grande riqueza de gemas ele deixou guardada ali, mas as Silmarils foram trancadas numa câmara de ferro. E para lá foi Finwë, por causa do amor que tinha a Fëanor; e Fingolfin passou a reger os Noldor de Túna. Assim as mentiras de Melkor se fizeram verdadeiras na aparência, e a amargura que ele criara persistiu longamente entre os filhos de Fingolfin e Fëanor.

§100 Saindo diretamente do Círculo do Julgamento, Tulkas partiu apressado para deitar mãos sobre Melkor, mas Melkor, sabendo que seus estratagemas tinham sido desvelados,[11] escondera-se da vista de quaisquer olhos, e uma nuvem estava à sua volta; e parecia ao povo de Valinor que a luz das Árvores se tornara mais fraca que o esperado, e as sombras estavam mais escuras e longas.

1492

§101 E dizem que Melkor não voltou a ser visto por algum tempo; mas, subitamente, ele apareceu diante das portas da casa de Finwë e Fëanor em Formenos e buscou falar com eles. E lhes disse: "Eis a verdade de tudo o que falei, e como tu foste, de fato, banido injustamente. E não penses que as Silmarils ficarão seguras em qualquer tesouro dentro do reino dos deuses. Mas, se o coração de Fëanor ainda é livre e ousado como foram suas palavras em Túna, então vou ajudar-te, e levar-te para longe desta terra estreita. Pois não sou eu também Vala, como eles são? Sim, e mais do que eles, e sempre tenho sido um amigo dos Noldor, mais hábil e mais valente de todos os povos de Arda".

§102 Então o coração de Fëanor cresceu em amargura e se encheu de medo pelas Silmarils, e naquele ânimo permaneceu. Mas as palavras de Melkor calaram fundo demais e despertaram um fogo mais feroz do que ele pretendia; e Fëanor o contemplou com olhos ardentes, e eis que enxergou através da semelhança de Melkor e penetrou os mantos de sua mente, percebendo ali a cobiça pelas Silmarils. Então o ódio sobrepujou todo o medo, e ele amaldiçoou Melkor e mandou-o embora. "Vai-te do meu portão, andejo,[12] corvo-de-prisão de Mandos", disse ele, e trancou as portas de sua casa no rosto do mais poderoso de todos os habitantes de Ëa.

§103 E, naquele tempo, estando ele próprio em perigo, Melkor partiu, consumido pela ira, e amarga vingança tramou por conta de sua vergonha. Mas Finwë se encheu de grande medo e, apressado, enviou mensageiros a Manwë em Valmar.

§104 Então Oromë e Tulkas partiram em perseguição a Melkor, mas, antes que tivessem cavalgado muito longe, mensageiros vieram de Eldamar, dizendo que Melkor fugira através do Kalakiryan,[13] passando pela colina de Túna cheio de ira, como uma nuvem de trovões. E com a fuga de Melkor a sombra foi levantada de Valinor, e por algum tempo toda a terra se fez bela de novo. Mas os deuses buscaram em vão novas de seu inimigo, e a dúvida jazia pesada sobre os seus corações sobre que novo mal ele poderia empreender.

§105 Conta-se que Melkor chegou à região sombria de Arvalin. Ora, aquela terra estreita ficava ao sul da Baía de Eldamar, mas a leste das montanhas das Pelóri, e suas costas compridas e tristonhas se estendiam longe rumo ao Sul do mundo, sem luz e inexploradas. Ali, entre as muralhas íngremes das montanhas e o Mar frio e escuro, as sombras eram as mais profundas do mundo. E ali, em segredo, Ungoliantë fizera sua morada. Donde veio nenhum dos Eldar sabe, mas talvez tivesse chegado ao Sul vinda da escuridão de Ëa, naquele tempo em que Melkor destruiu as luzes de Illuin e Ormal, e, por causa da morada dele no Norte, a atenção dos Valar se voltava mormente para lá, e o Sul ficou esquecido por muito tempo. De lá ela se arrastou na direção do reino da luz dos Valar. Pois tinha fome de luz e a odiava. Numa fenda profunda das montanhas ela habitava, e tomou forma como a de uma aranha de aspecto monstruoso, sugando toda a luz que pudesse encontrar, ou que transbordava por sobre as muralhas de Valinor, e ela a fiava, transformando-a em teias escuras de treva estranguladora, até que nenhuma luz podia mais chegar à sua morada, e ela ficava faminta.

§106 Pode bem ser que Melkor soubesse — se é que alguém sabia — de sua existência e sua morada, e que ela tenha sido, no princípio, um daqueles que ele corrompera a seu serviço. E, chegando afinal a Arvalin, ele a buscou e exigiu dela auxílio em sua vingança. Mas Ungoliantë estava avessa a se expor aos perigos de Valinor e à grande ira dos deuses, e não quis sair de seu esconderijo até que Melkor lhe jurasse entregar uma recompensa que sanasse a agonia de sua fome e de seu ódio.

1495

§107 Por fim, tendo bem disposto os seus planos, Melkor e Ungoliantë partiram. Uma grande escuridão estava à volta deles, a qual Ungoliantë tecera, e cordas negras ela também urdiu e prendera em meio às rochas, e assim, depois de longo labor, de teia a teia, ela escalou afinal o cimo de Hyarantar, o qual é o maior pináculo das montanhas ao sul de Taniquetil. Ali, de fato (salvo pela torre de vigia do Sul), as Pelóri eram menos altaneiras, e menor era a vigilância dos Valar, pois sempre tinham ficado de guarda antes em relação ao Norte.

§108 Então Ungoliantë fez uma escada de cordas e a lançou para baixo, e Melkor a escalou, e assim chegou àquele lugar alto, donde podia olhar para baixo, para o Reino Guardado. E abaixo estava a selvagem mata verde de Oromë, e ao longe, no oeste, chamejavam os campos e os pastos de Yavanna, d'ouro pálido sob o alto trigo dos deuses. Mas Melkor olhou para o norte e viu ao longe a planície reluzente, e os domos prateados de Valmar faiscando à mescla das luzes de Telperion e Laurelin. Então Melkor riu em voz alta e saltou rapidamente, descendo as longas encostas ocidentais; e Ungoliantë estava a seu lado, e a escuridão dela os cobria.

§109 Ora, era um tempo de festival, como Melkor bem sabia. Pois, embora todos os tempos e estações viessem pela vontade dos Valar, e em Valinor não houvesse nenhum inverno de morte, mesmo assim os deuses habitavam, então, no Reino de Arda, e esse era não mais que um pequeno domínio nos salões de Ëa, cuja vida é o Tempo, que flui sempre da primeira nota ao último acorde de Eru. E era então o prazer dos Valar (como está contado no *Ainulindalë*) trajarem-se nas formas dos Filhos de Ilúvatar; e eles comiam, e bebiam, e colhiam os frutos de Yavanna, e tiravam força da Terra a qual, sob Eru, eles tinham feito.

§110 Portanto, Yavanna dispôs tempos para o florescer e o amadurecer de todas as coisas que cresciam: o brotar, o desabrochar e o tempo da semente. E, em cada primeira colheita de frutos, Manwë dispunha um momento excelso para o louvor de Eru, e todo o povo de Valinor derramava seu júbilo em música e canção. Tal era agora a hora; mas Manwë, esperando que de fato a sombra de Melkor tivesse sido retirada da terra, e temendo nada pior do que quiçá uma nova guerra contra Utumno e uma nova vitória para encerrar tudo, decretara que essa festa havia de ser mais gloriosa do que qualquer uma das celebradas desde a chegada dos Eldar. Seu desígnio, ademais, era curar o mal que tinha surgido entre os Noldor, e a todos pediu, portanto, que viessem até ele e se juntassem aos Maiar em seus salões sobre Taniquetil, e ali deixar de lado todas as mágoas que jaziam entre seus príncipes e esquecer completamente as mentiras de seu Inimigo.

§111 Vieram os Vanyar, e vieram os Noldor, e os Maiar foram congregados, e os Valar arranjaram-se em sua beleza e majestade; e cantaram diante de Manwë em seus salões altivos, ou brincaram sobre as encostas verdejantes de Taniquetil que davam para o oeste, na direção das Árvores. Naquele dia, as ruas de Valmar ficaram vazias, e as escadarias de Túna ficaram em silêncio; só os Teleri, além das montanhas, ainda cantavam nas costas do mar, pois pouco cuidavam de estações ou tempos e não pensavam nas preocupações dos Regentes de Arda ou na sombra que caíra sobre Valinor, pois não os tinha tocado, por ora.

§112 Uma coisa apenas maculava os desígnios de Manwë. Fëanor viera, de fato, pois apenas a ele Manwë ordenara que viesse; mas Finwë não veio, nem quaisquer outros dos Noldor de Formenos. Pois disse Finwë: "Enquanto a proibição contra Fëanor, meu filho, durar — a de que ele não pode ir a Túna —, considero-me destronado, e não encontrarei meu povo, nem aqueles que governam em meu lugar". E Fëanor não vinha com vestimenta de festival e não usava ornamento algum, nem prata, nem ouro, nem qualquer gema; e negou a vista das Silmarils aos Valar e aos Eldar e as deixou trancadas na escuridão, em sua câmara de ferro. Apesar disso, encontrou-se com Fingolfin diante do trono de Manwë e se reconciliou com ele, em palavras; e Fingolfin declarou que fora nada o desembainhar da espada.

§113 Conta-se que, justamente quando Fëanor e Fingolfin estavam diante de Manwë, e era a Mescla de Luzes, e ambas as Árvores estavam brilhando, e a cidade silente de Valmar estava repleta de uma radiância como a de prata e ouro, naquela hora Melkor e Ungoliantë atravessaram a planície e ficaram diante do Teso Verde. Então Melkor pôs-se de pé de um salto e, com sua lança negra, golpeou cada Árvore até a medula, um pouco acima das raízes, e a seiva delas vazou, como se fora seu sangue, e foi derramada sobre o chão. Mas Ungoliantë a sugou e, indo então de Árvore a Árvore, aplicou seus lábios negros às feridas delas, até que as secou; e o veneno que estava nela passou para os tecidos das Árvores e as fez fenecer; e elas morreram. E, ainda assim, Ungoliantë tinha sede e, indo aos Tonéis de Varda, bebeu até secá-los; mas ela arrotou vapores negros, conforme bebia, e inchou até chegar a uma forma tão vasta e hedionda que Melkor ficou aterrorizado.

§114 Então a Escuridão caiu sobre Valinor. Dos feitos daquele dia muito está contado no *Aldudénië* (o Lamento pelas Árvores), que Elemírë dos Vanyar compôs e é conhecido de todos os Eldar. Contudo, nenhuma canção ou história poderia conter todo o pesar e terror que então sobrevieram. A Luz fraquejou; e isso era opróbrio suficiente, mas a Escuridão que se seguiu era mais do que perda de luz. Naquela hora, fez-se o Escuro que parecia não falta, mas uma coisa com um ser só seu: pois era, de fato, feita por maldade a partir da Luz, e tinha o poder de penetrar o olho, e adentrar coração e mente, e estrangular a própria vontade.

§115 Varda olhou para baixo da Montanha Sacra e contemplou a Sombra a se elevar em repentinas torres de treva; Valmar tinha naufragado num mar profundo de noite. Logo Taniquetil estava sozinha, como uma última ilha de luz em um mundo que se afogara. Toda canção cessou. Havia silêncio em Valinor, e nenhum som se podia ouvir, salvo apenas que, ao longe, vinha pelo vento, através do passo das montanhas, os gemidos dos Teleri, feito o grito frio de gaivotas. Pois o vento soprava gelado do Leste naquela hora, e as vastas sombras do mar rolavam contra as muralhas da costa.

§116 Mas Manwë, de seu alto assento, olhou para longe, e somente seus olhos penetravam a treva, e ele viu na distância uma Escuridão além do escuro movendo-se para o norte sobre a terra, e ele soube que Melkor estava ali. Então a perseguição começou, e a terra tremeu debaixo dos cavalos da hoste de Oromë, e o fogo que vinha dos cascos triscados de Nahar foi a primeira luz que retornou a Valinor. Mas tão logo alguém chegava à Nuvem de Ungoliantë, os cavaleiros dos Valar ficavam cegos e se desanimavam, e se espalhavam, e iam não se sabia para onde; e o som da Valaróma se alquebrou e fraquejou. E Tulkas era como um homem preso em uma rede negra à noite, e parou, impotente, e golpeava o ar em vão. E, quando a Escuridão passou, era tarde demais: Melkor tinha ido para onde queria, e sua vingança estava consumada.

NOTAS

1 Esse anal corresponde a uma substituição feita pouco depois; a versão original, sobre o casamento de Finrod e de Ëarwen, a filha de Olwë, reaparece com forma muito semelhante no manuscrito, conforme originalmente escrito, na altura do ano 1280. Mais tarde, com caneta esferográfica, meu pai mudou a data desse anal para 1169 e acrescentou novos registros para 1170, "Míriel adormece e vai para Mandar" (quanto a *Mandar*, ver p. 254), e 1172, "Julgamento de Manwë acerca dos esponsais dos Eldar". Sobre essas questões, ver p. 254 e seguintes e ainda a nota 4 abaixo. Os novos anais aparecem no texto datilografado desde o início.

2 O nome *Noldor* é aqui escrito com um til, Ñoldor (representando a consoante nasal posterior, o *ng* da palavra *king* em inglês; ver IV. 198). Essa passa a ser a forma normal em todos os escritos tardios de meu pai, embora muitas vezes seja omitida casualmente (nenhuma das máquinas de escrever dele possuía esse sinal); ela não está sendo representada na grafia do nome *Noldor* neste livro.

3 A última parte dessa passagem, a respeito das gemas, é em grande parte um acréscimo. Conforme o texto foi escrito pela primeira vez, tudo o que foi dito sobre o assunto é:

> Diz-se que por volta desse tempo os artífices da Casa de Finwë (dos quais Fëanor, seu filho mais velho, era o mais habilidoso) inventaram as gemas pela primeira vez; e toda Valinor foi enriquecida por seu labor.

Ver a nota 5.

4 Um novo anal foi acrescentado aqui ao mesmo tempo que os apresentados na nota 1: "1185 Finwë desposa Indis dos Vanyar."

5 Essa frase ("Grandemente amava gemas ...") é um acréscimo que corresponde às alterações e mudanças citadas na nota 3.

6 O termo *Naugrim* foi escrito a lápis acima da forma original *Nauglath* (que, no entanto, não foi riscada), e a palavra "também" (em "a quem também damos o nome de") foi adicionada ao mesmo tempo.

7 Essa interpolação beleriândica de Pengoloð, entre colchetes no original, foi um acréscimo ao manuscrito; cf. nota 8. Ao lado dela, meu pai mais tarde escreveu a lápis: "Transferir para A[nais de] B[eleriand]".

[8] Essa interpolação entre colchetes de Pengoloð foi um acréscimo ao manuscrito; e, tal como o referido na nota 7, foi assinalada posteriormente para que fosse transferida aos os *Anais de Beleriand*. O nome do líder dos Nandor foi grafado inicialmente como *Enadar*, alterado imediatamente para *Denethor* (o nome no AV 2, no QS e no *Lhammas*).

Mais tarde, meu pai acrescentou aqui a lápis um novo anal, referente a 1362: "Nesse ano nasceu Isfin, filha de Fingolfin, a Dama Branca dos Noldor" (ver nota 9).

[9] Um acréscimo feito de forma apressada a tinta, posteriormente riscado, traz um anal correspondente a 1469: "Nesse ano nasceu a primeira filha de Fingolfin, a Dama Branca dos Noldor" (ver nota 8). Não se afirma em outros textos que Fingolfin teve outra filha além de Isfin.

[10] O manuscrito diz "três" > "dez" > "vinte" (Anos Valianos).

[11] *desvelados* (em inglês, *bewrayed*): "revelados", "traídos".

[12] *andejo* (em inglês, *gangrel*) (com o sentido de "vagabundo") substituiu o termo *mendigo* (ver p. 236).

[13] Meu pai escreveu primeiro *Kalakilya*, a forma antiga, mas a alterou de imediato para *Kalakirya*; O final *-n* foi adicionado posteriormente (ver XX, §67).

Comentário sobre a quarta seção dos Anais de Aman

Essa seção dos Anais corresponde em conteúdo ao Capítulo 4 do QS, *Das Silmarils e do Obscurecer de Valinor* (V. 269–74), e ao AV 2, anais de 2500 até o início de 2990 (V. 137–8). O relato nos AAm não tem comparação com a superficialidade do AV 2 e representa um impulso totalmente diferente; de fato, nessa seção vemos a forma analística desaparecer à medida que uma narrativa totalmente desenvolvida emerge. Como era muitas vezes o caso no trabalho de meu pai, a história absorveu e expandiu quaisquer restrições de forma que ele havia estabelecido para ela. A nova narrativa tem o dobro da extensão daquela no QS, com a qual está intimamente relacionada em termos de estrutura. Em expressão, é um texto quase inteiramente novo; e, contudo, a comparação entre eles mostrará que os AAm tendem antes a uma maior definição da narrativa do que a uma mudança significativa na estrutura ou a novos acréscimos de destaque — embora ambas as coisas estejam presentes. Os seguintes comentários não pretendem ser de forma alguma uma análise de todas as diferenças de ênfase, sugestão e detalhe entre os AAm e o QS.

§78 Anteriormente nos AAm, no ano 1115, aparecem inserções rejeitadas (ver p. 115, notas 3 e 5) em que estão registrados o nascimento de Fëanor, gerado pela esposa de Finwë, Indis, na Terra-média, no decorrer da Grande Jornada, e a morte subsequente da mãe numa queda nas Montanhas Nevoentas. Escritas com caneta esferográfica, essas inserções dão a impressão de ser relativamente tardias; aqui, por outro lado, no que parece ser um acréscimo precoce (escrito cuidadosamente a tinta, e ver a nota 1 acima), Fëanor nasceu em Tirion e sua mãe era Míriel, chamada de Byrde Míriel (em inglês antigo, *byrde* é "bordadeira"; ver pp. 229, 237). Em inserções tardias (notas 1 e 4 acima), está registrado que em 1170 Míriel "adormeceu" e foi para Mandos, e em 1185 Finwë se casou com Indis dos Vanyar.

§79 Num trecho anterior no QS (§40), afirma-se que os Noldor "elaboraram a feitura de gemas"; do mesmo modo, no AV 2 (V. 137), eles "haviam inventado gemas", o que também é dito no *Ainulindalë* B (V. 192). Essa ideia está presente em todos os textos mais antigos, remontando ao complexo relato do velho conto d'*A Vinda dos Elfos* (ver I. 78, 158). No período mais tardio, a concepção sobreviveu na versão final D do *Ainulindalë* (§35, ver pp. 34 e 50) e ainda estava presente, de início, nos AAm (ver a nota 3 acima). A reescrita dessa passagem rejeita a ideia de "invenção": as gemas dos Noldor foram mineradas em Aman.

§80 A associação entre os Noldor e a escrita alfabética remonta aos *Contos Perdidos*, onde essa arte é atribuída principalmente a Aulë (I. 78); "naqueles dias, Aulë, auxiliado pelos Gnomos, inventou alfabetos e escritas" (I. 174). No *Ainulindalë* B (V. 192), os Noldor "acrescentaram muito ao ensinamento de Aulë, e se deleitavam em línguas e alfabetos", e isso sobreviveu nas versões posteriores. Agora, Rúmil e (em §83) Fëanor emergem como os grandes inventores desses sistemas. Cf. *O Senhor dos Anéis*, Apêndice E (II):

> As *tengwar* ... tinham sido elaboradas pelos Noldor, o clã dos Eldar mais habilidoso em tais assuntos, muito tempo antes de seu exílio. As mais antigas letras eldarin, as tengwar de Rúmil, não eram usadas na Terra-média. As letras posteriores, as tengwar de Fëanor, eram em grande medida uma invenção nova, apesar de deverem algo às letras de Rúmil.

Se Rúmil era o autor dos *Anais de Aman*, como está dito no preâmbulo (p. 69), aqui ele está descrevendo a si mesmo com as palavras "mais renomado dos mestres do saber da fala".

§82 *Finrod*: nome mais antigo de Finarfin (Finarphin).

§84 A forma *Nauglath* (ver nota 6, p. 131) é, curiosamente, um retorno ao nome gnômico original dos Anãos nos *Contos Perdidos* (ver I. 284), embora *Naugrim* ocorra como forma original no QS num ponto posterior da narrativa (§122). [O verbete *Naugrim* foi excluído por distração do índice do vol. V. As referências estão nas p. 325, 330 e 494.] — Quanto ao nome *Sindar*, ver p. 119, §74.

Quanto a referências mais antigas aos Anãos em Beleriand, ver IV. 394; como observei lá, a afirmação, na segunda versão dos primeiros *Anais de Beleriand* (IV. 389), de que os Anãos tinham construído "outrora" uma estrada que levava a Beleriand é o primeiro sinal da ideia posterior segundo a qual esse povo estivera presente em Beleriand muito antes do Retorno dos Noldor. Mas a presente passagem é a primeira referência ao auxílio dos Anãos a Thingol na escavação e construção de Menegroth. — A lenda da criação dos Anãos por Aulë é citada nos textos do período anterior: AB 2 (V. 156), o *Lhammas* (V. 209 e comentário) e QS (§123 e comentário).

§85 Aqui aparece o importante desenvolvimento no qual os príncipes da Terceira Casa dos Noldor se tornaram parentes próximos de Thingol de Doriath (Elwë Singollo, irmão de Olwë de Alqualonde, §58); e Galadriel é inserida na genealogia, vinda de *O Senhor dos Anéis*. Cf. Apêndice F (I, *Dos Elfos*): "A Senhora Galadriel, da casa real de Finrod, pai de Felagund, Senhor de Nargothrond" (frase que foi alterada na Segunda Edição de *O Senhor dos Anéis*, quando Finrod se tornara Finarphin e Inglor passara a ser Finrod (Felagund)).

§86 No AV 2 (V. 137, também em uma interpolação atribuída a Pengolod) e no QS (§115) os Elfos sob o comando de Denethor não entraram em Beleriand vindos do Sul, mas atravessaram as Montanhas Azuis; o significado da descrição aqui é provavelmente que eles cruzaram as montanhas em uma região ao sul de Ossiriand. Não havia sete rios fluindo das montanhas, mas seis: o sétimo rio de Ossiriand era o grande rio Gelion, no qual os seis desaguavam.

§88 *por causa de seu parentesco*: em AAm §3 (como no AV 2 e em QS §9), Niënna era "irmã de Manwë e de Melko(r)". Nos AAm* (p. 88), ela é citada como irmã apenas de Manwë.

§92 No AV 2, duas eras se passaram (A.V. 2500–2700) entre a criação das Silmarils e a libertação de Melkor; o mesmo em QS (§§46–7). Nos AAm a relação entre os dois eventos é invertida, com a libertação de Melkor colocada no Ano das Árvores 1400 e o fim da criação das Silmarils em 1450.

§93 Sobre o que é dito aqui acerca do destino de Fëanor, cf. QS §88: "pois tal fogo havia em seu espírito que seu corpo se fez cinza quando seu espírito partiu; e nunca mais apareceu sobre a terra, nem deixou o reino de Mandos".

§97 Quanto à ignorância dos Elfos a respeito de armas, ver p. 137, §97.

§98 Nenhuma menção é feita no QS (§52) às dissensões que chegaram ao ponto de haver espadas desembainhadas. Em AAm §112, "Fingolfin declarou que fora nada o desembainhar da espada"; e, na margem do texto datilografado, nesse ponto, meu pai escreveu: "ele se refere a quê?". Uma expansão posterior do capítulo no QS, próxima ao momento da escrita dos AAm, conta que Fëanor ameaçou Fingolfin com uma espada desembainhada (p. 233, §52); e, em vista de §112, parece provável que essa cena foi inadvertidamente omitida aqui.

§99 O prazo de banimento de Fëanor (ver nota 10 acima) não é especificado nos textos mais antigos. — O nome *Formenos* aparece pela primeira vez agora, em um acréscimo ao texto.

§102 *o mais poderoso de todos os habitantes de Ëa*: ver p. 88, §2.

§105 O momento da vinda de Ungoliantë a Arda é considerado contemporâneo (de forma hipotética) da entrada de Melkor e sua hoste antes da derrocada das Lamparinas (ver p. 74, §19). Quanto ao trecho "talvez tivesse chegado ao Sul vinda da escuridão de Ëa", cf. QS §55: "da Escuridão de Fora, talvez, que jaz além das Muralhas do Mundo".

§106 Embora novamente descrita como uma suposição, a origem de Ungoliantë é agora atribuída à sua antiga corrupção por Melkor, e sugere-se que ele foi até Arvalin com o propósito preciso de encontrá-la.

§107 A grande montanha na cordilheira sul das Pelóri agora recebe um nome, *Hyarantar* (mais tarde substituído por *Hyarmentir*, ver p. 346).

§109–10 Nos *Contos Perdidos*, o motivo do grande festival era a comemoração da vinda dos Eldar para Valinor (I. 176), mas em textos posteriores a razão da festa não é especificada. Agora um novo e notável relato da festividade aparece, com uma referência à passagem no *Ainulindalë* (§25) na qual as formas visíveis assumidas pelos Valar em Arda são descritas; e aqui a ideia dessas "formas" é ampliada (ao que parece) até o ponto em que os grandes espíritos poderiam até comer, beber e "tirar força da Terra". Totalmente novo também, nessa passagem, é o elemento do objetivo de Manwë de promover a concórdia entre os Noldor.

§112 No QS (§60), Fëanor estava presente no festival em Taniquetil; agora aparece a história de que ele veio sozinho de Formenos, recebendo ordens de Manwë para fazer isso, com trajes sombrios; afirma-se que Finwë se recusou a vir enquanto seu filho vivesse no exílio, e que Fëanor se reconciliou "em palavras" com Fingolfin diante do trono de Manwë. Nessa fase, é claro, Fëanor e Fingolfin ainda eram filhos do mesmo pai e da mesma mãe.

§114 Não há vestígios da obra intitulada *Aldudénië* entre os textos de meu pai. Quanto à passagem acerca da escuridão que veio com a extinção da Luz das Árvores, cf. o *Ainulindalë*, §19: "e lhes parecia que naquele momento percebiam uma coisa nova, Escuridão, a qual não tinham conhecido antes, exceto em pensamento".

§116 Quanto à trompa de Oromë, a *Valaróma*, ver *Ainulindalë* D, §34 (p. 52 e 56).

Há muitas notas e alterações feitas no texto datilografado, algumas acrescentadas pelo datilógrafo sob orientação do meu pai; mas apenas algumas delas precisam ser registradas.

§78 Os dois novos registros de anais apresentados na nota 1, acima, e também a da nota 4, estão presentes no texto datilografado desde o começo.

§81 Depois do ano 1190, foi inserido o anal correspondente a 1200: "Nasce Lúthien" (com um ponto de interrogação).

§84 Há um espaço em branco no texto datilografado onde *Naugrim* foi escrito acima de *Nauglath*, possivelmente porque o datilógrafo não sabia que forma usar (ver a nota 6). O espaço não foi preenchido, mas o nome *Nornwaith*, que vem depois, foi riscado.

§85 Depois do ano 1280, as seguintes datas para eventos beleriândicos foram acrescentadas:

1300 Daeron, mestre-do-saber de Thingol, inventa as Runas.
Turgon, filho de Fingolfin, e Inglor, filho de Finrod, nascem.

1320 Os Orques aparecem pela primeira vez em Beleriand.

§86 Depois de 1350, há duas inserções:

1362 Galadriel, filha de Finrod, nasce em Eldamar
Isfin, Dama Branca dos Noldor, nasce em Tirion.

A segunda delas aparece também como acréscimo a lápis no manuscrito (nota 8).

§97 Ao lado das palavras "Melkor falou aos Eldar acerca de armas, que antes eles não tinham possuído ou conhecido", meu pai escreveu no texto datilografado: "Não! Eles devem ter tido armas na Grande Jornada". Cf. a passagem no QS sobre esse assunto (nota de rodapé a §49): "Os Elfos antes haviam possuído somente armas de caça, lanças e arcos e flechas".

§99 O prazo do banimento de Fëanor foi alterado ainda outra vez (ver nota 10), de "vinte" para "doze".

§113 Depois de "do Teso Verde" foi acrescentado: "de Ezellohar". Esse nome foi acrescentado ao texto datilografado nas ocorrências anteriores: p. 95, §25. — "Os Tonéis de Varda" passaram a ser "Os Poços de Varda"; ver p. 94, §28.

§114 O datilógrafo escreveu *Elemírë* e meu pai corrigiu esse erro para a forma *Elemmírë*.

Não sei qual era a intenção que havia por trás da introdução das datas beleriândicas apresentadas nos parágrafos §81, 85 acima.

Quinta seção dos Anais de Aman

§117 Assim veio a se passar que, depois de algum tempo, um grande ajuntamento do povo estava reunido à volta do Círculo do Julgamento; e os deuses sentaram-se nas sombras, pois era noite. Mas agora era noite tal como ela pode ser em alguma região do mundo, onde as estrelas espiam tímidas através dos escombros de grandes nuvens, e nevoeiros frios deslizam das costas irritadas do mar. Então Yavanna se postou sobre o Teso Verdejante, e ele agora estava desnudo e enegrecido; e ela fitou as Árvores, e ambas estavam mortas e escuras. Então muitas vozes se ergueram em lamentação; pois parecia àqueles que pranteavam que já tinham bebido até o fundo o cálice de opróbrio que Melkor enchera para eles. Mas não era assim.

§118 Pois Yavanna falou diante dos Valar, dizendo: "A Luz das Árvores foi-se daqui e vive agora apenas nas joias de Fëanor. Previdente foi ele. Eis que mesmo para aqueles que são os mais poderosos há algum feito que podem realizar uma vez, e uma vez apenas. A Luz das Árvores eu trouxe ao ser e não poderei fazê-lo de novo nunca mais dentro de Eä. Contudo, se tivera eu não mais que um pouco daquela Luz, poderia devolver vida às Árvores antes que suas raízes morram; e então nossa ferida seria curada, e a malícia de Melkor, posta em confusão."

§119 Então Manwë falou, e ele disse: "Ouves tu, Fëanor, as palavras de Yavanna? Concederás o que ela quer pedir?"

E houve longo silêncio, mas Fëanor não respondia palavra.

Então Tulkas gritou: "Fala, ó Noldo, sim ou não! Mas quem há de se negar a Yavanna? E a luz das Silmarils não veio da obra dela no princípio?"

Mas Aulë, o Construtor,[1] exclamou: "Não sejas afoito! Pedimos uma coisa maior do que imaginas. Deixa-o ainda em paz, por ora."

§120 Mas Fëanor falou, então, e gritou amargamente: "Em verdade, para o menor, tal como para o maior, há algum feito que ele é capaz de realizar apenas uma vez. E nesse feito seu coração há de repousar. Pode acontecer que eu consiga destrancar minhas joias, mas nunca mais hei de criar coisa semelhante a elas; e, se forem quebradas, então quebrado estará meu coração, e hei de morrer: o primeiro de todos os Filhos de Eru."

§121 "Não o primeiro", disse Mandos, mas eles não entenderam suas palavras; e de novo houve silêncio, enquanto Fëanor se remoía no escuro. E lhe parecia que estava sob o assédio de um círculo de inimigos, e as palavras de Melkor lhe voltaram, dizendo que as Silmarils não estavam seguras se os Valar desejassem possuí-las. "E não é ele Vala, como são eles", disse seu pensamento, "e não entende seus corações? Sim, um ladrão há de revelar ladrões!" Então gritou em alta voz: "Não, essa coisa não farei de livre vontade. Mas, se os Valar me forçarem, então em verdade hei de saber de fato que Melkor é de sua família".

§122 "Tu falaste", disse Mandos; então todos ficaram sentados em silêncio, enquanto Niënna chorava sobre Korlairë e punha luto pela amargura do mundo. E, mesmo enquanto ela chorava, vieram mensageiros de Formenos, e eles eram Noldor e traziam mais novas de desgraça. Pois contaram então como uma Escuridão cega chegara ao norte e que, em seu meio, caminhava algum poder para o qual não havia nome, e a Escuridão provinha dele. Mas Melkor também estava lá, e ele chegou à casa de Fëanor e lá matou Finwë, rei dos Noldor, diante das portas, e derramou o primeiro sangue dos Filhos de Ilúvatar. Pois Finwë apenas não fugira do horror do Escuro. Mas a praça-forte de Formenos Melkor destroçara e destruíra completamente, e toda a riqueza de gemas ele tomara; e as Silmarils tinham sumido.

§123 Então Fëanor se levantou e amaldiçoou a Melkor, dando-lhe o nome de *Morgoth*;[2] e amaldiçoou também a convocação de Manwë e a hora em que viera a Taniquetil, pensando, em sua insensatez, que, tivesse ele estado em Formenos, sua força teria lhe valido mais do que ser morto também, como Melkor esperara.[3] Mas então Fëanor deixou correndo a multidão e fugiu noite adentro, como alguém louco de ira e de pesar; pois seu pai lhe era mais caro do que a Luz de Valinor ou as obras sem-par de suas mãos; e quem entre filhos, de Elfos ou de Homens, alguma vez teve seus pais em maior conta?

§124 E aqueles que contemplaram a partida de Fëanor entristecera-se ardentemente por ele; mas Yavanna estava desesperada, temendo agora que a Escuridão fosse engolir os últimos raios da Luz para sempre. Pois, embora os Valar ainda não entendessem completamente o que havia ocorrido, perceberam que Melkor tinha convocado algum auxílio que viera de Fora. As Silmarils tinham sumido, e pode parecer que tanto faria se Fëanor tivesse dito[4] sim ou não, afinal; contudo, se tivesse dito sim no início e, assim, purificado seu coração antes que as novas terríveis chegassem, pode ser que seus feitos posteriores fossem outros do que os que foram. Mas agora a sina dos Noldor se aproximava.

§125 Enquanto isso, conta-se, Morgoth, escapando da perseguição dos Valar, chegou à terra erma de Araman, a qual ficava ao norte, tal como Arvalin ficava ao sul, entre as muralhas das

Montanhas e o Grande Mar. Assim ele passou ao Helkaraxë, onde o Estreito entre Araman e a Terra-média está cheio de gelo pungente; e ele atravessou e voltou ao Norte do mundo. Então, assim que eles puseram pé ali e tinham escapado da terra dos Valar, Ungoliantë convocou Morgoth a lhe entregar sua recompensa. A metade de seu preço tinha sido a seiva das Árvores; e a outra metade havia de ser uma parte igual de todas as joias que eles roubassem. Morgoth as cedeu de má vontade, uma a uma, até que ela tinha devorado todas, e a beleza delas pereceu da terra, e então maior e mais sombria se tornou Ungoliantë, e ainda assim tinha fome de mais.

§126 Mas Morgoth não queria lhe dar parte alguma das Silmarils; nessas ele pôs seu nome para sempre. Assim ali sobreveio a primeira querela dos ladrões, e o temor de Yavanna não veio a acontecer: o de que a Escuridão fosse engolir os últimos raios da Luz. Mas Ungoliantë estava irada, e tão grande se tornara que Morgoth não pôde dominá-la-; e ela o enredou em suas teias estrangulantes, e o grito terrível dele ecoou pelo mundo. Então vieram ao auxílio de Morgoth os Balrogs, que ainda subsistiam nos lugares profundos do Norte, onde os Valar não os tinham descoberto. Com seus açoites de chama rasgaram as teias dela e expulsaram Ungoliantë dali, e ela desceu a Beleriand e habitou algum tempo sob as Ered Orgoroth naquele vale que depois recebeu o nome de Nan Dungorthin, por causa do medo e do horror que ela fez surgir ali. Mas, quando curou suas feridas e gerou ali uma ninhada imunda, foi embora das Terras-do-Norte e retornou para o Sul do mundo, onde mora ainda, até onde os Eldar ouviram dizer.

§127 Então Morgoth, sendo libertado, reuniu de novo todos os seus serviçais que pôde encontrar e escavou de novo seus vastos porões e suas masmorras naquele lugar o qual os Noldor depois chamaram de Angband, e acima deles ergueu as torres infectas das Thangorodrim. Ali incontáveis se tornaram as hostes de suas feras e seus demônios; e dali saiu então, em hostes além da conta, a fera raça dos Orkor, que tinha crescido e se multiplicado nas entranhas da terra feito uma praga. Essas criaturas Morgoth fizera procriar em inveja e arremedo dos Eldar. Em sua forma,[5] eram semelhantes aos Filhos de Ilúvatar, porém imundos de se contemplar; pois foram procriados[6] com ódio, e de ódio estavam repletos; e ele tinha repulsa pelas coisas que criara, e com repulsa elas o serviam. Suas vozes eram como o bater de pedras, e eles não riam, exceto apenas diante de tormentos e feitos cruéis. Os *Glamhoth*, a hoste do tumulto, é como os Noldor os chamavam. (Orques é o nome que podemos lhes dar; pois em dias de antanho eram fortes e feros como demônios. Contudo, não eram da raça dos demônios, mas filhos[7] da terra corrompidos por Morgoth, e podiam ser mortos ou destruídos pelos valentes com armas de guerra. [Mas, de fato, uma história mais sombria alguns ainda contam em Eressëa, dizendo que os Orques vinham em verdade, no seu princípio, dos próprios Quendi, sendo uma gente dos infelizes Avari a quem Morgoth enganou e então capturou, e assim os escravizou e os levou à mais profunda ruína. ** Pois, diz Pengoloð, Melkor nunca pôde, desde o *Ainulindalë*, criar qualquer coisa sua que tivesse vida ou a semelhança de vida, e ainda menos podia fazê-lo depois de sua traição em Valinor e a completude de sua própria corrupção.][8] Disse Ælfwine.)

§128 Escura agora era a sombra que caía sobre Beleriand, como se conta alhures; mas, em Angband, Morgoth forjou para si uma grande coroa de ferro; e chamou a si próprio de Rei do Mundo.[9] Em sinal disso, colocou as Silmarils em sua coroa. Suas mãos malignas estavam queimadas e enegrecidas pelo toque daquelas joias consagradas e negras elas permaneceram desde então; e ele nunca mais ficou livre da dor das queimaduras. Aquela coroa ele nunca tirava da cabeça, embora seu peso se tornasse um cansaço próximo do tormento; e nunca, exceto uma vez, enquanto seu reino durou, chegou a partir por um tempo, em segredo, de seus domínios no Norte.[10] E uma vez apenas também chegou ele próprio a empunhar arma, até a Última Batalha. Pois agora, mais do que nos dias de Utumno, antes que sua soberba fosse humilhada, seu ódio o devorava, e, na dominação de seus serviçais e no inspirar-lhes com luxúria maligna, ele despendia seu espírito. Mesmo assim, sua majestade como um dos Valar permaneceu por muito tempo, embora transformada em terror, e, diante de seu rosto, todos, salvo os mais poderosos, afundavam numa cova escura de medo.

** [nota de rodapé ao texto] Nos Anais de Beleriand, diz-se que isso ele fez na Escuridão, antes que jamais os Quendi fossem encontrados por Oromë.

Da Fala de Fëanor sobre Túna

§129 Quando se soube que Morgoth tinha escapado de Valinor e que a perseguição de nada valia, os Valar permaneceram sentados longamente na escuridão do Círculo do Julgamento, e os Maiar e os Vanyar continuaram ao lado deles e choraram; mas os Noldor, em sua maior parte, retornaram em tristeza a Túna. Escura agora estava a bela cidade de Tirion, e névoas vinham chegando dos Mares Sombrios e lançavam um manto sobre as torres. A lamparina da Mindon ardia pálida na treva.

§130 Então, subitamente, Fëanor apareceu na cidade e convocou todos a vir ao Pátio Elevado do Rei, sobre o cimo de Túna. A sentença de banimento que lhe fora imposta ainda não tinha sido retirada, e ele se rebelou contra os Valar. Uma grande multidão se reuniu rapidamente, portanto, para ouvir o que ele tinha a dizer; e a colina e todas as ruas, e as escadarias que subiam até o Pátio, estavam repletas das muitas tochas que todos traziam nas mãos conforme andavam.

§131 Fëanor era um mestre das palavras, e sua língua tinha grande poder sobre os corações quando queria usá-la. Agora estava inflamado, e, naquela noite, ele fez um discurso diante dos Noldor que eles sempre recordaram. Ferozes e tremendas foram suas palavras, e repletas de raiva e soberba; e levaram o povo à loucura, feito os vapores de um vinho quente. Sua ira e seu ódio estavam voltados sobretudo contra Morgoth e, no entanto, quase tudo o que disse veio das mesmas mentiras do próprio Morgoth. Fëanor reivindicava agora o reinado sobre todos os Noldor, já que Finwë estava morto, e escarnecia dos decretos dos Valar.

§132 "Por que, ó meu povo", gritou, "por que deveríamos continuar a servir aos invejosos deuses, que não conseguem manter a nós, nem mesmo a seu próprio reino, a salvo de seu Inimigo? E, embora ele seja agora adversário deles, não são eles e Morgoth uma só gente? A vingança me chama a sair daqui, mas, mesmo que fosse de outra maneira, eu não habitaria mais na mesma terra com a gente do assassino de meu pai e do ladrão de meu tesouro. Contudo, não sou o único valente neste povo de valentes. E será que vós todos não perdestes o vosso Rei? E o que mais não perdestes, confinados aqui, numa terra estreita entre as montanhas invejosas e o mar estéril? Aqui antes havia luz, que os Valar negavam à Terra-média, mas agora o escuro iguala a todos. Havemos de prantear aqui, inertes para sempre, um povo de espectros, assombrando a bruma, derramando lágrimas vãs no mar salgado e ingrato? Ou havemos de ir para casa? Em Kuiviénen doces corriam as águas sob estrelas livres de nuvens, e vastas terras havia em volta, onde um povo livre podia caminhar. Lá elas ainda estão e aguardam a nós que, em nossa insensatez, as deixamos. Vinde embora! Que os covardes fiquem com esta cidade! Mas, pelo sangue de Finwë!, a menos que eu esteja senil, se apenas covardes permanecerem, então a relva crescerá nas ruas. Não, a podridão, o bolor e os chapéus-de-sapo."

§133 Longamente falou e sempre incitava os Noldor a segui-lo e, por sua própria bravura, conquistarem liberdade e grandes reinos nas terras do Leste, antes que fosse tarde demais; pois ele fazia eco às mentiras de Melkor, as de que os Valar os haviam iludido e desejavam mantê-los cativos para que os Homens pudessem reger a Terra-média; e muitos dos Eldar ouviram então, pela primeira vez, sobre os Que Vêm Depois. "Belo há de ser o fim", gritou, "ainda que longa e dura haja de ser a estrada! Dizei adeus aos grilhões! Mas dizei adeus também ao ócio! Dizei adeus aos fracos! Dizei adeus a vossos tesouros — mais deles ainda havemos de fazer! Viajai sem peso. Mas trazei convosco vossas espadas! Pois iremos mais longe que Tauros, suportaremos mais do que Tulkas: nunca recuaremos na perseguição. Atrás de Morgoth até os confins da Terra! Guerra ele há de ter e ódio imorredouro. Mas, quando tivermos vencido e recuperado as Silmarils que ele roubou, então eis que nós, somente nós, haveremos de ser os senhores da Luz imaculada e mestres da ventura e da beleza de Arda. Nenhuma outra raça há de nos suplantar!"[11]

§134 Então Fëanor fez um juramento terrível. De imediato seus sete filhos saltaram para o seu lado, e cada um fez o mesmo exato juramento; e rubras como sangue brilhavam suas espadas desembainhadas à luz das tochas.

"Amigo ou imigo, com mácula ou limpo,
cria de Morgoth ou claro Vala,
Elda ou Maia ou a Outra Raça,
Mortal não nascido na Terra-média,
nem lei, nem amor, nem liga de espadas,

medo ou muro, nem mesmo o Destino
será defesa contra Fëanor, e de Fëanor a gente,
para o que nas mãos tomar, ou em seu meio ocultar,
consigo guardar ou lançar longe
uma Silmaril. Assim dizemos nós:
Morte lhe traremos quando termine o Dia,
mal até o fim do mundo! O juramento ouvi,
Eru Pai-de-Todos! À treva eternal
condenai a nós se não o cumprirmos.
No sacro monte sede testemunhas
e a promessa recordai, Manwë e Varda!"

Assim falaram Maidros e Maglor, e Celegorn, Curufin e Cranthir, Damrod e Díriel, príncipes dos Noldor. Mas por aquele nome ninguém deveria fazer um juramento, bom ou mau, nem, levado pela raiva, convocar tal testemunho, e muitos gritaram de medo ao ouvir as feras palavras. Pois, quando assim jurado, bom ou mau, um voto assim não pode ser quebrado, e há de perseguir fiel e perjuro até o fim do mundo.

§135 Fingolfin e seu filho Turgon, portanto, falaram contra Fëanor, e palavras ferozes despertaram, de modo que, mais uma vez, a ira chegou perto do gume de espadas. Mas Finrod, que era hábil também com palavras, falou com suavidade, como de seu feitio era, e buscou acalmar os Noldor, persuadindo-os a parar e ponderar antes que fossem tomadas ações que não poderiam ser desfeitas. Mas, entre seus filhos, Orodreth apenas falou de maneira semelhante; pois Inglor estava com Turgon, seu amigo,[12] enquanto Galadriel, a única mulher dos Noldor a se postar naquele dia, alta e valente entre os príncipes em contenda, estava ávida por partir. Nenhum juramento fez, mas as palavras de Fëanor acerca da Terra-média tinham acendido um fogo em seu coração, e ela ansiava por ver as vastas terras inexploradas e reger lá um reino, talvez, por sua própria vontade. Pois, sendo a mais jovem da Casa de Finwë, ela veio ao mundo a oeste do Mar, e nada sabia ainda das terras não guardadas. De pensamento semelhante era Fingon, filho de Fingolfin, comovendo-se também com as palavras de Fëanor, embora pouco o amasse;[13] e com Fingon estavam, como sempre, Angrod e Egnor, filhos de Finrod. Mas esses ficaram em paz e não falaram contra seus pais.

§136 No fim, após longo debate, Fëanor prevaleceu, e a maior parte dos Noldor ali reunidos ele pôs em chamas com o desejo de novas coisas e países estranhos. Portanto, quando Finrod falou ainda uma vez em favor de cuidado e vagar, um grande grito se elevou: "Não, vamo-nos embora! Vamo-nos embora!" E imediatamente Fëanor e seus filhos começaram a se preparar para marchar em frente.

§137 Pouca previsão podia haver para aqueles que ousavam tomar tão escura estrada. Tudo, porém, foi feito com a maior pressa; pois Fëanor os incitava, temendo que, no esfriar de corações, suas palavras se enfraquecessem e outros conselhos prevalecessem. E, apesar de todas as suas palavras soberbas, ele não esquecia o poder dos Valar. Mas de Valmar nenhuma mensagem veio, e Manwë estava em silêncio. Ele ainda não desejava proibir ou impedir os propósitos de Fëanor; pois os Valar estavam entristecidos por serem acusados de intenção maligna quanto aos Eldar, ou de que quaisquer deles eram cativos contra sua vontade. Então, vigiaram e esperaram, pois ainda não acreditavam que Fëanor pudesse guiar a hoste dos Noldor por sua vontade.

§138 E, de fato, quando Fëanor começou a congregar os Noldor para sua saída, prontamente surgiram dissensões. Pois, embora ele tivesse levado a assembleia a concordar sobre a partida, de modo algum todos tinham concordado em fazer de Fëanor seu rei. Maior amor era dado a Fingolfin e seus filhos, e a gente de sua casa, e a maior parte dos habitantes de Tirion, recusaram-se a renunciar a ele, se seguisse com seu povo. Assim, afinal, os Noldor saíram divididos em duas hostes. Fëanor e seus seguidores estavam na vanguarda; mas a maior hoste vinha atrás, sob comando de Fingolfin. E ele marchava contra sua sabedoria, porque Fingon, seu filho, incitava-o e porque não desejava ser separado de seu povo, que estava ávido por ir, nem queria abandoná-lo aos conselhos temerários de Fëanor. Com Fingolfin ia Finarfin também, e por razões semelhantes; mas ele era o mais desgostoso por partir.

§139 Está registrado que, de todos os Noldor em Valinor, que agora tinham crescido até se tornar um grande povo, apenas um décimo se recusou a tomar a estrada: alguns pelo amor que tinham aos Valar (e não menos a Aulë), outros por amor a Tirion e às muitas coisas que lá tinham feito; nenhum por medo do perigo no caminho. Pois eram, de fato, um povo valente.

§140 Mas, no momento em que a trombeta cantou e Fëanor passou pelos portões de Tirion, um mensageiro, por fim, veio da parte de Manwë, dizendo: "Contra a insensatez de Fëanor há de ser dado meu conselho apenas. Não partais! Pois a hora é maligna, e vossa estrada leva a tristezas que não podeis prever. Nenhum auxílio os Valar dar-vos-ão nesta empresa; mas vede! eles não vão impedir-vos; pois isto haveis de saber: assim como cá viestes livremente, livremente haveis de partir. Mas tu, Fëanor, filho de Finwë, por teu juramento, estás exilado. As mentiras de Melkor hás de desaprender em amargura. Vala ele é, dizes. Então juraste em vão, pois nenhum dos Valar podes tu sobrepujar agora ou jamais dentro dos salões de Eä,[14] nem que Eru, a quem tu conjuras, houvera-te feito três vezes maior do que és".[15]

§141 Mas Fëanor riu e falou, não ao arauto, mas aos Noldor, dizendo: "Ora! Então este povo valente mandará embora o herdeiro de seu Rei sozinho ao degredo, com seus filhos apenas, e voltará à sua servidão? Mas, se alguns vierem comigo, digo a eles: prevê-se para vós a tristeza? Em verdade, em Aman a vimos. Em Aman passamos, através da ventura, ao opróbrio. O inverso agora tentaremos: através da tristeza, encontrar alegria. Ou, ao menos: liberdade!"

§142 Então, voltando-se para o arauto, gritou: "Dize isto a Manwë Sulimo, Alto-rei de Arda: Se Fëanor não consegue sobrepujar a Morgoth, pelo menos ele não demora a atacá-lo e não se senta ocioso em pesar. E Eru, quiçá, pôs em mim um fogo maior do que o que conheces. Tal ferida ao menos farei ao Inimigo dos Valar que até os poderosos no Círculo do Julgamento hão de assombrar-se ao ouvi-lo. Sim, no final eles hão de me seguir. Adeus!"

§143 Naquela hora, a voz de Fëanor se fez tão grande e tão potente que até o arauto dos Valar se inclinou diante dele, como se tivesse recebido plena resposta, e partiu; e os Noldor foram subjugados. Portanto, continuaram sua marcha; e a Casa de Fëanor apressou-se diante deles ao longo das costas de Elendë: e nem uma vez voltaram seus olhos para trás, para Tirion sobre Túna. Mais lenta e menos avidamente vinha a hoste de Fingolfin depois deles. Desses, Fingon era o primeiro; mas na retaguarda vinham Finrod e Inglor, e muitos dos mais belos e mais sábios dos Noldor; e amiúde olhavam para trás para ver sua bela cidade, até que a lâmpada da Mindon Eldaliéva se perdeu na noite. Mais do que quaisquer outros dos exilados, carregavam dali memórias da ventura que tinham abandonado e mesmo algumas das belas coisas que tinham criado lá eles traziam consigo: um consolo e um fardo na estrada.

Do Primeiro Fratricídio e da Sina dos Noldor

§144 Ora, Fëanor levava os Noldor para o norte, porque seu propósito primeiro era seguir Morgoth. Além do mais, Túna sob Taniquetil estava posta perto do cinturão de Arda, e ali o Grande Mar era desmesuradamente largo, enquanto, conforme se ia para o norte, os mares divisores ficavam mais estreitos, pois a região desolada de Araman e as costas da Terra-média se aproximavam. Mas as hostes não tinham ido muito longe antes que viesse à mente de Fëanor, muito tardiamente, a percepção de que todas aquelas grandes companhias, tanto com os plenamente crescidos e aptos para a guerra quanto com muitos outros, e ademais carregando grande ajuntamento de bens, nunca venceriam as longas léguas até o Norte, nem cruzariam os mares, por fim, salvo com o auxílio de navios.

§145 Portanto, Fëanor então resolveu persuadir os Teleri, sempre amigos dos Noldor, a se unirem a eles; pois assim pensava em diminuir a riqueza de Valinor ainda mais e aumentar seu próprio poderio de guerra. Assim também obteria navios rapidamente. Pois seria preciso muito tempo e esforço para construir uma grande frota, mesmo se os Noldor tivessem habilidade e madeira abundante para tal obra, como, na verdade, não os tinham. Apressou-se então rumo a Alqualondë e falou aos Teleri como tinha falado em Tirion.

§146 Mas os Teleri não se comoveram com nada do que disse. Estavam entristecidos, de fato, com a saída de seus parentes e amigos de há muito, mas antes queriam dissuadi-los que auxiliá-los; e nenhum navio emprestariam, nem ajudariam a construir, contra a vontade dos Valar. Quanto a si próprios, não desejavam agora nenhum lar além das praias de Eldamar e nenhum outro senhor além de Olwë, príncipe de Alqualondë. E ele nunca dera ouvido a Morgoth, nem o recebera em sua terra, e confiava ainda que Ulmo e os outros grandes entre os Valar sanariam as feridas provocadas por Morgoth e que a noite acabaria por dar lugar a uma nova aurora.

§147 Então Fëanor encheu-se de ira, pois ainda temia a demora; e falou furioso a Olwë. "Renuncias à tua amizade, mesmo na hora de nossa necessidade", disse. "Ficastes, porém, muito contente com nosso auxílio quando enfim chegastes a estas costas, errantes desencorajados e de mãos quase vazias. Em cabanas nas praias estaríeis a morar ainda, se não fosse pelos Noldor esculpirem vosso porto e trabalharem em vossas muralhas".

§148 Mas Olwë replicou: "Não, não renunciamos a amizade alguma. Mas pode ser o papel difícil de um amigo repreender a insensatez de um companheiro. E, quando vosso povo nos acolheu e nos deu auxílio, de outro modo então falastes: na terra de Aman devíamos habitar para sempre, como irmãos cujas casas ficam lado a lado. Mas, quanto a nossos navios brancos: esses vós não nos destes. Essa arte aprendemos não dos Noldor, mas dos Senhores do Mar; e os madeiros brancos trabalhamos com nossas próprias mãos, e as velas brancas foram tecidas por nossas belas esposas e donzelas. Portanto, não vamos nem dá-los nem vendê-los por qualquer liga ou amizade. Pois eu te digo, Fëanor, esses são para nós como são as gemas dos Noldor: a obra de nossos corações, cuja semelhança não haveremos de fazer de novo".

§149 Depois disso, Fëanor o deixou e se sentou além dos muros, absorto em pensamentos sombrios, até que sua hoste se reuniu. Quando julgou que sua força era suficiente, foi até o Porto dos Cisnes e começou a manobrar os navios que estavam ancorados lá para levá-los embora à força. Mas os Teleri o enfrentaram com firmeza e lançaram muitos dos Noldor no mar. Então espadas foram desembainhadas, e uma luta amarga se deu sobre os navios, e ao redor dos ancoradouros e pilares iluminados por luzes do Porto, e até mesmo no grande arco de seu portão. Três vezes o povo de Fëanor foi rechaçado, e muitos foram mortos de ambos os lados; mas a vanguarda dos Noldor foi socorrida por Fingon, junto com os primeiros do povo de Fingolfin. Esses, ao chegar, encontraram uma batalha em curso e sua própria gente tombando e entraram na luta antes que soubessem direito a causa da querela; alguns pensaram, de fato, que os Teleri tinham tentado emboscar a marcha dos Noldor, a pedido dos Valar.

§150 Assim, afinal, os Teleri foram sobrepujados, e uma grande parte de seus marinheiros que habitavam em Alqualondë foi cruelmente morta. Pois os Noldor haviam se tornado ferozes e desesperados, e os Teleri tinham menos força e estavam armados, em sua maior parte, apenas com arcos leves. Então os Noldor levaram dali seus navios brancos e manejaram os remos da melhor maneira que puderam, e remaram para o norte ao longo da costa. E Olwë clamou por Ossë, mas ele não veio; pois ele tinha sido convocado a Valmar para a vigília e o concílio dos deuses; e os Valar não permitiram que a Fuga dos Noldor fosse impedida pela força. Mas Uinen chorou pelos marinheiros dos Teleri; e o mar se ergueu irado contra os assassinos, de modo que muitos dos navios naufragaram, e aqueles que neles estavam se afogaram. Do Fratricídio em Alqualondë conta-se mais naquele lamento que leva o nome de *Noldolantë*,[16] A Queda dos Noldor, que Maglor compôs antes que se perdesse.

1496

§151 Apesar disso, a maior parte dos Noldor escapou e, quando a tempestade terminou, mantiveram seu curso, alguns de navio, alguns por terra; mas o caminho era longo e ficava cada vez mais maligno conforme iam em frente. Depois de marcharem por muito tempo na noite desmesurada, chegaram aos confins setentrionais do Reino Guardado, nas fronteiras do ermo vazio de Araman, que eram montanhosas e frias. Então contemplaram subitamente uma figura sombria postada no alto de uma rocha voltada para a costa. Alguns dizem que era o próprio Mandos, e nenhum outro arauto menor de Manwë. E ouviram alta voz, solene e terrível, que ordenou que parassem e lhe dessem ouvido.[17]

§152 Todos se detiveram e ficaram imóveis, e, de ponta a ponta das hostes dos Noldor, a voz se fez ouvir, pronunciando a Profecia do Norte e a Condenação dos Noldor. "Recuai! Recuai! Buscai o perdão dos Valar, para que a maldição deles não recaia sobre vós!" Assim começou a fala da voz, e muitos opróbrios predisse em palavras obscuras, que os Noldor não entenderam até que, de fato, esses opróbrios lhes sobrevieram. "Lágrimas inumeráveis haveis de derramar; mas, se fordes em frente, podeis ter certeza de que os Valar fecharão Valinor diante de vós e trancar-vos-ão para fora, de modo que nem mesmo o eco de vossa lamentação haja de passar pelas montanhas.

§153 "Vede! Sobre a Casa de Fëanor a ira dos deuses jaz do Oeste até o extremo Leste e sobre todos os que os seguirem também há de jazer. Seu Juramento há de atiçá-los e, ao mesmo tempo, traí-los, e sempre arrancar deles os próprios tesouros que juraram buscar. Um fim maligno hão de ter todas as coisas que eles começarem bem; e por traição de parente por parente, e pelo medo da traição, isso há de ocorrer. Os Despossuídos eles hão de ser para sempre.

§154 "Eis que derramastes o sangue de vossa gente iniquamente e manchastes a terra de Aman. Pelo sangue haveis de pagar com sangue e, além de Aman, haveis de habitar sob a sombra da Morte. Pois sabei que, embora Eru tenha estipulado que não morrêsseis em Eä e que nenhuma doença vos pudesse assaltar, podeis, porém, ser mortos e mortos haveis de ser: por arma, e por tormento, e por tristeza; e vossos espíritos sem lar hão de vir então a Mandos. Lá, longamente haveis de morar e ansiar por vossos corpos, e achar pouca piedade, ainda que todos os que matastes possam interceder por vós. E aqueles que resistirem na Terra-média e não vierem a Mandos, esses hão de ficar cansados do mundo, como de um grande fardo, e hão de esvanecer e se tornar como sombras de arrependimento diante da raça mais jovem que virá depois. Os Valar falaram."

§155 Então muitos tremeram. Mas Fëanor endureceu seu coração e disse: "Juramos, e não levianamente. Esse Voto manteremos. E eis que ameaçam-nos com muitos males e com a traição não menos; mas uma coisa não se diz: que havemos de sofrer por conta de poltrões; pela covardia ou pelo temor da covardia entre nós. Portanto digo que continuaremos, e esta sina acrescento: os feitos que faremos hão de ser matéria de canção até os últimos dias de Arda". E a sina prevista por Fëanor também foi dita de acordo com a verdade.

§156 Mas, naquela hora, Finrod abandonou a marcha e deu-lhe as costas, estando cheio de tristeza, e com amargura contra a Casa de Fëanor, por causa de seu parentesco com Olwë de Alqualondë; e muitos de seu povo foram com ele, remontando seus passos em pesar, até que contemplaram uma vez mais os raios distantes da Mindon sobre Túna ainda brilhando na noite e, assim, chegaram afinal a Valinor. Lá receberam o perdão dos Valar, e Finrod foi posto a governar o remanescente dos Noldor no Reino Abençoado. Mas seus filhos não estavam com ele, pois não queriam abandonar os filhos de Fingolfin; e todo o povo de Fingolfin ainda seguiu adiante, sentindo-se obrigado por parentesco e pela vontade de Fëanor e temendo enfrentar o julgamento dos deuses, já que nem todos eles tinham sido inocentes do fratricídio em Alqualondë. Além do mais, Fingon e Turgon eram destemidos, e ardentes de coração, e avessos a abandonar qualquer tarefa na qual punham as mãos até o fim amargo, se amargo tivesse de ser. Assim, a hoste principal se manteve, e, com celeridade, o mal que tinha sido predito começou a operar.

1497

§157 Os Noldor chegaram afinal à parte distante do Norte de Arda, viram os primeiros dentes do gelo que flutuava no mar e souberam que estavam perto do Helkaraxë. Pois entre a Terra-do-oeste de Aman, a qual, no norte, se curvava na direção do oriente, e as costas do leste de Endar (que é a Terra-média) que se voltavam para o oeste, havia um estreito curto, através do qual as águas geladas do Mar Circundante e as ondas do Grande Mar fluíam juntas, e havia vastas névoas e brumas de frio mortal, e as correntes do mar estavam cheias de montes de gelo que se chocavam e do gelo cortante, muito afundado. Tal era o Helkaraxë, e lá ninguém ainda ousara caminhar, salvo apenas os Valar e Ungoliantë.

§158 Portanto, Fëanor parou, e os Noldor debateram que curso agora deveriam tomar. Mas logo começaram a sofrer angustiados com o frio e com as brumas pegajosas, através das quais nenhum brilho de estrela conseguia passar; e muitos se arrependeram da estrada e começaram a murmurar, especialmente aqueles que seguiam Fingolfin, amaldiçoando a Fëanor e chamando-o de causa de todas as dores dos Eldar. Mas Fëanor, conhecendo tudo o que era dito, aconselhou-se com seus filhos. Dois cursos apenas viram para escapar de Araman e chegar a Endar: pelos estreitos ou por navio. Mas o Helkaraxë eles julgavam impossível de atravessar, enquanto os barcos eram muito poucos. Muitos tinham sido perdidos em sua longa jornada, e restava então número não suficiente para levar ao outro lado toda a grande hoste junta; ninguém, porém, estava disposto a esperar na costa ocidental enquanto outros eram carregados primeiro: já o medo de traição estava desperto entre os Noldor.

§159 Portanto, entrou nos corações de Fëanor e de seus filhos a ideia de tomar todos os navios e partir de repente; pois tinham mantido o comando da frota desde a batalha do Porto, e ela era tripulada apenas por aqueles que tinham lutado lá e estavam ligados a Fëanor. E eis que, como se viesse a seu chamado, levantou-se um vento do noroeste, e Fëanor escapuliu[18] em segredo com todos os que julgava leais a ele, e subiu a bordo, e fez-se ao mar, e deixou Fingolfin em Araman. E, uma vez que o mar ali era estreito, navegando para o leste e um pouco para o sul, ele atravessou sem perdas e, primeiro de todos os Noldor, pôs pé uma vez mais sobre as costas da Terra-média. E o desembarque de Fëanor foi na ponta daquele estreito que era chamado Drengist e cortava Dor-lómin.[19]

§160 Mas, quando tinham desembarcado, Maidros, o mais velho de seus filhos (e outrora um amigo de Fingon, antes que as mentiras de Morgoth viessem entre eles), falou a Fëanor, dizendo: "Agora, quais navios e homens destacarás para retornar, e quem hão de trazer para cá primeiro? Fingon, o valente?"

§161 Então Fëanor riu, como doudo, e sua ira se derramou: "Ninguém e ninguém!", gritou ele. "O que deixei para trás não conto agora como perda; bagagem desnecessária na estrada se mostrou. Que aqueles que amaldiçoavam meu nome me amaldiçoem ainda! E que se lastimem no caminho de volta às gaiolas dos Valar, se não puderem achar nenhuma outra! Que os navios queimem!"

§162 Então Maidros apenas ficou de lado, mas Fëanor e seus filhos puseram fogo aos navios brancos dos Teleri. Assim, naquele lugar que era chamado de Losgar, na saída do Estreito de Drengist,[20] acabaram-se em um grande incêndio, luzente e terrível, as mais belas naus que jamais navegaram no mar.[21] E Fingolfin e seu povo viram a luz ao longe, vermelha sob as nuvens. Essas foram as primícias do Fratricídio e da Condenação dos Noldor.

§163 Então Fingolfin soube que fora traído e abandonado para perecer em desgraça ou voltar em vergonha. E seu coração estava amargo, mas desejava agora, como nunca antes, vir de alguma maneira à Terra-média e encontrar Fëanor de novo. E ele e sua hoste vagaram longa e desgraçadamente; mas seu valor e sua firmeza cresceram com a dificuldade; pois eram ainda um povo poderoso, os filhos mais velhos e imortais de Eru Ilúvatar, mas recém-chegados do Reino Abençoado e ainda não cansados com o cansaço da Terra; e o fogo de seus corações era jovem. Portanto, liderados por Fingolfin e seus filhos, e por Inglor e Galadriel, a valente e bela, ousaram entrar no Norte não trilhado, e, ao não achar outro caminho, suportaram afinal os terrores do Helkaraxë e as colinas cruéis de gelo. Poucos dos feitos dos Noldor depois disso superaram aquela travessia desesperada em resistência ou sofrimento. Muitos ali pereceram, e foi com uma hoste diminuída que Fingolfin pôs os pés, enfim, nas Terras-do-Norte de Endar. Pouco amor por Fëanor ou por seus filhos tinham aqueles que então marchavam atrás dele e tocaram suas trombetas na Terra--média ao primeiro nascer da Lua.

Aqui os Noldor passaram para fora de Aman
e os Anais de Aman não mais falam deles

NOTAS

1 "Aulë, o Construtor" substituiu "Ulmo".

2 Riscado aqui, provavelmente de imediato: "(o Inimigo Sombrio)".

3 Riscado aqui (posteriormente): "o Inimigo Sinistro de Arda não seria despedido com palavras soberbas de escárnio uma segunda vez."

4 Essa passagem é uma substituição do seguinte texto original:

> mas Yavanna estava desesperada, pois agora a Luz das Árvores tinha entrado nas profundezas de uma grande Escuridão, a qual, embora os Valar ainda não pudessem compreender, percebiam que devia ter vindo de algum auxílio que Morgoth convocara de Fora, e temiam que a luz se perdera para além do Fim. Portanto, era indiferente se Fëanor dissesse …

5 Essa passagem é uma emenda ao texto original, que dizia o seguinte:

> Ali incontáveis se tornaram as hostes de suas feras e seus demônios; e ele então trouxe ao ser a fera raça dos Orkor, e eles cresceram e se multiplicaram nas entranhas da terra feito uma praga. Essas criaturas Morgoth fez em inveja e arremedo dos Eldar. Portanto, em sua forma …

6 "procriados" é uma emenda de "feitos".

7 "filhos" é uma emenda de "uma prole".

8 Essa passagem, a partir de "Mas, de fato, uma história mais sombria …" e incluindo a nota de rodapé, foi riscada em um momento posterior às mudanças apresentadas nas notas 5–7, talvez numa revisão do trecho antes da produção do texto datilografado, no qual ela não aparece. O acréscimo inteiro atribuído a Ælfwine está entre colchetes desde o momento da escrita original.

9 O texto original dizia "Aran Endór, Rei da Terra-média". *Aran Endór* foi, então, corrigido para *Tarumbar*; por fim, foi inserido o título "Rei do Mundo".

10 O texto, conforme originalmente escrito, diz aqui: "e nunca, exceto apenas uma vez saiu ele das profundezas que escavara, enquanto seu reino durou". Quando meu pai corrigiu isso para chegar à versão que apresentei, ele acrescentou tudo o que vem depois ao final do parágrafo.

11 Neste parágrafo, a passagem que vai de "antes que fosse tarde demais" até "muitos dos Eldar ouviram então, pela primeira vez, sobre os Que Vêm Depois", bem como a frase final, "Nenhuma outra raça há de nos suplantar!", foram acréscimos posteriores.

12 As associações entre os príncipes noldorin eram diferentes quando a passagem foi escrita pela primeira vez: "Fingolfin e seus filhos Fingon e Turgon falaram contra Fëanor", e "dos seus próprios filhos [de Finrod], lnglor apenas falou da mesma maneira, pois Angrod e Egnor estavam com Fingon, e Orodreth se omitiu; enquanto Galadriel ..." Mas as alterações que desembocam no texto apresentado parecem ter sido feitas imediatamente, já que a passagem no final do parágrafo corresponde à redação original do texto.

13 Riscado aqui: "e menos ainda a seus filhos" (cf. a passagem em §160 na qual a amizade de Fingon com Maidros é mencionada).

14 O termo *Eä* é grafado assim aqui, e novamente em §154, mas nas duas últimas ocorrências no texto a forma é Ëa.

15 Riscado aqui: "e muito menos Melkor, que é o mais poderoso, com exceção de um só".

16 O nome *Noldolantë* foi acrescentado na margem. Ele não aparece no texto datilografado.

17 A página que começa aqui e que vai até §§ 152–4 tem letra muito mais tosca do que o resto do manuscrito, e meu pai a riscou e substituiu. Pode-se pensar à primeira vista que esse é o único lugar em que um primeiro rascunho dos AAm sobreviveu, mas esse não é o caso. A página de "rascunho" tosca foi escrita no verso daquela que traz os parágrafos §§149–51, e essa tem a mesma letra clara que as demais (com algumas alterações feitas durante o ato da escrita). Está claro que a página rejeitada não começou como "esboço rápido" (e a letra confirma isso), mas acabou degenerando até assumir essa forma; e esse exemplo é, na verdade, mais uma evidência contra a ideia de um primeiro esboço perdido dos *Anais de Aman* (ver p. 67).

O primeiro texto originalmente começava, acompanhando QS §71, "Uma vez mais ele advertiu os Noldor para que voltassem e buscassem perdão, ou, no fim, haveriam de voltar ao cabo apenas de tristezas amargas e opróbrios indizíveis". A Condenação dos Noldor na forma final, de fato, só foi alterada em relação ao esboço por um rearranjo de suas partes e em muitos detalhes de fraseado. Dois pontos podem ser mencionados. Depois de "passar pelas montanhas" no fim de §152, havia a frase "Haveis de ficar livres deles, e eles de vós"; e, na frase em §154 que começa com "Lá, longamente haveis de morar..." dizia "Lá, longamente haveis de morar, e não sereis libertados até que aqueles que matastes intercedam por vós".

[18] Essa frase substituiu a seguinte: "Aguardando então só um pouco um vento norte que trouxe uma bruma profunda sobre a hoste, ele escapuliu ..."
[19] A última frase de §159 foi um acréscimo feito posteriormente.
[20] A passagem "naquele lugar ... o Estreito de Drengist" foi um acréscimo feito posteriormente.
[21] Alteração de "as mais belas naus dos Dias Antigos".

Comentário à quinta seção dos Anais de Aman

Essa seção dos *Anais* corresponde em conteúdo ao Capítulo 5 do QS, *Da Fuga dos Noldor* (V. 275–82), e aos anais 2990–2994 do AV 2 (V. 138–42). Após os parágrafos de abertura, a narrativa dos *Anais* está, de novo, intimamente relacionada em estrutura ao capítulo no QS, e, de §125 em diante, muitas frases do texto anterior são mantidas nela (mais, na verdade, do que aparece no texto publicado, já que em alguns casos meu pai adotou frases do QS sem mudanças e depois as alterou). Por outro lado, a narrativa foi bastante expandida em seu escopo.

§§117–24 Insere-se agora uma nova e sutil articulação na história, com a afirmação de Yavanna de que, com a luz sacra recuperada das Silmarils, ela poderia reacender as Árvores antes que suas raízes morressem, a exigência feita a Fëanor e sua recusa — antes que chegassem as notícias de Formenos.

§121 Mandos disse "Não o primeiro" porque sabia que Finwë tinha sido assassinado. Ver ainda p. 161, §120.

§122 *Korlairë*: a primeira ocorrência desse nome (ver p. 161, §122). — Um elemento novo na narrativa é o de que "Finwë apenas não fugira do horror do Escuro." No QS (§60) e no AV 2, Morgoth mata muitos outros Noldor. Onde os filhos de Fëanor estavam, ou aonde tinham ido (pois Fëanor viera ao festival sozinho, §112), é algo que não é contado (ver pp. 356-7).

§123 Agora afirma-se pela primeira vez que foi Fëanor quem deu a Melkor o nome de *Morgoth* ("o Inimigo Sombrio", nota 2 acima). Nos AAm (ao contrário do QS) *Melkor* é sempre assim chamado até esse ponto da narrativa, mas depois disso quase invariavelmente passa a ser *Morgoth*.

§125 *Araman*: No QS, *Eruman*. A mudança já havia aparecido no mapa V do *Ambarkanta* (IV. 293–4), onde o novo nome foi inserido muitos anos após a elaboração do mapa.

§126 No QS (§62) nada é dito sobre o destino de Ungoliantë além de que os Balrogs a "rechaçaram para o extremo Sul, onde por longo tempo permaneceu"; agora aparece a história de que ela viveu primeiro em Nan Dungorthin e só mais tarde, depois de gerar prole ali, recuou para o sul do mundo. Mas as aranhas de Nan Dungorthin "da fera raça de Ungoliantë" são citadas mais tarde no QS, na história da fuga de Beren de Dorthonion (ver V. 357 e o *Silmarillion* publicado, p. 226).

§127 *A origem dos Orques*. No QS (§62) já havia surgido a ideia de que os Orques se originaram como arremedos dos Elfos, mas ainda não a de que os Orques estavam de alguma outra forma associados a eles: eles eram uma "criação" do próprio Morgoth, "feitos de pedra", e ele os trouxe à existência *quando retornou à Terra-média*. Da maneira como os AAm foram escritos de início (ver notas 5–7 acima), essa visão ainda valia; a palavra "feitos" ainda era usada — embora não as palavras "feito de pedra". Mas na nota de Ælfwine que se segue (e que foi escrita sem interrupção com o que a precede) eles são chamados "uma prole de terra corrompida por Morgoth"; e a "história mais sombria" contada em Eressëa — a de que os Orques tinham sido, no princípio, Elfos escravizados e corrompidos (dos Avari) — é certamente a primeira aparição dessa ideia, contradizendo o que precede esse trecho, ou talvez, nessa fase, ela represente uma teoria alternativa. A ideia é atribuída a Pengoloð; e Pengoloð argumenta, ao falar com Ælfwine, que Melkor não era realmente capaz de *criar* nada que tivesse vida, mas podia apenas corromper o que já estava vivo. A implicação dessa segunda teoria seria provavelmente, embora não necessariamente, que os Orques surgiram muito antes, antes do Cativeiro de Melkor; e a presença dessa implicação é sugerida pela referência de nota de rodapé aos *Anais de Beleriand* — ou seja, a última versão deles, os *Anais Cinzentos*, que acompanham os *Anais de Aman*: "diz-se que isso ele fez na Escuridão, antes que jamais os Quendi fossem encontrados por Oromë".

Nesse ponto, meu pai voltou para uma parte anterior dos AAm (p. 98, §42) e interpolou a passagem "Contudo, a partir de conhecimento adquirido depois ...", na qual a ideia da captura dos Quendi vagantes em seus dias mais antigos é desenvolvida, embora continue sendo apenas uma suposição dos "mestres do saber". Talvez ao mesmo tempo, ele emendou a presente passagem, alterando "então trouxe ao ser" para "daí saíram, em hostes além da conta", "feitos" para "procriados" e "uma prole da terra" para "filhos da terra". Ele então desenvolveu (segundo minha conjectura) a interpolação no parágrafo anterior de forma muito mais completa (§§43–5), onde a ideia se torna menos uma suposição do que uma certeza histórica: a impotência de Melkor para criar coisas vivas é um fato conhecido ("assim dizem os sábios"). Finalmente, num momento posterior (ver nota 8), ele cortou a passagem inteira no fim de §127 que começa com "Mas, de fato, uma história mais sombria alguns ainda contam em Eressëa..." — seja porque só então ele observou que ela tinha sido suplantada por §§43–5, e, de qualquer forma, não estava no lugar apropriado, seja porque rejeitou essa teoria da origem dos Orques. Ver ainda p. 161, §127.

A palavra *pois* na frase "Orques é o nome que podemos lhes dar; *pois* em dias de antanho eram fortes e feros como demônios. Contudo, não eram da raça dos demônios" (uma observação feita por Ælfwine) sugere que a palavra *Orques* vem do inglês antigo (cf. *orc-nēas* em *Beowulf*, no verso 112), com forma convenientemente similar à da palavra élfica. Isso explicaria por que Ælfwine disse, na verdade, "Podemos chamá-los de Orques, porque eram fortes e ferozes como demônios, embora não fossem realmente *demônios*". Numa carta escrita por meu pai em 25 de abril de 1954 (*Cartas*, n 144), ele diz que a palavra *Orc* "até onde sei, na verdade é derivada da palavra em inglês antigo *orc* 'demônio', mas somente por causa de sua adequação fonética" (e também: "Em lugar algum se afirma claramente que os Orques sejam de alguma origem em particular. Porém, visto que são serviçais do Poder Sombrio e, posteriormente, de Sauron, nenhum dos quais desejava ou era capaz de produzir criaturas vivas, eles devem ser 'corrupções'").

§128 A forma final aqui, "Rei do Mundo" (ver nota 9), retoma a que se vê no QS (§63), a qual remonta ao Q (IV. 111). — Sobre o tema das saídas de Morgoth de Angband, o QS diz: "jamais foi seu hábito deixar os lugares profundos de sua fortaleza", e não há nenhuma menção à sua ausência.

§§132–3 O relato do discurso de Fëanor foi muito ampliado em relação ao que aparece no QS (§§66–7).

§133 *Tauros*: Oromë; cf. QS §8: "Ele é um caçador, e ama todas as árvores; razão pela qual é chamado de Aldaron e, pelos Gnomos, de Tauros, o senhor das florestas"; também nas *Etimologias,* radical TÁWAR (V. 476): "Nold. *Tauros* "Pavor-da-Floresta" [GOS], alcunha nold. usual de Orome (nold. Araw)". É notável que Fëanor use esse nome (ver p. 183, §8). No texto datilografado, por nenhuma razão muito clara, o datilógrafo deixou um espaço em branco aqui, no qual meu pai mais tarde escreveu a lápis *Oromë.*

§135 Da maneira como o texto dos AAm foi escrito pela primeira vez (ver nota 12 acima), as afinidades dos príncipes noldorin já foram alteradas no que diz respeito ao relato no QS (§68), uma vez que Angrod e Egnor agora se opunham a Fëanor — e Galadriel agora tem um papel na narrativa, estando ansiosa para deixar Aman. Conforme o texto foi reescrito, aparece um cenário mais sutil, pois Fingon agora defende a partida de forma independente, e Angrod e Egnor o acompanham nisso. Dos filhos de Fingolfin, só Turgon agora apoia seu pai, mas Inglor está do lado dele; e Orodreth assume o lugar de lnglor como o único de seus filhos a apoiar Finrod.

A estreita amizade de Turgon com Felagund (lnglor) já havia aparecido na primeira versão dos *Anais de Beleriand*; em um acréscimo tardio ao texto datilografado dos AAm (p. 137, §85), afirma-se que eles nasceram no mesmo Ano das Árvores.

A declaração de que Galadriel, "a mais jovem da Casa de Finwë", "veio ao mundo a oeste do Mar, e nada sabia ainda das terras não guardadas", é estranha, porque toda a descendência de Finwë nasceu em Aman (AAm §§78, 81–2).

§136 Os Noldor foram afetados pelo "desejo de novas coisas e países estranhos"; no QS eles estavam "repletos de desejo pelas Silmarils".

§137 A marcha saindo de Tirion foi empreendida com muito pouca preparação e com muita pressa; cf. o AV 2 (data de 2992): "A grande marcha dos Gnomos [foi] longamente preparada".

§139 Apenas um décimo dos Noldor ficou para trás em Tirion.

§§140–2 As palavras do mensageiro de Manwë são apresentadas, e o episódio é muito ampliado. O arauto não diz, como no QS (§68), que os Valar proibiam a marcha, mas agora o que se afirma é que Fëanor se exilou pelo próprio fato de seu juramento; e Fëanor, em sua resposta, acusa os Valar de ficarem ociosos e não fazerem nenhum movimento contra Morgoth.

§143 *Elendë* (Casadelfos, Terra-dos-Elfos): ver p. 118, §67.

§§145–8 O próprio Fëanor (não, como em QS §70, mensageiros) foi até Olwë em Alqualondë, e as palavras que trocam são totalmente registradas. Em §147, Fëanor fala da construção do Porto pelos Noldor, que é mencionada anteriormente nos AAm (§76).

§§149–50 O relato nos AAm sobre a batalha em Alqualondë e suas consequências segue de perto QS §70 e mantém grande parte de sua formulação; mas em §149 agora se afirma que aqueles da segunda hoste que se juntaram à batalha confundiram-se sobre a causa da contenda.

§150 Sobre as armas dos Teleri, ver p. 137, §97. — A canção da Fuga dos Gnomos (QS §70) agora é chamada de *Noldolantë*, a Queda dos Noldor, "que Maglor compôs antes que se perdesse".

§§ 152–4 A Profecia do Norte, agora chamada de "a Profecia do Norte e a Condenação dos Noldor", é desenvolvida de modo significativo: inclui-se a advertência de que os Noldor que poderão ser mortos mais tarde hão de permanecer muito tempo em Mandos, "ansiando por seus corpos", e que aqueles que continuarem na Terra-média ficarão cansados do mundo e vão se *esvanecer*. Nesse aspecto, os AAm remontam ao AV 2 (ano de 2993, V. 140; texto quase idêntico ao AV 1, IV. 314):

> Uma medida da mortalidade iria visitar os Noldor, e seriam mortos com armas, e com tormentos, e com tristezas, e no longo fim desvaneceriam na Terra-média e feneceriam diante da raça mais jovem.

Discuti essas passagens em IV. 327–8. Ver ainda p. 321 e seguintes.

§156 Tal como no AV (em ambos os textos), muitos do povo de Finrod voltaram com ele a Valinor; no QS (§72), apenas "alguns de sua casa" deram meia-volta. Um novo elemento na motivação de Finrod para sua volta é o parentesco com Olwë de Alqualondë, pois a esposa do príncipe era Eärwen, filha de Olwë (§85).

§157 *Endar* significa "Terra-média". A forma *Endon* foi usada anteriormente nos AAm para designar o "ponto médio" da Terra-média (§38), parágrafo em que o nome foi alterado, no texto datilografo, para *Endor* (p. 107). Essas formas, *Endon* e *Endor*, tinham aparecido no *Ambarkanta* e em mapas (ver p. 102, §38). Em *O Senhor dos Anéis*, a palavra quenya *Endórë*, sindarin *Ennor*, significa não o ponto médio, mas a Terra-média propriamente dita, com a etimologia *en(ed)*, "meio", e *(n)dor*, "(massa de) terra"; cf. também *Aran Endór*, "Rei da Terra-média", na nota 9 acima. Mas na presente passagem a forma *Endar* está perfeitamente clara, como também em §§158, 163. O datilógrafo, entretanto, em ambos os casos, por alguma razão, escreveu *Endor*, e meu pai não alterou a grafia. Por outro lado, no título da próxima seção dos AAm (p. 163), o datilógrafo usou a forma *Endar*, tal como no manuscrito, e mais uma vez meu pai deixou como estava. No *Silmarillion* publicado (p. 131), eu escolhi, com hesitação, a forma *Endor*.

Essa passagem sobre o Helkaraxë é derivada não do QS, mas do AV2 (ano de 2994, quase o mesmo que no AV1) e é muito notável que ela mantenha completa congruência com a cosmografia do *Ambarkanta* (ver IV. 294, 307).

§159 A história de que Angrod e Egnor chegaram à Terra-média nos navios com os Fëanorianos agora é abandonada, com a perda do elemento de que eles eram amigos próximos dos filhos de Fëanor, e especialmente de Celegorn e Curufin (QS §§42, 72–3).

§160–2 Maidros não toma parte na queima dos navios e se recorda de Fingon, seu antigo amigo. A motivação de Fëanor para esse ato é suficientemente explicada nos textos mais antigos, mas nos AAm a soberba e a fúria insanas que o impulsionam são mostradas de forma muito mais forte; ele realmente age como "doudo".

§162 O acréscimo (nota 20 acima) do nome *Losgar* para o local do incêndio dos navios deriva de sua única ocorrência nos textos anteriores, no início dos Anais tardios de Beleriand (AB 2, V. 151 e comentário).

§163 Quanto à diferença entre a frase final e a presente no QS ("e chegaram a Beleriand ao nascer do sol"), ver V. 284, comentário a §73.

Entre as notas e correções escritas por meu pai no texto datilografado nessa seção dos AAm, das quais nem todas precisam ser registradas, há várias que indicam extensões propostas para a narrativa.

§120 "Hei de morrer" > "Hei de ser morto"; "o primeiro de todos os Filhos de Eru" sublinhado; e uma nota na margem ao lado das palavras "Não o primeiro" (no início de §121): "X Isso não cabe mais nem mesmo no caso dos Eldar de Valinor. O pai de Fëanor, Finwë, foi o primeiro a ser morto entre os Altos-Elfos, e a mãe dele, Míriel, foi a primeira a morrer". Deve-se lembrar que, quando os AAm foram escritos a história de Míriel ainda não havia sido concebida; as passagens que afirmam que ela "adormeceu e foi para Mandos" e que Finwë depois se casou com Indis (p. 131, notas 1 e 4) foram acréscimos posteriores (encontrados no texto datilografado conforme escrito). Ver ainda pp. 326-7.

§122 O datilógrafo deixou um espaço em branco para *Korlairë*, que meu pai preencheu com a forma *Korolairë*. Mais tarde, ele sublinhou a palavra a lápis e escreveu *Ezellohar* ao lado dela (ver p. 137, §113).

§126 *Ered Orgoroth* > *Ered Gorgorath*; *Nan Dungorthin* > *Nan Dungortheb*. Ver V. 357.

§127 Ao lado do início desse parágrafo, meu pai escreveu: "A construção dessa fortaleza como uma proteção contra um desembarque vindo do Oeste deveria ocorrer mais cedo". Ver p. 195, §12.

No texto datilografado, a passagem acerca dos Orques seguia como está no texto tirado do manuscrito na p. 140 até apenas o trecho "e podiam ser mortos ou destruídos pelos valentes com armas de guerra"; o restante do parágrafo foi riscado no manuscrito (nota 8, p. 153), exceto as palavras "Disse Ælfwine" no final (que o datilógrafo não percebeu e omitiu, terminando o parágrafo em "armas de guerra" sem fechar os parênteses). Ao lado da primeira parte da passagem, meu pai escreveu um X no texto datilografado, e uma breve indicação ilegível cuja primeira palavra poderia ser "cortar", com uma referência à passagem sobre o assunto em §45. Não está claro o que exatamente deveria ser cortado (se é que li a palavra corretamente), mas, visto que ele anotou no texto datilografado, ao lado da passagem anterior (p. 107, §43): "Alterar isso. Orques não são élficos", parece provável que a mesma objeção se aplique aqui (ver ainda p. 490 e seguintes.) — Ele corrigiu o erro do datilógrafo ao omitir as palavras "Disse Ælfwine" ao cortar as palavras "(Orques é o nome que podemos lhes dar"), de modo que o texto passa a dizer: "Os *Glamhoth*, hoste do tumulto, é como os Noldor os chamavam. Em dias de antanho eram fortes e feros como demônios ..." Isso talvez tenha sido feito sem consultar o manuscrito.

§132 Em "no mar salgado e ingrato", a palavra *salgado* foi riscada.

§134 Nota marginal ao lado dos nomes dos Filhos de Fëanor: "X Nomes serão revisados." No texto, *Cranthir* > *Caranthir*, *Damrod* e *Díriel* foram riscados (mas nenhum outro nome foi colocado no lugar deles), e o *n* de *Celegorn*, sublinhado.

§135 Nota marginal na abertura desse parágrafo: "Nomes e relações agora alterados". No texto *Finrod* > *Finarphin* (e subsequentemente) e *Inglor* > *Finrod* (e subsequentemente); além disso, *Orodreth* foi sublinhado e marcado com um X.

§137 Ao lado da frase "Ele [Manwë] ainda não desejava proibir ou impedir os propósitos de Fëanor" está a nota marginal: "Manwë e os Valar não podiam — isto é, não estavam autorizados a impedir os Noldor, exceto por conselho — *não* pela força."

§149 Nota marginal ao lado da passagem que descreve o envolvimento da segunda hoste na luta: "Finrod e Galadriel (cujo marido era dos Teleri) lutaram *contra* Fëanor em defesa de Alqualondë". Sobre isso, ver a nota muito tardia (1973) de meu pai sobre a conduta de Galadriel na época da rebelião dos Noldor em *Contos Inacabados*: "Na revolta de Fëanor, que se seguiu ao Obscurecer de Valinor, Galadriel não tomou parte: na verdade, ela e Celeborn lutaram heroicamente em defesa de Alqualondë contra o assalto dos Noldor ..."

§162 "Fëanor e seus filhos puseram fogo" foi alterado para "Fëanor mandou que se pusesse fogo". Uma nota marginal no final do parágrafo diz: "Tragédia da morte de um dos filhos de Fëanor [*acrescentado:* os 2 mais novos], que voltou a dormir em seu navio". Outra nota no mesmo lugar diz: "Os filhos mais novos de Fëanor eram gêmeos"; isso é seguido por uma palavra entre parênteses que foi riscada, provavelmente "(diferentes)". Foi dito no QS (§41) que Damrod e Díriel eram "gêmeos semelhantes em ânimo e rosto".

§163 Nota marginal ao lado de "Muitos ali pereceram" (isto é, na travessia do Helkaraxë): "A esposa de Turgon se perdeu, e ele tinha então apenas uma filha e nenhum outro herdeiro. O próprio Turgon quase se perdeu nas tentativas de resgatar sua esposa

— e ele tinha menos amor pelos Filhos de Fëanor do que qualquer outro".

Sexta e última seção dos Anais de Aman

1495–1500

Da Lua e do Sol. A Iluminação de Endar, e a Ocultação de Valinor

§164 Conta-se que os Valar se sentaram longamente, imóveis, sobre seus tronos no Círculo do Julgamento, mas não estavam ociosos, como Fëanor dissera na insensatez de seu coração. Pois os deuses podem operar muitas coisas com o pensamento, em vez de com as mãos, e sem vozes, em silêncio, podem aconselhar-se uns aos outros. Assim ficaram em vigília na noite de Valinor, e seu pensamento voltou para além de Ëa e seguiu adiante até o Fim; contudo, nem poder nem sabedoria amainavam seu pesar e o conhecimento do mal na hora em que ele tinha ser. Nem pranteavam eles a morte das Árvores mais que a maculação de Fëanor: de todas as obras de Melkor a mais perversa.

§165 Pois Fëanor fora criado para ser o mais poderoso em todas as partes do corpo e da mente, em valor, em constância, em beleza, em entendimento, em engenho, em força e sutileza igualmente: de todos os Filhos de Ilúvatar, e uma chama luzente estava nele. As obras de assombro para a glória de Arda que, de outro modo, ele poderia ter feito, só Manwë conseguia em alguma medida conceber. E os Vanyar que mantinham vigília com os Valar registraram que, quando os mensageiros relataram a Manwë as respostas de Fëanor a seus arautos, Manwë chorou e curvou a cabeça. Mas, àquela última palavra de Fëanor: a de que ao menos os Noldor haviam de realizar façanhas que viveriam em canção para sempre: ele levantou a cabeça, como alguém que ouve uma voz ao longe, e disse: "Assim há de ser! Custosas essas canções hão de ser consideradas, e ainda assim de preço justo. Pois o custo não poderia ser outro. Assim, tal como Eru falou-nos, uma beleza não concebida antes há de ser trazida a Ëa, e até o mal, ao existir, trará o bem".

"E ainda assim será o mal", disse Mandos. "A mim Fëanor há de vir logo."

§166 Mas quando, por fim, os Valar souberam que os Noldor tinham, de fato, saído de Aman e voltado à Terra-média, levantaram-se e começaram a pôr em prática aqueles conselhos que tinham aceitado em pensamento para sanar os males de Melkor.

§167 Então Manwë pediu que Yavanna e Niënna usassem todos os seus poderes de crescimento e cura; e elas usaram todos os seus poderes nas Árvores. Mas as lágrimas de Niënna não valeram para curar as feridas mortais delas; e, por muito tempo, Yavanna cantou sozinha nas sombras. Porém, bem na hora em que a esperança fraquejou e a canção dela se interrompeu, eis que Telperion produziu enfim, num galho sem folhas, uma grande flor de prata, e Laurelin, um único fruto d'ouro.

§168 Esses Yavanna tomou consigo, e então as Árvores morreram, e seus troncos sem vida estão ainda em Valinor, um memorial da alegria desaparecida. Mas a flor e o fruto Yavanna deu a Aulë, e Manwë os consagrou; e Aulë e seu povo fizeram vasos para abrigá-los e preservar sua radiância, como se diz na *Narsilion*, a Canção do Sol e da Lua. Esses vasos os deuses deram a Varda, para que se tornassem lamparinas do céu, superando em brilho as antigas estrelas, por estarem mais perto de Arda; e ela lhes deu poder para atravessar as regiões mais baixas de Ilmen e os pôs a viajar em cursos determinados acima do cinturão da Terra, do Oeste ao Leste e de volta.

§169 Essas coisas os Valar fizeram, recordando, em seu crepúsculo, a escuridão das terras de Arda; e resolveram então iluminar a Terra-média e, com luz, atrapalhar os feitos de Morgoth. Pois recordavam os Quendi, os Avari que tinham permanecido à beira das águas de seu despertar e não tinham abandonado completamente os Noldor no exílio; e Manwë sabia, também, que a hora da vinda dos Homens estava próxima.

§170 De fato, conta-se que, assim como os Valar tinham feito guerra a Melkor por causa dos Quendi, também, naquele tempo, eles foram pacientes por causa dos Hildi, Os Que Vêm Depois, filhos mais novos de Eru. Pois tristes tinham sido as feridas da Terra-média na guerra contra Utumno, e os Valar temiam que coisa ainda pior sobreviesse; enquanto os Hildi haviam de ser mortais e mais fracos que os Quendi para suportar medo e tumulto. Além do mais, não fora revelado a Manwë onde o princípio dos Homens deveria ser, se no norte, no sul ou no leste. Portanto, os Valar enviaram luz, mas fortificaram a terra de sua habitação.

§171 Isil, a Brilhante, é o nome que os Vanyar outrora deram à Lua, flor de Telperion em Valinor; e Anar, o Dourado-fogo, fruto de Laurelin, é como chamaram o Sol. Mas os Noldor lhes deram nomes de Rána, a Inconstante, e Vása, o que consome; pois o Sol foi disposto como um sinal do despertar dos Homens e do esvanecer dos Elfos, mas a Lua acalenta a memória deles.

§172 A donzela a quem os Valar escolheram entre os Maiar para guiar o vaso do Sol tinha o nome de Arien, e aquele que estava no leme da ilha da Lua era Tilion.** Nos dias das Árvores, Arien cuidara das flores douradas nos jardins de Vana e as regava com os orvalhos luzentes de Laurelin. Tilion era um jovem caçador da companhia de Oromë e tinha um arco prateado. Ele amava a prata e, quando desejava descansar, abandonava as matas de Oromë, ia a Lorien e jazia sonhando à beira das lagoas de Estë, sob as luzes bruxuleantes de Telperion; e ele implorou para que lhe fosse dada a tarefa de cuidar para sempre da última Flor de Prata. Arien, a donzela, era mais poderosa que ele e foi escolhida porque não tinha temido os calores de Laurelin e não tinha sido ferida por eles, sendo, desde o princípio, um espírito de fogo, a quem, não obstante, Melkor não enganara nem atraíra a seu serviço. Bela, deveras, era Arien de se contemplar, mas luzentes demais eram seus olhos até mesmo para que os Eldar os fitassem e, deixando Valinor, ela abandonou a forma e a vestimenta a qual, como os Valar, usara lá e passou a ser como que uma chama nua, terrível na plenitude de seu esplendor.

1500

§173 Isil foi feita e ficou pronta primeiro, e se elevou por primeiro ao reino das estrelas, e se tornou a mais velha das novas luzes, assim como Telperion fora a das Árvores. Então, por algum tempo, o mundo teve luar, e muitas coisas moveram-se e despertaram entre as que tinham esperando longamente no sono de

** Notas marginais ao lado de *Arien* e *Tilion*: "dægred Æ" e "hyrned Æ". [Ver comentário para tradução desses termos. [N.T.]

Yavanna. Os serviçais de Morgoth ficaram cheios de espanto, mas os elfos-escuros olharam para o alto em deleite; e conta-se que Fingolfin pôs pé nas Terras do Norte com o primeiro nascer da Lua, e as sombras de sua hoste se fizeram longas e negras. Tilion tinha atravessado o céu sete vezes e, assim, estava no extremo Leste quando o vaso de Arien ficou pronto. Então Anar se ergueu em glória, e a neve sobre as montanhas luziu como se pegasse fogo, e ouviu-se o som de muitas quedas d'água; mas os serviçais de Morgoth fugiram para Angband e encolheram-se de medo, e Fingolfin desfraldou suas bandeiras.

§174 Ora, Varda pretendia que os dois vasos viajassem por Ilmen e ficassem sempre no alto, mas não juntos; cada um havia de passar de Valinor para o Leste e retornar, um saindo do Oeste enquanto o outro voltava do Leste. Assim, o primeiro dos novos dias foi contado à maneira das Árvores, a partir da mescla das luzes quando Arien e Tilion passavam em seus cursos, acima do meio da Terra. Mas Tilion era inconstante e incerto de velocidade e não seguia seu caminho designado; e buscava chegar perto de Arien, sendo atraído pelo esplendor da beleza dela, embora a chama de Anar o escorchasse e a ilha da Lua ficasse escurecida.

§175 Por causa da inconstância de Tilion, portanto, e ainda mais por causa dos rogos de Lorien e Estë, que diziam que o sono e o descanso tinham sido banidos da Terra e que as estrelas estavam escondidas, Varda mudou de pensamento e permitiu que houvesse um tempo no qual o mundo ainda havia de ter sombra e meia-luz. Anar descansava, portanto, algum tempo em Valinor, deitando-se sobre o seio fresco do Mar de Fora; e o Anoitecer, o qual era o momento da descida e do repouso do Sol, era a hora de maior luz e regozijo em Aman. Mas logo o Sol era puxado para baixo pelos serviçais de Ulmo, e seguia então apressado sob a Terra, e, enfim, chegava sem ser visto ao Leste, e lá subia ao firmamento de novo para que a noite não fosse longa demais e o mal não caminhasse sob a Lua. Mas, graças a Anar, as águas do Mar de Fora se tornavam quentes e brilhavam com fogo colorido, e Valinor tinha luz por algum tempo depois da passagem de Arien. Contudo, conforme ela viajava sob a Terra e se aproximava do Leste, o brilho desbotava, e Valinor ficava às escuras, e os Valar, então, pranteavam muitíssimo a morte de Laurelin. Na aurora, as sombras das Montanhas de Defesa jaziam pesadas sobre a terra dos Valar.

§176 Varda ordenou que a Lua viajasse de modo semelhante e que, passando sob a Terra, nascesse no Leste, mas só depois que o Sol tivesse descido do firmamento. Mas Tilion tinha passo incerto, como ainda tem, e ainda era atraído por Arien, como sempre há de ser; de modo que amiúde ambos podem ser vistos acima da Terra juntos ou, por vezes, sucede que ele chega tão perto que sua sombra tapa o brilho dela e há uma escuridão em meio ao dia.

§177 Portanto, pelas vindas e idas de Anar os Valar contaram os dias dali em diante até a Mudança do Mundo. Pois Tilion se demorava raramente em Valinor, mas mais amiúde passava rápido pela terra ocidental de Aman, por sobre Arvalin, ou Araman, ou Valinor, e mergulhava no abismo além do Mar de Fora, seguindo seu caminho a sós em meio às grotas e cavernas nas raízes de Arda. Lá, muitas vezes, vagava longamente e tarde retornava.

§178 Ainda, portanto, depois da Longa Noite, a luz de Valinor era maior e mais bela do que a sobre a Terra-média; pois o Sol descansava lá, e as luzes do céu ficavam mais perto da Terra naquela região. Mas nem o Sol nem a Lua podem trazer de volta a luz que havia outrora, que vinha das Árvores antes que elas fossem tocadas pelo veneno de Ungoliantë. Aquela luz vive agora nas Silmarils apenas, e elas estão perdidas.

§179 Mas Morgoth odiava as novas luzes e foi, por um tempo, posto em confusão por esse golpe inesperado dos Valar. Então atacou Tilion, mandando espíritos de sombra contra ele, e houve contenda em Ilmen sob as sendas das estrelas, e Tilion saiu vitorioso: como ele sempre tem sido, embora ainda a escuridão perseguidora o alcance por vezes. Mas a Arien Morgoth temia com um grande temor, e não ousava chegar perto dela, não tendo mais, de fato, poder para isso. Pois, conforme crescia em maldade e mandava de si o mal que concebera em forma de mentiras e criaturas de perversidade, seu poder ia passando para essas coisas e se dispersava, e ele próprio se tornava cada vez mais preso à terra, avesso a sair de suas fortalezas sombrias. Com sombra, portanto, escondia a si mesmo e a seus serviçais de Arien, cujo olhar não podiam suportar por muito tempo; e as terras perto de sua habitação eram veladas por fumos e grandes nuvens.[1]

§180 Mas, vendo o ataque a Tilion, os Valar ficaram em dúvida, temendo o que a maldade e a astúcia de Morgoth ainda poderiam tramar contra eles. Não estando dispostos, como já foi dito, a lhe fazer guerra na Terra-média, lembraram-se, mesmo assim, da ruína de Almaren, e resolveram que o mesmo não havia de sobrevir a Valinor. Portanto, naquele tempo, fortificaram Valinor de novo e ergueram os muros montanhosos das Pelóri até alturas de vertigem e terror, a leste, norte e sul. As encostas externas eram escuras e lisas, sem apoio ou borda,[2] e caíam rumo a grandes precipícios com faces duras como vidro, e se elevavam em torres com coroas de gelo alvo. Uma guarda que nunca dormia foi posta sobre elas. Nenhum passo as atravessava — salvo apenas no Kalakiryan,[3] onde ainda se postava, abandonada, a colina verde de Túna. Esse passo os Valar não fecharam por causa dos Eldar que eram fiéis: pois todos aqueles de raça-élfica, até mesmo os Vanyar e Ingwë, seu senhor, precisam respirar por vezes o ar de fora e o vento que chega através do Mar, vindo das terras de seu nascimento; e os deuses não queriam separar totalmente os Teleri de seus parentes. Portanto, no Kalakiryan, puseram fortes torres e muitas sentinelas; e, na saída dele, nas planícies de Valmar, uma hoste se mantinha acampada; pois os arsenais dos Valar foram abertos, e os Maiar e os Filhos dos Valar se ataviaram como que para a guerra. Nem ave, nem fera, nem Elfo, nem Homem, nem qualquer outra criatura, ademais, das que habitavam na Terra-média, podiam passar daquela barreira.

§181 E naquele tempo também, ao qual as canções chamam de *Nurtalë Valinóreva*, a Ocultação de Valinor, as Ilhas Encantadas foram dispostas, e todos os mares à volta delas ficaram cheios de sombras e desconcerto; e essas ilhas estendiam-se como uma rede nos Mares Sombrios,[4] do norte ao sul, antes que Tol Eressëa, a Ilha Solitária, fosse alcançada por quem navegava para o oeste. Dificilmente podia alguma nau passar entre elas: pois, nas enseadas perigosas, as ondas suspiravam para sempre sobre rochas escuras veladas em névoa. E, no crepúsculo, um grande cansaço e uma aversão ao Mar vinham sobre os marinheiros; mas todos os que alguma vez pisavam nas ilhas ficavam ali apanhados e dormiam até a Mudança do Mundo. Assim foi que, como Mandos previra em Araman, o Reino Abençoado se fechou para os Noldor e, dos muitos mensageiros que em dias posteriores eles enviaram para o Oeste, nenhum chegou jamais a Valinor — salvo um apenas: o mais poderoso marinheiro das canções.

Aqui, com a Ocultação de Valinor,
terminam
Os Anais de Aman

NOTAS

1 Esse parágrafo, a partir de "Então atacou Tilion ...", foi escrito inicialmente desta forma:

> Tilion, de fato, ele atacou, enviando espíritos sinistros de sombra contra ele, os quais ainda o perseguem, embora Tilion, até agora, tenha sempre sobrepujado tais inimigos. Mas a Arien ele temia com um grande temor e não ousava perturbar, e nem ele nem qualquer uma de suas criaturas podia contemplá-la, nem por muito tempo suportar o olhar dela. Em sombras ele ocultava sua perversidade dela e lançava fora fumos e nuvens escuras, de modo que as terras perto de sua habitação eram desoladas e veladas por trevas, ainda que, muito acima, a luzente Anar velejasse no firmamento azul. Pois, conforme ele crescia em malícia e lançava adiante dele o mal que concebia em mentiras e criaturas de mau...

Nesse ponto meu pai parou, riscou o que tinha escrito e o substituiu com o texto apresentado acima.

2 Da forma como foi escrita originalmente, essa frase dizia: "sem borda ou apoio nem mesmo para aves", corrigida imediatamente com o texto apresentado (o QS diz "sem borda ou apoio para nada além de pássaros").

3 *Kalakiryan* é como o termo foi grafado aqui (e novamente a seguir); ver p. 115, nota 7.

4 "os Mares Sombrios" (tal como no QS) é uma emenda de "o Grande Mar".

Comentário à sexta e última seção dos Anais de Aman

Esse relato da Criação do Sol e da Lua foi o último que meu pai escreveu. Ele estava seguindo o Capítulo 8 do QS, *Do Sol e da Lua e da Ocultação de Valinor* (V. 284–8), muito de perto, mas com muitas mudanças e, notadamente, muitas omissões. Indico aqui a maioria desses desenvolvimentos, alguns bem mais significativos do que outros.

§164 Quanto à comunhão silenciosa dos Valar entre si, que não consta no QS, cf. o que é dito em *O Retorno do Rei* VI. 6,

"Muitas Despedidas", sobre a conversa entre Celeborn, Galadriel, Gandalf e Elrond em Eregion:

> Se algum viandante passasse por acaso, pouco veria ou ouviria, e lhe pareceria apenas ver vultos cinzentos, esculpidos em pedra, memoriais de coisas olvidadas já perdidas em despovoadas terras. Pois não se moviam nem falavam com as bocas, olhando de uma mente para outra; e somente seus olhos brilhantes se mexiam e inflamavam à medida que seus pensamentos iam e vinham.

Talvez seja possível comparar isso também com os comentários de Michael Ramer em *Os Documentos do Clube Notion*, IX. 251.

§165 O louvor a Fëanor, e a reflexão de Manwë acerca das palavras dele, não constam no QS, e o mesmo vale para a previsão de Mandos de que Fëanor logo viria até ele.

§167 No QS, Niënna não é citada por nome junto com Yavanna na tentativa de curar as Árvores.

§168 O texto do QS, "luzes do céu, superando em brilho as antigas estrelas; e ela lhes deu poder para atravessar a região das estrelas", foi alterado para "*lamparinas* do céu, superando em brilho as antigas estrelas, *por estarem mais perto de Arda*; e ela lhes deu poder para atravessar *as regiões mais baixas de Ilmen*". Os AAm, aqui, na verdade, ficam mais próximos do *Ambarkanta*, no qual se afirma (IV. 281) que o Sol "navega de Leste a Oeste *através do Ilmen inferior*". Afirmei anteriormente (p. 85) que "as evidências parecem indicar que, nesses textos [isto é, os AAm e o *Ainulindalë*], a imagem do mundo do *Ambarkanta* sobreviveu, ao menos na concepção do Mar de Fora que se estendia até as Muralhas do Mundo"; agora pode-se ver que a região de Ilmen, na qual o Sol e a Lua seguem seus trajetos, também sobreviveu. Deve-se entender que Ilmen também ainda era a região das estrelas? Essa não é uma conclusão necessária com base na formulação do novo texto nesse ponto; entretanto, em §173, afirma-se que "Isil ... *se elevou ao reino das estrelas*". No *Ainulindalë,* encontramos o problema de que "as três regiões do firmamento" foram mantidas junto com a concepção irreconciliável de Arda como um reino posto "em meio às estrelas inumeráveis" de Ëa: ver p. 45.

Sobre "o cinturão da Terra" (não citado em QS), cf. AAm §144: "Túna sob Taniquetil estava posta perto do cinturão de Arda, e ali o Grande Mar era desmesuradamente largo".

§170 Não se afirma no QS que os Valar evitaram fazer guerra a Morgoth por conta da vinda dos Homens, que estava próxima, tremendo causar grande destruição e ignorando o lugar onde a Gente dos Homens havia de surgir.

§171 No QS, *Isil* e Úrin são nomes dados pelos Deuses à Lua e ao Sol, e *Rana* e *Anar* são os nomes eldarin (§75 e respectivo comentário). Nos AAm, *Isil* e *Anar* passam a ser nomes vanyarin, e *Rána* e *Vása* são designações noldorin; da mesma forma, em *A Estrada Perdida* (V. 54) e em *Os Documentos do Clube Notion* (IX. 369) os nomes "eressëanos" ou "avallonianos" (isto é, em quenya) são *Isil* e *Anar*.

§172 Uma das glosas em inglês antigo feitas por Ælfwine, *hyrned* ("cornudo, com chifres") já aparece no QS (nota marginal a §75); a outra palavra, *dægred*, que se refere a Arien, significa "romper do dia, aurora".

Não se afirma agora que Tilion amava Arien (e por essa razão abandonou as matas de Oromë e habitou nos jardins de Lorien), embora, em §174, Tilion buscasse "chegar perto de Arien, sendo atraído pelo esplendor da beleza dela". A descrição de Arien como um espírito de fogo, que deixou de se vestir com uma forma específica, mas se tornou "como que uma chama nua", não aparece no QS; pode-se comparar essa versão com a história original de Urwendi nos *Contos Perdidos* (I. 226).

§173 "Isil … se elevou ao reino das estrelas": ver §168 acima. A ideia de que as estrelas fugiam "assustadas" de Tilion, que se desviava de seu caminho perseguindo-as, é abandonada (assim como também, mais tarde, a explicação mítica das estrelas cadentes — estrelas que tinham fugido para as raízes da Terra e agora fogem de novo de Tilion rumo ao ar superior, QS §78).

§§175–8 O relato sobre os movimentos do Sol e da Lua foi colocado inteiramente no passado, enquanto o QS usa o presente.

§175 Estë toma o lugar de Niënna no papel de reclamar das novas luzes. — O nome *Vaiya* não é usado para designar o Mar de Fora nos AAm.

§177 "Portanto, pelas vindas e idas de Anar os Valar contaram os dias dali em diante *até a Mudança do Mundo*": não há nada que corresponda a isso no QS (§78). — A passagem no QS (e outra, muito semelhante, no *Ambarkanta*, IV. 281) acerca da passagem de Arien e Tilion juntos, de vez em quando, por cima de Valinor, é abandonada.

No QS, Tilion "mergulha no abismo entre as costas da terra e o Mar de Fora", e, de modo semelhante, no *Ambarkanta* ele mergulha no abismo de Ilmen. Nos AAm, por outro lado, ele "mergulha no abismo *além do Mar de Fora*". Como eu disse anteriormente (IV. 299, segunda nota de rodapé), não faço ideia de como explicar isso, embora tenha mantido o trecho no *Silmarillion* publicado que, aqui, é derivado dos AAm. Mas, em vista do fato de que, nos AAm, afirma-se expressamente (§23) que o Mar de Fora cercava o Reino de Arda, e que além do Mar de Fora ficavam as Muralhas da Noite, agora estou inclinado a achar que a frase nos AAm foi um deslize — o que quer que meu pai pretendesse não era o que ele escreveu. Pois, mesmo se supormos que as relações entre Ilmen, o Abismo, o Mar de Fora e as muralhas agora sejam concebidas de forma diferente, de alguma maneira, continua sendo verdade que Tilion, depois de mergulhar no abismo, *chegava às raízes de Arda*: ele deve, portanto, ainda estar *dentro* do Mar de Fora, que abarca Arda.

§178 A ideia de que os Valar armazenavam a radiância do Sol em vasilhas, tonéis e açudes (QS §79) é omitida nos AAm.

As últimas palavras desse parágrafo, "e elas estão perdidas", não constam no QS, mas, na verdade, são derivadas do *Ainulindalë*: "e as mais belas de todas as gemas eram as Silmarils, e elas estão perdidas", frase que apareceu pela primeira vez na *Música dos Ainur* original (I. 78) e sobreviveu ao longo dos textos posteriores (V. 192 e neste livro, p. 34, §35).

§§179–80 A profecia de que as Árvores serão acesas de novo é omitida (e esse antigo elemento finalmente se perde, ver IV. 28, 49), assim como a predição de Ulmo acerca dos Homens; mas aparece agora o ataque a Tilion por parte de Morgoth, o grande medo que ele tem de Arien, e o relato de sua perda de poder por meio da dispersão dele entre seus escravos. A frase em §179, "embora ainda a escuridão perseguidora o alcance por vezes", evidentemente se refere a eclipses da Lua.

A nova fortificação de Valinor ainda surge, é claro, por causa do medo dos Valar quanto ao "poder e astúcia de Morgoth"

(QS), mas o ataque de Morgoth à Lua é agora a principal fonte do temor deles: "Mas, vendo o ataque a Tilion, os Valar ficaram em dúvida, temendo o que a maldade e a astúcia de Morgoth ainda poderiam tramar contra eles".

§180 Afirma-se que a colina de Túna foi abandonada; no relato sobre o retorno de Finrod (§156), não se diz que ele governou Tirion dali em diante, mas apenas que (tal como em QS, §72) que ele "foi posto a governar o remanescente dos Noldor no Reino Abençoado". Em QS §79, entretanto, "os remanescentes dos Gnomos habitavam sempre na fenda profunda das montanhas".

"Os Maiar e os Filhos dos Valar": ver p. 80, §4.

§181 A Ocultação de Valinor é chamada de *Nurtalë Valinóreva*. — No QS, os marinheiros que põem os pés nas Ilhas Encantadas "ficam ali apanhados e envoltos num sono eterno"; nos AAm, eles "ficavam ali apanhados e dormiam até a Mudança do Mundo." Quanto à referência à Mudança do Mundo, cf. §177 acima; quanto à mudança do tempo verbal no presente para o passado, cf. §§175–8.

Meu pai rabiscou algumas notas apressadas no texto datilografado, mas aquelas que derivam de sua rejeição posterior aos elementos essenciais do mito cosmogônico não serão apresentadas aqui. As seguintes podem, entretanto, ser registradas:

§169 As palavras "abandonado completamente" estão sublinhadas, com uma nota marginal: "Eles *proibiram* o retorno e fizeram com que fosse impossível, para Elfos e Homens, chegar a Valinor — já que esse experimento tinha se mostrado desastroso. Mas não dariam *auxílio* aos Noldor no combate a Melkor. Manwë, entretanto, enviou espíritos maiar em forma de Águia para habitar perto das Thangorodrim e vigiar tudo o que Melkor fazia e dar assistência aos Noldor em casos extremos. Ulmo foi para Beleriand e teve um papel secreto mas ativo na resistência élfica". Quanto às Águias como Maiar, ver pp. 492-5.

§170 Ao lado desse parágrafo (e evidentemente por causa das palavras "não fora revelado a Manwë onde o princípio dos Homens deveria ser"), meu pai observou no texto datilografado que Manwë contara aos outros Valar que ele tinha sido visitado pela mente de Eru, e advertira que os Homens não poderiam ser tirados com vida da Terra-média.

§176 Ao lado da última frase desse parágrafo, meu pai escreveu: "O que então causa os eclipses da Lua?". Ver o comentário a §179–80 acima.

PARTE TRÊS

O *QUENTA SILMARILLION* TARDIO

(I) A PRIMEIRA FASE

Neste livro, conforme explicado no Prefácio, meu relato do desenvolvimento de *O Silmarillion* nos anos seguintes à conclusão de *O Senhor dos Anéis* está restrito à parte "valinoriana" da narrativa — isto é, à parte correspondente aos *Anais de Aman*.

Tal como acontece com os *Anais de Valinor* (*Aman*) (p. 67), meu pai não começou a revisão do *Quenta Silmarillion* como um novo empreendimento em folhas em branco, mas retomou o manuscrito original do QS e o texto datilografado (intitulado "*Eldanyárë*") derivado dele (ver V. 235–7) e os cobriu com correções e ampliações. Conforme já vimos (p. 15), ele notou que a revisão havia chegado ao fim da história de Beren e Lúthien em 10 de maio de 1951. Os capítulos foram tratados de forma muito diferente, alguns sendo muito mais desenvolvidos do que outros e estendendo-se por vários textos adicionais.

Um datilógrafo preparou então uma nova cópia, produzindo um texto razoavelmente claro e uniforme a partir de materiais que tinham se tornado complicados e difíceis. Essa versão foi feita pela mesma pessoa que fez o texto datilografado do *Ainulindalë* D (p. 56) e parece ter sido paginado continuamente a partir dele. Chamarei esse texto datilografado de "**QT 1**" (sigla de "Quenta Tardio 1", ou seja, "o primeiro texto contínuo do *Quenta Silmarillion* tardio"). Parece virtualmente certo que ele foi datilografado em 1951(–2).

O texto QT 1 foi corrigido, em momentos diferentes e em graus muito variados. Posteriormente, um novo texto datilografado foi produzido de forma profissional, em versão principal e cópia-carbono, incorporando todas as alterações feitas no no QT 1. Chamarei esse texto de "**QT 2**". Numa carta a Rayner Unwin, datada de 7 de dezembro de 1957 (*Cartas*, nº 204), meu pai disse:

> Vejo agora muito claramente que devo, como uma preliminar necessária à "remodelagem",** fazer cópias de todo o material copiável. E prepararei isso assim que possível. Mas acho que a melhor maneira de tratar disso (neste estágio, no qual grande quantidade do material está em exemplares únicos insubstituíveis) é instalar um datilógrafo em minha sala na faculdade e não deixar material algum sair dos meus cuidados até que seja multiplicado.

Parece provável que foi logo depois disso que o texto QT 2 foi feito. É interessante notar que ele foi digitado na mesma máquina usada para o texto datilografado dos *Anais de Aman* (também existente em cópia principal e carbono), e ambos os textos podem muito bem corresponder à mesma época — 1958, digamos. O QT 2 (tal como o QT 1) naturalmente não tem valor textual em si, mas recebeu cuidadosas emendas no Capítulo 1, *Dos Valar* (depois disso, porém, houve apenas anotações esparsas).

Por fim, meu pai voltou-se para novos escritos narrativos dentro da Matéria da Primeira Era antes da Ocultação de Valinor. O primeiro capítulo, *Dos Valar*, muito alterado nesta época, foi separado do *Quenta Silmarillion* propriamente dito com o título *Valaquenta*; enquanto o sexto capítulo, *Das Silmarils e do Obscurecer de Valinor* (numerado como 4 no QS, V. 269), e uma parte do sétimo, *Da Fuga dos Noldor* (numerado 5 no QS), foram muito ampliados e deram origem a novos capítulos com estes títulos:

De Finwë e Míriel
De Fëanor e de Melkor desacorrentado
Das Silmarils e da Inquietação dos Noldor
Do Obscurecer de Valinor
Da Rapina das Silmarils
Da Querela dos Ladrões

Esses novos capítulos exemplificam a "remodelação" que meu pai ansiava em realizar na carta a Rayner Unwin citada acima. Eles

** Essa palavra se refere a uma carta que ele recebeu de Lorde Halsbury, o qual dissera: "Posso bem ver que há uma luta à frente para remodela-la na forma requerida para publicação" (citada anteriormente na carta de meu pai para Rayner Unwin).

representam (juntamente com muitos outros escritos de natureza predominantemente especulativa) uma segunda fase em seu trabalho tardio com *O Silmarillion*. A primeira fase incluía a nova versão da *Balada de Leithian*, o *Ainulindalë* tardio, os *Anais de Aman* e os *Anais Cinzentos*, o *Conto de Tuor* tardio e a primeira onda de revisão do *Quenta Silmarillion*, sendo que grande parte desse trabalho ficou inacabada. Os anos 1953–5 corresponderam à preparação e publicação de *O Senhor dos Anéis*; e parece haver razão para achar que ainda demorou um bom tempo antes que ele se voltasse novamente para *O Silmarillion*, ou pelo menos para seus capítulos iniciais.

Nesses capítulos substancialmente reescritos da "segunda fase", ele estava avançando fortemente rumo a uma nova concepção da obra, um estilo novo e muito mais completo de narrativa — prevendo, ao que parece, uma "re-expansão" abrangente da forma ainda bastante condensada (apesar de uma boa dose de ampliação na revisão de 1951) que remontava, passando pelo QS e o Q, ao "Esboço da Mitologia" de 1926, que fizera um breve resumo da amplitude de *O Livro dos Contos Perdidos* (sobre essa evolução, ver IV. 93).

Foi difícil encontrar um método satisfatório de apresentação para a evolução posterior de *O Silmarillion*. Em primeiro lugar, os capítulos devem, obviamente, ser analisados de modo separado, uma vez que a extensão do desenvolvimento tardio e a história textual variam de forma muito ampla. De modo igualmente claro, uma documentação completa de cada alteração, do início ao fim (isto é, detalhando a sequência precisa de mudanças através de sucessivos textos) está fora de questão. Depois de muita experimentação, o plano que segui se baseia nesta consideração: visto que uma grande parte do desenvolvimento pode ser atribuída a um período de tempo relativamente curto (a "revisão de 1951"), parece melhor considerar o QT 1, marcando o fim da nessa fase, como o "texto comum". Mas, embora eu apresente o QT 1 na íntegra, tal como foi digitado (até o Capítulo 5: os Capítulos 6–8 são tratados de forma diferente), também incluo no texto as correções e ampliações feitas posteriormente, indicadas como tal. Isso dá imediatamente uma visão do estado da obra tanto no QT 1, no final da "primeira fase", como no QT 2, no início da "segunda fase", cerca de sete anos mais tarde. Além disso, o tratamento de cada capítulo varia de acordo com as peculiaridades de sua história. As últimas versões ampliadas de certos capítulos pertencentes à "segunda fase" são tratadas separadamente (p. 246 e seguintes).

Dificuldades peculiares aparecem no trabalho posterior com *O Silmarillion*, pois grande parte do material datilografado não foi produzido por meu pai, e ele parece ter corrigido frequentemente esses textos sem voltar aos anteriores dos quais foram retirados; ao mesmo tempo, quando havia cópia principal e cópia-carbono, ele, muitas vezes, mantinha cada uma delas em lugares diferentes (por medo de perdê-las), e uma cópia é muitas vezes corrigida de forma diferente da outra, ou uma não é corrigida quando a outra é. Além disso, ele tendia a emendar um texto *depois* que textos posteriores tinham sido derivados dele.

1. DOS VALAR

Na minha edição do "QS" no Volume V desta história, o texto dos primeiros capítulos (1, 2, 3(a), 3(b), 3(c)) é retirado do texto datilografado que meu pai fez do manuscrito de QS em (como argumentei, V. 237) dezembro de 1937 a janeiro de 1938, e que incorporou certas revisões feitas nos capítulos iniciais do manuscrito. Vou me referir a este texto como "o QSdatilografado". Tanto o manuscrito como o texto datilografado foram usados para a "revisão de 1951", mas foi essa última a cópia a partir da qual o QT 1 foi feito, havendo cerca de quatorze anos entre eles. Conforme já explicado, as alterações realizadas posteriormente no QT 1 são apresentadas como tal no texto.

Agora não há página de título para o QT 1 (ver p. 247), o qual começa com a nota de Ælfwine (com os versos em inglês antigo) e a nota do Tradutor em uma cópia quase exata do antigo QS datilografado (V. 240–1), sendo que a única diferença é a troca de *Pengolod* por *Pengoloth* (na primeira ocorrência, alterado para *Pengolodh*, representando o "th" sonoro). A página, como a do QS datilografado, é intitulada *Eldanyarë* (História dos Elfos).

Os números dos parágrafos são os do QS (V. 242–5), com os números "10a" e "10b" usados para indicar as passagens acrescentadas ao texto do QS, e correspondentes a épocas diferentes, no final do capítulo.

Aqui começa o Silmarillion ou a História das Silmarils

1. Dos Valar

§1 No princípio, Eru, [*acrescentado:* o Uno], que na língua élfica tem o nome de Ilúvatar, fez os Ainur de seu pensamento; e eles fizeram uma grande música diante dele. Dessa Música o Mundo foi feito; pois Ilúvatar tornou visível a canção dos Ainur, e eles a contemplaram como uma luz na escuridão. E muitos dos mais poderosos entre eles ficaram enamorados de sua beleza e de sua história, que viram principiando e se desenrolando, como numa Visão. Portanto, Ilúvatar deu à visão deles o Ser e a pôs em meio ao Vazio, e o Fogo Secreto foi enviado para arder no coração do Mundo.

Então aqueles dos Ainur que o desejaram adentraram o Mundo no princípio do Tempo, e eis que era tarefa deles concluí-lo e, com seus labores, tornar plena a visão que tinham observado. Longamente labutaram nas regiões de Ëa, que são vastas para além do pensamento de Elfos e Homens, até que, no momento designado, fez-se Arda, o Reino da Terra. Então, eles puseram a vestimenta da Terra e desceram a ela e nela habitaram; e estão nela.

§2 A esses espíritos os Elfos dão o nome de Valar, isto é, os Poderes, e os Homens amiúde os chamaram de deuses. Muitos espíritos menores de sua própria gente eles trouxeram em seu séquito, tanto grandes quanto pequenos; e alguns desses os Homens confundiram com os Elfos, mas erradamente [*leia-se* erroneamente], pois foram criados antes do Mundo, enquanto Elfos e Homens despertaram pela primeira vez na Terra, depois da vinda dos Valar. Contudo, na criação de Elfos e Homens, e no ofertar a eles cada um de seus dons especiais, nenhum dos Valar teve parte alguma. Ilúvatar apenas foi o autor deles; donde são chamados os Filhos de Ilúvatar [> Eru].

§3 Os chefes dos Valar eram nove. Estes são os nomes dos Nove Deuses [> deuses] na língua élfica como era falada em Valinor; embora tenham outros nomes, ou designações alteradas, na fala dos Gnomos [> Sindar], e seus nomes entre os Homens sejam multíplices: Manwë e Melkor, Ulmo, Aulë, Mandos, Lorien [> Lorion], Tulkas, Ossë e Oromë.

§4 Manwë e Melkor eram irmãos no pensamento de Ilúvatar / e mais poderosos dos Ainur que entraram no Mundo. Mas Manwë é o senhor dos deuses, e príncipe dos ares e ventos, e regente do céu. Com ele habita, como esposa, Varda, a criadora das estrelas [> O mais poderoso daqueles Ainur que entraram no Mundo era Melkor; mas Manwë era o mais caro ao coração de Ilúvatar e entendia mais claramente seus propósitos. Ele foi designado a ser, na plenitude do tempo, o primeiro de todos os reis: senhor do reino de Arda e regente de todos os que nele habitam. E ali seu deleite está nos ventos do mundo e em todas as regiões do ar. Com ele, em Arda, habita como esposa Varda, inflamadora das estrelas], senhora imortal das alturas, cujo nome é sacro. Fionwë e Ilmarë são o filho e a filha deles [*essa frase foi riscada*]. O próximo em poder, e o de mais estreita amizade com Manwë, é Ulmo, senhor das águas. Ele habita sozinho nos Mares de Fora, mas tem o governo de todas as águas, mares, e rios, fontes e nascentes, por toda a terra. Sujeito a ele está Ossë, o mestre dos mares à volta das terras dos Homens; e sua esposa é Uinen, a senhora do mar. O cabelo dela se espalha por todas as águas debaixo dos céus.

§5 Aulë tem poder só um pouco menor [> pouco menor] que o de Ulmo. Ele é um ferreiro e um mestre de ofícios; e sua esposa é Yavanna, a provedora de frutos e amante de todas as coisas que crescem. Em majestade ela segue a Varda, sua irmã, entre as rainhas dos Valar. Ela é bela e alta, e amiúde os Elfos chamam-na pelo nome de Palúrien, a Senhora da Ampla Terra.

§6 Os Fanturi [> Fëanturi] eram irmãos e são chamados de Mandos e Lorien [> Lorion]. Contudo, esses não são seus nomes corretos, e são antes os nomes dos lugares de suas moradas. Pois seus nomes corretos raramente são pronunciados, exceto em segredo: os quais são Námo e Irmo. Disse Rúmil. Nurufantur é como o mais velho também era chamado, [> os quais são Námo e Irmo. Námo, o mais velho, é] o mestre das Casas dos Mortos e reúne os espíritos dos assassinados. Não esquece nada e conhece todas as coisas que hão de ser, salvo apenas o que Ilúvatar ocultou; mas fala apenas à ordem de Manwë. Ele é o sentenciador dos Valar. Vairë, a tecelã, é sua esposa, ela que tece todas as coisas que já existiram no tempo em suas tapeçarias de histórias, e os salões de Mandos, que sempre se alargam conforme as eras passam, estão revestidos delas. Olofantur é como o mais jovem desses irmãos também era chamado, [> Irmo, o mais jovem desses irmãos, é], o mestre de visões e sonhos. Seus jardins na terra dos deuses são os mais belos de todos os lugares do mundo e estão repletos de muitos espíritos.

Estë, a pálida, é sua esposa, que não caminha de dia, mas dorme em uma ilha no lago escuro de Lorien [> Lorion]. Dali suas fontes trazem refrigério para o povo de Valinor; porém, ela não vai aos concílios dos Valar, e não é contada entre suas rainhas.

§7 O mais forte de membros, e o maior em feitos de bravura, é Tulkas, que é cognominado Poldórëa, o Valente. Não usa roupas em seus divertimentos, que são mormente os da luta corpo a corpo; e não cavalga montaria nenhuma, pois consegue correr mais do que todas as coisas que têm pés e é incansável. Seu cabelo e barba são dourados, e suas carnes, coradas; suas armas são suas mãos. Dá pouco ouvido ao passado ou ao futuro e é de pouca valia como conselheiro, mas é um amigo persistente. Tem grande amor por Fionwë, filho [> Ëonwë, arauto] de Manwë. Sua esposa é Nessa, a irmã de Oromë; ela é de membros esguios e de pés ligeiros, e dança em Valinor sobre gramados de um verde que nunca se esvai.

§8 Oromë é um senhor poderoso, e pouco abaixo de Tulkas em força, ou em ira, se é atiçado. Amava as regiões da Terra, quando elas ainda estavam escuras, e as deixou de mau grado e veio por último a Valinor; e vem ainda mesmo, por vezes, a leste das montanhas. Outrora era visto amiúde sobre as colinas e planícies. É um caçador e ama todas as árvores; razão pela qual é chamado de Aldaron, e pelos Gnomos [> Sindar] Tauros [> Tauron], o senhor das florestas. Deleita-se com cavalos e mastins, e suas trompas se ouvem altas nas campinas e matas que Yavanna plantou em Valinor; mas não as sopra sobre a Terra-média desde o desvanecer dos Elfos, a quem amava. Vána é sua esposa, a sempre-jovem, a rainha das flores, que tem a beleza tanto do firmamento quanto da terra sobre seu rosto e em todas as suas obras; ela é a irmã mais nova de Varda e Palúrien.

§9 Mas mais poderosa que ela é Niënna, irmã de Manwë e Melkor. Ela vive só. A piedade está em seu coração, e o luto e o pranto vêm a ela; a sombra é seu reino, e oculto está seu trono. Pois seus salões ficam a oeste do Oeste, perto das fronteiras do Mundo e da Escuridão; e ela raramente vem a Valmar, a cidade dos deuses, onde tudo é alegre. Vai antes aos salões de Mandos, que estão mais perto, mas ficam mais ao norte; e todos os que vão para Mandos gritam a ela. Pois é alguém que cura feridas e transforma dor em remédio e tristeza em sabedoria. As janelas de sua casa dão para fora das muralhas do Mundo.

§10 Em último todos mencionam Melkor. Mas os Gnomos [> Noldor], que mais sofreram por seus feitos malignos, não pronunciam seu nome e o chamam de Morgoth, o deus sombrio [> o Inimigo Sombrio], e Bauglir, o Opressor. Grande poder lhe foi dado por Ilúvatar, e ele era coevo de Manwë, e parte tinha de todos os poderes dos outros Valar; mas os voltava para maus usos. Cobiçava o mundo e tudo o que há nele e desejava o senhorio de Manwë e os reinos de todos os deuses; e soberba e inveja e cobiça cresciam sempre em seu coração, até que ele se tornou diferente de seus irmãos. A ira o consumiu, e ele gerou violência e destruição e excesso. Em gelo e fogo estava o seu deleite. Mas a escuridão era o que mais usava em todas as suas obras malignas e a transformou em medo e num nome de horror entre Elfos e Homens.

§10a Assim, pode-se ver que há nove Valar, e Sete rainhas dos Valar de poder não menor; pois, enquanto Melkor e Ulmo habitam sós, assim também o faz Niënna, enquanto Estë não é contada entre os Regentes. Mas os Sete Grandes do Reino de Arda são Manwë e Melkor, Varda, Ulmo, Yavanna, Aulë e Niënna; pois, embora Manwë seja o seu chefe [> rei], em majestade eles são pares, sobrelevando, sem comparação, todos os outros, seja dos Valar e de sua gente, seja de qualquer outra ordem que Ilúvatar concebeu [> fez existir].

§10b [*Tudo o que vem agora foi acrescentado a tinta ao texto datilografado*: Com os Valar estavam outros espíritos cujo ser também começou antes do mundo: esses são os *maiar*, da mesma ordem que os Grandes, mas de menor poder e majestade. Entre eles, Ëonwë, o arauto de Manwë, e Ilmarë, aia de Varda, eram os principais. Muitos outros há que não têm nome nenhum entre Elfos ou Homens, pois aparecem raramente em visíveis formas. Mas grande e bela era Melian, do povo de Yavanna, que [*riscado*: a pedido dela] outrora cuidara dos jardins de Estë, antes de vir à Terra-média. E sábio era Olórin, conselheiro de Irmo: inimigo secreto dos males secretos de Melkor, pois suas visões luzentes atiravam longe as imaginações da escuridão.

De Melian muito se conta mais tarde; mas de Olórin este conto não fala. Em dias que vieram depois, ele muito amou os Filhos de Eru e teve piedade de seus pesares. Aqueles que lhe davam ouvidos se erguiam do desespero; e, em seus corações, o desejo de curar e renovar despertava, e pensamentos sobre coisas belas que ainda não tinham existido, mas ainda podiam existir para o enriquecimento de Arda. Nada ele construía e nada possuía, mas acendia os corações de outros, e no deleite deles ficava contente.

Mas nem todos os *maiar* eram fiéis aos Valar; pois alguns havia, desde o princípio, atraídos pelo poder de Melkor, e outros ele corrompeu mais tarde para seu serviço. Sauron era o nome pelo qual o principal desses foi mais tarde chamado, mas ele não estava sozinho.]

Todas as alterações mostradas no texto do QT 1 apresentado acima foram incorporadas no segundo texto datilografado completo e contínuo QT 2, feito cerca de sete anos depois (pp. 177-8), o qual introduziu alguns erros. Não se pode dizer quando as alterações foram feitas no QT 1, embora a maioria delas pareça ter acontecido ao mesmo tempo.

O QT 2 datilografado foi corrigido de forma muito mais completa e cuidadosa neste capítulo do que em qualquer capítulo subsequente, embora em muitos casos apenas em uma das duas cópias. Apresento aqui uma lista dessas alterações:**

§1 Depois de "o Fogo Secreto foi enviado para arder no coração do Mundo", foi acrescentado: "e ele foi chamado de Eä", com "Que ele seja!" numa nota de rodapé (riscada na cópia principal).

§2 "Alguns desses os Homens confundiram com os Elfos, mas erradamente"> "estes são os *Maiar*, a quem os Homens muitas vezes confundiram com os Elfos, mas erroneamente" ("erradamente" foi um erro por parte do datilógrafo do QT 1).

§3 Sobre forma *Lorien*, com vogal breve, ver p. 77, nota 2. O datilógrafo não entendeu as correções do nome feitas por meu pai no QT 1, que não estavam claras, e escreveu, nas três ocorrências (§§3, 6), *Lorien, Lorin, Lorion.* Nas duas primeiras, meu pai corrigiu o nome para *Lorinen*, mas o riscou, provavelmente de imediato; a forma final que ele usou no QT 2 foi *Lóriën* (acentuada dessa maneira).

** Sem dúvida, muitas das correções ao QT 1 no seu conjunto pertencem à "segunda fase" de revisão (p. 178), enquanto o QT 2 e as correções que lhe são feitas são elementos constituintes dessa fase; mas é obviamente muito mais conveniente e claro apresentá-las todas juntas em relação ao texto primário QT 1.

§4 "em todas as regiões do ar." > "... ar; portanto ele é cognominado Súlimo."

O datilógrafo do QT 2 omitiu a palavra "inflamadora" depois de "Varda", escrevendo assim "Varda das estrelas"; meu pai trocou "estrelas" por "Estrelas", mostrando que não ele não tinha percebido o erro.

§5 Em "ela [Yavanna] segue a Varda, sua irmã", as palavras "sua irmã" foram riscadas (cf. §8 abaixo).

§6 A abertura do parágrafo foi novamente reescrita, passando a dizer: "Os Fëanturi eram irmãos e são chamados mais amiúde Mandos e Lóriën. No entanto, esses são, mais corretamente, os nomes dos lugares de suas moradas; pois seus verdadeiros nomes são Námo e Irmo. Námo, o mais velho, habita em Mandos e é o guardião das Casas dos Mortos".

"(Vairë, a tecelã, é sua) esposa"> "consorte".

"Seus jardins na terra dos deuses são os mais belos" > "Em Lórien estão seus jardins na terra dos deuses, e eles são os mais belos".

"(Estë, a pálida é sua) esposa" > "consorte" (apenas na cópia principal).

"uma ilha no lago escuro de Lorion" > "uma ilha no lago ensombrecido por árvores de Lórellin".

§7 "Poldórëa" > "Astaldo".

"Sua esposa é Nessa" > "Sua consorte é Nessa".

§8 A parte inicial desse parágrafo foi substancialmente alterada, mas quase todo o novo texto aparece apenas na cópia-carbono:

> Ele amava as regiões da Terra-média e as deixou de mau grado e veio por último a Valinor; e amiúde, em antanho, voltava de novo para o leste, passando pelas montanhas, e retornava com sua hoste às colinas e planícies. É um caçador de monstros e de bestas-feras, e se deleita com cavalos e mastins, e a todas as árvores ele ama; e Tauron é como os Sindar o chamam, o senhor das florestas. Valaróma era o nome de sua grande trompa, cujo som era como o Sol a se alçar escarlate, e o agudo relâmpago fendendo as nuvens. Mais alta que todas as trombetas de sua hoste ela se fazia ouvir nos bosques que Yavanna fez brotar em Valinor; pois lá Oromë treinava sua gente e seus animais na perseguição às criaturas malignas de

Melkor. Mas a Valaróma não é mais soprada sobre a Terra-média desde a mudança do mundo e o esvanecer dos Elfos, a quem ele amava.

"ela [Vána] é a irmã mais nova de Varda e Palúrien" > "ela é a irmã mais nova de Yavanna" (apenas na cópia principal).

§9 "Niënna, irmã de Manwë e Melkor > "irmã de Námo" (apenas na cópia principal).

§10 "Bauglir" > "Baugron" (apenas na cópia principal).

"o senhorio de Manwë"> "o reino de Manwë" (apenas na cópia principal).

§10b "Com os Valar estavam outros espíritos" > "Com os Valar, como se disse, estavam outros espíritos" (apenas na cópia principal).

"Esses são os *maiar*" > "os *Maiar* (apenas na cópia principal); *maiar* > *Maiar* de novo no fim do parágrafo.

Apresentei todas essas alterações num nível de detalhamento desnecessário porque elas servem para indicar a natureza de boa parte do material constituinte do "Silmarillion tardio".

Comentário ao Capítulo 1, "Dos Valar"

§1 A nova abertura d'*O Silmarillion* surgiu com a primeira fase da revisão, e é óbvio que ela veio depois e era dependente da nova versão do *Ainulindalë*, com sua nova concepção da Criação do Mundo:

> Ilúvatar *tornou visível a canção dos Ainur* ... [Os Ainur viram a história do Mundo] *se desenrolando, como numa Visão*. Portanto, Ilúvatar *deu à visão deles o Ser ... era tarefa deles concluí-lo* e, com seus labores, *tornar plena a Visão que tinham observado.*

A primeira forma da nova abertura, escrita no manuscrito do QS, dizia "Longamente labutaram nas regiões de Aman", usando esse nome no sentido que ele tem nos textos tardios do *Ainulindalë* ("os Salões de Aman", o Mundo); no QS datilografado (ver p. 180), *Aman* foi emendado para *Eä* (termo que, portanto, aparece no QT 1).

§2 O nome *Maiar*, introduzido no acréscimo feito no fim do QT1 (§10 b) e que aparece nesse parágrafo no QT2, é encontrado primeiro nos esboços preliminares dos *Anais de Aman* (*Mairi* > *Maiar*, p. 69 e nota 4). Ver ainda em §10b abaixo.

§3 A alteração passageira de *Lorien* para *Lorion* também pode ser encontrada nos AAm* (a segunda versão, abandonada, da abertura dos AAm), p. 88, §1.

§4 Quanto à mudança no QT1, com a qual Melkor se torna "o mais poderoso daqueles Ainur que entraram no Mundo (e não alguém que possuía apenas poderes iguais àqueles de Manwë), ver p. 88, §2.

Quanto à perda da frase original, "Fionwë e Ilmarë são o filho e a filha deles", apagada com várias camadas de tinta no QT1, ver §10b abaixo. Assim também, no texto final D do *Ainulindalë*, a referência a Fionwë e Ilmarë como filho e filha de Manwë e Varda foi borrada de forma enfática (p. 51, §36).

§5 Quanto ao apagamento, no QT2, da afirmação de que Yavanna era a irmã de Varda, ver §8 abaixo.

§6 Na fase inicial da revisão, uma nota na margem do texto foi acrescentada ao lado dos nomes de Mandos e Lorien, a qual, quando inserida no QS datilografado, dizia:

> Contudo, esses não são seus nomes corretos, e são antes os nomes dos lugares de suas moradas. Pois seus nomes corretos raramente são falados, salvo em segredo: os quais são Núr e Lís. Disse Rúmil.

(Nos *Contos Perdidos*, Mandos é o nome do Deus e também o de seus salões; afirma-se também (I. 98) que Vefántur (Mandos) chamava seus salões pelo seu próprio nome, Vê.) *Núr* e *Lís* foram então corrigidos para *Námo* e *Irmo*. Quem datilografou o QT 1 incorporou isso ao texto principal, o que obviamente não era a intenção do meu pai. Esse datilógrafo fez a mesma coisa em outros lugares, e meu pai então devolveu a passagem a seu status original como nota na margem; mas nesse caso ele a deixou ficar, eliminando as palavras "Disse Rúmil" (e do nome antigo *Nurufantur*; o mesmo ocorreu com *Olofantur* subsequentemente).

No pé da página que traz essa passagem na cópia-carbono do QT 2, ele escreveu a lápis o seguinte (referindo-se aos nomes *Námo* e *Irmo*): "Julgamento (do que é) Desejo (do que poderia ou deveria ser)".

O que se diz no fim do parágrafo sobre Estë se encontra nos AAm (p. 69, §3), onde também se diz que ela era "a principal dos Maiar". Isso se repetiu nos AAm* (p. 88, §3), onde Nessa é somada a Estë como "as mais elevadas entre os Maiar".

A alteração de "esposa" para "consorte" foi feita no QT 2 nos relatos sobre Vairë, Estë e Nessa (§§6–7); no de Vána (§8), isso foi simplesmente deixado de lado sem querer, enquanto Varda tinha se tornado "consorte" de Manwë numa alteração feita no QT 1 (§4), e Yavanna já era a "consorte" de Aulë no QS (§5). A mesma alteração foi feita no texto datilografado dos AAm (p. 93), e sua significância pode ser verificada no comentário marginal que a acompanha: "Note-se que 'consorte' significa apenas uma 'associação'. Os Valar não tinham corpos, mas podiam assumir formas". Nesse momento, a passagem nos AAm acerca dos Filhos dos Valar foi retirada (ver §10b abaixo).

§8 Nos AAm (§133, pp. 143, 158), a forma usada ainda era *Tauros* (no discurso de Fëanor no cume de Túna) e não foi corrigida.

O nome *Valaróma* (que aparece na passagem expandida do QT 2) ocorre nos AAm (p. 130, §116) e como emenda de *Rombaras* no *Ainulindalë* D (p. 52, §34).

A afirmação em §5 de que Yavanna é irmã de Varda não aparece no QS, mas foi simplesmente derivada da presente em QS §8, que diz que Vana "é a irmã mais nova de Varda e Palúrien". Isso remonta ao Q (IV. 97, 189), mas não a antes disso. Varda e Yavanna ainda eram irmãs nos AAm (p. 69, §3), mas a ideia foi abandonada em correções ao QT 2.

§9 Que Niënna era irmã de Manwë e Melkor ("irmãos no pensamento de Ilúvatar") é algo que remonta à primeira versão dos *Anais de Valinor* (IV. 310) e permaneceu nos AAm (p. 69, §3; cf. p. 122, §88, onde Niënna apoiou o pedido de perdão de Melkor "por causa de seu parentesco"). Com a mudança no QT2, na qual ela se torna "irmã de Námo", omitindo Irmo, irmão dele, cf. AAm* (p. 88, §3), trecho em que ela é chamada apenas de "irmã de Manwë", omitindo Melkor.

§10 O nome *Baugron* (alteração de *Bauglir* no QT 2) não aparece em nenhum outro lugar. Não foi adotado no *Silmarillion* publicado.

§10a O significado dessa passagem fica mais evidente com uma tabela; os nomes em itálico são "os Sete Grandes do Reino de Arda".

Manwë	Varda	
Melkor		
Ulmo		
Aulë	Yavanna	
	Niënna	
Mandos	Vairë	
Lorien		(Estë)
Tulkas	Nessa	
Ossë	Uinen	
Oromë	Vána	

§10b Fionwë e Ilmarë foram retirados de §4 como os filhos de Manwë e Varda, e em §7 Fionwë se torna Ëonwë, "arauto de Manwë"; aqui Ilmarë se torna "aia de Varda". Esse é um aspecto de um importante desenvolvimento na concepção dos Poderes de Arda, o abandono da ideia antiga e com raízes profundas dos "Rebentos dos Valar, os Filhos dos Valar". Ainda estava presente nos AAm (p. 69, §4), onde os Valarindi, "os rebentos dos Valar", são "contados entre" os Maiar (mas nos AAm* eles são distinguidos dos Maiar, p. 89, §4). No texto datilografado dos AAm, o conceito dos Filhos dos Valar foi riscado (ver §6 acima).

Melian é uma Maia (tal como nos AAm, §40) e pertence ao "povo de Yavanna" (em QS §31, "era aparentada, antes que o Mundo fosse feito, à própria Yavanna"). E aqui Olórin (Gandalf), como "conselheiro de Irmo", é inserido em *O Silmarillion.*

Nos AAm (p. 73, §17), Sauron ("um grande artífice da casa de Aulë"), do mesmo modo, é descrito como o principal dos Maiar que passaram a seguir Melkor.

Pode ser que as correções (relativamente) intensas feitas no texto QT 2 desse capítulo tenham sido uma preliminar para sua forma final e ampliada com o nome de *Valaquenta* (p. 246 e seguintes).

2. DE VALINOR E DAS DUAS ÁRVORES

A situação textual deste capítulo difere da do Capítulo 1 pelo fato de que aqui, depois das alterações feitas aos textos originais pré-*O*

Senhor dos Anéis (o manuscrito QS e o texto datilografado derivado dele) seguiram-se dois textos datilografados feitos por meu pai antes que o QT 1 fosse preparado, e, no primeiro deles, a abertura do capítulo foi substancialmente alterada em relação à forma que tinha no QS. Entretanto, não distinguirei as "camadas" da história textual antes que o texto feito por datilógrafo (QT 1) fosse atingido, embora alguns pontos específicos estejam registrados no comentário.

O desenvolvimento posterior desse capítulo em relação ao QS ficou, para todos os efeitos, confinado à revisão de 1951, uma vez que a reescrita e expansão tardia correspondente ao desenvolvimento do *Valaquenta* a partir do Capítulo 1, *Dos Valar*, não foram realizadas neste caso. É concebível, acho, que (embora não haja nenhuma evidência de um jeito ou de outro), tendo refeito o Capítulo 1 como o *Valaquenta*, meu pai adiou a escrita do Capítulo 2 porque suas visões sobre a abordagem do mito das Duas Árvores, à luz da cosmologia posterior, eram incertas demais.

Segue-se agora o texto do QT 1, com as mudanças subsequentes (muito poucas) feitas nele destacadas como tal. Os números de parágrafos correspondem àqueles no QS (V. 247–9).

2. De Valinor e das Duas Árvores

§11 Ora, no princípio do Reino de Arda, Melkor disputou com seu irmão Manwë e os Valar a supremacia, e tudo o que faziam ele atrapalhava ou desfigurava, se pudesse. Mas ele fugiu diante do ataque de Tulkas, e houve paz. Mas, uma vez que Melkor pervertera a luz até transformá-la numa chama destruidora, quando ele se foi e seus fogos foram subjugados, os Valar perceberam que a Terra estava escura, salvo pelo bruxulear das estrelas inumeráveis que Varda fizera nas eras não registradas de seus labores em Eä. Aulë, portanto, ao rogo de Yavanna, fez duas poderosas Lamparinas [*acrescentado*: Illuin e Ormal] para o iluminar de Arda; e os Valar as colocaram sobre pilares altaneiros a norte e a sul da Terra-média, e à luz das Lamparinas eles deram ordem a todo o seu reino, e o desejo de Yavanna deu fruto, e coisas viventes surgiram e cresceram abundantemente.

Naqueles dias a habitação dos Valar ficava numa ilha num grande lago em meio à Terra-média que Aulë construíra. Ali a luz das Lamparinas se mesclava, e o crescimento era mais célere e belo; e eis que, na mescla de Illuin e Ormal, surgiu o Verdor, e ele era algo novo; e a Terra-média se regozijou, e os Valar louvaram o nome de Yavanna. Mas Melkor, ouvindo falar dessas obras e estando cheio de ira e inveja, retornou em segredo a Arda vindo da Escuridão e reuniu suas forças no Norte, e ele desfigurou os labores de Yavanna, de modo que o crescimento da Terra foi corrompido e muitas coisas monstruosas nasceram. Então, vindo com guerra contra os Valar de modo repentino, derribou as Lamparinas, e a noite retornou, e na queda dos pilares de Illuin e Ormal os mares se alevantaram e muitas terras foram inundadas.

§12 Na escuridão e na confusão dos mares os Valar não conseguiram, naquele tempo, subjugar Melkor; pois sua força aumentara com sua malícia, e ele tinha agora reunido a seu serviço muitos outros espíritos, e muitas coisas malignas, também, que ele próprio fizera. Assim, escapou da ira dos Valar e, muito ao Norte, construiu para si uma fortaleza e abriu grandes cavernas debaixo do chão e julgou que estava seguro de ataques para sempre. Mas os deuses retiraram-se para o extremo Oeste e ali fizeram seu lar e o fortificaram; e construíram muitas mansões naquela terra nas fronteiras do Mundo que é chamada de Valinor. E Valinor tinha como fronteira, do lado de cá, o Grande Mar do Oeste,** e a leste, sobre suas costas, os Valar construíram as Pelóri, as Montanhas de Aman, que são as mais altas sobre a Terra. Mas no lado mais distante havia o Mar de Fora, que circunda o Reino de Arda e é chamado, pelos Elfos, de Vaiya. Quão largo é aquele mar ninguém sabe exceto os deuses, e além dele estão as Muralhas do Mundo que o separam do Vazio e da Escuridão Anciã.

§13 Ora, naquela terra protegida os Valar reuniram toda luz e todas as coisas belas; e lá estavam suas casas, seus jardins e suas torres. Em meio à planície além das Montanhas estava a Cidade dos Deuses [> a cidade deles], Valmar, a bela, de muitos sinos. Mas Manwë e Varda tinham salões sobre a mais altaneira das Montanhas de Aman, donde podiam observar através da Terra, até mesmo o Leste mais distante. Taniquetil é o nome que os Elfos dão àquela montanha sacra, e Oiolossë, Brancura Sempiterna, e

** [nota de rodapé ao texto — ver a página 154] Que é Gársecg: disse Ælfwine. [Essa nota foi inserida erroneamente no texto pelo datilógrafo e, mais tarde, recolocada como nota de rodapé.]

Elerína [> Elerrína], Coroada de Estrelas, e muitos outros nomes além desses. Mas os Gnomos [> Sindar] falam dela em sua língua mais recente com o nome de Amon Uilos.[*†]

§14 Em Valinor, Yavanna abençoou o chão com poderosa canção, e Niënna o aguou com lágrimas. Naquele tempo, os deuses [> Valar] reuniram-se juntos e se sentaram em silêncio em seus tronos de concílio no Círculo do Julgamento perto dos portões dourados de Valmar, a Abençoada; e Yavanna Palúrien cantava diante deles e eles observavam.

§15 Da terra ergueram-se dois brotos esguios; e havia silêncio sobre todo o mundo naquela hora, nem havia qualquer outro som além do lento cântico de Palúrien. Sob sua canção, duas belas árvores alevantaram-se e cresceram. De todas as coisas que os deuses [> ela] fizeram, elas têm o maior renome, e à volta da sina delas todos os contos do Mundo Antigo estão tecidos. Uma tinha folhas de um verde-escuro, que debaixo era como prata brilhante; e portava flores brancas à semelhança de uma cerejeira, se essa fosse sobremaneira grande e bela; e de cada uma de suas incontáveis flores um orvalho de luz prateada estava sempre caindo, mas a terra sob a árvore estava salpicada com as sombras dançarinas de suas folhas farfalhantes. A outra portava folhas de um verde jovem, como a da faia cuja folhagem acabara de se abrir; suas bordas eram de um dourado cintilante. Flores pendiam de seus galhos feito cachos de chama amarela, cada um formando um chifre brilhante que derramava uma chuva d'ouro sobre o chão; e, dos botões daquela árvore vinham calor e uma grande luz.

§16 Telperion era como a primeira era chamada em Valinor, e também Silpion, e Ninquelótë, e muitos outros nomes em canção; mas os Gnomos lhe dão o nome de [> mas na língua sindarin era chamada de] Galathilion. Laurelin era a outra [> a outra era] chamada, e Malinalda, e Kulúrien, e muitos outros nomes; mas os Gnomos lhe dão o nome de [> mas os Sindar lhe dão o nome de] Galadlóriel.

[*†] [nota de rodapé ao texto] Na língua desta ilha de Homens, *Heofonsýl* era seu nome entre aqueles poucos que algum dia a descortinaram ao longe. Porém é um erro [> Assim escrevi, errando], como os Eldar me ensinam; pois esse é, na verdade, o nome apenas da montanha de Númenor, o Meneltarma, que afundou para sempre: disse Ælfwine. [Essa nota também foi colocada de forma errada no texto pelo datilógrafo. Ver o comentário a §13.]

§17 Durante sete horas a glória de cada árvore crescia ao máximo e decrescia de novo a nada; e cada uma despertava mais uma vez para a vida uma hora antes que a outra cessasse de brilhar. Assim, em Valinor, duas vezes a cada dia vinha uma hora gentil de luz mais suave, quando ambas as árvores tinham luz tênue, e seus raios dourados e prateados se mesclavam. Telperion era a mais velha das árvores e chegou primeiro à estatura plena e a florescer; e aquela primeira hora em que ela brilhou, o branco faiscar de uma aurora prateada, os deuses não incluíram na conta das horas, mas a chamaram de Hora Inicial, e contaram, a partir dela, as eras de seu reinado em Valinor. Portanto, na hora sexta do Primeiro Dia, e de todos os dias jubilosos desde então, até o Obscurecer, Telperion concluiu seu tempo de florescer; e, na décima segunda hora, Laurelin, o seu desabrochar. E cada dia dos deuses em Valinor [> Aman] continha doze horas e terminava com o segundo mesclar das luzes, no qual Laurelin estava decrescente, mas Telperion estava crescente.** E os orvalhos de Telperion e os derramos de Laurelin Varda mandava guardar em grandes tonéis feito [*riscado*: tais como] lagos brilhantes, que eram, para toda a terra dos Valar, como poços de água e de luz.

Comentário ao Capítulo 2, "De Valinor e das Duas Árvores"

O texto datilografado final (QT 2) desse capítulo recebeu pouquíssimas correções, e apenas na cópia principal (os que foram feitos estão registros no comentário a seguir). Assim, o texto QT 1, apresentado acima, com as correções mostradas, é virtualmente o texto final do capítulo.

** [nota de rodapé ao texto] Outros nomes de Laurelin entre os Noldor [> na língua sindarin] são [> eram] *Glewellin* (o qual é o mesmo que *Laurelin*, canção d'ouro), *Lasgalen*, verde de folha, e *Melthinorn*, árvore d'ouro; e a imagem dela em Gondolin tinha o nome de *Glingal*. [*Riscado*: Outrora entre os Noldor] A Árvore Mais Antiga era chamada também de *Silivros*, chuva chamejante [> cintilante], *Celeborn*, árvore de prata, e *Nimloth*, flor pálida. Mas em dias que vieram depois *Galathilion, a Menor* era o nome da Árvore Branca de Túna, e as mudas dela eram chamadas de *Celeborn* em Eressëa e *Nimloth* em Númenor, a dádiva dos Eldar. A imagem de Telperion que Turgon fez em Gondolin era *Belthil*. Disse Pengolod. [Como as anteriores, esta nota de rodapé foi colocada no corpo do texto pelo datilógrafo do QT 1, mas depois foi recolocada em seu lugar correto.]

§§11–12 Esse capítulo passou por poucas mudanças em relação ao texto do QS (V. 247–9), com exceção da abertura muito expandida — na qual a maior parte do material novo deriva do *Ainulindalë* tardio. O fato de que a história muito mais completa nos AAm (ver p. 82, comentário a §§11–29) foi escrita depois da revisão do capítulo do *Silmarillion* pode ser verificado com base em vários detalhes. Assim, a antiga história de que Melkor só começou a escavar Utumno *depois* da queda das Lamparinas ainda está presente (ver p. 82, §20). A frase em QT §11 acerca da primeira criação das estrelas por parte de Varda foi escrita originalmente com a forma "... as eras não registradas dos labores dos Grandes em Aman" (para a troca *Aman* > *Eä*, ver p. 187, §1), o que mostra que ela é anterior à frase muito similar nos AAm (§24): "A Terra-média jazia num crepúsculo sob as estrelas que Varda fizera nas eras esquecidas de seus labores em Ëa" — onde é usada num contexto diferente, sobre a escuridão *depois* da queda das Lamparinas.

§12 A nota de rodapé a QS §12, atribuindo o nome de *Utumno* à fortaleza original de Melko, sobreviveu, de início, na versão revisada, mas foi perdida em um dos textos datilografados e não foi reposta.

Sobre o texto final QT 2, meu pai escreveu apressadamente uma nota de rodapé a lápis depois de "julgou que estava seguro de ataques para sempre":

> A principal de suas fortalezas ficava em Utumno, no Norte da Terra-média; mas fez também uma fortaleza e um arsenal não muito longe das costas do noroeste do Mar, para resistir a qualquer assédio vindo de Aman. Essa era chamada de Angband e era comandada por Sauron, lugar-tenente de Melkor.

No QS (§§62, 105), a história era a de que Morgoth, quando voltou de Valinor, construiu Angband sobre as ruínas de Utumno; nos AAm (§127, p. 140), essa ideia pode muito bem ainda estar presente, mas a afirmação em QS §62 de que "Morgoth voltou à sua antiga habitação" foi retirada. Agora surge a história de que Melkor construiu ambas as praças-fortes nos dias antigos — e também a de que Sauron era o comandante de Angband; cf. a nota tardia escrita no texto datilografado dos AAm (p. 161, §127): "A construção dessa fortaleza [Angband] como uma proteção contra um desembarque vindo do Oeste deveria ocorrer mais cedo".

A passagem original no QS acerca de Vaiya, o Mar de Fora, além do qual "as Muralhas do Mundo a separam do Vazio e da Escuridão Antiga", refletindo o contemporâneo *Ambarkanta*, sobreviveu na revisão quase inalterada, exceto pelo fato de que agora se afirma que ninguém além dos Valar sabe quão largo é o Mar de Fora (o que contrasta com o *Ambarkanta* e seus diagramas). Quanto à grande dificuldade de interpretar essa passagem à luz da imagem posterior do mundo, ver pp. 84-6.

No QT 2 meu pai trocou *Vaiya* por *Ekkaia* (daí vem a ocorrência da palavra no *Silmarillion* publicado). O Mar de Fora não tem nenhum nome élfico nos AAm.

§13 Nos primeiros textos da revisão de 1951, a frase "e na língua desta ilha de Homens, *Heofonsýl* era seu nome entre aqueles poucos que algum dia a descortinaram ao longe" fazia parte do texto (tal como era no QS, com *Tindbrenting* no lugar de *Heofonsýl*), e a nota de rodapé começava com "Porém é um erro, como os Eldar me ensinam ..." Esse parece ser o arranjo natural. O datilógrafo do QT 1, como fez muitas vezes em outros lugares, colocou a nota de rodapé no corpo do texto; mas o meu pai, ao corrigir o QT 1, colocou toda a passagem em uma nota de rodapé — ao contrário do que ele fez em um caso semelhante no primeiro capítulo (p. 188, §6), onde deixou a nota de rodapé no texto. Certamente parece claro, nesses casos, que ele não se referiu aos textos que precedem o QT 1 (ver p. 180). — O nome em inglês antigo *Heofonsýl*, "Pilar do Céu" é usado em *Os Documentos do Clube Notion* para se referir ao Meneltarma (IX. 379).

§14 *Palúrien* > *Kementári* por meio uma alteração a lápis no QT 2. Trata-se, por assim dizer, de uma mudança casual, que não feita em §15 (nem em §5). *Kementári* é o epíteto que ocorre no *Valaquenta* (p. 250).

§16 *Telperion* (e não *Silpion*) é o nome principal nos AAm (primeiro aparecendo em §5, pp. 70, 80); na tradição do *Silmarillion*, tornou-se o nome principal por emenda ao primeiro texto datilografado da revisão de 1951.

§17 Com a referência (na nota de rodapé aos nomes das Duas Árvores) a *Galathilion, a Menor*, a Árvore Branca de Túna, cf. AAm

§69 (ano de 1142, p. 112): "Nesse ano Yavanna deu aos Noldor a Árvore Branca, Galathilion, imagem da Árvore Teleperion".

Na última frase, a palavra "tonéis" foi alterada para "poços" no QT 2 (cf. "magnos tonéis " em AAm §28, alterado no texto datilografado para "poços luzentes" (p. 94); nos AAm* "lagoas profundas" (p. 93).

Na cópia carbono do QT 2, que, de forma geral, não recebeu emendas, meu pai acrescentou a seguinte nota à palavra "derramos" na última frase:

> palavra com a intenção de indicar que Laurelin foi "inspirada" pelo laburno. "jucundo derramo de fogo amarelo" de Francis Thompson — que, sem dúvida, emprestou a palavra do texto de Timão de Atenas (seu vocabulário era derivado, em grande parte, do inglês elizabetano)**

Trata-se de uma referência a *Sister Songs* de Francis Thompson, no Proêmio:

> Vê ali, como pinga do longo laburno
> jucundo derramo de fogo, mel de chama!

Cf. a descrição original de Laurelin nos *Contos Perdidos* (I. 93): "todos os ramos ficaram ocultos por longos cachos balouçantes de flores douradas como uma miríade de lâmpadas de fogo pendentes, e a luz extravasava de suas pontas e respingava na terra com doce ruído". Nas versões anteriores (desde o Q até o primeiro texto datilografado da revisão de 1951), Laurelin é expressamente comparada a "aquelas árvores que os Homens agora chamam de Chuva-d'ouro" — sendo esse um dos nomes do laburno, e as palavras "uma chuva d'ouro" são usadas na forma final da passagem (§15). – A referência a *Timão de Atenas* vem do Ato II, Cena 2, "nossos porões choraram/Com derramo bêbado de vinho".

** Francis Thompson (1859–1907) foi um poeta católico britânico, admirado por Tolkien na juventude. *Timão de Atenas* é uma peça de Shakespeare, provavelmente escrita por volta de 1606. [N.T.]

3. DA VINDA DOS ELFOS

A situação textual aqui é semelhante à do capítulo anterior, mas mais complicada. Após uma revisão muito substancial realizada nos antigos textos anteriores a *O Senhor dos Anéis*, seguiu-se um texto datilografado feito por meu pai; mas, depois que o QT 1 foi retirado dele, ele fez mais alterações (a maioria muito pequenas, mas com uma alteração importante em §20), que foram "perdidas", uma vez que o QT 2 era uma cópia direta do QT 1 e ele claramente nunca comparou detalhadamente os textos. A esse texto datilografado vou me referir, para os propósitos, desta seção como "Texto A". Por alguma razão, ele deixa de ser um texto datilografado com as palavras "aconselharam os Elfos a partir" (perto do final de §23), que ficam no final de uma página, e se torna um manuscrito na página seguinte com as palavras "para o Oeste". A parte manuscrita está preservada em duas cópias, a primeira pesadamente corrigida e a segunda passada a limpo.

Segue-se agora o texto do QT 1 (as alterações "perdidas" feitas no Texto A são apresentadas no comentário). O sistema de numeração de parágrafos neste capítulo e em outros lugares precisa de alguma explicação. Como acontece de modo geral, mantive os números do QS, introduzindo "números de subparágrafos" (como §18a) onde o QS não possui nada correspondente. Quando o texto revisto expande um parágrafo do QS e o transforma em mais de um ou vários (como em §§20, 23) apenas o primeiro é numerado.

3. Da Vinda dos Elfos

§18 Durante todo esse tempo, desde que Melkor derrubara as Lamparinas, a Terra-média a leste das Montanhas estava sem luz. Enquanto as Lamparinas tinham brilhado, começara lá um crescimento que agora se detivera, porque tudo estava novamente escuro. Mas as coisas vivas mais antigas já tinham surgido: nos mares as grandes algas, e na terra a sombra de grandes árvores; e nos vales dos montes trajados de noite havia criaturas escuras, antigas e fortes. Nessas terras e florestas Oromë amiúde caçava; e até ali também, por vezes, Yavanna vinha, cantando pesarosa; pois ela estava entristecida com a escuridão da Terra-média e descontente com seu abandono. Mas os outros Valar raramente iam até lá; e, no Norte, Melkor aumentava suas forças e congregava demônios à sua volta. Esses foram as primeiras de suas criaturas a ser feitas; seus corações eram de fogo, mas tinham um manto de escuridão, e o terror ia diante deles; tinham açoites de chama. Balrogs é o nome que os Noldor lhes deram em dias que vieram depois. E, naquela época sombria, Melkor fez muitos outros monstros de formas e tipos vários, que longamente atormentaram o mundo; porém os Orques não foram feitos até que ele contemplou os Elfos, e ele os fez como arremedo dos Filhos de Ilúvatar. Seu reino se espalhava agora cada vez mais para o sul pela Terra-média.

§18a Veio a acontecer que os Valar convocaram um concílio, e Yavanna falou diante deles, dizendo: "Ó vós poderosos de Arda, eis que a Visão de Ilúvatar foi breve e logo se retirou, de modo que talvez não possamos adivinhar em uma contagem estreita de dias a hora designada. Contudo, assegurai-vos disto: a hora se aproxima, e dentro desta era nossa esperança há de ser revelada, e os Filhos hão de despertar. Mas não será em Aman que eles hão de despertar. Havemos então de deixar as terras da habitação deles desoladas e cheias de mal? Hão de caminhar na escuridão enquanto temos luz? Hão de chamar Melkor de senhor enquanto Manwë se assenta sobre o Monte Sacro?"

E Tulkas gritou em alta voz: "Não! Façamos a guerra rápido! Será que não descansamos da contenda por tempo demais, e não está nossa força agora renovada? Haverá um sozinho de disputar conosco para sempre?"

Mas, a pedido de Manwë, Mandos falou, e ele disse: "Nesta era os Filhos hão de vir, de fato, mas não vieram ainda. Ademais, é da sina dos Primeiros Filhos que eles viessem na escuridão e contemplassem primeiro as Estrelas. Grande luz será o sinal de seu desvanecer. Por Varda eles sempre hão de chamar em sua necessidade."

§19 E Varda nada disse, mas, partindo do concílio, foi para a montanha de Taniquetil e olhou adiante; contemplou a escuridão e se comoveu.

Então Varda tomou os orvalhos prateados dos tonéis de Telperion e com eles fez novas e mais brilhantes estrelas para a vinda dos Primogênitos. Donde ela, cujo nome desde as profundezas do tempo e os labores de Eä fora Tintallë, a Inflamadora, foi chamada depois pelos Elfos de Elentári, a Rainha das Estrelas. Karnil e Luinil, Nénar e Lumbar, Alkarinquë e Elemmírë ela forjou naquele tempo, e muitas outras de suas obras de outrora ela congregou e dispôs como sinais no Firmamento, os quais os deuses podiam ler: Wilwarin, Telumendil, Soronúmë e Anarríma; e Menelmakar, com seu cinto brilhante, que prenuncia a Última Batalha que há de acontecer. E, alto no norte, como um desafio a Melkor, ela dispôs a girar a coroa de sete estrelas magnas, a Valakirka, a Foice dos Deuses e sinal de julgamento. Muitos nomes a essas estrelas já foram dados; mas, no Norte, nos Dias Antigos, os Homens as chamavam de Espinheiro Ardente: disse Pengolod [> (disse Pengoloð)].

§20 Conta-se que, assim que Varda terminou seus trabalhos, e esses foram longos, quando Menelmakar foi subindo pelo céu pela primeira vez, e o fogo azul de Helluin chamejou nas brumas acima das fronteiras do mundo, naquela hora os Filhos da Terra despertaram, os Primogênitos de Ilúvatar. A si mesmos eles deram o nome de Quendi, a quem nós chamamos de Elfos (disse Ælfwine); mas Oromë lhes deu, em sua própria língua, o nome de Eldar, povo das estrelas, e esse nome levam desde então todos aqueles que o seguiram na estrada para o oeste. No princípio, eram mais fortes e maiores do que se tornaram desde então; mas não mais belos, pois, embora a beleza dos Quendi nos dias de sua juventude estivesse além de toda outra beleza à qual Ilúvatar deu ser, ela não pereceu, mas vive no Oeste, e pesar e sabedoria a enriqueceram.

E Oromë, contemplando os Elfos, ficou cheio de amor e assombro, como se eles fossem seres repentinos e maravilhosos e não profetizados. Pois [assim] sempre há de ser mesmo com os Valar. Pois de fora do mundo, embora todas as coisas possam ser pressagiadas em música ou previstas em imagem ao longe, para aqueles que entram em verdade em Eä, cada coisa, a seu tempo, há de ser encontrada de repente, como algo novo e estranho.

Assim foi que Oromë topou com os Quendi por acaso em seu vagar, enquanto eles habitavam ainda silentes sobre [*leia-se* ao lado da] a lagoa iluminada pelas estrelas, Kuiviénen, a Água do despertar, no Leste da Terra-média. Por algum tempo ele fez morada entre eles e os ajudou na criação de uma linguagem; pois essa foi sua primeira obra de engenho sobre a Terra, e se manteve sempre a mais cara a seus corações, e a bela fala élfica era doce aos ouvidos dos Valar. Então rapidamente Oromë voltou a cavalo pela terra e pelo mar a Valinor, cheio do pensamento da beleza dos Elfos, e trouxe as novas a Valmar. E os deuses se regozijaram, e no entanto estavam assombrados com o que ele lhes contara; mas Manwë se sentou longamente sobre Taniquetil, em profunda meditação, e buscou o conselho de Ilúvatar. E, descendo então a Valmar, convocou um conclave dos Grandes, e para lá foi até mesmo Ulmo, vindo do Mar de Fora.

E Manwë disse aos Valar: "Este é o conselho de Ilúvatar em meu coração: que devemos retomar outra vez o comando de Arda a qualquer custo e libertar os Quendi das sombras de Melkor". Então Tulkas se alegrou; mas Aulë estava entristecido, e diz-se que ele (e outros dos Valar), antes disso, estava avesso a contender com Melkor, prevendo as feridas ao mundo que deviam vir daquela contenda.

§21 Mas então os Valar se aprontaram e partiram de Aman com força de guerra, resolvidos a assediar a fortaleza de Melkor no Norte e pôr fim a ela. Nunca Melkor esqueceu que essa guerra foi travada em favor dos Elfos e que eles foram a causa de sua queda. Contudo, eles não tomaram parte nenhuma naqueles feitos; e pouco sabem do avanço do poder do Oeste contra o Norte no princípio de seus dias, e do fogo e do tumulto da Batalha dos Deuses. Naqueles dias, a forma da Terra-média foi mudada e quebrada, e os mares mudaram de lugar. Tulkas foi quem, por fim, lutou com Melkor e o sobrepujou, e ele foi atado com a corrente Angainor, que Aulë fizera, e levado como cativo; e o mundo teve paz durante uma longa era. No entanto, a fortaleza de Melkor em Utumno tinha muitas fossas e cavernas ocultas com engodo muito abaixo da terra, e essas os Valar não descobriram todas, nem as destruíram completamente, e muitas coisas malignas ainda se demoravam nelas; e outras foram dispersas e fugiram para a treva e vagaram pelos lugares ermos do mundo, aguardando uma hora mais maligna.

§22 Mas, quando a Batalha estava terminada, e da ruína do Norte grandes nuvens se alçaram e esconderam as estrelas, os Valar arrastaram Melkor de volta a Valinor, atado nos pés e nas mãos e vendado, e ele foi lançado na prisão nos salões de Mandos, de donde ninguém jamais escapou se não pela vontade de Mandos e Manwë, nem Vala, nem Elfo, nem Homem mortal. Vastos são aqueles salões, e fortes, e foram construídos a norte da terra de Aman. Ali foi Melkor sentenciado a ficar pela duração de sete [> três] eras, antes que seu caso fosse julgado de novo ou que ele pudesse suplicar perdão.

§23 Então novamente os deuses se reuniram em concílio e estavam divididos no debate. Pois alguns (e desses Ulmo era o principal) sustentavam que os Quendi deveriam ser livres para caminhar como quisessem na Terra-média e, com seus dons de engenho, dar ordem a todas as terras e curar suas feridas. Mas a maior parte deles temia pelos Quendi naquele mundo perigoso em meio aos enganos da penumbra estrelada; e estavam cheios, além do mais, de amor pela beleza dos Elfos e desejavam sua companhia. Enfim, portanto, os Valar convocaram os Quendi a Valinor, para lá serem reunidos nos joelhos dos deuses à luz das Árvores abençoadas para sempre. E Mandos, que nada chegara a falar durante o debate, rompeu seu silêncio e disse: "Assim está decretado". Pois dessa convocação vieram muitas tristezas que depois se deram; porém, aqueles que sustentam que os Valar erraram, pensando antes na ventura de Valinor que na da Terra, e buscando desviar a vontade de Ilúvatar para seu próprio prazer, falam com as línguas [*leia-se* a língua] de Melkor.

Entretanto, os Elfos estavam, a princípio, avessos a dar ouvidos à convocação, pois tinham, por ora, visto os Valar apenas em sua ira quando foram à guerra, salvo Oromë apenas; e estavam cheios de terror. Portanto, Oromë foi enviado de novo a eles e escolheu de seu meio três embaixadores; e os trouxe até Valmar. Esses eram Ingwë e Finwë e Elwë, que mais tarde foram reis das Três Gentes dos Eldar; e, chegando, ficaram cheios de assombro com a glória e majestade dos Valar e desejaram grandemente a luz e o esplendor das Árvores. Portanto, retornaram e aconselharam os Elfos a mudarem-se para o Oeste, e a maior parte do povo deu ouvidos ao seu conselho. Isso os Elfos fizeram de livre vontade, e contudo foram arrastados pela majestade dos deuses, antes que sua própria sabedoria estivesse de todo crescida. Os Elfos que obedeceram à convocação e seguiram os três reis são chamados os Eldar, pelo nome que Oromë lhes deu; pois ele foi seu guia e os conduziu enfim até Valinor. Contudo, houve muitos que preferiram a luz das estrelas e os vastos espaços da Terra ao rumor da glória das Árvores, e eles ficaram para trás. Esses são chamados os Avari, os Indesejosos.

§24 Os Eldar prepararam então uma grande marcha a partir de seus primeiros lares no Leste. Quanto tudo estava pronto, Oromë saiu a cavalgar à frente deles sobre Nahar, seu cavalo branco com ferraduras d'ouro; e atrás dele os Eldalië se arranjaram em três hostes.

§25 A menor delas, e a primeira a sair, era liderada por Ingwë, o mais alto senhor de toda a raça élfica. Ele adentrou Valinor e se assenta aos pés dos Poderes, e todos os Elfos reverenciam seu nome; mas nunca mais voltou, nem viu de novo a Terra-média. Os Lindar [> Vanyar] eram seu povo, mais belos de todos os Quendi; eles são os Altos Elfos, e os bem-amados de Manwë e Varda, e poucos Homens já falaram com eles.

§26 Depois vinham os Noldor, um nome de sabedoria.* Eles são os Elfos Profundos, os amigos de Aulë. Seu senhor era Finwë, mais sábio de todos os filhos do mundo. A gente de Finwë tem renome nas canções, pois lutaram e labutaram muito e sofridamente nas terras do norte de antanho.

§27 A maior hoste veio por último, e seus membros recebem o nome de Teleri, pois se demoraram na estrada e não tinham todos a intenção de deixar o ocaso e ir à luz de Valinor. Na água tinham grande deleite, e aqueles que chegaram, enfim, às costas do oeste tinham se enamorado do Mar. Os Elfos-do-mar, portanto, tornaram-se em Valinor, os Soloneldi [> Falmari], pois faziam música à beira das ondas que se quebravam. Dois senhores tinham, pois seu número era grande: Elwë Singollo, que significa Mantogris, e Olwë, seu irmão. Os cabelos de Olwë eram longos e brancos, e seus olhos eram azuis; mas os cabelos de Elwë eram cinzentos como a prata, e seus olhos eram como estrelas; ele era o mais alto de todo o Povo-élfico.

[§28 O parágrafo acerca do povo de Dân, que deixou a Grande Marcha e virou para o sul, foi mudado de lugar e passou a vir depois de §29; ver o Comentário.]

§29 Esses eram os principais povos dos Eldalië, os quais, passando-se enfim ao extremo Oeste nos dias das Duas Árvores, são chamadas de Kalaquendi, os Elfos da Luz. Mas outros dos Eldar havia que partiram, de fato, na Marcha para o Oeste, mas se perderam na longa estrada, ou voltaram-se para outro lado, ou se demoraram pelas

*[nota de rodapé ao texto] Os Gnomos é como podem ser chamados em nossa língua, disse Ælfwine. (A palavra que ele usa é Witan. Mais se diz sobre essa matéria no Décimo Capítulo, no qual a história fala dos Edain.) [Ver comentário a §26.]

costas da Terra-média. Habitaram à beira-mar, ou vagaram pelas matas e montanhas do mundo, porém seus corações estavam sempre voltados para o Oeste. A esses os Kalaquendi chamam de Alamanyar [> Úmanyar], já que não chegaram nunca à terra de Aman e ao Reino Abençoado; mas tanto aos Alamanyar [> Úmanyar] como aos Avari eles chamam de Moriquendi, Elfos da Escuridão, pois nunca contemplaram a Luz que havia antes do Sol e da Lua.

Os Alamanyar [> Úmanyar] eram, na maior parte, da raça dos Teleri. Pois os que vinham mais atrás daquele povo, arrependendo-se da jornada, abandonaram a hoste de Olwë, e Dân era seu líder; e eles viraram para o sul e vagaram longa e longemente; e se tornaram um povo à parte, distintos de sua gente, salvo pelo fato de que amavam a água e habitavam mormente à beira de cachoeiras e ribeiros correntes. Tinham mais saber acerca das coisas viventes, árvore e erva, ave e fera, do que todos os outros Elfos. Os Nandor é como eram chamados. Foi Denethor, filho de Dân, que, voltando-se de novo para o oeste, afinal, levou parte daquele povo a atravessar as montanhas e entrar em Beleriand antes do surgir da Lua.

§30 Outros houve também dos Teleri que permaneceram na Terra-média. Esses eram os Elfos de Beleriand, no oeste das terras do Norte. Vinham da hoste de Elwë, o Cinzento. Ele se perdeu nas matas, e muitos de seu povo o buscaram longamente em vão; e, assim, quando a gente deles partiu sobre o Mar, ficaram para trás e não foram para o Oeste. Portanto, são chamados de Sindar, os Elfos Cinzentos, mas a si mesmos deram o nome de Eglath, os Abandonados. Elwë, depois, tornou-se seu rei, mais poderoso de todos os Alamanyar [*correção para* Úmanyar não foi feita]. Ele é o que era chamado de Thingol no idioma de Doriath.

[Outros nomes em canção e conto são dados a esses povos. Os Vanyar são os Elfos Abençoados, e os Elfos-da-lança, os Elfos do Ar, os amigos dos Deuses, os Elfos Sacros e os Imortais, e os Filhos de Ingwë; são o Belo Povo e os Brancos.

Os Noldor são os Sábios e os Dourados, os Valentes, os Elfos-da-espada, os Elfos da Terra, os Contrários de Melkor, os de Mãos Hábeis, os Artífices-de-joias, os Companheiros dos Homens, os Seguidores de Finwë.

Os Teleri são os Ginetes-d'espuma, os Cantores da Costa, os Livres e os Céleres, e os Elfos-da-flecha; são os Elfos do Mar, os

Artífices-de-navios, os Pastores-de-cisnes, os Catadores de Pérolas, os Elfos Azuis, o povo de Olwë. Os Nandor são a Hoste de Dân, os Elfos-da-floresta, os Andantes, os Elfos-do-machado, os Elfos Verdes e os Castanhos, o Povo Oculto; e aqueles que vieram enfim a Ossiriand são os Elfos dos Sete Rios, os Invisíveis Cantores, os Sem-rei, os Sem-armas e o Povo Perdido, pois não mais existem. Os Sindar são os Lemberi, Os que se Demoram; são os Amigos de Ossë, os Elfos do Crepúsculo, os d'Argento, os Encantadores, os Guardiões de Melian, a Gente de Lúthien, o povo de Elwë. Disse Pengoloð.]

Comentário ao Capítulo 3, "Da Vinda dos Elfos"

O documento QT 1 aqui é, mais uma vez, tal como no capítulo anterior, virtualmente o texto final, pois o texto datilografado posterior QT 2 mal foi alterado, e não houve mais nenhuma ampliação ou expansão.

§18 Nos AAm §30 (p. 95), afirma-se que Melkor "fez" os Balrogs em Utumno durante a longa escuridão após a queda das Lamparinas; mas, numa interpolação aos AAm, insere-se a visão de que esse Vala, após sua rebelião, não era capaz de criar nada que tivesse vida própria (§45, ver pp. 99, 104), e, nos AAm*, a segunda versão da abertura dos AAm (p. 106, §30), os Balrogs se tornam os principais entre os "espíritos malignos que o seguiam, os Úmaiar", os quais, naquele tempo, ele *multiplicou*. A afirmação em QS §18 segundo a qual os Balrogs foram "as primeiras de suas criaturas" sobreviveu em todos os textos da revisão posterior do *Quenta*, mas, na margem de uma das cópias do QT 2, meu pai escreveu: "Ver *Valaquenta* para relato verdadeiro". Essa é uma referência à passagem que aparece no *Silmarillion* publicado na p. 59:

> Pois dos Maiar muitos foram atraídos a seu esplendor nos dias de sua grandeza e permaneceram seus vassalos em sua escuridão; e outros ele corrompeu depois a seu serviço com mentiras e dádivas traiçoeiras. Horrendos entre esses espíritos eram os Valaraukar, os flagelos de fogo que na Terra-média eram chamados de Balrogs, demônios de terror.

Quanto ao próprio texto QT 2, meu pai o emendou nessa época, de forma muito apressada, da seguinte maneira:

> Esses eram os (ëalar) espíritos que primeiro aderiram a ele nos dias de seu esplendor e que se tornaram mui semelhantes a ele em sua corrupção: seus corações eram de fogo, mas tinham um manto de escuridão, e o terror ia diante deles; tinham açoites de chama. Balrogs é o nome que os Noldor lhes deram em dias que vieram depois. E, naquela época sombria, Melkor fez procriar muitos outros monstros de formas e tipos vários, que longamente atormentaram o mundo; e seu reino então se espalhava cada vez mais para o sul pela Terra-média. Mas os Orkes, arremedos e perversões dos Filhos de Eru, não apareceram até depois do Despertar dos Elfos.

Há uma nota de rodapé sobre a palavra ëalar nessa passagem:

> "espírito" (não encarnado — nesse segundo caso o termo é *fëa*, em s[indarin] *fae*). ëala "ser".

Quanto à origem dos Orques nos AAm (e especialmente no que diz respeito à palavra "perversões" na passagem que acabei de citar) ver pp. 104, 156-7. *Orkes* é a grafia tardia usada por meu pai.

§18a Em relação às palavras de Yavanna diante dos Valar e às de Tulkas e Mandos, não há sugestões anteriores de algo parecido na tradição do *Quenta*; mas cf. o AV 2 (V. 136, ano 1900): "Yavanna amiúde repreendia os Valar por negligenciarem seus cuidados". Essa ideia foi expandida em AAm §§32–3 (p. 96), trecho em que a maior parte dos elementos da presente passagem aparecem, embora expressos de forma mais breve.

§19 Neste parágrafo, as duas criações de estrelas são expressamente contrastadas, e os epítetos de Varda, *Tintallë*, "a Inflamadora", e *Elentári*, "Rainha das Estrelas", diferenciados em seu significado. A segunda criação de estrelas também é descrita em AAm §§35–6 (p. 96-7), mas de modo muito mais breve, e, embora "a reunião das estrelas antigas juntas" para formar sinais nos céus seja mencionada também naquele texto, apenas as constelações de *Menelmakar* (Órion) e *Valakirka* são citadas pelo nome.

A afirmação de que Menelmakar prefigura a Última Batalha aparece em ambas as fontes, mas o QT não fala da constelação como sinal de Túrin Turambar.

O nome "Espinheiro Ardente" usado para designar a Ursa Maior ainda sobrevive na tradição do *Quenta*. Essa observação foi feita numa nota de rodapé do texto A (acerca do qual ver p. 198), com o acréscimo de "disse Pengolod", mas o datilógrafo do texto QT 1 a colocou, como de costume, no corpo do texto, onde meu pai a deixou.

No Texto A, no qual os nomes das grandes estrelas e das constelações foram inseridos de início, *Wilwarin*, *Karnil* e *Alkarinquë* foram grafados como *Vilvarin*, *Carnil* e *Alcarinquë* e depois alterados para ficar com as formas do QT 1. Numa alteração mais tardia ao Texto A, *Elentári* > *Elentárië*, forma que não se encontra no QT 1 e no QT 2. — O nome *Elemmíre* já apareceu nos AAm §114 (pp. 130, 137) como o do Elfo vanyarin que compôs o *Aldudénië*.

§20 Embora no Texto A meu pai tenha acrescentado as palavras "disse Ælfwine" à expressão "a quem chamamos de Elfos" (oriunda do QS), ele manteve isso no corpo do texto, e só no texto datilografado final QT 2 escreveu uma indicação de que isso deveria ser uma nota de rodapé.

A ideia aberrante, no QS, de que a vinda dos Elfos não estava presente na Música dos Ainur (ver V. 252) agora é substituída por uma explicação muito mais sutil do assombro de Oromë. A descrição detalhada da localização de Kuiviénen em AAm §38 (p. 97) está ausente aqui.

A história da passagem acerca de Oromë e os Quendi (a partir de "Por algum tempo ele fez morada entre eles ...") é curiosa e complexa. No Texto A, da forma como foi datilografado, meu pai seguiu o QS de perto ao afirmar que Oromë "ensinou a eles o idioma dos deuses, a partir do qual mais tarde eles fizeram a bela fala élfica", e que depois disso ele voltou a Valinor e trouxe novas do Despertar dos Quendi até Valmar. Meu pai, depois, alterou isso para o texto presente no QT 1, acima (ele "os ajudou na criação de uma linguagem; pois essa foi sua primeira obra de engenho sobre a Terra ..."), e, ao mesmo tempo, ele acrescentou no início de §20 as palavras "em sua própria língua" ("mas Oromë lhes deu, em sua própria língua, o nome de Eldar, povo das estrelas"). Foi com essa forma que a passagem sobreviveu no QT 2 sem outras alterações.

No Texto A, entretanto, meu pai riscou a passagem a partir de "Por algum tempo ele fez morada entre eles ..." e a substituiu com o seguinte num pedaço de papel anexado ao texto a máquina:

> Então rapidamente Oromë voltou a cavalo pela terra e pelo mar a Valinor, cheio do pensamento da beleza dos que há muito eram esperados, e trouxe as novas a Valmar. E os deuses se regozijaram, e no entanto ficaram em dúvida em meio ao seu júbilo, e debateram que alvitre era melhor seguir agora para dar guarida aos Elfos diante da sombra de Melkor. De imediato Oromë voltou a Kuiviénen e fez morada por muito tempo entre os Elfos, e os auxiliou na criação de uma linguagem; pois essa foi a primeira obra de engenho deles sobre a Terra, e se manteve sempre a mais cara a seus corações, e doce era a língua-élfica aos ouvidos dos Valar. Mas Manwë se sentou só sobre Taniquetil ...

Essa nova revisão faz com que Oromë retorne *de imediato* a Valinor e *depois* volte a Kuiviénen, onde ele ajudou os Elfos na criação de uma linguagem. É algo que não aparece no QT 1 e no QT 2 porque, como eu disse, essa e outras alterações foram feitas ao Texto A depois que o QT 1 tinha sido retirado dele.

Em AAm §39 (p. 97), a narrativa é diferente: ali, os Quendi "começaram a criar uma fala e a dar nomes a todas as coisas que percebiam" muito antes que Oromë topasse com eles (335 Anos do Sol depois do Despertar); e nada se diz sobre algum papel desempenhado por ele na evolução da fala élfica.

Na frase "enquanto eles habitavam ainda silentes *sobre* a lagoa iluminada pelas estrelas", o Texto A diz *ao lado da*; a palavra *sobre* no QT 1 (e no QT 2) claramente foi um erro introduzido pelo datilógrafo, e o mesmo vale para a omissão da palavra *então* anteriormente nesse parágrafo, bem como o uso de *línguas* num lugar de *língua* em §23).

§21 No QT 2, meu pai alterou "a fortaleza de Melkor" na primeira frase para "as fortalezas de Melkor", e, no fim do parágrafo, "a fortaleza de Melkor em Utumno" para "as fortalezas de Melkor".

Nesse caso, ele fez as alterações também no QT 1, mas eu não as incluí no texto impresso, uma vez que são muito tardias e correspondem à história alterada da origem de Angband: ver o comentário ao Capítulo 2, §12 (p. 195).

No Texto A, a frase "pouco sabem do avanço do poder do Oeste" foi alterada para "sabem pouco", mas isso, assim como a grande mudança feita em §20, foi feito depois que a versão QT 1 tinha sido retirada do Texto A.

Aparece aqui pela primeira vez, desde os *Contos Perdidos*, a história de que Aulë teria forjado a corrente Angainor (passagem contada de forma elaborada em I. 127–8, onde a forma do nome é *Angaino;* em *O Conto de Tinúviel*, II. 31, há uma referência à "corrente Angainu que Aulë e Tulkas fizeram").

§22 Também foram feitas mudanças neste parágrafo depois da composição do QT 1: "de donde" > "donde" e "Vastos são aqueles salões, e fortes" > "Vastos e fortes são aqueles salões".

Em AAm §52, Melkor foi condenado a ficar em Mandos por três eras (pp. 108, 116).

§23 A existência de diferentes opiniões entre os Valar sobre a Convocação dos Quendi é algo que não chegou nem a ser insinuado na tradição do *Quenta* até agora. Em AAm §53 (p. 108) há menção a um debate, e em §73 (p. 113) conta-se que, no concílio dos Valar, Ulmo "falara mormente contra a convocação, julgando que seria melhor para os Quendi permanecerem na Terra-média". A crença de que os Valar erraram aqui não é imputada a eles como um erro "com boas intenções" (V. 253), e, nesse sentido, é repudiada duramente.

A passagem acerca dos três embaixadores permanece virtualmente inalterada em relação ao QS, mas, durante a revisão (ver §27 abaixo) veio a acontecer uma mudança interna de referência — quando Elwë se tornou Thingol, enquanto anteriormente ele tinha sido irmão do rei de Doriath (ver V. 258, §23). Provavelmente, as frases "Esses eram Ingwë e Finwë e Elwë, que mais tarde foram reis das Três Gentes dos Eldar" e "Os Elfos que obedeceram à convocação e seguiram os três reis" deveriam ter sido modificadas quando a alteração sobre os irmãos ocorreu, e quando a Terceira Hoste passou a ter dois senhores.

Não há menção no QT às gentes de Morwë e Nurwë, que recusaram a convocação (AAm §57, p. 109).

Outra mudança muito pequena foi feita ao Texto A depois que o QT 1 foi escrito: "E Mandos, que nada chegara a falar" > "E Mandos, que não falara".

§25 O nome *Lindar* foi alterado para *Vanyar* numa emenda posterior feita ao texto final do *Ainulindalë* (p. 51, §36); em AAm §58 (p. 109), a forma *Vanyar* aparece no texto desde o início. — Uma emenda a lápis no QT 2 alterou "Altos Elfos" para "Belos Elfos" (ver V. 254, §25).

§26 No Texto A, a frase de abertura desse parágrafo diz: "Depois vinham os Noldor, um nome de sabedoria, e os Gnomos é como podem ser chamados em nossa língua", com a passagem "Disse Ælfwine. (A palavra que ele usa ..." colocada numa nota de rodapé. O datilógrafo do QT 1 colocou tudo isso no corpo do texto; mas meu pai indicou que todo o trecho deveria ficar numa nota de rodapé, como acontece no texto publicado. Nas versões em inglês antigo dos anos 1930, não se usou a palavra *Witan*, mas *Noldelfe*, *Noldielfe* (ver também IV. 332). Em uma cópia do QT 2, meu pai riscou "Gnomos" e escreveu em cima "Inquiridores"; esse termo não ocorre em nenhum outro lugar.

No fim do parágrafo ele acrescentou ao Texto A: "Escuro é seu matiz, e cinzentos são seus olhos"; isso não entrou nos textos datilografados posteriores. Ver I. 60.

§27 No fim da revisão, representada pelo texto QT 1, a situação final tinha sido alcançada, tal como em AAm §§58, 74: Elwë Singollo (Mantogris) — ou seja, Elu Thingol, Rei de Doriath — e seu irmão Olwë, os dois senhores da hoste dos Teleri na Grande Marcha até Elwë se perder. Os estágios que foram atravessados para se chegar a isso podem ser observados na versão anterior do fim do Texto A (ver p. 198). Primeiro veio a ideia de que havia dois senhores, porque o número dos Teleri era muito grande: Elwë e seu irmão Sindo ("as madeixas de Sindo eram cinzentas como a prata ... mas os cabelos de Elwë eram longos e brancos, e ele era o mais alto de toda a raça-élfica"). Então o nome *Elwë* foi alterado para *Solwë*, e *Sindo* passou a ser *Elwë*; nesse estágio, provavelmente, Elwë (o Cinzento) se tornou um dos três embaixadores originais, substituindo seu irmão (que agora se chamava Solwë) nessa função ao mesmo tempo em que assumiu o nome dele (e se tornou, em seu lugar, "o mais alto de todo o Povo-élfico").

§28 No primeiro estágio da revisão de 1951, realizado no texto datilografado original do QS, o povo de Dân, ainda oriundo da hoste dos Noldor, era descrito assim:

> Eles não são contados entre os Eldar, nem tampouco entre os Avari. Os [Nandar >] Nandor, aqueles que dão meia-volta, é como são chamados, e semelhante era o nome de seu primeiro líder, Nano, o qual, na língua deles, era chamado Dân. O filho dele era Denethor, que os levou para Beleriand antes do surgir da Lua. Os *Danathrim*, Danianos, é o nome que receberam naquela terra.

O termo *Pereldar*, "Meio-Eldar", usado no QS agora tinha desaparecido, e, nessa passagem, temos claramente a primeira ocorrência do nome *Nandor* (que aparece posteriormente em AAm §62: ver pp. 110, 117).

No estágio seguinte (Texto A), o parágrafo foi removido de seu lugar anterior e recolocado no fim de §29. Nesse estágio, os Nandor, também chamados de *Laiquendi*, ou Elfos-verdes, passaram a ser Elfos telerin da hoste de Sindo, o Cinzento, e foram citados junto com os outros Teleri (seguidores de Sindo) que ficaram para trás em Beleriand com o nome de *Ekelli* (grafado originalmente como *Ecelli*), os "Abandonados". Ver também §§29–30.

§§29–30 No primeiro estágio da revisão, a forma *Lembi*, "Os Que se Demoram" — os Elfos da Grande Jornada que "se perderam na longa estrada" — passou a ser *Lemberi*, levando à classificação conjunta com os *Moriquendi*, Elfos Escuros. O termo *Kalaquendi*, Elfos da Luz, também apareceu nesse relato (embora possa ser encontrado muito antes, junto com *Moriquendi*, na tabela associada ao *Lhammas*, V. 233, e também nas *Etimologias*). Nesse estágio, a antiga subdivisão com o nome *Ilkorindi* (abrangendo Lembi e Pereldar ou Danas, ver a tabela apresentada em V. 260) não está presente, e o lugar dos Nandor não está definido.

No estágio seguinte (Texto A), o termo *Lemberi* não foi usado, e emergiu a forma de pouca duração *Ekelli* (*Ecelli*), usada para designar (tal como o antigo nome *Ilkorindi*) todos os "Eldar perdidos", incluindo os Nandor (ver §28); *Ekelli* era o nome dado a eles pelos Elfos de Valinor e significava "os Abandonados, sua gente que tinha sido deixada para trás". Assim:

Seguidores de Elwë Nandor Avari

Ekelli (os Abandonados)

Moriquendi (Elfos Escuros)

O termo *Ekelli* foi então substituído por *Alamanyar* ("já que eles nunca chegaram à Terra de Aman"), e os Nandor passaram a ser Elfos da hoste de Olwë; enquanto aqueles que buscavam em vão a Elwë Singollo (Thingol) são "portanto" chamados de *Sindar*, os Elfos Cinzentos, "mas a si mesmos deram o nome de *Eglath*, os Abandonados." Assim:

Sindar (= Eglath, os Abandonados) Nandor Avari

Alamanyar

Moriquendi

Foi aqui, sem dúvida, que o nome *Sindar* surgiu: as ocorrências anteriores no QT foram inseridas mais tarde, e aquela nos AAm (§74, ver p. 119) também é posterior. Com a alteração de *Alamanyar* para Úmanyar no QT 1, a forma final (conforme mostrado na tabela do Silmarillion publicado, p. 407) foi alcançada.

Assim, alguns desenvolvimentos importantes da narrativa emergiram durante a revisão de 1951 no fim do presente capítulo. O Elwë original, que no QS (§30) era irmão de Thingol, tornou-se Olwë, enquanto o nome Elwë foi transferido para Thingol — o qual se tornou um dos três "embaixadores" élficos levados por Oromë a Valinor, no lugar de seu irmão; e tanto Olwë quanto Elwë eram líderes da hoste telerin na Grande Marcha saindo de Kuiviénen. A narrativa segundo a qual os Eldar de Beleriand (os Sindar) não atravessaram o Mar porque foram deixados para trás enquanto buscavam Elwë Singollo retoma uma passagem do *Lhammas* (V. 205, citada na p. 119, §71); no QS, não havia nenhuma sugestão de que os Elfos de Doriath eram especificamente aqueles do séquito de Thingol que não quiseram abandonar a busca por ele.

Nos AAm toda essa matéria é abordada de um ponto de vista diferente: ali, os eventos e a geografia da Grande Jornada são um elemento central, mas as complexidades dos nomes e da classificação não o são. Fica claro, entretanto, que os AAm só foram escritos depois que a revisão da tradição do *Quenta* sobre a Separação dos Elfos estava virtualmente completa, pois nos AAm os Nandor são da hoste de Olwë (§62), e os seguidores de Elwë que foram deixados para trás chamavam a si mesmos de *Eglath*, o Povo Abandonado (§71).

A passagem recontando os nomes usados para se referir aos povos élficos em poesia, que remonta ao QS e que corresponde a uma parte integral do Texto A, foi, por alguma razão, omitida do QT 1; meu pai escreveu esse trecho no texto datilografado mais tarde (com *Vanyar* no lugar da forma *Lindar* do Texto A).

Mudanças posteriores feitas no Texto A levaram à troca de "Elfos-do-machado" por "Elfos-do-bastão" como epíteto dos Nandor e inseriram "Elfos-do-machado" como alcunha dos Sindar (depois de "os Amigos de Ossë"); mas esses epítetos se "perderam" e não aparecem no QT 1 e no QT 2. — O nome Lemberi "Os Que se Demoram" (ver a referência a §§29–30 acima) reaparece como uma das alcunhas dos Sindar; e "os Elfos Verdes e os Castanhos" recupera o antigo *Conto do Nauglafring* (II. 267 etc.).

Resta notar, por fim, que no QT 2 meu pai alterou o título do capítulo para *Da Vinda dos Elfos e do Cativeiro de Melkor*, mudança que foi seguida no *Silmarillion* publicado; e também que em uma cópia desse texto datilografado, ao lado da primeira ocorrência de Úmanyar (§29), ele escreveu *Alamanyar* na margem, como se estivesse considerando voltar ao nome mais antigo.

4. DE THINGOL E MELIAN

De Thingol e Melian não era um capítulo separado no manuscrito do QS e no texto datilografado do QS derivado dele, embora em ambos houvesse um subtítulo (e em *A Estrada Perdida*, V. 261, eu o tenha tratado como elemento separado, numerando-o como 3(b)). O primeiro texto da revisão de 1951 era um manuscrito, que continuou a partir do final do manuscrito do "Texto A" de *A Vinda dos Elfos* (ver p. 198), e aqui meu pai pode ter tido a intenção de que ele fosse um capítulo separado, embora não haja nenhum número. Do "Texto A", tal como no capítulo anterior, foi retirado o QT 1, e o texto final foi o QT 2 (no qual o capítulo recebe o número "4").

O primeiro parágrafo permaneceu quase inalterado em relação ao QS, mas o restante foi bastante ampliado.

De Thingol e Melian

§31 Assim veio a se passar que Elu-thingol [> Elwë Singollo] e muitos de seu povo fizeram morada em Beleriand e não foram a Valinor.

Melian era uma *maia*, da raça dos Valar. Habitava os jardins de Olofantur e, entre todo o seu belo povo, não havia ninguém mais linda do que ela, nem mais sábia, nem mais hábil em canções de encantamento. Conta-se que os deuses deixavam seus trabalhos, e as aves de Valinor, seus festejos, que os sinos de Valmar silenciavam e que as fontes deixavam de fluir quando, no misturar das luzes, Melian cantava em Lorien. Rouxinóis sempre a seguiam, e Melian lhes ensinou seu canto. Ela amava as sombras profundas das grandes árvores; mas era aparentada, antes que o mundo fosse feito, à própria Yavanna, e em certo momento ela partiu de Valinor numa longa jornada para as Terras de Cá, e ali ela encheu o silêncio de Arda antes da aurora com sua voz e com as vozes de seus pássaros.

§32 Ora, veio a se passar que, quando a jornada deles estava próxima de seu fim, o povo de Elwë descansou longamente e habitou em Beleriand além do Gelion; e o Rei Elwë atravessava amiúde as grandes matas, pois tinha amizade com os Noldor que estavam a oeste, e com Finwë, senhor deles. E aconteceu, certa vez, que ele chegou sozinho à mata iluminada de estrelas de Nan Elmoth, e lá, súbito, ouviu o canto dos rouxinóis. Então um encanto caiu sobre ele, e ele ficou imóvel; e ao longe, além das vozes dos *lómelindi*,* ele ouviu a voz de Melian, e esta encheu todo o seu coração com assombro e desejo. Esqueceu então completamente todo o seu povo e todos os propósitos de sua mente e, seguindo os pássaros

* [nota de rodapé ao texto] *lómelindi*: "cantores-do-ocaso" = rouxinóis.

sob as sombras das árvores, passou-se para as profundezas de Nan Elmoth e se perdeu. Mas chegou por fim a uma clareira aberta às estrelas, e lá Melian estava; e, da escuridão, ele a contemplou com mãos estendidas, e a luz de Aman estava em seu rosto.

Nenhuma palavra ela disse; mas, estando cheio de amor, Elwë veio até Melian e tomou sua mão; e de pronto um feitiço foi posto sobre ele, de modo que ficaram assim, de mãos dadas, enquanto longos anos eram medidos pelas estrelas que giravam acima deles; e as árvores de Nan Elmoth cresceram altas e escuras antes que dissessem palavra um ao outro.

§33 Assim, o povo de Elwë, que o buscava, não o achou, e Olwë assumiu o reinado dos Teleri e partiu; mas Elwë Singollo nunca mais atravessou o mar rumo a Valinor; e Melian não retornou para lá enquanto o reino dos dois juntos durou; e dela uma cepa dos [*leia-se*: da raça dos] deuses imortais veio tanto a Elfos como a Homens, como aqui se há de contar. Nos dias que vieram depois, Melian e Elwë se tornaram Rainha e Rei de Elfos Cinzentos, e seus salões ocultos ficavam em Menegroth, as Mil Cavernas, em Doriath; e como Thingol Mantogris ele era conhecido na [*leia-se*: de todos na] língua daquela terra. Grande poder Melian emprestava a Thingol, seu esposo, o qual era ele próprio grande entre os Eldar; pois somente ele entre todos os Abandonados tinha visto com seus próprios olhos as Árvores nos dias de seu florescer, e inda que rei fosse [> fora] dos Alamanyar [> Úmanyar], não era contado entre os Moriquendi, mas junto com os Elfos da Luz, poderoso sobre a Terra-média.

Comentário ao Capítulo 4, "De Thingol e Melian"

§31 A forma "Elu-thingol" aparece aqui pela primeira vez. — *Olofantur* foi corrigido para *Lórien* em uma cópia do QT 2 (ver p. 188, §6).

§32 Quanto à menção da longa permanência dos Teleri nas terras além do Gelion, cf. AAm §64 (p. 111). A história da viagem de Elwë para visitar Finwë, seu amigo, também é contada nos AAm (§§64–5); e a frase "as árvores de Nan Elmoth cresceram altas e escuras" é encontrada em ambas as fontes. Nos AAm, o transe de Elwë durou mais de dois séculos medidos pelo Sol (p. 117, §65).

§33 Torna-se agora explícito, e não apenas implícito, que Thingol esteve em Valinor, como um dos três embaixadores (ver pp. 209-10, §§23, 27). — A versão das frases no QT 1, "uma cepa dos deuses imortais" e "ele era conhecido na língua daquela terra" foram claramente meros erros de omissão por parte do datilógrafo; as versões propostas se encontram no Texto A, feito a mão por meu pai (ver p. 198). Uma alteração tardia no Texto A feita após a cópia do QT 1 é a de "Elfos Cinzentos" para "os Elfos Cinzentos".

5. DE ELDANOR E DOS PRÍNCIPES DOS ELDALIË

Meu pai revisou e reescreveu menos este capítulo do que os anteriores e, na verdade, ele próprio não produziu um texto totalmente novo: a revisão de 1951, em grande parte, ficou restrita a emendas do antigo QS datilografado, e foi a partir dele que o QT 1 foi montado. No QS datilografado, este não era um capítulo separado, mas um "subcapítulo" intitulado *De Kôr and Alqualondë* (em *A Estrada Perdida*, ele tinha a numeração 3(c); V. 261–266); depois disso, esse texto datilografado foi abandonado, e para o restante da obra há apenas o manuscrito QS do período pré-*Senhor dos Anéis*.

As emendas ao QS datilografado foram realizadas em momentos diferentes, e três passagens importantes de reescrita (ver o comentário a §§40, 43) foram "perdidas" e acabaram não sendo incluídas nos textos posteriores.

De Eldanor e dos Príncipes dos Eldalië

§34 Com o tempo, as hostes dos Eldalië chegaram às últimas costas do oeste das Terras de Cá. No Norte, essas costas, nos dias antigos depois da batalha dos deuses, curvavam-se sempre no rumo oeste, até que, nas partes do extremo norte da terra, só um mar estreito dividia a Terra de Fora de Aman, sobre a qual Valinor estava construída, das Terras de Cá; mas esse mar estreito estava repleto de gelo pungente, por causa da violência das geadas de Melkor. Portanto, Oromë não levou os Eldar para o Norte distante, mas os trouxe para as belas terras em volta do Rio Sirion, que mais tarde receberam o nome de Beleriand; e dessas costas, de onde pela primeira vez as hostes dos Eldar olharam em medo e assombro para o mar, estendia-se um oceano, largo e escuro e profundo, entre eles e as Montanhas de Aman.

§35 Ali eles aguardaram e fitaram as ondas escuras. Mas Ulmo veio da parte dos Valar; e ele desenraizou uma ilha semi-afundada, que por muito tempo estivera sozinha em meio ao mar, distante de ambas as costas; e, com a ajuda de seus serviçais, fê-la se mover, como se fosse um navio magno, e a ancorou na baía na qual o Sirion derramava sua água.* A seguir ele fez embarcar os Lindar [> Vanyar] e os Noldor, pois já tinham se reunido. Mas os Teleri estavam mais atrás, sendo mais lentos e menos ávidos na marcha, e tinham se atraso também pela perda de Thingol e sua busca infrutífera; e não chegaram até que Ulmo já tivesse partido.

§36 Portanto Ulmo trouxe os Lindar [> Vanyar] e os Noldor através do mar para as longas praias sob as Montanhas de Valinor, e adentraram a terra dos deuses e foram recebidos em sua ventura. Mas os Teleri habitaram longamente pelas costas do mar do oeste, aguardando o retorno de Ulmo; e passaram a amar o som das ondas e fizeram canções repletas da música da água. Ossë os ouviu e veio até lá; e ele os amou, deleitando-se com a música de suas vozes. Sentado sobre uma pedra perto da margem do mar, ele lhes falou e os instruiu. Grande, portanto, foi sua tristeza quando Ulmo afinal retornou para levá-los a Valinor. Alguns ele persuadiu a permanecer nas praias da Terra-média, e esses são os Elfos da Falas, que em dias que vieram depois tinham habitações nos portos de Brithombar e Eglorest, em Beleriand; mas a maioria dos Teleri embarcou na ilha e foi arrastada para longe.

§37 Ossë os seguiu e, quando eram chegados perto do fim de sua jornada, ele os chamou; e eles imploraram a Ulmo que parasse um pouco, para que pudessem se despedir de seu amigo e olhar pela última vez para o céu de estrelas. Pois a luz das Árvores que se filtrava pelos passos das colinas os enchia de assombro. E Ulmo

* [nota de rodapé ao texto] E alguns contaram que a grande ilha de Balar, que jazia outrora naquela baía, era a ponta oriental da Ilha Solitária, que se quebrara e ficara para trás, quando Ulmo retirou aquela terra e a levou para o Oeste. Disse Rúmil. [Colocada no corpo do texto pelo datilógrafo do QT 1, mas recolocada mais tarde como nota de rodapé.]

bem entendeu seus corações e lhes concedeu esse pedido; e por ordem dele Ossë prendeu a ilha e a enraizou nas fundações do mar. Então Ulmo retornou a Valinor e fez saber o que tinha sido feito, e aos Valar, em sua maior parte, isso não agradou; mas a ilha não poderia se mover de novo sem grande dano, ou sem perigo para os Teleri que sobre ela habitavam; e não se moveu, mas ficou ali sozinha durante muitas eras. Nenhuma outra terra havia perto dela, e passou a ser chamada Tol Eressëa, a Ilha Solitária.* Ali os Teleri por muito tempo tiveram seu lar, e Ossë vinha amiúde no meio deles, e aprenderam com ele estranhas músicas e saber-do-mar; e ele lhes trouxe aves marinhas, presentes de Yavanna, para seu deleite. Mas essa longa passagem dos Teleri separados na Ilha Solitária foi a causa da separação de sua fala do idioma dos Lindar [> Vanyar] e dos Noldor.

§38 A esses os Valar tinham dado uma terra e lugares de habitação. Mesmo entre as flores radiantes dos jardins dos deuses, iluminados pelas Árvores, eles ansiavam ainda por ver as estrelas às vezes. Portanto, uma fenda foi aberta nas grandes muralhas das Pelóri e ali, em um vale profundo que descia até o mar, os Eldar ergueram uma colina alta e verdejante: Túna é como foi chamada. Do Oeste, a luz das Árvores caía sobre ela, e sua sombra jazia sempre do lado leste; e, no Leste, ela dava para a Baía de Casadelfos, para a Ilha Solitária e para os Mares Sombrios. Então, através do Kalakiryan, o Passo de Luz, a radiância do Reino Abençoado manava, acendendo as ondas com brilhos de prata e ouro, e tocava a Ilha Solitária, e sua costa oeste se tornou verdejante e bela. Lá desabrocharam as primeiras flores que jamais existiram a leste das montanhas dos deuses.

§39 Sobre a coroa de Túna, a colina verdejante, a cidade dos Elfos foi construída, as muralhas alvas e os terraços de Tirion; e a mais alta das torres daquela cidade era a Torre de Ingwë, a Mindon, Mindon Eldaliéva, cuja lamparina de prata iluminava ao longe as brumas do mar. Poucos são os navios de Homens mortais

* [nota de rodapé ao texto] *Avallónë* também foi depois chamada, significando a ilha que está mais próxima dos Valar em Valinor. Disse Ælfwine. [Colocada no corpo do texto pelo datilógrafo do QT 1, mas recolocada mais tarde como nota de rodapé.]

que viram seu lume esguio. Em Tirion,* os Lindar [> Vanyar] e os Noldor habitaram longamente em irmandade. E, já que, de todas as coisas em Valinor, eles amavam mormente a Árvore Branca, Yavanna fez para os Eldar uma árvore semelhante em todas as coisas a uma imagem menor de Telperion, salvo que ela não produzia luz de seu próprio ser; e essa árvore foi plantada nos pátios sob a Torre e lá floresceu, e suas mudas eram muitas em Eldanor. Das quais uma foi depois plantada em Eressëa, e prosperou. Dela veio, na plenitude do tempo, como se conta mais tarde, a Árvore Branca de Númenor.

§40 Manwë e Varda amavam mormente os Lindar [> Vanyar], os Altos Elfos, e sacros e imortais eram todos os seus feitos e todas as suas canções. Os Noldor eram os bem-amados de Aulë, e de Mandos, o sábio; e grandes se tornaram seu conhecimento e seu engenho. Contudo, ainda maior era a sede deles por mais conhecimento e seu desejo de criar coisas maravilhosas e novas. Eram mudadiços em sua fala, pois tinham grande amor pelas palavras e buscavam sempre achar nomes mais adequados para todas as coisas que conheciam ou imaginavam. Em Valinor, foram os primeiros a cogitar como dar feição às gemas preciosas, e as fizeram em incontáveis miríades de muitos tipos e tons; e encheram toda Elendë com elas, e os salões dos deuses em Valinor foram enriquecidos.

§41 Os Noldor mais tarde voltaram à Terra-média, e esta história conta principalmente os seus feitos; portanto, os nomes e o parentesco de seus príncipes podem ser aqui contados, naquela forma que esses nomes depois tiveram na língua dos Gnomos conforme ela era [> os Elfos] em Beleriand, na Terra-média. Finwë era o rei dos Noldor. Seus filhos eram Fëanor, Fingolfin e Finrod [> Finarphin]. Desses, Fëanor era o mais poderoso em engenho com palavra e mão, mais instruído em saber do que seus irmãos; em seu coração, seu espírito ardia como chama. Fingolfin era o mais forte, o mais resoluto e o mais valente. Finrod [> Finarphin] era o mais belo e o mais sábio de coração; e mais tarde ele se tornou amigo

* [nota de rodapé ao texto] Isto é, a Cidade Vigilante. *Eldamar* (isto é, Casadelfos) é como também era chamada; mas as regiões onde os Elfos tinham morada, e donde as estrelas podiam ser vistas, eram chamadas de *Elendë*, ou de *Eldanor* (isto é, Terradelfos): disse Ælfwine. [Colocada no corpo do texto pelo datilógrafo do QT 1, mas recolocada mais tarde como nota de rodapé.]

dos filhos de Olwë, senhor dos Teleri, e teve por esposa Eärwen, a donzela-cisne de Alqualondë. Os sete filhos de Fëanor eram Maidros [> Maedhros], o alto; Maglor, um músico e cantor poderoso, cuja voz se ouvia ao longe pela terra e pelo mar; Celegorn [> Celegorm], o alvo, e Cranthir [> Caranthir], o moreno; e Curufin, o matreiro, que herdou a maior parte do engenho de seu pai com as mãos; e os mais jovens, Damrod e Díriel [> Amrod e Amras], que eram irmãos gêmeos, semelhantes em ânimo e rosto. Mais tarde, foram grandes caçadores nas matas da Terra-média. Um caçador também era Celegorn [> Celegorm], o qual, em Valinor, era amigo de Oromë e seguia amiúde a trompa do grande deus.

§42 Os filhos de Fingolfin eram Fingon, que depois foi rei dos Gnomos [> Noldor] no Norte do Mundo; e Turgon de Gondolin; e a irmã dos dois era Isfin [> Írith], a Branca. [*Acrescentado*: Ela era mais jovem nos anos dos Eldar que seus irmãos; e, quando chegou à estatura e à beleza plenas, era maior e mais forte que o comum das mulheres, e amava muito andar a cavalo e caçar nas florestas, e estava amiúde em companhia de seus parentes, os filhos de Fëanor; mas a ninguém era dado o amor de seu coração. Era chamada a Dama Branca dos Noldor; pois, embora seus cabelos fossem escuros, era pálida e clara de tez, e estava sempre ataviada de prateado e branco.] Os filhos de Finrod [> Finarphin] eram Inglor [> Finrod], o fiel (que mais tarde recebeu o nome de Felagund, Senhor de Cavernas), [*riscado*: e Orodreth,] e Angrod, e Egnor [> Aegnor]. E esses quatro [> três] eram tão próximos em amizade com os filhos de Fingolfin como se fossem todos irmãos uns dos outros. Uma irmã tinham, Galadriel, a mais bela dama da casa de Finwë, e a mais valente. Seus cabelos eram iluminados com ouro, como se tivessem prendido numa rede a radiância de Laurelin.

§43 Aqui há que se contar como os Teleri vieram enfim a Valinor. Por quase cem dos anos de Valinor, que eram, cada um, como dez anos do Sol que depois foi feito, habitaram em Tol Eressëa. Mas lentamente seus corações se modificaram e foram atraídos para a luz que manava através do mar para sua ilha; e estavam divididos entre o amor pela música das ondas sobre suas praias e o desejo de ver de novo sua gente e contemplar o esplendor dos deuses. Contudo, no fim, o desejo pela luz foi o mais forte. Portanto, Ulmo lhes ensinou a arte da construção de navios; e Ossë, submetendo-se a Ulmo, trouxe-lhes, como presente de despedida, os cisnes de asas fortes. Esses eles atrelaram à sua frota de navios brancos e assim foram puxados, sem a ajuda dos ventos, até Valinor.

§44 Ali habitaram nas longas costas de Casadelfos [> Terradelfos], e, se desejassem, podiam ver a luz das Árvores, e podiam visitar as ruas doiradas de Valmar e as escadarias de cristal de Tirion sobre a Colina Verdejante. Mas mormente era de seu alvitre velejar em seus navios céleres sobre as águas da Baía de Casadelfos, ou caminhar nas ondas sobre a costa com seus longos cabelos chamejando feito espuma na luz que vinha d'além da colina. Muitas joias os Noldor lhes deram, opalas e diamantes e cristais pálidos, que eles lançavam pelas costas e espalhavam nas poças. Maravilhosas eram as praias de Elendë naqueles dias. E muitas pérolas ganharam para si próprios do mar, e seus salões eram de pérola, e de pérola eram as mansões de Elwë [> Olwë] no Porto dos Cisnes, iluminado com muitas lamparinas. Pois Alqualondë, o Porto dos Cisnes, era a sua principal cidade, e o porto de seus navios; e esses tinham feição à semelhança de cisnes, brancos, e seus bicos eram de ouro, com olhos de ouro e azeviche. O portão daquele ancoradouro era um arco de rocha viva escavado pelo mar, e ficava nos confins de Terradelfos, ao norte de Kalakiryan, onde a luz das estrelas era brilhante e clara.

§45 Conforme as eras transcorriam, os Lindar [> Vanyar] passaram a amar a terra dos deuses e a luz plena das Árvores, e abandonaram a cidade sobre Túna, e habitaram sobre a montanha de Manwë, ou à volta das planícies e matas de Valinor, e ficaram separados dos Noldor. Mas a memória da Terra sob as Estrelas permanecia nos corações dos Gnomos [> Noldor], e eles fizeram morada no Kalakiryan e nos montes e vales onde se ouvia o som do mar do oeste; e, embora muitos deles amiúde viajassem pela terra dos deuses [> Valar], empreendendo longas jornadas em busca dos segredos de terra e água e de todas as coisas vivas, [*riscado*: ainda assim suas relações eram mais com os Teleri do que com os Lindar (> Vanyar); e] as línguas [> povos] de Túna e Alqualondë se aproximaram naquelas dias. Finwë era rei de Túna, e Elwë [> Olwë], de Alqualondë; mas Ingwë foi sempre considerado o alto-rei de todos os Elfos. Ele passou a habitar, dali em diante, aos pés de Manwë, sobre Taniquetil. Fëanor e seus filhos raro ficavam num só lugar por muito tempo. Viajavam para lá e para cá, sobre [*leia-se*: dentro dos] os confins de Valinor, chegando até às fronteiras do

Escuro e às costas frias do Mar de Fora, buscando o desconhecido. Com frequência eram hóspedes nos salões de Aulë; mas Celegorn [> Celegorm] ia antes à casa de Oromë, e lá obteve grande conhecimento sobre todas as aves e feras, e todas as línguas delas ele sabia. Pois todas as cousas vivas que existem ou existiram no Reino de Arda, salvo apenas as criaturas cruéis e malignas de Melkor, viviam então em Valinor; e havia também muitas outras criaturas que não tinham sido vistas na Terra-média, e quiçá agora nunca o sejam, já que a feição do Mundo foi mudada.

Comentário ao Capítulo 5, "De Eldanor e dos Príncipes dos Eldalië"

§35 A identificação da ilha da primeira morada dos Deuses com a ilha usada como balsa para os Elfos (ver IV. 54) foi abandonada quando a ilha dos Deuses em meio aos mares se tornou uma ilha (Almaren) em um grande lago no meio da Terra-média. Tol Eressëa não tem nenhuma origem significativa. Cf. AAm §66 (p. 111): "uma ilha que por muito tempo estivera sozinha em meio ao Mar, desde os tumultos da queda de Illuin". A antiga versão da história ainda estava presente num rascunho de narrativa associado à *Submersão de Anadûnê* (IX. 481 e nota 11).

§36 A forma *Eglorest* foi mantida no QS, presumivelmente por distração, e não foi alterada para *Eglarest* como nos AAm (§70).

§37 A história alterada do enraizamento de Tol Eressëa no fundo do mar também aparece nos AAm (§§72–3 e comentário); quanto a "Ulmo bem entendeu seus corações", cf. QT §23 (p. 202: a crença de Ulmo de que os Quendi deveriam ser deixados na Terra-média).

Na nota de Ælfwine, *Avallónë* aparece como um nome de Tol Eressëa, e não, como no *Silmarillion* publicado, de um porto na ilha; cf. o *Akallabêth* (p. 342): "há, naquela terra, um porto que é chamado de Avallónë, pois é de todas as cidades a mais próxima a Valinor". Na terceira versão de *A Queda de Númenor* (IX. 398), tal como aqui, Tol Eressëa "recebeu o novo nome de Avallon; pois está muito próxima de Valinor, e à vista do Reino Abençoado"; enquanto, por outro lado, nos esboços narrativos associados à *Submersão de Anadûne,* o nome "*Avallon(de)*" já aparece como o nome do porto oriental (IX. 477, 482 e nota 12).

§38 "A Baía de Casadelfos": na nota de rodapé em §39, como em seu precursor no QS, "Casadelfos" é o nome da cidade, traduzindo *Eldamar*, enquanto "Terradelfos" é o nome das regiões que os Elfos habitavam, traduzindo *Eldanor*; em §44 deste capítulo, a expressão do QS, "costas de Casadelfos", foi alterada na revisão para "costas de Terradelfos", mas "a Baía de Casadelfos" foi mantida em §§38, 44. Nos AAm, *Eldamar* é o nome da região: ver p. 118, §67.

A forma *Kalakiryan*, no lugar da grafia anterior *Kalakirya*, surgiu no decorrer da composição dos AAm (p. 115 nota 7).

Quanto a "as primeiras flores que jamais existiram a leste das montanhas dos deuses", ver p. 82, §15, e as referências ali indicadas.

§39 *Tirion* sobre *Túna*, substituindo *Túna* sobre *Kôr*, e *Mindon Eldaliéva* substituindo *Ingwemindon*, são termos encontrados também nos AAm §§67–8 (pp. 112, 118). — No QT 2 "a Mindon, Mindon Eldaliéva" (a emenda original ao QS datilografado QS, que não corresponde a um erro), a repetição de "Mindon" foi colocada entre colchetes para exclusão.

"Em Tirion, os Vanyar e os Noldor habitaram longamente em irmandade": isso dificilmente está de acordo com os AAm (ver p. 118, §68). A versão do QT manteve também a antiga frase em §45: "Conforme as eras transcorriam, os Vanyar passaram a amar a terra dos deuses … e abandonaram a cidade sobre Túna".

O presente de Yavanna ao povo de Tirion na forma de uma "imagem" de Telperion também está registrado em AAm §69 (p. 112), onde a árvore é chamada de *Galathilion* e é um presente para os Noldor. Em QT §16, *Galathilion* é o nome sindarin de Telperion, e, na nota de rodapé de QT §17 sobre os nomes das Árvores, a Árvore Branca de Túna é *Galathilion, a Menor*. As Árvores de Eressëa e Númenor também são mencionadas nessa nota, e recebem os nomes de *Celeborn* e *Nimloth* (ambos os quais eram nomes de Telperion).

§40 "Altos Elfos" > "Belos Elfos" numa mudança tardia no texto QT 2, tal como no Capítulo 3 (p. 210, §25).

Numa cópia do QT 2, meu pai revisou o parágrafo assim:

Manwë e Varda amavam mormente os Vanyar, os Altos Elfos, e todos os seus feitos e todas as suas canções eram sacros e

> imortais . Os Noldor eram bem-amados de Aulë, e de Mandos, o sábio; e seu conhecimento e seu engenho se tornaram grandes. Contudo, ainda maior crescia a sede deles por mais conhecimento, e seu desejo de criar coisas novas e maravilhosas. Eram mudadiços na fala, pois tinham grande amor por palavras e nunca se cansavam de inventar nomes mais adequados para todas as coisas que conheciam ou imaginavam.

São alterações estranhas, que realmente não consigo explicar; parece que ele estava experimentando (mas casualmente, e somente nessa e em outra passagem) uma "redução" estilística, especialmente no que diz respeito às "inversões" características dele. A comparação com o texto tal como estava (que é o do QS) mostra quão insossas ficaram as frases iniciais.

Depois que o QT 1 foi produzido, meu pai voltou ao texto datilografado original do QS e escreveu uma nova passagem de tamanho considerável sobre o tema das joias dos Noldor; isso não ficou registrado no QT 1 e, portanto, foi "perdido", já que ele nunca redescobriu esse trecho, e o texto datilografado final QT 2 ainda mantinha o texto antigo no qual os Noldor "elaboraram a feitura de gemas". A nova passagem dizia (depois das palavras "todas as coisas que conheciam ou imaginavam"):

> E em todos os ofícios em que se usa as mãos eles se deleitavam também; e seus pedreiros construíam muitas altas e esguias torres, e muitos salões e casas de mármore. Assim veio a se dar que, procurando pedras nas colinas, os Noldor foram os primeiros a descobrir gemas, nas quais a Terra de Aman era, de fato, sobremaneira rica, e as tiraram em incontáveis miríades de muitos tipos e tons; e as esculpiram e lhes deram feição em formas de luzente beleza, e encheram toda Elendë com elas, e os salões dos deuses em Valinor foram enriquecidos.

Na verdade, uma mudança bastante semelhante (incluindo a frase "e as esculpiram em muitas formas de luzente beleza") foi feita em AAm §79 (p. 121 com nota 3 e p. 133).

§41–2 No Apêndice F de *O Senhor dos Anéis,* encontra-se na Primeira Edição (publicada em outubro de 1955) a seguinte frase: "a Senhora Galadriel da casa real de Finrod, pai de Felagund"; na Segunda Edição (1966), a frase é "a Senhora Galadriel da casa real de Finarphin e irmã de Finrod Felagund". Já que, ainda em setembro de 1954 (*Cartas* nº 150), meu pai estava se desculpando com a Allen and Unwin, "Lamento que eu ainda não tenha qualquer manuscrito pronto para enviar para os Apêndices", está claro que *Finrod* > *Finarphin* e *Inglor* > *Finrod* não podem ter sido inseridos no QT 1 até depois desse período. No texto datilografado dos AAm (p. 162, §134), ele observou que os nomes dos Filhos de Fëanor "serão revisados", e, no texto, mudou *Cranthir* para *Caranthir*, sublinhou o *n* de *Celegorn* e riscou *Damrod* e *Díriel* sem substituí-los. O texto QT 2 possui os nomes alterados. Já sugeri que os textos datilografados dos AAm e do QT 2 correspondem praticamente à mesma época (talvez por volta de 1958): ver pp. 177-8.

É característico dos quebra-cabeças textuais que abundam no trabalho posterior de meu pai em *O Silmarillion* que a mudança regular de *Lindar* > *Vanyar* tenha sido, sem dúvida, feita no QT 1 nesse capítulo, ao mesmo tempo que essas outras mudanças de nome; e, ainda assim, os AAm trazem *Vanyar* desde a composição original. Pode ser que boa parte das correções do QT 1 tenham sido realizadas, na verdade, muito tempo depois de o texto ser datilografado.

§41 O casamento de Finrod (= Finarphin) com Eärwen, filha de Olwë, está registrado no Ano Valiano de 1280 em AAm §85 (p. 122). — Houve uma mudança tardia no QT 2 na qual *Maglor* > *Maelor*; o nome *Maelor* ocorre na versão tardia de *A Balada de Leithian*, III. 411.

§42 A passagem que descreve a Dama Branca dos Noldor foi acrescentada em um pedaço de papel ao texto datilografado original do QS, e esse fragmento é uma página de um calendário de compromissos usado, datado de outubro de 1951. Naquela época, o nome dela ainda era *Isfin*. Um rascunho rejeitado desse trecho no mesmo pedaço de papel começava assim:

> Ela era mais jovem nos anos dos Eldar do que seus irmãos, pois despertou em Valinor [não na Terra-média >] após a criação das Silmarils, e assim que a primeira sombra caiu sobre o Reino Abençoado; e, quando ela atingiu estatura plena ...

As palavras "Ela era mais jovem nos anos dos Eldar do que seus irmãos, pois despertou em Valinor, não na Terra-média", não estão de acordo com os AAm, texto segundo o qual Fingolfin, seu pai, nasceu ele próprio em Aman (§81).

O trecho inserido não foi incluído no QT 1 conforme datilografado, já que esse texto ainda trazia o nome de *Isfin*, como nos AAm (ver p. 132, notas 8 e 9: a primeira data de nascimento de Isfin (1469) faz com que ela nasça após a confecção do Silmarils em 1450, mas a segunda (1362), antes). Contudo, mais tarde, o nome *Isfin* foi alterado para Írith no QT 1 (ao mesmo tempo que as correções de *Finrod* para *Finarphin* etc.), e o mesmo trecho foi anexado num pedaço de papel, com redação idêntica àquela anexada ao antigo texto datilografado do QS, mas com o nome Írith. Presumivelmente, esse é um caso em que uma alteração "perdida" foi recuperada.

No QS, Angrod e Egnor eram amigos dos filhos de Fëanor, enquanto Inglor e Orodreth eram amigos dos filhos de Fingolfin, Fingon e Turgon. Agora, a associação de Angrod e Egnor com os Fëanorianos (que levou a que lhes fosse permitida a passagem nos navios no momento da travessia para a Terra-média, QS §73) foi abandonada (como também o foi nos AAm, §135, pp. 144, 158), e todos os quatro filhos de Finarphin se tornam amigos íntimos de Fingon e Turgon. "E esses quatro" foi alterado para "E esses três" no QT 1, quando Orodreth afinal foi retirado de vez da terceira geração dos príncipes noldorin (ver III. 112–3, 260, e *Contos Inacabados*, p. 346, nota 20).

Aqui Galadriel é inserida na tradição do *Quenta*; sobre a figura dela nos AAm, ver §§85, 135 e comentários. Em uma cópia do QT 2, meu pai anotou: "Em alto-élfico, o nome dela era *Altariellë*, 'Senhora com guirlanda de luz do Sol', *galata-rīg-elle* = s[indarin] *Galadriel*. Foi, portanto, mero acidente que seu nome se assemelhasse a *galað* (élfico-silvestre *galad*, "árvore"). Cf. o Apêndice de *O Silmarillion*, p. 482–3, verbete *kal-*.

§43 Nesse parágrafo, meu pai fez duas alterações narrativas que (como a passagem relativa às joias dos Noldor mencionada em §40 acima) foram "perdidas", uma vez que foram feitas no QS datilografado após o QT 1 ter sido copiado dele. A primeira diz respeito à frase "Por quase cem dos anos de Valinor, que eram, cada um, como dez anos do Sol que depois foi feito" (equivalente ao texto do QS, preservado no QT 1 e 2); aqui, o trecho foi substituído pelo seguinte:

> Por quase cem anos do nosso tempo (embora sejam apenas dez Anos dos Valar) eles habitaram em Tol Eressëa.

A redução do tempo de permanência dos Teleri em Tol Eressëa de 1.000 para 100 anos do Sol foi claramente feita por razões linguísticas. O tempo de um milênio introduziria mudanças que transformariam as línguas dos Noldor (um povo, em qualquer caso, "mudadiço na fala", §40) e dos Teleri em línguas diferentes, que não poderiam concebivelmente "se aproximar" de novo (§45). Nos AAm (§§72, 75), o cálculo "perdido" de apenas 100 anos do Sol está presente.

Em uma cópia do QT 2, meu pai corrigiu novamente a passagem original, com o seguinte resultado: "Eles habitaram Tol Eressëa durante quase cem dos anos de Valinor (os quais eram, cada um, como dez dos anos posteriores do Sol na Terra-média)". Como isso não altera de forma alguma o sentido, deve ter sido feito para reduzir o elemento arcaico (cf. a passagem apresentada em §40 acima). Assim, a revisão feita no QS datilografado por razões de verossimilhança na história linguística foi esquecida; por outro lado, a mudança no QT 1, de "línguas" para "povos" em "as línguas de Túna e de Alqualondë se aproximaram naqueles dias" foi muito provavelmente feita pelo mesmo motivo, embora resolvendo a dificuldade de uma forma diferente.

A segunda das emendas "perdidas" nesse parágrafo mudou a história de que foi Ulmo quem ensinou aos Teleri a arte da construção de navios:

> Portanto, Ulmo, submetendo-se à vontade dos Valar, enviou-lhes Ossë, seu amigo, e esse, embora em pesar, ensinou-lhes a arte da construção de navios; e, quando seus navios foram construídos, ele lhes trouxe como presente de despedida os cisnes de asas fortes.

Em AAm §75, o papel de Ulmo como o que instrui os Teleri foi igualmente corrigido com a troca por Ossë (p. 114 e nota 8). Essa alteração é um aspecto da mudança na história do enraizamento do Tol Eressëa no fundo do mar; no trecho no qual, no QS, Ossë se submete a Ulmo, Ulmo agora se submete à vontade dos Valar.

§44 *Kalakiryan* foi corrigido em uma cópia do QT 2 para *o Calaciryan*, e a mesma mudança de grafia ocorreu em §45. — À primeira vista, é intrigante que o QT 1 traga o nome *Olwë* em §41, mas *Elwë* em §§44–5. Contudo, a razão para isso é simplesmente que a correção nos dois últimos trechos foi perdida no QS datilografado.

6. DAS SILMARILS E DO ESCURECIMENTO DE VALINOR

A história textual deste capítulo é totalmente diferente daquela de qualquer um dos anteriores. Na primeira fase de revisão, só poucas e ligeiras alterações foram feitas no manuscrito do QS (o antigo texto datilografado do QS tinha parado no final do capítulo anterior), e elas foram incluídas no QT 1. Mas *depois* que o QT 1 foi produzido, meu pai voltou ao manuscrito antigo e, no verso dele, começou uma nova versão — estranhamente, paginando-a a partir do final do QS datilografado e mantendo o número 4 para o capítulo. Trata-se claramente de um elemento da revisão de 1951. No início, esta versão virtualmente não interrompe o fluxo daquele documento (até a metade de §50), e, mesmo mantendo o texto antigo, meu pai o escreveu de novo; mas, depois desse ponto, ele fez uso do próprio texto manuscrito do QS, embora o tenha emendado e interpolado pesadamente. A partir de "... adentrou naquela região que é chamada de Arvalin" (§55), o novo texto, para todos os efeitos, termina. Meu pai mal tocou no QT 1: fez algumas alterações na primeira página do texto datilografado, incluindo *Lindar* > *Vanyar*, mas depois parou: uma ocorrência posterior de *Lindar* foi deixada na narrativa. Aqui, portanto, o QT 1 deixa de ser útil, e o texto impresso é a nova forma do capítulo escrita no manuscrito do QS: será conveniente se referir a ela simplesmente como "QT".

A nova versão foi ela própria corrigida e interpolada posteriormente, a tinta vermelha; apresento o texto em sua forma final, mas, em alguns casos em que a distinção entre versões anteriores e posteriores é de interesse, registro a anterior nas notas que se seguem ao texto. O título dado à nova versão foi *Das Silmarilli e do Escurecimento de Valinor,* mas ele foi alterado (aparentemente — a intenção não está perfeitamente clara) para *De Fëanor e das*

Silmarilli, e do Escurecimento de Valinor. Para a versão do QS (na qual ela recebe a numeração de Capítulo 4), ver V. 269–274. Não há texto do capítulo preservado numa versão QT 2.

§46 A partir desse tempo, quando os Três Clãs dos Eldar estavam reunidos enfim em Valinor, e Melkor estava acorrentado, começou o Zênite do Reino Abençoado e sua plenitude de glória e ventura, longo na contagem dos anos, mas, na memória, curto demais. Naqueles dias os Eldar alcançaram sua estatura plena de corpo e de mente, e os Noldor avançavam sempre em engenho e conhecimento; e os longos anos eram repletos de seus labores jubilosos, nos quais muitas coisas novas, belas e maravilhosas, foram criadas.

§46a Foi então que os Noldor cogitaram pela primeira vez a feitura de letras, e Rúmil de Túna era o nome daquele mestre-do-saber que primeiro fez sinais adequados para registrar fala e canção, alguns para serem gravados em metal ou pedra, outros para traçar com pincel ou com pena.

§46b Naquele tempo nasceu em Eldamar, na casa do rei, em Tirion sobre a coroa de Túna, Fëanor, o mais velho dos filhos de Finwë, e o mais amado. Míriel era o nome de sua mãe. Prateado era seu cabelo e escuros eram seus olhos, mas suas mãos eram mais hábeis com trabalhos delicados do que quaisquer mãos, mesmo que dos Noldor. Por ela foi a arte das agulhas inventada; e fosse não mais que um só fragmento dos bordados de Míriel visto na Terra-média, seria considerado mais valioso que o domínio de um rei, pois a riqueza de seus desenhos e o fogo de suas cores eram tão multíplices e tão luzentes quanto a glória de folha e flor e ramo nos campos de Yavanna. Portanto, ela recebeu o nome de Míriel Serende.*

§46c E Fëanor cresceu depressa, como se um fogo secreto se acendesse dentro dele, e era alto, e belo de rosto, e dominador, e se tornou de todos os Noldor o mais sutil de coração e de mente, e o de mãos mais hábeis. Foi ele que, em sua juventude, aprimorando a obra de Rúmil, fez aquelas letras que levam seu nome e que sempre desde então os Eldar usaram; contudo, essa foi a menor de suas

* [nota de rodapé ao texto] Isto é, Byrde Míriel (a Bordadeira): disse Ælfwine.

obras. Pois foi ele que, primeiro entre os Noldor, descobriu como gemas maiores e mais brilhantes que aquelas da Terra podiam ser feitas por arte. E as primeiras gemas que Fëanor inventou eram brancas e sem cor, mas, postas sob a luz das estrelas, chamejavam com fogos azuis e brancos mais brilhantes que os de Helluin. E outros cristais ele fez, nos quais coisas distantes podiam ser vistas, pequenas, mas claras, como que com os olhos das Águias de Manwë. Raramente estavam a mão e a mente de Fëanor em repouso.[1]

§47 Ora, com o passar do tempo, o Zênite de Valinor se aproximava de seu término. Pois veio a acontecer que Melkor, como os Valar decretaram, tinha habitado por três eras no calabouço de Mandos, sozinho. E, depois de ter suportado esse cativeiro, conforme os Valar prometeram, ele foi trazido de novo diante deles em conclave. Ele observou então a ventura e a glória dos Valar, e a malícia estava em seu coração; contemplou os belos Filhos de Ilúvatar que se sentavam aos pés dos deuses, e o ódio o preencheu; contemplou a riqueza de luzentes joias e as cobiçou; mas ocultou seus pensamentos e postergou sua vingança.

§48 Diante dos portões de Valmar, Melkor se humilhou aos pés de Manwë e suplicou perdão, prometendo que, se pudessem fazer dele não mais que o menor do povo livre de Valinor, auxiliaria os Valar em todos os seus feitos e, mais do que tudo, na cura das muitas feridas que fizera e agora não mais produziria. E Niënna o auxiliou em seu rogo, mas Mandos ficou em silêncio. Então Manwë lhe concedeu o perdão; mas os Valar ainda não permitiriam que ele partisse para longe de sua vista e vigilância. Foi-lhe dada, portanto, uma morada humilde dentro dos portões da cidade, e ele ficou sob guarda; e não lhe era permitido se afastar mais do que uma légua de Valmar, salvo com a permissão de Manwë e com um guardião a seu lado. Mas pareciam belos todas as palavras e todos os feitos de Melkor naquela época, e tanto os Valar como os Eldar tinham muito proveito de seu auxílio. Donde, após algum tempo, foi-lhe dada permissão para andar livremente pela terra, e parecia a Manwë que o mal de Melkor estava curado. Pois ele próprio era livre do mal e não podia compreendê-lo, e sabia que, no princípio, no pensamento de Eru, Melkor fora tal como ele. Contudo, diz-se que o coração de Ulmo lhe dava aviso, e Tulkas cerrava os punhos sempre que via Melkor, seu inimigo, passar. Pois, se Tulkas é lento para a ira, lento também é para esquecer.

§49 Suas maiores gentilezas Melkor dava aos Eldar, e ele os auxiliava em muitas obras, se lhe fosse permitido. Os Vanyar, de fato, o povo de Ingwë, viam-no com suspeita; pois Ulmo os advertira, e tinham dado atenção às suas palavras. Mas os Noldor se deleitavam com as muitas coisas de conhecimento oculto que ele podia lhes revelar, e alguns deram ouvido a palavras que houvera sido melhor nunca terem escutado.

§49a Já se disse, de fato, que Fëanor aprendeu muito de Melkor em segredo, mas essa, sem dúvida, é só uma das muitas mentiras do próprio Melkor, invejando as artes de Fëanor e desejando reivindicar para si uma parte em seus feitos. Pois o certo é que, por mais apanhado que estivesse (assim como outros) nas mentiras de Melkor, ninguém entre todos os Eldalië jamais odiou mais Melkor do que Fëanor, filho de Finwë, que primeiro lhe deu o nome de *Morgoth*.

§49b E naquele tempo fez-se aquele feito mais renomado de todas as obras do Povo-élfico. Pois Fëanor, tendo agora chegado a seu poder pleno, ficou repleto de um novo pensamento, ou pode ser que alguma sombra de presságio tenha vindo a ele sobre a sina que havia de ser; e ponderou como a Luz das Árvores, a glória do Reino Abençoado, poderia ser preservada de modo imperecível. Então começou longo e maravilhoso labor; e ele congregou todo o seu conhecimento, e seu poder, e seu engenho sutil, pois seu propósito agora era fazer coisas mais belas do que qualquer um dos Eldar já fizera, cuja beleza houvesse de durar além do Fim.

Três joias ele fez e lhes deu o nome de *Silmarils*. Um fogo vivente ardia dentro delas, o qual era uma mescla da Luz das Duas Árvores. Por sua própria radiância elas brilhavam, mesmo no escuro da sala de tesouro mais profunda; contudo, todas as luzes que caíam sobre elas, por mais tênues que fossem, elas recebiam e devolviam de novo em tons maravilhosos, aos quais seu próprio fogo interno dava uma doçura excelsa. Nenhuma carne mortal, nem carne impura, nem nenhuma coisa de vontade maligna podia tocá-las sem se escorchar e ressecar; nem podiam elas ser feridas ou quebradas por nenhuma força em todo o reino de Arda. Essas joias os Elfos prezavam acima de todas as suas obras, e Varda as consagrou, e Mandos predisse que os destinos de Arda, terra, mar e ar, jaziam contidos dentro delas. E o coração de Fëanor prendeu-se estreitamente a essas coisas que ele mesmo fizera.

§50* Mas o coração de Melkor também desejava as mais belas das joias; e desde aquele tempo, com o desejo, a malícia de Melkor cresceu cada vez mais, embora nada dela pudesse ser vista na semelhança que ele usava, ou na bela forma que assumia à maneira dos Valar, seus irmãos. E, quando percebeu sua chance, semeou uma semente de mentiras e insinuações malignas em meio a todos os que estavam abertos a seu colóquio. Amargamente o povo dos Noldor teve de pagar por sua insensatez nos dias que vieram. Vindo amiúde entre eles, pronunciava sempre palavras do maior louvor, mel doce, mas envenenado; pois, em meio a todas as belas palavras, outras eram sempre sutilmente tecidas. Visões conjurava em seus corações dos reinos magnos que poderiam ter governado à vontade, em poder e liberdade no Leste. E então sussurrava, para qualquer um que se inclinasse a ele, que os deuses tinham trazido os Eldar a Valinor por causa de seu ciúme, temendo que a beleza dos Quendi e o poder de criadores que Ilúvatar lhes legara ficasse grande demais para que os Valar os governassem, conforme os Elfos crescessem e se espalhassem pelas amplas terras do mundo.

Naqueles dias, ademais, embora os Valar soubessem, de fato, da vinda dos Homens que havia de acontecer,[2] os Elfos, por ora, nada sabiam dela; pois os deuses não lhes tinham revelado isso, e o tempo ainda não estava próximo. Mas Melkor falou aos Elfos em segredo sobre os Homens Mortais, embora soubesse pouco da verdade. Manwë apenas sabia algo com clareza da mente de Ilúvatar acerca dos Homens, e ele sempre foi amigo deles. Melkor, porém, sussurrava que os deuses mantinham os Eldar cativos, para que os Homens, vindo, pudessem privá-los dos reinos da Terra-média; pois a raça mais fraca de vida curta, percebiam os Valar, seria mais facilmente dobrada por eles. Escassa verdade havia nisso, e pouco os Valar jamais prevaleceram ao tentar dobrar as vontades ou sinais dos Homens, e menos ainda para o bem. Mas muitos dos Noldor acreditavam, ou meio acreditavam, nessas palavras malignas. [Conta-se também que nesse tempo Melkor falou aos Eldar de armas e armaduras, e do poder que elas conferiam àquele que está armado para defender o que é seu (como ele dizia). Mas os Noldor agora aprenderam a dar forma a espadas de aço temperado,

* O início desse parágrafo corresponde, em conteúdo, ao final de QS §49.

e a fazer arcos e flechas e lanças; e fizeram escudos naqueles dias e lhes puseram brasões de prata e ouro e joias. Assim foi que os Noldor estavam armados nos dias de sua Fuga. Assim também, como amiúde se via, o mal de Melkor se voltou contra ele; pois as espadas dos Gnomos lhe fizeram mais dando do que qualquer coisa abaixo dos deuses sobre esta terra. Contudo, pouco regozijo tiveram com o ensinamento de Melkor; pois todos os pesares dos Gnomos eles obraram com suas próprias espadas, como depois se há de ver. Disse Pengoloð.]

§51 Assim, antes que os deuses percebessem, a paz de Valinor foi envenenada. Os Noldor começaram a murmurar contra os Valar e sua gente; e muitos se tornaram cheios de vaidade, esquecendo tudo o que os deuses lhes tinham dado e ensinado. Fortíssima queimava a chama no coração ávido de Fëanor; e Melkor riu em seu segredo; pois àquele alvo, acima de tudo, dirigira suas mentiras, e a Fëanor ele mormente odiava, cobiçando sempre as Silmarils. Contido, nunca podia ele se aproximar das joias; pois, embora em grandes festas Fëanor as usasse, luzindo em sua fronte, em outras horas eram guardadas de perto, trancadas nas fundas câmaras de seu tesouro, em Túna. Não havia ladrões em Valinor, ainda; mas Fëanor amava as Silmarils com um amor avaro e começou a recusar a vista delas a todos, salvo a seu pai e a seus filhos.

§52 Altos príncipes eram Fëanor e Fingolfin, os filhos mais velhos de Finwë; mas se tornaram ambos soberbos e ciosos de seus direitos e suas posses. E eis que Melkor espalhou novas mentiras, e sussurros chegaram a Fëanor dizendo que Fingolfin e seus filhos, Fingon e Turgon, estavam tramando usurpar a liderança de Finwë e da casa mais velha de Fëanor, e suplantá-los com permissão dos Valar — pois aos Valar não agradava que as Silmarils ficassem em Túna e não fossem entregues à guarda deles. Dessas mentiras querelas nasceram entre os soberbos filhos de Finwë, e dessas querelas deles veio o fim dos grandes dias de Valinor e o anoitecer de sua antiga glória; pois Fëanor pronunciou palavras de rebelião contra os Valar, gritando em alta voz que partiria de Valinor, de volta para o mundo de fora, e que libertaria, conforme disse, os Gnomos da servidão, se o seguissem. E, quando Fingolfin buscou refreá-lo, Fëanor sacou sua espada contra ele.[3] Pois as mentiras de Melkor, embora ele não conhecesse claramente a fonte delas, tinham se enraizado na soberba de seu coração.

§53 Então os Valar ficaram irados e consternados, e[4] convocaram Fëanor para questioná-lo no Círculo do Julgamento; e ali as mentiras de Melkor foram desnudadas para todos aqueles que o quiseram. Pelo juízo dos deuses, Fëanor foi banido por vinte anos[5] de Túna, já que ele tinha perturbado a paz da cidade. Mas com ele foram Finwë, seu pai, que o amava mais que a seus outros filhos, e muitos outros Gnomos também. A norte de Valinor, nas colinas perto dos salões de Mandos, eles construíram um lugar fortificado e uma sala do tesouro em Formenos;[6] e reuniram lá uma multidão de gemas. Mas Fingolfin passou a reger os Noldor em Túna; e assim as palavras de Melkor pareceram justificadas (embora Fëanor tivesse levado ao cumprimento delas por seus próprios atos), e a amargura que Melkor tinha semeado perdurou, ainda que as mentiras fossem reveladas, e por muito tempo depois ela continuou a viver entre os filhos de Fëanor e Fingolfin.

§54 Diretamente do meio de seu concílio os Valar enviaram Tulkas para deitar mãos sobre Melkor e trazê-lo a julgamento, mas Melkor se escondeu e ninguém pode descobrir para onde tinha ido; e as sombras de todas as coisas de pé pareceram ficar mais longas e escuras naquele tempo. Dizem que por dois anos[7] ninguém viu Melkor, até que ele apareceu privadamente diante de Fëanor, fingindo amizade com argumentos matreiros e incitando-o a retomar seus pensamentos anteriores de fuga. Mas a astúcia dele fez com que errasse o alvo; pois, sabendo que as joias tinham posto em cativeiro o coração de Fëanor, Melkor disse afinal: "Aqui tens um lugar forte e bem guardado, mas não penses que as Silmarils ficarão seguras em qualquer tesouro ao alcance dos Valar!"

Então os fogos do coração de Fëanor se acenderam, e seus olhos luziram, e sua vista ardente trespassou toda a semelhança bela de Melkor e chegou às profundezas sombrias de sua mente, e percebeu ali sua cobiça feroz pelas Silmarils. Então o ódio sobrepujou o medo de Fëanor, e ele falou a Melkor desbragadamente, dizendo: "Vai-te daqui, andejo! Corvo-de-prisão de Mandos!" E trancou as portas de sua casa diante do mais poderoso de todos os habitantes de Eä, como se ele fora um mendigo.

E Melkor partiu envergonhado, pois ele próprio corria perigo, e viu que ainda não era o tempo da vingança; mas seu coração estava negro de fúria. E Finwë se encheu de terror e enviou mensageiros com pressa aos Valar.

§55 Ora, os Valar estavam assentados em concílio diante de seus portões, temendo o crescimento das sombras, quando o mensageiro chegou da parte de Finwë, mas, antes que Tulkas pudesse partir, outras chegaram trazendo notícias de Eldanor. Pois Melkor tinha fugido através do Kalakirya e, da colina de Túna, os Elfos o tinham visto passar colérico, feito nuvem trovejante. Assim, Melkor partiu e, por algum tempo, as Duas Árvores brilharam de novo sem sombra, e ainda Valinor era bela; contudo, como uma nuvem ao longe que sobe cada vez mais alto, levada por um vento vagaroso e frio, a dúvida agora maculava a alegria de todos os habitantes de Aman, aterrorizados porque não sabiam que mal ainda podia vir. E os Valar buscavam sempre notícias de Melkor, em vão. Mas ele deixou Eldanor e[8] adentrou aquela região que é chamada de Arvalin, que fica ao sul da Baía de Elendë e é uma terra estreita debaixo dos sopés orientais das Montanhas de Aman. Ali as sombras eram as mais profundas e espessas do mundo. Naquela terra, em segredo e ignota, habitava em forma de aranha Ungoliantë, tecelã de teias escuras. Não se conta donde ela veio; da Escuridão de Fora, talvez, aquela que jaz em Eä além das muralhas do Mundo. Numa ravina vivia, e tecia suas teias numa fenda das montanhas; pois sugava luz e coisas brilhantes para lançá-las fora na forma de redes negras de treva sufocante e bruma pegajosa. Ansiava sempre por mais alimento.

§56 Melkor encontrou Ungoliantë em Arvalin e, com ela, tramou sua vingança; mas ela exigiu recompensa grande e terrível antes que ousasse enfrentar os perigos de Valinor e o poder dos deuses. Então, quando Melkor jurou lhe dar tudo o que cobiçava, teceu uma grande escuridão em torno de si para proteção deles, e cordas negras fiou, e as lançou de pico a pico rochoso; e desse modo escalou, por fim, o mais alto pináculo das montanhas, muito ao sul de Taniquetil. Naquela região a vigilância dos Valar era menor, porque as matas selvagens de Oromë ficava no sul de Valinor, e as muralhas das montanhas li davam para leste, sobre a terra não trilhada e o mar vazio; e os deuses montavam guarda antes contra o Norte, onde outrora Melkor cavara sua fortaleza e seu trono profundo.

Para §§57–9, ver o final do comentário a este capítulo, p. 238.

NOTAS

1 Essa passagem sobre as gemas inventadas por Fëanor (depois de "contudo, essa foi a menor de suas obras") foi um acréscimo secundário (ver p. 229). Ver o comentário a §46c.

2 A partir desse ponto, o texto recém-escrito, virtualmente contínuo, passa a ser uma edição fortemente emendada e interpolada do manuscrito do QS (p. 228).

3 "sacou sua espada contra ele" é uma alteração de "ameaçou-o com sua espada".

4 "Então os Valar ficaram irados e consternados, e" foi um acréscimo secundário.

5 "vinte anos" é uma alteração de "dez anos".

6 "em Formenos" foi um acréscimo secundário.

7 "dois anos" foi uma alteração de "muito tempo".

8 A partir desse ponto, a criação de um novo texto para o capítulo praticamente termina, e as poucas diferenças em relação ao QS correspondem à camada anterior de emendas que foi incluída no QT 1; mas apresento o texto até o final de §56 de modo a abranger a maioria dessas mudanças anteriores.

Comentário ao Capítulo 6, "Das Silmarils e do Escurecimento de Valinor"

A comparação entre as versões deve mostrar que a escrita de um novo texto no QT tem estreita relação com a parte correspondente dos AAm. Novos elementos no QT aparecem também nos AAm, como a mãe de Fëanor, Míriel (§78, p. 121), a invenção de letras por Rúmil e Fëanor (§§80, 83), ou a ideia de que a criação Silmarils se deu após a soltura de Melkor (p. 135, §92). Existem semelhanças constantes de redação e até muitas frases idênticas (notadamente no encontro de Fëanor com Melkor em Formenos, QT §54, AAm §102).

Será que é possível estabelecer a precedência entre os dois textos, QT e AAm? É muito difícil demonstrar isso em favor de qualquer uma das versões, pois os detalhes individuais podem ser interpretados dos dois jeitos. Assim, a palavra que Fëanor usa para insultar Melkor, "andejo", foi usada primeiro no QT, enquanto nos AAm ela substituiu "mendigo"; mas "os Valar ficaram irados e consternados" é um acréscimo ao QT (nota 4), enquanto "os Deuses se iraram" nos AAm (§99) não o foi. A mudança no QT de "dez anos" para "vinte anos" como o prazo do degredo de Fëanor de Tirion (nota 5) é uma mudança também nos AAm (§99 e nota 10), e o nome de Formenos é um acréscimo em ambos. Na verdade, penso que os dois textos eram contemporâneos muito próximos. Ver-se-á que, após a revisão do QT ter chegado ao fim, os AAm continuam (a partir de §105) da mesma forma mais ampla e mais expansiva, obviamente baseada, em sua estrutura, na tradição do *Quenta*: e pode ser, portanto, que o texto do QT tenha desaparecido porque os "Anais" (que praticamente tinham deixado de ser "Anais") haviam se tornado a versão preferida de meu pai.

Parece impossível dizer como ele concebia a relação entre os dois textos nesta época. Como eu disse (p. 132), "vemos a forma analística desaparecer à medida que uma narrativa totalmente desenvolvida emerge"; e a narrativa dos AAm, embora difira em todas as frases da versão do *Silmarillion*, é, no entanto, de forma muito óbvia, "a mesma coisa". É certamente um texto demasiado semelhante para ser considerado como a representação de uma tradição separada de erudição e memória, ou mesmo do trabalho de um "mestre-do-saber" diferente. Existem apenas variações minúsculas entre as duas narrativas (por exemplo, no QT, os mensageiros chegaram a Valinor contando que Melkor havia fugido através do Kalakirya antes de Tulkas partir em seu encalço (§55), enquanto nos AAm os mensageiros chegaram "antes que Oromë e Tulkas tivessem cavalgado muito longe" (§104)); e há um eco constante do vocabulário e do fraseado. Ver mais sobre esse tema nas pp. 351-4.

§46b *Byrde Míriel* (na nota de rodapé do texto): cf. AAm §78 (p. 121), trecho em que a mãe de Fëanor (num texto analístico que substituiu outro) recebe, estranhamente, o "cognome" do inglês antigo *Byrde*, e não *Serende*, no próprio texto e sem referência a Ælfwine.

§46c A passagem em AAm §83 (p. 121e nota 5) relativa ao estudo de Fëanor sobre a fabricação de gemas por meio de sua habilidade foi um acréscimo, assim como no presente texto (nota 1 acima); a ideia está associada à troca da criação de gemas pelos Noldor pela obtenção delas no solo de Aman (ver QT §40 e comentário).

Quanto à menção a "cristais … nos quais coisas distantes podiam ser vistas, pequenas, mas claras" (não mencionados nos AAm), cf. *as palavras de Gandalf* em *As Duas Torres* (lll. 864): "As *palantíri* vieram de além de Ociente, de Eldamar. Os Noldor as fizeram. Quem sabe o próprio Fëanor as tenha engendrado, em dias tão longínquos que o tempo não pode ser medido em anos".

§49a Cf. AAm §123 (p. 139): "Então Fëanor se levantou e amaldiçoou a Melkor, dando-lhe o nome de *Morgoth*". Nos AAm, o nome *Melkor* é usado até o momento em que Fëanor o chamou de Morgoth (p. 155, §123); do mesmo, na revisão do QS, o uso de *Morgoth* antes desse ponto da narrativa foi alterado para *Melkor*.

§49b A passagem relativa às Silmarils corresponde em conteúdo à última parte de QS §46; pois, como nos AAm, a criação das Silmarils ocorre agora após a soltura de Melkor.

§50 A passagem sobre o armamento dos Elfos não é mais apresentada como nota de rodapé e é colocada num ponto diferente daquele no QS (§49); mas está entre colchetes e é atribuído a Pengoloð. De qualquer forma, o texto, nesse ponto, está extremamente desordenado, uma vez que consiste, em parte, de novos trechos e, em parte, de passagens do texto original do QS que foram mantidas. A nota antiga foi, em grande parte, reescrita, embora não tenha sido muito alterada em relação à forma anterior: a principal diferença é que, embora o QS afirmasse que os Elfos anteriormente possuíam "armas de caça, lanças e arcos e flechas", agora o texto diz (como nos AAm, p. 125, §97) que eles não tinham nenhuma arma antes dessa época. Ver ainda p. 343.

§52 Quanto a Fëanor desembainhar sua espada contra Fingolfin, ver p. 135, §98. — É curioso que (apesar de §46b dizer "em Tirion sobre a coroa de Túna"), aqui a frase é "as Silmarils ficassem *em Túna*", e novamente em §53 "Fingolfin passou a reger os Noldor *em Túna*". O mesmo ocorre nos AAm (p. 118, §67) e muito mais tarde (ver p. 343).

§55 As palavras "em Eä", não encontradas no QT 1, correspondem ao trabalho posterior no manuscrito do QS conforme apresentado no texto acima (ver nota 8). Quanto às palavras "a Escuridão de Fora ... aquela que jaz em Eä além das muralhas do Mundo", ver pp. 84-6.

§57–9 Nos últimos parágrafos do capítulo, que não constam do texto (p. 235), as alterações feitas à versão do QS foram:

§57: *Morgoth* > *Melkor*, e em todas as ocorrências subsequentes.

§58: *Tûn* > *Túna*; *as costas de Casadelfos* > *as costas de Eldamar*; *Silpion* > *Telperion*; *protegido pelo destino* omitido; *Com sua lança negra* > *Súbito, com sua lança negra*; *folha e galho e raiz* > *raiz e folha e galho*; e, no final do parágrafo (depois que *ela inchou até atingir forma monstruosa*) foi acrescentado: *mas ainda estava com sede. Bebeu, portanto, também dos tonéis de Varda, e esvaziou-os completamente.*

§59: *seus pés* > *os pés dos caçadores; escapou da caça* > *escapou deles.*

Notei anteriormente (p. 178) que, muito mais tarde (após a publicação de *O Senhor dos Anéis*), meu pai se voltou para a escrita de uma nova narrativa dentro do conjunto do *Quenta Silmarillion*: começando com o Capítulo 1, que se tornou o *Valaquenta*, e depois saltando para o presente capítulo, o 6. Uma nova história com implicações múltiplas, a da morte da mãe de Fëanor, Míriel, e do segundo casamento de Finwë com Indis dos Vanyar, agora tinha surgido; mas esse desenvolvimento posterior e final ainda não será apresentado aqui (ver p. 254 e seguintes).

7. DA FUGA DOS NOLDOR

A história textual deste capítulo é relativamente simples (para a reescrita tardia que acabei de mencionar, que avança um pouco nessa versão, ver p. 354 e seguintes). O capítulo original no QS (V. 275–82, onde ele é marcado com o número 5) foi corrigido, não muito extensamente, na época da revisão de 1951, e, seguindo essa correção, foi datilografado, tornando-se assim o texto QT 1. Essa forma do capítulo não recebeu nenhuma correção, mas no texto datilografado QT 2, que é posterior, meu pai fez algumas alterações, sobretudo a alteração regular de nomes. Nesse caso, não apresento o texto revisado, mas registro individualmente as alterações significativas feitas no QS. Várias pequenas mudanças de redação não são mencionadas, nem mudanças regulares de nomes como *Melko* > *Melkor*, *Tûn* > *Túna* ou *Tirion*, *Kôr* > *Túna*, *o passo de Kôr* > *o passo de Kalakiryan*, *Elwë* > *Olwë*. Em §69, *terra ocidental* > *Terra-do-Oeste* e *Helkaraksë* > *Helkaraxë* (assim grafado nos AAm), em §70 *costas de Casadelfos* > *costas de Eldanor*, e em §71 *Eruman* > *Araman* (cf. AAm §125, pp. 139, 155).

§60 Nas três primeiras ocorrências, "Morgoth" > "Melkor", e, no final do parágrafo, após "à violência de Morgoth", foi acrescentada a frase: "pois esse passou a ser seu nome daquele dia em diante entre os Gnomos"; depois disso, "Morgoth" foi mantido. No final da página, meu pai anotou: "Em forma mais antiga, *Moringotto*". Foi aqui que ele introduziu a história de que Melkor recebeu o nome de *Morgoth* nessa época, embora ainda não houvesse nenhuma sugestão de que foi Fëanor quem o atribuiu a ele. Essa ideia surgiu nos AAm (§123) e na reescrita contemporânea do Capítulo 6 (p. 231, §49a); sem dúvida ao mesmo tempo, meu pai riscou no manuscrito do QS o acréscimo que acabei de apresentar e o substituiu por: "Assim Fëanor o chamou naquela hora: o Inimigo Negro, e esse nome ele teve entre os Noldor sempre desde então". O epíteto *Morgoth* foi traduzido como "o Inimigo Sombrio" na passagem dos AAm, mas por alguma razão isso foi rejeitado (p. 153, nota 2).

A frase em §60, "algo que até então não tinha sido visto, que na noite que se ajuntava parecera ser uma aranha de aspecto monstruoso", foi alterada para "uma coisa antes nunca vista, para a qual nenhuma palavra se conhecia, uma vasta forma de escuridão, negra na noite que se ajuntava"; cf. AAm §122. A intenção do texto é que os Valar ignorem totalmente a natureza da ajuda que Melkor convocara (cf. AAm §124), e a Escuridão (ou "Desluz") de Ungoliantë se torna uma ideia central da lenda.

§62 A passagem relativa aos Orques, começando com "ele trouxe à existência a raça dos Orques" e seguindo até o final do parágrafo, foi reescrita da seguinte forma:

> ele trouxe à existência a raça dos Orkor*, e eles cresceram e se multiplicaram nas entranhas da terra. Essas criaturas Morgoth fez em inveja e zombaria dos Elfos. Portanto, na forma eles eram semelhantes aos Filhos de Ilúvatar, porém imundos de se contemplar; pois foram feitos em ódio, e de ódio estavam repletos. Suas vozes eram como o entrechocar de pedras, e eles não riam, exceto apenas diante de tormento e feitos

cruéis. *Glamhoth*, as hostes do tumulto, é como os Noldor as chamavam.

*[nota de rodapé ao texto) Na fala gnômica, a forma desse nome é *orch* para um, *yrch* para muitos. *Orques* é como podemos chamá-los, pois nos dias antigos eles eram fortes e feros como demônios; porém eram de outra raça, uma prole da terra corrompida pelo poder de Morgoth, e podiam ser mortos ou destruídos pelos valentes: disse Ælfwine.

Esse trecho está intimamente relacionado ao de AAm §127, na forma que tinha quando escrito originalmente (ver pp. 153, notas 5–7 e comentário na p. 155), e contém a mesma conjunção de duas teorias aparentemente diferentes, a de que os Orques foram "feitos" por Morgoth e que eles eram "uma prole da terra" corrompida por ele.

Meu pai então alterou a passagem cortando a nota de rodapé de Ælfwine sobre a palavra *Orkor*, mas adicionando uma passagem bastante semelhante no corpo do texto, desta forma:

Glamhoth, as hostes do tumulto, é como os Noldor os chamavam. Orques é o nome que podemos lhes dar;* pois em dias antigos eram fortes e feros como demônios. Porém não eram de raça demoníaca, mas uma prole da terra corrompida por Morgoth, e podiam ser mortos ou destruídos pelos valentes com armas de guerra.

*[nota de rodapé do texto] Disse Ælfwine.

Esse rearranjo é intrigante, pois a contribuição de Ælfwine dificilmente pode ser limitada às palavras "Orques é o nome que podemos lhes dar" (ver p. 157); mas talvez, ao colocar o asterisco nesse ponto, meu pai quisesse indicar que tudo o que se segue foi acrescentado por Ælfwine. No texto datilografado do QT, ele alterou o trecho de novo, colocando toda a passagem a partir de "Orques é o nome que podemos lhes dar" em uma nota de rodapé.

No manuscrito do QS, ele rabiscou mais tarde, ao lado da primeira parte da passagem, a respeito da criação dos Orques: "Alterar isso. Ver *Anais*". Isso se refere à mudança introduzida nos AAm, na qual os Orques tinham sido gerados a partir de Quendi capturados muitas eras antes: ver o comentário aos AAm §127 (p. 157).

§67 "mestres da luz encantada" > "mestres da Luz imaculada"; cf. AAm §133, "senhores da Luz imaculada".

§68 "Mas, de seus próprios filhos, Inglor apenas falou com ele [Finrod]; Angrod e Egnor tomaram o partido de Fëanor, e Orodreth ficou de lado"> "Mas de seus próprios filhos, lnglor apenas falou de maneira semelhante; pois Angrod e Egnor e Galadriel estavam com Fingon, enquanto Orodreth ficou de lado e não falou". Quando os AAm foram escritos originalmente, o mesmo relato sobre as associações dos príncipes noldorin foi apresentado, mas o texto foi alterado imediatamente: ver AAm §135 (pp. 144, 158) e p. 154, nota 12.

"e com Fingolfin estavam Finrod e Inglor" > "e com Fingolfin estavam Finrod e sua casa"

§72 Todo esse parágrafo foi reescrito da seguinte forma:

> Então Finrod deu meia-volta, estando cheio de tristeza, e com amargura contra a casa de Fëanor, por causa de seu parentesco com Olwë de Alqualondë; e muitos de seu povo foram com ele, remontando seus passos em pesar, até que contemplaram uma vez mais os raios distantes da Mindon sobre Túna, ainda brilhando na noite, e assim chegaram, afinal, a Valinor de novo. E receberam o perdão dos Valar, e Finrod foi posto a governar o remanescente dos Noldor no Reino Abençoado. Mas seus filhos não estavam com ele, pois não queriam abandonar os filhos de Fingolfin; e todo o povo de Fingolfin ainda seguiu adiante, temendo enfrentar o julgamento dos deuses, já que nem todos eles estavam livres de culpa do fratricídio em Alqualondë. Ademais, Fingon e Turgon eram ousados e ardentes de coração, e avessos a abandonar qualquer tarefa na qual punham as mãos até o fim amargo, se amargo tivesse de ser. Assim, a hoste principal se manteve, e, com a maior celeridade, o mal que tinha sido predito começou a operar.

O trecho é, quase palavra por palavra, o mesmo que o de AAm §156, sendo a única diferença real aqui a menção ao fato de que Fingon e Turgon não tomaram parte no fratricídio. Que a reescrita do QS precedeu a passagem nos AAm, entretanto, fica demonstrado pelo fato de que *Olwë* é aqui uma alteração posterior de *Elwë*.

§73 A frase "e levaram consigo somente aqueles que eram fiéis à sua casa, entre os quais se encontravam Angrod e Egnor" ficou inalterada, por descuido, e sobreviveu no texto datilografado QT 2. A associação de Angrod e Egnor com os Fëanorianos (por conta da qual foram transportados para a Terra-média nos navios) foi abandonada nas versões reescritas de QS §§68, 72 fornecidas acima.

"um grande incêndio, terrível e luzente" > "um grande incêndio, terrível e luzente, no lugar que mais tarde foi chamado de Losgar, na saída do Estreito de Drengist". O mesmo acréscimo foi feito nos AAm (§162, pp. 152, 160 e p. 155 nota 20).

"Portanto, liderados por Fingolfin, e Fingon, Turgon e Inglor" > "Portanto, liderados por Fingolfin e seus filhos, e por lnglor e Galadriel, a bela e valente"; esse é virtualmente o texto dos AAm (§163, p. 152).

"e chegaram a Beleriand ao nascer do sol" > "e chegaram à Terra-média ao nascer da Lua"; cf. AAm §163 (pp. 152, 160).

As emendas feitas a uma ou outra das cópias do texto datilografado QT 2 fornecem os nomes ou formas de nomes posteriores de alguns dos príncipes noldorin, como no Capítulo 5 (pp. 219, 224, §§41–2): *Finrod* > *Finarphin* e *Finarfin*, *Inglor* > *Finrod, Egnor* > *Ægnor* (conforme alterado no Capítulo 5, com a grafia *Aegnor*). — Em "sua antiga fortaleza, Utumno no Norte" (§62) *Utumno* > *Angband*; isso reflete a história tardia de que tanto Utumno quanto Angband foram construídas nos dias antigos (ver p. 195, §12) — e foi, claro, para a fortaleza ocidental, Angband, que Melkor retornou, e foi esse lugar que ele reconstruiu a partir de suas ruínas.

Ao lado a passagem em §68 "A maior parte marchava atrás de Fingolfin, que com seus filhos cedera à voz geral contra sua sabedoria, pois não abandonariam o seu povo", meu pai anotou numa cópia do QT 2: "também por causa da promessa feita por Fingolfin (acima)". Isso se refere a uma passagem na reescrita final do capítulo anterior (p. 348, §58c), em que Fingolfin diz a Fëanor diante de Manwë: "Tu hás de liderar e eu seguirei". A palavra "acima" significa que a versão final já existia e tinha sido incorporada ao texto datilografado QT 2.

8. DO SOL E DA LUA E DA OCULTAÇÃO DE VALINOR

A situação textual aqui é a mais simples até agora: temos o capítulo no QS (V. 284–8) e as emendas feitas ao QS em 1951, incluídas no texto datilografado QT 1, que não foi alterado posteriormente. (Algumas alterações escritas fracamente a lápis não foram incorporadas ao QT 1, seja porque o datilógrafo não conseguiu interpretá-las ou porque foram inseridas posteriormente no manuscrito.) Tal como acontece com o Capítulo 6 (p. 236), o texto datilografado posterior QT 2 não existe. A história desse capítulo de *O Silmarillion* termina, portanto, com as poucas alterações feitas no QS em 1951; há também o relato nos AAm §§164–81, que foi derivado de perto do que ocorre no QS, com alterações e omissões. Nesse caso, novamente, apresento as alterações significativas feitas no QS, e não o texto inteiro. As mudanças regulares de nome são (§79) *Kalakilya* > *Kalakiryan*, *a colina de Kôr* > *a colina de Túna*.

§74 A passagem que começa com "E Manwë pediu que Yavanna ..." foi alterada para uma forma quase idêntica à dos AAm §167 (p. 164):

> E Manwë pediu que Yavanna e Nienna usassem todos os seus poderes de crescimento e cura; e elas usaram todos os seus poderes nas Árvores, mas as lágrimas de Nienna não valeram para curar as feridas mortais delas; e, por muito tempo, Yavanna cantou sozinha nas sombras. Porém, bem na hora em que a esperança fraquejou e a canção dela se interrompeu no escuro, eis que Telperion produziu enfim, num galho sem folhas, uma grande flor de prata, e Laurelin, um único fruto d'ouro.

§75 A passagem que traz os nomes do Sol e da Lua foi alterada para uma forma intermediária entre o QS e os AAm §171:

> Isil, a Brilhante, é o nome que os deuses outrora deram à Lua em Valinor, e Anar, Dourado-fogo, é o nome que usaram para o Sol; mas os Eldar também os chamaram de Rána, a Inconstante, a provedora de visões, e [Úrin >] Naira, o coração de chama, que desperta e consome.

Assim, Úrin > *Anar* (com significado diferente, "Dourado--fogo"), tal como nos AAm, mas esse nome e *Isil* continuam sendo nomes dados pelos Deuses, não pelos Vanyar; Úrin foi inicialmente trocado com *Anar* e passou a ser o nome eldarin do Sol, mas foi depois substituído por *Naira* (*Vása* nos AAm). Rána (substituindo *Răna*) e *Naira* continuam sendo nomes eldarin, enquanto nos AAm *Rána* e *Vása* são de origem noldorin.

"A donzela escolhida entre a sua própria gente pelos Valar"> "A donzela que os Valar escolheram dentre os Maiar" (concordando com AAm §172).

A lápis, na margem, ao lado de *Arien* (acima da glosa marginal original de Ælfwine apensando o termo *hyrned*, "cornudo", ao nome de Tilion, V. 285, nota de rodapé) está uma palavra em inglês antigo não registrada, *Dægbore* ("Portadora-do-dia", feminino). Nos AAm (§172, notas marginais), as palavras do inglês antigo fornecidas por Ælfwine são *hyrned* e *dægred* (raiar do dia, aurora).

"lagoas iluminadas pela luz bruxuleante de Silpion"> "as lagoas de Estë sob as luzes bruxuleantes de Telperion" (concordando com AAm §172). *Silpion* > *Telperion* dali em diante (ver p. 59, §5).

§76 "Răna foi feita primeiro" > "Isil foi feita primeiro" (como AAm §173)

"Melko" > "Morgoth", porque ele deve ser chamado de *Morgoth* a partir do ponto da narrativa em que recebe esse nome (p. 240, §60).

§77 "Dos rogos de Lórien e Nienna" > "dos rogos de Lorien e Estë" (tal como em AAm §175).

"Varda mudou de desígnio" > "Varda mudou de conselho" (como em AAm §175).

Toda a passagem começando em "é a hora de maior luz" e continuando até §79 "os Valar guardam a radiância do Sol em muitas vasilhas" foi colocada no pretérito (cf. AAm §§ 175–8).

§78 *Eruman* > *Aruman* (não *Araman*). Visto que *Eruman* foi alterado para *Araman* na revisão feita nesse momento em uma página anterior no QS (§71), *Aruman* aqui é sem dúvida apenas uma alteração incompleta.

§79 A reescrita da passagem no QS que começa com "Aquela luz vive agora apenas nas Silmarils" eliminou finalmente a ideia antiga do "reacender" do "Sol e da Lua Antigos, que são as Árvores" (para essa história, ver II. 344, IV. 49, 60, 187), ou pelo menos restringiu-a a uma previsão da recuperação das Silmarils; mas a estranha profecia de Ulmo de que isso só aconteceria com a ajuda dos Homens foi mantida. Não há nada correspondente a isso nos AAm. A passagem alterada diz:

> Aquela luz vive agora apenas nas Silmarils; embora ainda haja de vir um tempo, quiçá, quando elas serão encontradas de novo e seu fogo liberado, e o antigo júbilo e glória retorne, Ulmo predisse aos Valar ..."

A frase (que não ocorre em AAm, §180) "a frota dos Teleri ficava na costa" foi alterada para "reconstruída com a ajuda de Ossë, a frota dos Teleri ficava na costa".

§80 "a Baía de Casadelfos" > "A Baía de Eldanor".

Parece-me muito provável que meu pai tenha feito essas alterações no QS antes de escrever a seção sobre o Sol e a Lua nos *Anais de Aman*; em todo caso, ambos os trechos são, sem dúvida, contemporâneos próximos.

(II) A SEGUNDA FASE

Um severo problema de apresentação surgiu quanto à abordagem da versão expandida tardia do Capítulo 6, *Das Silmarils e do Escurecimento de Valinor* (ver pp. 178, 228 e seguintes), na medida em que a primeira parte do novo texto foi baseada e desenvolvida em etapas a partir de uma grande investigação independente sobre a natureza dos Eldar. Surgindo a partir de um relato de suas leis e costumes matrimoniais, essa discussão se estende a uma longa análise do significado da morte, da imortalidade e do renascimento no que diz respeito aos Elfos. Percebi que fornecer o texto narrativo tardio do Capítulo 6 imediatamente após o texto da versão da "primeira fase", adiando a apresentação do longo e notável ensaio do qual ele deriva, era extremamente confuso; ao passo que introduzir o ensaio na série de capítulos da "primeira fase" piorou a situação. Por essa razão, dividi esta parte do livro em duas seções e apresento aqui separadamente as versões narrativas tardias dos Capítulos 1, 6 e uma parte do 7, juntamente com o ensaio sobre os Eldar. Datar estes escritos (e aqueles apresentados na Parte Quatro) com alguma precisão real parece impossível com base nas evidências que conheço, mas os poucos dados existentes apontam claramente, na maioria dos casos, para o final da década de 1950 e não muito depois disso (para uma discussão detalhada, ver p. 363).

O VALAQUENTA

No caso da forma final e ampliada do antigo Capítulo 1, o *Valaquenta* (abreviado como **Vq**), há dois textos, ambos datilografados por meu pai (Vq 1 e Vq 2). O Vq 1 começa como uma cópia do QT 2, mas logo diverge e, com a introdução de muito material novo, torna-se inteiramente distinto da versão anterior em várias partes. Embora datilografado, é basicamente um rascunho, confuso e (pelo menos na forma que existe agora) incompleto. Ele foi seguido, na minha opinião imediatamente, pelo texto finalizado Vq 2.

O Vq 1, como as versões anteriores, tem o título "QUENTA SILMARILLION. Aqui começa o *Silmarillion*, ou a História das Silmarils. I. Dos Valar". O Vq 2, por outro lado, traz o título "VALAQUENTA. Aqui está o Relato sobre os Valar e Maiar de acordo com a Sabedoria dos Eldar". Que o primeiro capítulo original de *O Silmarillion* se tornou uma entidade separada, como o *Ainulindalë*, é algo que pode ser demonstrado, além do novo título, pelo fato de que no texto final (QT 2) do capítulo seguinte, *De Valinor e das Duas Árvores*, uma folha de rosto (juntamente com uma página contendo o preâmbulo, a nota de Ælfwine e a nota do tradutor) foi anexada, e o capítulo foi numerado como "1". Essa folha de rosto é virtualmente a mesma do antigo QS datilografado (ver V. 238), com o título "*Eldanyárë*" e, embaixo de "*Quenta Silmarillion*", a divisão em três partes e as formas *Pennas Silevril, Yénie Valinóren, Inias Valannor* (onde, no entanto, o antigo texto datilografado foi alterado para *Balannor*) e *Inias Beleriand.* O fato de essa versão ter sido retirada do texto original de "*Eldanyárë*" sugere que ela realmente correspondia ao QT 1 (cuja folha de rosto está faltando, p. 180). É verdade que ela foi datilografada ao mesmo tempo que o resto do QT 2, mas imagino que (tendo decidido separar o *Valaquenta*), meu pai, nesse momento, tenha dado a folha de rosto do QT 1 ao datilógrafo do QT 2 para que a copiasse, após o que essa página foi extraviada e perdida. Parece estranho que ele tenha feito isso; pelo menos seria de se esperar que ele trocasse o nome do segundo elemento de *Os Anais de Valinor* para *Os Anais de Aman*. De fato, ele fez algumas emendas a lápis: de *Yénie Valinóren* para *Yénie Valinóreo* (e, embaixo do segundo, *Valinóre Yénie*) e de *Inias Valannor* para Ínias Dor-Rodyn.

Essencialmente, o Vq 1 foi a versão inovadora e o Vq 2 refinou estilisticamente o novo material, embora, de qualquer modo, seja possível que o Vq 1 fosse equivalente ao QT 2 e que o Vq 2 tenha introduzido o novo texto; no entanto, considero esse detalhe, em larga medida, irrelevante. A seguir, comento características notáveis percebidas a partir de uma comparação entre o *Valaquenta* e o QT (ou seja, o texto corrigido do QT 1 apresentado nas pp. 181-5, citado com base nos parágrafos numerados, juntamente com as emendas feitas na cópia QT 2 que aparecem nas pp. 185-7). O texto do *Valaquenta* se encontra no *Silmarillion* publicado. Considerando que foram feitas várias alterações editoriais ao texto do *Valaquenta*, noto alguns pontos em que há diferenças substanciais.

§1 As palavras "Que ele seja!" não foram incluídas nos textos Vq (ver p. 185, §1).

§2 Quase todo esse parágrafo sobre os Maiar e a confusão com os Elfos (conforme ele foi alterado no QT 2) ainda sobreviveu no Vq 1, mas foi eliminado no Vq 2 (a primeira parte reapareceu, reescrita, no início da seção "Dos Maiar"). O final do parágrafo, referente à criação dos Filhos de Eru, foi eliminado no Vq 2 e não reaparece.

§3 O Vq 1, conforme datilografado, seguiu o QT exatamente quanto à lista dos "chefes dos Valar" (com *Lóriën*, como no QT 2, no lugar da forma anterior *Lorien*), mas uma lista das sete rainhas (*Valier*) também é fornecida: Varda, Yavanna, Niënna, Vána, Vairë, Nessa, Uinen (em concordância com a tabela apresentada na p. 190). No Vq 1, os nove "chefes" se tornaram, por conta de uma emenda, sete: Melkor e Ossë foram removidos (e o lugar de Oromë mudou, de modo que ele fica depois de Aulë); esse é o número e a ordem dos "Senhores dos Valar" no Vq 2 e na obra publicada (p. 52). Também por meio de uma emenda ao Vq 1, as rainhas perdem Uinen mas ganham Estë, que é colocada depois de Niënna, e Vána é posta depois de Vairë; essa, novamente, é a forma final. Essas alterações, tanto para os Valar quanto para as Valier, foram feitas também no texto datilografado dos AAm (p. 93, §§1–2). Os nomes Vána e *Niënna* são grafados assim no Vq 2.

A frase no QT, "embora tenham outros nomes, ou designações alteradas, na fala dos Sindar", foi mantida no Vq 1 com o acréscimo de "na Terra-Média", mas alterada no Vq 2 para "embora tenham outros nomes na fala dos Elfos na Terra-Média".

§4 (*Varda*) A história da frase "Com Manwë habita Varda" (*O Silmarillion*, p. 52) é curiosa. QS §4 diz "Com ele habita, como esposa, Varda ..."; por emenda ao QT 1, a frase ficou "Com ele *em Arda* habita, como esposa, Varda ..."; e no Vq a forma é "Com Manwë *agora* habita, como esposa, Varda ..." Em 1975, quando o trabalho principal com o texto do *Silmarillion* publicado foi concluído, enxergando então com muito menos clareza do que passei a enxergar desde então certas datas e relações textuais (e ignorando a existência de alguns textos), não percebi que esse "agora" poderia ter algum significado e, além disso, ele contribuía para o problema dos tempo verbais no *Valaquenta*, que é discutido abaixo; portanto, eu o omiti. No entanto, é sem dúvida um detalhe significativo. Nos AAm o texto afirma (p. 69, §3): "Varda era a esposa de Manwë desde o princípio", em contraste com a "união" posterior de Yavanna e Aulë "em Ëa" (acerca da qual ver §5 abaixo). Mas o texto datilografado dos AAm foi alterado (p. 93, §3) para "Varda era a esposa de Manwë desde o princípio de Arda", o que mostra que alguma concepção complexa estava presente (embora nunca expressa de forma definitiva) a respeito do tempo da "união" dos grandes espíritos.

Na nova e grandemente ampliada passagem sobre Varda, o Vq 1 diz "Ela raramente fala em palavras, exceto a Manwë", enquanto o Vq 2, seguido pelo texto publicado (p. 52), afirma "Manwë e Varda raro se separam e permanecem em Valinor".

(*Ulmo*) A longa passagem nova a respeito de Ulmo surgiu no Vq 1, que tem algumas diferenças interessantes em relação à forma final: o texto diz que Ulmo "tinha menos necessidade da luz das Árvores ou de qualquer lugar de descanso", e que "seus conselhos iam se afastando cada vez mais da mente de Manwë (a quem, não obstante, ele obedecia)": cf. o *Ainulindalë* (p. 27, §18), "Manwë e Ulmo têm sido desde o princípio aliados, e em todas as coisas têm servido mui fielmente aos propósitos de Ilúvatar". Em ambos os textos Vq suas trompas são chamadas de *Falarombar*, alteradas no Vq 2 datilografado para *Ulumúri*; cf. o nome original da trompa de Oromë, *Rombaras* (p. 52, §34), e as *Etimologias*, V. 460, radical ROM.

(*Ossë e Uinen*) A passagem relativa a Ossë e Uinen, muito ampliada, aparece agora na seção "Dos Maiar", uma vez que ambos deixaram de ser contados entre os Valar (ver §3 acima).

§5 (*Aulë*) Nas palavras (referindo-se a Melkor e Aulë) "Ambos, ademais, desejavam criar coisas suas que fossem novas e não pensadas por outros" (*O Silmarillion*, p. 54), há muito provavelmente um reflexo da lenda da criação dos Anãos por Aulë.

(*Yavanna*) Aqui, novamente, como aconteceu com Varda (§4 acima), alterei erroneamente o texto relativo à união de Yavanna com Aulë. Ambos os textos Vq dizem "A esposa de Aulë *em Arda* é Yavanna", e as palavras "em Arda" certamente são significativas (ver V. 145).

"Alguns há que a viram postada como uma árvore sob o céu" é um trecho que retoma as versões posteriores do *Ainulindalë*, nas quais é o próprio Pengoloð quem declara a Ælfwine que a viu assim "longos anos atrás, na Terra dos Valar"(p. 29, §25).

O nome *Kementári* aparece como uma correção de *Palúrien* no QT 2, Capítulo 2 (p. 196, §14).

§6 (*Mandos*) A mudança editorial de "a norte" para "a oeste" em "Námo, o mais velho, habita em Mandos, que fica a norte de Valinor" no texto publicado (p. 54) é um erro lamentável, que expliquei em I. 104. — Pode-se notar aqui que, na passagem de §9 relativa a Niënna, a mudança no texto, de "salões de Mandos, que estão mais perto, mas ficam mais ao norte" (descrição que persiste do QS ao QT 2) para "salões de Mandos, que são perto de sua morada", não é editorial, mas pode ser encontrada nos textos Vq.

§7 (*Tulkas*) A frase "Ele veio por último a Arda para auxiliar os Valar nas primeiras batalhas contra Melkor" só apareceu com o Vq 2, mas deriva do *Ainulindalë* mais tardio (§31).

§8 (*Oromë*) Na emenda a apenas uma cópia do QT 2, o epíteto *Aldaron* associado a Oromë foi perdido (ver p. 186, §8), e não aparece em nenhum dos textos do Vq. O termo não deveria ter sido reintroduzido no texto publicado (p. 56). A expressão (*ibid.*) "pelos Sindar, de Tauron" deriva do QT 2 e do Vq 1, mas foi, na verdade, alterada no Vq 2 para "De Tauron ele é chamado na Terra-média"; cf. §3 acima, onde o termo "Sindar" também foi removido no Vq 2. A tradução de *Tauron* deveria ser "o Senhor das Florestas".

O nome do cavalo de Oromë, *Nahar*, aparece pela primeira vez em AAm §31 (p. 95). — Depois das palavras "na perseguição às criaturas malignas de Melkor" (*O Silmarillion*, p. 56), os textos do Vq dizem "Mas a Valaróma não é mais soprada e Nahar não mais corre sobre a Terra-média desde a mudança do mundo e o desvanecer dos Elfos, a quem ele amava". Essa frase remonta através das versões até o QS (embora a Valaróma não seja citada nela até o QT 2 e Nahar tampouco o seja até o Vq), e lamento a sua exclusão de *O Silmarillion.*

§9 (*Niënna*) O relato sobre Niënna aparece em um ponto anterior no Vq (seguindo os Fëanturi, de quem ela agora é "parenta") do que nas versões anteriores. As palavras "irmã dos Fëanturi" foram alteradas editorialmente em relação ao Vq, que diz "irmã de Námo" (ver p. 189, §9).

No final do relato dos Valar e Valier aparece o nome e a concepção dos *Aratar*, os Sublimes de Arda, dos quais existem oito após a remoção de Melkor. Isso contraria a concepção dos "Sete Grandes do Reino de Arda" (p. 184, §10a), entre os quais Melkor é enumerado, mas não Oromë, nem Mandos.

§§ 10a, b *Dos Maiar.* As palavras no texto publicado (p. 57) sobre Eönwë, "cujo poder em armas não é ultrapassado por ninguém em Arda", foram um acréscimo editorial, feito a fim de preparar o leitor para sua liderança das hostes do Oeste na Grande Batalha (*O Silmarillion*, p. 333). Para o final dos Dias Antigos, quase não há material do período seguinte a *O Senhor dos Anéis*.

(*Melian*) No QT 2, afirma-se que Melian era "do povo de Yavanna"; ver p. 184, §10b.

(*Olórin*) No final do relato sobre Olórin está rabiscado o seguinte no Vq 1datilografado: "Ele era humilde na Terra dos Abençoados; e, na Terra-média, não buscava renome. Seu triunfo estava no soerguer dos caídos, e seu regozijo estava na renovação da esperança". O trecho aparece no Vq 2, mas meu pai posteriormente colocou aspas em volta dele. Foi omitido erroneamente de *O Silmarillion* (p. 58).

Dos Inimigos. Nesta seção quase inteiramente nova aparece a concepção de que os Balrogs (*Valaraukar*) eram espíritos poderosos que existiam antes do Mundo; do mesmo modo, também nos AAm* (p. 106, §30), os Balrogs são descritos como os principais dos "espíritos malignos que seguiam [Melkor], os Úmaiar". Ver ainda a p. 205, §18.

Os textos do *Valaquenta* terminam assim, falando da Maculação de Arda, a preocupação subjacente de muitos dos escritos apresentados posteriormente neste livro:

> Aqui termina *O Valaquenta.* Se passou do elevado e do belo para a escuridão e a ruína, essa era desde outrora a sina de Arda Maculada; e, se alguma mudança há de vir e dar emenda à Maculação, Manwë e Varda quiçá saibam; mas não o revelaram, e isso não foi declarado nas sentenças de Mandos.

A Segunda Profecia de Mandos (V. 399) agora tinha desaparecido definitivamente. Essa passagem foi usada para concluir o *Silmarillion* publicado (p. 338).

No meu prefácio de *O Silmarillion* escrevi que no *Valaquenta* "temos de supor que, enquanto o texto contém muita coisa que deve remontar aos primeiros dias dos Eldar em Valinor, foi remodelado em épocas posteriores; e isso explica sua contínua mudança de tempo verbal e ponto de vista, de modo que os poderes divinos ora parecem presentes e ativos no mundo, ora remotos, uma ordem desaparecida que se conhece apenas de memória".

O problema do tempo verbal na presente obra é certamente muito difícil. Já no Q (IV. 96) aparece a oscilação entre verbos no pretérito e no presente, pois Ossë, Uinen e Niënna são descritos no presente, em contraste com todos os outros, enquanto Ulmo "era" o mais próximo de Manwë em poder, mas "habita" sozinho nos Mares de Fora. No QS (ver V. 242–4), o presente é usado, quase embora não exclusivamente — mas "Tulkas *tinha* grande amor por Fionwë" logo passou a ser "*tem*", e "Oromë *era* um senhor poderoso" ficou "Oromë *é*" na revisão de 1951.

Com os acréscimos e alterações feitos no decorrer dessa revisão, as variações continuam. Em QT §10a, por exemplo, "*há* nove Valar", contrastando com a passagem original em §3, "Os chefes dos Valar *eram* nove", que remonta ao QS e ao Q; ou, na passagem sobre os Maiar em §10b, "Entre eles, Ëonwë ... e Ilmarë ... *eram* os principais", mas "Muitos outros *há*" (alteração de "*havia*"). A mesma mistura de presente e pretérito é encontrada nos AAm* (p. 88, §3).

A situação permanece a mesma nos textos do Vq, e, ao preparar o *Valaquenta* para publicação, alterei (com receios e dúvidas) alguns dos tempos verbais. As versões da obra publicada que foram alteradas em relação às do Vq são:

> p. 51–2: "Os Senhores dos Valar são sete; e as Valier... *são* também sete"; "Os nomes dos Senhores, em devida ordem, *são*"; "os nomes das Rainhas *são*".
> p. 52: "Manwë é o mais caro a Ilúvatar e *entende* mais claramente seus propósitos"; "ele a *odiou* e a *temeu*".
> p. 53: "Ulmo *ama* tanto os Elfos como os Homens".
> p. 54: "Os Fëanturi ... *são* irmãos".
> p. 57: "embora isso *seja* diferente em Aman"; "Eminentes entre os Maiar ... são Ilmarë ... e Eönwë".

Em todos esses casos, exceto em "ele a odiou e a temeu" na p. 52, o tempo verbal foi alterado do pretérito para o presente. A mudança na p. 54 parece, de qualquer forma, equivocada (cf. p. 52, "Manwë e Melkor eram irmãos no pensamento de Ilúvatar"); e implementar qualquer uma delas foi provavelmente um erro de julgamento. Mas o problema é real. Uma consideração importante na preparação do texto foi a obtenção de coerência e consistência; e um problema fundamental era a incerteza quanto ao modo pelo qual, no pensamento posterior de meu pai, a "Sabedoria dos Eldar" havia sido transmitida. Mas penso agora que atribuí demasiada importância ao objetivo da coerência, que pode estar presente quando não é evidente, e estava demasiado disposto a lidar com as "dificuldades" simplesmente eliminando-as.

A VERSÃO MAIS ANTIGA DA HISTÓRIA DE FINWË E MÍRIEL

A história de Finwë e Míriel, que assumiria uma importância extraordinária no trabalho posterior de meu pai em *O Silmarillion*, começou como um anexo manuscrito da revisão da "primeira fase" do Capítulo 6, *Das Silmarils e do Escurecimento de Valinor*; esse pedaço de papel foi inserido após o relato sobre a habilidade maravilhosa de Míriel, chamada de *Serende*, "a Bordadeira", mãe de Fëanor, no final de QT §46b (p. 229). Vou me referir a essa tira de papel como "**FM 1**" (ou seja, o primeiro texto que trata da história de Finwë e Míriel no *Quenta Silmarillion*).

Uma característica curiosa desse texto é a presença de datas marginais; e três inserções tardias nos *Anais de Aman* (p. 131, notas 1 e 4) estão intimamente associadas a ele. A passagem nos AAm correspondente ao Ano Valiano de 1179 (p. 121) cita o nascimento de Fëanor em Tirion e o nome de sua mãe, *Byrde Míriel*. Depois disso, meu pai mudou essa data para 1169 e, ao mesmo tempo, acrescentou estes novos anais:

1170 Míriel adormece e passa para Mandar.

1172 Sentença de Manwë em relação aos esponsais dos Eldar.

1185 Finwë se casa com Indis dos Vanyar.

Na presente inserção no texto do QT, as datas, que foram bastante alteradas, são as mesmas, ou variam só um ou dois anos. É óbvio que as inserções nos AAm e a tira de papel no QT são contemporâneos; e, embora meu pai provavelmente só tenha inserido as datas nesse último conjunto de textos como um guia para sua reflexão (elas estão ausentes dos textos subsequentes de *Finwë e Míriel*), o fato de ele ter feito isso parece um testemunho da proximidade que os dois "modos" narrativos agora tinham para ele.

O texto FM 1 foi posteriormente emendado com caneta esferográfica; as versões alteradas são mostradas no texto que se segue agora. Pode-se notar aqui que, nas três primeiras ocorrências do nome, meu pai escreveu *Mandar*, mudando o nome antes de o texto ser concluído para *Mandos*. A indicação inserida nos AAm para o ano de 1170, citada acima, também diz *Mandar*. Assim, mesmo esse nome havia muito estabelecido, que remonta à forma mais antiga das lendas, ainda era suscetível a mudanças; mas esse foi um movimento passageiro, que não se repetiu.

Ora, conta-se que, ao dar à luz seu filho, Míriel se consumiu em espírito e corpo; e que, depois do nascimento de Fëanor, ela ansiava por descansar da labuta de continuar vivendo. E disse a Finwë: "Nunca mais hei de dar à luz uma criança; pois a força que teria nutrido a vida de muitos passou para Fëanáro".** Então Manwë aceitou a prece de Míriel. E ela foi até Lorien e se deitou para dormir sobre uma cama de flores [> sob uma árvore prateada]; e ali seu belo corpo permaneceu imaculado, aos cuidados das donzelas de Estë. Mas seu espírito passou ao descanso nos salões de Mandos.

O pesar de Finwë foi grande, e ele deu a seu filho todo o amor que tivera por Míriel; pois Feänáro era como a mãe em voz e semblante. Contudo, Finwë não estava contente e desejava ter mais filhos. Falou, portanto [> Depois de alguns anos, portanto, ele falou] a Manwë, dizendo: "Senhor, eis que estou enlutado; e somente eu entre os Eldar estou sem uma esposa e não devo ter esperança de mais filhos exceto um, e nenhuma filha. Enquanto Ingwë e Olwë podem gerar muitos filhos na ventura de Aman. Devo permanecer sempre assim? Pois julgo que Míriel não voltará jamais da casa de Vairë".

Então Manwë considerou as palavras de Finwë; e, depois de algum tempo, convocou todos os conselheiros dos Eldar e, para que eles ouvissem, Mandos pronunciou esta sentença: "Esta é a lei de Ilúvatar para vós [> Este é o caminho de vida que Ilúvatar

---

** [Nota de rodapé ao texto] Assim ela chamava seu filho: *Espírito-de-Fogo*: e por esse nome ele ficou conhecido entre os Eldar. [*Fëanáro* é grafado assim aqui, mas *Feänáro* nas ocorrências seguintes.]

ordenou para vós], filhos dele, como bem sabeis: os Primogênitos hão de ter um cônjuge apenas e não terão outro nesta vida, enquanto Arda durar. Mas esta lei não leva em conta [> Mas nisso não se leva em conta] a Morte. Esta sentença, portanto, é anunciada agora, pelo direito de outorgar leis que Ilúvatar confiou a Manwë: que, se o espírito de um cônjuge, marido ou mulher, abandonando o corpo, por qualquer causa tiver ficado aos cuidados de Mandos, então o cônjuge vivente terá permissão para se unir a outro. Mas isso só pode acontecer se a união anterior for dissolvida para sempre. Portanto, aquele está aos cuidados de Mandos deve lá permanecer até o fim de Arda e não há de despertar nem de assumir forma corpórea. Pois ninguém entre os Quendi há de ter dois cônjuges, vivos e despertos, ao mesmo tempo. Mas, uma vez que não se deve pensar que os viventes, por sua vontade apenas, podem confinar o espírito de outrem em Mandos, essa desunião há de se dar apenas pelo consentimento de ambos. E, depois de dado o consentimento, dez anos dos Valar hão de passar antes que Mandos o confirme. Dentro desse tempo, qualquer um dos dois pode revogar o consentimento; mas, quando Mandos o confirmar, e o cônjuge vivente tiver desposado outro, ele há de ser irrevogável até o fim de Arda. Esta é a sentença de Námo sobre essa matéria".

Dizem que Míriel respondeu a Mandos dizendo: "Vim até aqui para escapar do corpo e não desejo jamais retornar a ele"; e, depois de dez anos, a sentença de desunião foi promulgada. [*Acrescentado*: e Míriel tem habitado sempre desde então na casa de Vairë, e é seu papel registrar lá as histórias da gente de Finwë e todos os feitos dos Noldor.] E, nos anos que se seguiram [> Mas, quando mais três anos tinham transcorrido], Finwë tomou como segunda esposa Indis dos Vanyar, da parentela [> irmã] de Ingwë; e ela deu à luz cinco belas crianças, das quais seus dois filhos são mui renomados nas histórias dos Noldor. Mas seu primeiro bebê foi uma filha, Findis, e ela deu à luz também duas outras filhas: Írimë e Faniel [> Faniel e Írimë].

O casamento do pai não agradou a Feänáro; e, embora o amor entre eles não ficasse diminuído, Feänáro não tinha grande amor por Indis ou seus filhos, e, assim que pôde, passou a viver separado deles, ocupando-se desde a primeira infância com o saber e o engenho nos quais se deleitava, e labutava em muitas tarefas, sendo, em todos os trabalhos, ávido e célere.

Há uma indicação aqui para voltar ao QT (no início de §46c, p. 229), com as palavras "Pois ele cresceu depressa ..."

LEIS E COSTUMES ENTRE OS ELDAR

Como expliquei (p. 246), descobri que o melhor método de apresentar este material é reproduzir, neste ponto, o longo ensaio sobre a natureza e os costumes dos Eldar, embora, é claro, não se possa dizer que ele faça parte do *Quenta Silmarillion*.

Esse trabalho existe em duas versões, um manuscrito completo ("**A**") e uma revisão dele em um texto datilografado ("**B**") feito por meu pai, que foi abandonado pouco antes da metade. Os dois textos têm títulos diferentes e, como ambos são longos, usarei uma forma abreviada, *Leis e Costumes entre os Eldar* (em referências posteriores, simplesmente *Leis e Costumes*). Da existência das duas versões surge uma dificuldade de apresentação frequentemente encontrada na obra de meu pai. O texto datilografado B, até onde chega, segue o manuscrito A bastante de perto na maior parte dos casos — demasiadamente de perto para justificar a impressão de ambos na íntegra, mesmo que não houvesse limitações de espaço. Por outro lado, há muitos pontos em que B difere significativamente de A. As opções são, portanto, apresentar A inteiro, com as divergências importantes em relação a B citadas nas notas textuais, ou apresentar B até o ponto em que o texto termina, com as divergências em relação a A nas notas, e depois o restante de A. Como B é um texto mais claro e melhorado, escolhi a segunda possibilidade.

Não é fácil dizer a partir de qual perspectiva ficcional *Leis e Costumes entre os Eldar* foi escrito. Há uma referência aos Elfos que permanecem na Terra-Média "nestes dias posteriores" (p. 275); por outro lado, o autor do texto fala como se os costumes dos Noldor ainda fossem algo presente e observável ("Entre os Noldor, pode-se ver que a feitura do pão cabe mormente às mulheres", p. 265) — embora não seja possível levar isso a ferro e fogo. De qualquer forma, fica claro que o texto é apresentado não como obra de um dos Eldar, mas de um Homem: a observação sobre a variedade de nomes usados pelos Eldar, "a qual ... pode nos parecer desnorteante" (p. 267; encontrada em ambos os textos, em palavras diferentes) é decisiva. Ælfwine, de fato, está associado a essa obra, mas de uma forma extremamente intrigante. Ele não aparece de modo algum na forma original de A; mas, entre várias correções e alterações feitas com caneta esferográfica vermelha (sem dúvida como uma preliminar à elaboração do texto datilografado) meu pai escreveu "Preâmbulo de Ælfwine" na margem ao lado da abertura do texto — sem, entretanto, marcar onde esse "preâmbulo" terminava. Em B, os dois primeiros parágrafos estão marcados como "Preâmbulo de Ælfwine" e foram colocados entre colchetes ornamentados, e isso claramente corresponde à elaboração do texto datilografado, embora não fique óbvio, de forma alguma, por que a abertura deveria ser separada do resto dessa maneira; ao mesmo tempo, mais tarde em B (p. 276) há uma longa observação, colocada entre colchetes semelhantes, que termina com as palavras "Assim falou Ælfwine" — mas essa passagem, em qualquer forma, está ausente de A.

Não existem rascunhos iniciais ou escritos rudimentares da obra e, caso não tenham mesmo existido, o texto manuscrito é notavelmente claro e ordenado, sem muita correção no momento da composição, embora bastante alterado posteriormente. Pode ser que a substância do texto tenha sido formulada, como produto de uma longa reflexão, antes de ser escrita pela primeira vez; ao mesmo tempo, tenho a impressão de que meu pai não havia planejado totalmente sua estrutura quando começou. Isso é sugerido pela forma curiosa como o julgamento de Mandos sobre o caso de Finwë e Míriel precede a história real do que levou ao julgamento (pp. 277-80, 289-93); ademais, após o relato sobre o casamento de Finwë com Indis se segue o Debate dos Valar, embora este tenha sido realizado antes da promulgação do "Estatuto de Finwë e Míriel". É difícil acreditar que meu pai tenha planejado essa estrutura um tanto confusa, e a visão de que a obra evoluiu conforme ele a foi escrevendo parece ser corroborada pelo título em A:

Das leis e dos costumes do casamento dos
Eldar, de seus filhos e de outras matérias
no tocante a esses assuntos

Ao mesmo tempo em que as palavras "Preâmbulo de Ælfwine" e outras correções em caneta esferográfica vermelha foram grafadas no manuscrito (ver acima), ele escreveu em negrito abaixo do título: "O Estatuto de Finwë e Míriel" — quase como se esse fosse o novo título da obra como um todo, embora o original não tenha sido riscado.

O texto datilografado B traz o título longo apresentado no início do texto abaixo; nessa versão, o texto termina antes que a história de Finwë e Míriel e o Debate dos Valar sejam alcançados. Não sei dizer por que meu pai o abandonou; talvez ele tenha sido meramente interrompido por alguma causa externa, ou talvez ele estivesse insatisfeito com sua forma.

Mas todas essas questões são totalmente secundárias em relação à importância da própria obra: uma declaração abrangente (embora por vezes obscura, e intrigante na sua obscuridade) do seu pensamento da época sobre aspectos fundamentais da natureza dos Quendi, distinguindo-os dos Homens: o poder do *fëa* (espírito) encarnado em relação ao corpo; a "consumição" do corpo pelo *fëa*; o destino dos espíritos élficos, que Eru ordenou que "habitassem em Arda por toda a vida de Arda"; o significado da morte, e da existência após a morte, para tais seres; a natureza do renascimento élfico; e as consequências da Maculação de Arda por parte de Melkor.

Segue-se agora a versão B datilografada, até o ponto em que ela foi interrompida. No final do texto (p. 280 e seguintes), há notas, em grande parte limitadas às relações textuais entre as duas versões; elas são necessariamente muito seletivas e não registram as muitas mudanças de redação em B que modificam ou melhoram a expressão sem alterar o sentido do texto original de alguma maneira importante. O próprio texto B quase não foi alterado depois de datilografado; mas uma nota a lápis na primeira página diz "No lugar de *hrondo*, leia-se *hröa*", e essa mudança foi realizada na maior parte do texto. A palavra usada em A para designar o corpo é *hrôn*, a qual passou a ser *hrondo* no decorrer da redação do manuscrito.

DAS LEIS E DOS COSTUMES ENTRE OS ELDAR NO TOCANTE AO CASAMENTO E OUTRAS MATÉRIAS A ELE RELACIONADAS; JUNTO COM O ESTATUTO DE FINWË E MÍRIEL E O DEBATE DOS VALAR QUANDO FOI CRIADO

Preâmbulo de Ælfwine

[Os Eldar cresciam, em forma corpórea, mais devagar que os Homens, mas, na mente, com mais celeridade. Aprendiam a falar antes que tivessem um ano de idade; e, nesse mesmo tempo, aprendiam a andar e a dançar, pois suas vontades logo chegavam ao domínio de seus corpos. Mesmo assim, havia menos diferença entre as duas Gentes, Elfos e Homens, no começo da juventude; e um homem que observasse crianças-élficas a brincar bem poderia crer que eram crianças dos Homens, de algum povo belo e feliz. Pois no início de seus dias as crianças-élficas deleitavam-se ainda no mundo à volta delas, e o fogo de seu espírito não as tinha consumido, e o fardo da memória ainda era leve sobre elas.[1]

Esse mesmo observador poderia, de fato, admirar-se dos membros e da estatura pequena dessas crianças, estimando sua idade por sua perícia com palavras e graça de movimento. Pois, no fim do terceiro ano, as crianças mortais começavam a ultrapassar os Elfos, apressando-se rumo à estatura plena enquanto os Elfos se demoravam na primeira primavera da infância. As crianças dos Homens podiam alcançar sua altura definitiva enquanto os Eldar da mesma idade ainda eram, no corpo, semelhantes a mortais de não mais de sete anos.[2] Não antes do quinquagésimo ano chegavam os Eldar à estatura e forma nas quais suas vidas, depois disso, haviam de subsistir, e para alguns cem anos passavam antes que estivessem de todo crescidos.]

Os Eldar se casavam, na maior parte, na sua juventude, e logo depois do quinquagésimo ano. Tinham poucos filhos, mas os que tinham lhes eram muito caros. Suas famílias, ou casas, ficavam unidas por amor e por um profundo sentimento de parentesco de mente e corpo; e as crianças precisavam de pouco governo ou ensinamento.[3] Raramente havia mais do que quatro crianças em uma casa, e o número diminuiu conforme as eras passavam; mas, mesmo nos dias de antanho, quando os Eldar ainda eram poucos e estavam ávidos por multiplicar sua gente, Fëanor era renomado como o pai de sete filhos, e as histórias não registram ninguém que o tenha superado.[4]

Os Eldar se casavam somente uma vez na vida, e o faziam por amor ou pelo menos pela vontade livre de ambas as partes. Mesmo quando, em dias posteriores, como as histórias revelam, muitos dos Eldar na Terra-média se tornaram corrompidos, e seus corações se escureceram pela sombra que jaz sobre Arda, raramente se conta qualquer história sobre atos de luxúria entre eles.[5]

O casamento, salvo por raros maus acasos ou sinas estranhas, era o curso natural da vida para todos os Eldar. Ele tinha lugar da seguinte maneira. Aqueles que mais tarde casar-se-iam poderiam escolher um ao outro no início da juventude, e até mesmo quando crianças (e, de fato, isso acontecia amiúde em dias de paz); mas, a menos que desejassem se casar logo e fossem de idade adequada, o noivado só acontecia após o julgamento dos pais de cada um dos membros do casal.

No tempo devido, anunciava-se o noivado num encontro de ambas as casas,[6] e os noivos davam anéis de prata um ao outro. De acordo com as leis dos Eldar, esse noivado, então, devia durar por um ano, ao menos, e muitas vezes durava mais. Durante esse tempo, o compromisso podia ser revogado por uma devolução pública dos anéis, sendo os anéis, então, derretidos e não usados de novo para um noivado. Assim era a lei; mas o direito de revogação raramente era usado, pois os Eldar não erram levianamente quanto a tal escolha. Não são enganados com facilidade por sua própria gente; e seus espíritos, sendo mestres de seus corpos, raramente são dobrados pelos desejos do corpo apenas, mas tendem por natureza à continência e à firmeza.

Não obstante, entre os Eldar, mesmo em Aman, o desejo de se casar nem sempre se realizava. O amor nem sempre era correspondido; e mais de uma pessoa poderia desejar outra como consorte. Acerca disso, a única causa pela qual o pesar adentrava a ventura de Aman, os Valar ficaram em dúvida. Alguns sustentavam que isso vinha da maculação de Arda, e da Sombra sob a qual os Eldar despertaram; pois disso apenas (diziam) vem a tristeza ou o desordenamento. Alguns sustentavam que vinha do amor em si mesmo, e da liberdade de cada *fëa*, e que se tratava de um mistério da natureza dos Filhos de Eru.

Após o noivado, era papel dos noivos estipular o dia de seu casamento, quando ao menos um ano tivesse passado. Depois, num banquete, de novo[7] compartilhado entre as duas casas, o casamento era celebrado. No fim do banquete, os noivos vinham à frente, e a mãe da noiva e o pai do noivo uniam as mãos do casal e os abençoavam. Para essa bênção havia uma forma solene, mas nenhum mortal já a ouviu; embora os Eldar digam que Varda era chamada pelo nome como testemunha pela mãe, e Manwë pelo pai; e, ademais que o nome de Eru era pronunciado (como raramente ocorria em qualquer outro momento). Os noivos, então, recebiam de volta um do outro seus anéis de prata (e os entesouravam); mas davam-se em troca finos anéis de ouro, que eram usados no dedo indicador da mão direita.

Entre os Noldor também era costume que a mãe da noiva desse ao noivo uma joia pendurada numa corrente ou colar; e que o pai do noivo desse um presente semelhante à noiva. Esses presentes eram, às vezes, entregues antes do banquete. (Assim, o presente de Galadriel a Aragorn, já que ela estava no lugar da mãe de Arwen, foi em parte um presente nupcial e um sinal do casamento que mais tarde se realizou.)

Mas essas cerimônias não eram ritos necessários para o casamento; eram apenas um modo gracioso pelo qual o amor dos pais se manifestava,[8] e reconhecia-se a união, a qual juntaria não apenas os noivos, mas suas duas casas. Era o ato da união corporal que concretizava o casamento, e depois dele o laço indissolúvel estava completo. Em dias felizes e tempos de paz, considerava-se descortês e desdenhoso com a parentela deixar de lado as cerimônias, mas era, em todas as épocas, legítimo que quaisquer dos Eldar, ambos estando solteiros, casassem-se assim por livre consentimento um com o outro, sem cerimônia ou testemunha (salvo a troca de bênçãos e o pronunciar do Nome); e a união assim feita era igualmente indissolúvel. Nos dias de outrora, em tempos de perturbação, em fuga e exílio e andanças, tais casamentos amiúde aconteciam.[9]

Quanto ao gerar e dar à luz crianças: um ano se passa entre a geração e o nascimento de uma criança-élfica, de modo que os dias de ambos os eventos são os mesmos ou quase os mesmos, e é o dia da geração que é recordado ano a ano. Na maior parte das vezes, esses dias ocorrem na Primavera. Poder-se-ia pensar que, uma vez que os Eldar não envelhecem no corpo (como julgam os Homens), eles poderiam engendrar crianças em qualquer tempo nas idades de suas vidas. Mas não é assim. Pois os Eldar, na verdade, envelhecem de fato, mesmo que lentamente: o limite de suas vidas é a vida de Arda, a qual, embora longa além da contagem dos Homens, não é sem-fim, e envelhece também. Ademais, seu corpo e seu espírito não são separados, mas coerentes. Conforme o peso dos anos, com todas as suas mudanças de desejo e pensamento, ajunta-se sobre o espírito dos Eldar, assim também os impulsos e ânimos de seus corpos mudam. É isso que os Eldar querem dizer quando falam de seus espíritos a consumi-los; e dizem que, antes que Arda termine, todos os Eldalië na terra terão se tornado como espíritos, invisíveis aos olhos mortais, a menos que desejem ser vistos por alguns entre os Homens cujas mentes possam adentrar diretamente.[10]

Além disso, os Eldar dizem que, no ato de gerar, e ainda mais no de dar à luz crianças, maior porção e força de seu ser, em mente e corpo, são despendidas do que na geração de crianças mortais. Por essas razões, veio a acontecer que os Eldar engendravam poucas crianças; e também que seu tempo de geração era em sua juventude ou nas primeiras fases da vida, a menos que sinas estranhas e duras lhes sobreviessem. Mas, em qualquer idade que se casassem, suas crianças nasciam dentro de um intervalo curto de anos após seu casamento.* Pois, no que concerne à geração, a potência e a vontade não são, entre os Eldar, distinguíveis. Sem dúvida eles manteriam por muitas eras o poder de geração, se a vontade e o desejo não estivessem satisfeitos; mas, com o exercício da potência, o desejo logo cessa, e a mente se volta para outras coisas.[11] A união de amor, de fato, é para eles grande deleite e júbilo, e os "dias das crianças", como os chamam, permanecem em sua memória como os mais alegres da vida; mas os Eldar têm muitas outras potências do corpo e da mente que sua natureza os incita a concretizar.

Portanto, embora os casados assim o permaneçam para sempre, eles não necessariamente habitam ou fazem morada juntos em todos os momentos; pois, desconsiderando-se os acasos e as separações de dias malignos, esposa e marido, ainda que unidos, permanecem individuais pessoas, tendo, cada uma, dons de mente e corpo que diferem. Contudo, pareceria a qualquer dos Eldar coisa pesarosa se um casal ficasse separado durante o nascimento de uma criança, ou enquanto os primeiros anos de sua meninice durassem. Por tal razão os Eldar geravam crianças apenas em dias de felicidade e paz, se pudessem.

* "Curto" da maneira como os Eldar computam o tempo. Na contagem mortal havia amiúde um intervalo longo entre o casamento e o nascimento da primeira criança, e outros ainda mais longos entre criança e criança.

Em todas aquelas coisas não ligadas ao engendramento de crianças, os *neri* e as *nessi*[12] (isto é, os homens e as mulheres) dos Eldar são iguais — a não ser nisto (como eles próprios dizem), que para as *nissi* o criar de novas coisas se mostra, na maior parte, na formação de suas crianças, de maneira que invenção e mudança são, de resto, mormente engendradas pelos *neri*. Não há, entretanto, matéria nenhuma a qual, entre os Eldar, somente um *nér* pode pensar ou fazer, ou outras com as quais apenas uma *nís* se preocupa. Há, de fato, algumas diferenças entre as inclinações naturais de *neri* e *nissi*, e outras diferenças que foram estabelecidas por costume (variando em lugar e no tempo, e nas várias raças dos Eldar). Por exemplo, as artes da cura, e tudo aquilo que tem a ver com o cuidado do corpo, são, entre os Eldar, praticadas mormente pelas *nissi*; enquanto eram os homens-élficos que portavam armas quando necessário. E os Eldar julgavam que provocar a morte, mesmo quando legítimo ou por necessidade, diminuía a potência de cura, e que a virtude das *nissi* nessa matéria se devia antes ao seu abster-se da caça ou da guerra do que a qualquer potência especial que acompanhava sua condição de mulher. De fato, em extrema necessidade ou defesa desesperada, as *nissi* lutavam valentemente, e havia menos diferença em força e velocidade entre homens-élficos e mulheres-élficas que ainda não tinham dado à luz criança do que se vê entre mortais. Por outro lado, muitos homens-élficos eram grandes curandeiros e hábeis no saber dos corpos viventes, embora tais homens se abstivessem de caçar e só fossem à guerra se houvesse máxima necessidade.

Quanto a outras matérias, podemos falar dos costumes dos Noldor (de quem mais se conhece na Terra-média). Entre os Noldor pode-se perceber que a feitura do pão cabe mormente às mulheres; e a feitura do *lembas* é, por uma lei antiga, reservada a elas. Contudo, cozinhar e preparar outros alimentos geralmente é uma tarefa e um prazer dos homens. As *nissi* são, mais amiúde, hábeis no cuidado dos campos e jardins, no tocar de instrumentos musicais e no fiar, tecer, montar e adornar todas as tramas e todos os tecidos; e, nas matérias de saber, elas amam mormente as histórias dos Eldar e da casas dos Noldor; e todas as matérias de parentesco e ascendência são guardadas por elas na memória. Mas os *neri* são mais hábeis como ferreiros e artesãos, como entalhadores de madeira e pedra e como joalheiros. São eles, na maior parte, que compõem músicas e fazem os instrumentos, ou inventam novos; são os principais poetas e estudiosos de idiomas e inventores de palavras. Muitos deles se deleitam com o cuidado das florestas e o saber dos ermos, buscando a amizade de todas as coisas que crescem ou vivem lá em liberdade. Mas todas essas coisas, e outras matérias de labuta e diversão, ou do conhecimento mais profundo acerca do ser e da vida do Mundo, podem, em diferentes momentos, ser investigados por quaisquer dos Noldor, sejam *neri* ou *nissi*.

DA ESCOLHA DOS NOMES

Esta é a maneira pela qual a escolha dos nomes se realizava entre os Noldor. Logo após o nascimento, a criança recebia um nome. Era o direito do pai formular esse primeiro nome,[13] e era ele que o anunciava à parentela da criança de ambos os lados. Essa denominação era chamada, portanto, de nome-do-pai, e vinha em primeiro lugar caso outros nomes fossem acrescentados mais tarde. Permanecia inalterada,* pois não cabia à escolha da criança.

Mas toda criança entre os Noldor (ponto no qual, quiçá, eles diferiam dos outros Eldar) tinha também o direito de dar um nome a si mesma. Ora, a primeira cerimônia, o anúncio do nome-do-pai, era chamada de *Essecarmë*, ou "Criação-do-nome". Mais tarde acontecia outra cerimônia, chamada de *Essecilmë*, ou "Escolha-do-nome". Não havia uma data fixa após a *Essecarmë* para que ela tivesse lugar, mas ela não podia acontecer antes que a criança fosse julgada pronta para e capaz de *lámatyávë*, como diziam os Noldor: isto é, o prazer individual com os sons e as formas das palavras. Os Noldor eram, de todos os Eldar, os mais céleres em adquirir a maestria-das-palavras; mas, mesmo entre eles, poucos antes de pelo menos o sétimo o ano tornavam-se plenamente cônscios de seu próprio *lámatyávë* individual, ou ganhavam uma maestria completa do idioma herdado e de sua estrutura, de maneira a expressar esse *tyávë* habilmente dentro dos limites dele. O *Essecilmë*, portanto, cujo objetivo era a expressão dessa característica

* Salvo por mudanças tais como as que poderiam sobrevir à sua forma falada na passagem dos longos anos; pois (como se conta alhures) mesmo as línguas dos Eldar estavam sujeitas à mudança.

pessoal,* normalmente tinha lugar por volta do fim do décimo ano de vida.

Em tempos antigos, o "Nome Escolhido", ou segundo nome, normalmente era inventado do zero, e, embora fosse formulado de acordo com a estrutura do idioma da época, muitas vezes não tinham nenhum significado prévio. Em eras posteriores, quando havia uma grande abundância de nomes já existentes, era mais comum escolhê-lo a partir de nomes que eram conhecidos. Mas mesmo assim alguma modificação do nome antigo podia ser feita.[14]

Ora, ambos esses nomes, o nome-do-pai e o nome escolhido, eram "nomes verdadeiros", não apelidos; mas o nome-do-pai era público, e o escolhido era privado, especialmente quando usado isoladamente. Privado, não secreto. Os nomes escolhidos eram considerados pelos Noldor como parte de suas propriedades pessoais, como (digamos) seus anéis, taças ou facas, ou outras posses que podiam emprestar ou compartilhar com parentela e amigos, mas as quais não podiam ser tomadas sem licença. O uso do nome escolhido, exceto por membros da mesma casa (pais, irmãs e irmãos), era um sinal da mais estreita intimidade e amor, quando permitido. Era, portanto, presunçoso ou insultuoso usá-lo sem permissão.[†15]

Uma vez que, entretanto, os Eldar eram por natureza imortais dentro de Arda, mas não eram de modo algum imutáveis, depois de algum tempo alguém poderia desejar um novo nome.[‡16] Essa

* Esse *lámatyávë* era considerado uma marca de individualidade e, de fato, mais importante do que outras marcas, como estatura, cor e características do rosto.

† Esse sentimento, assim, nada tinha a ver com "magia" ou com tabus, tais como existem entre os Homens.

‡ Os Eldar sustentam que, exceto por acasos malignos e pela destruição de seus corpos, eles podem, no decurso de seus anos, exercer e aproveitar todos os talentos variados de sua gente, seja de engenho ou de saber, embora em diferente ordem e diferentes graus. Com tais mudanças de "ânimo-da-mente" ou *inwisti*, seus *lámatyáver* também podiam mudar. Mas tais mudanças ou progressões se viam, de fato, mormente entre os *neri*, pois as *nissi*, mesmo por chegarem mais cedo à maturidade, permaneciam então mais resolutas e eram menos desejosas de mudanças. [De acordo com os Eldar, a única "característica" de qualquer pessoa que não estava sujeita a mudança era a diferença de sexo. Pois essa eles sustentavam que correspondia não apenas ao corpo (*hrondọ*) [> (*hröa*)], mas também à mente (*inno*) [> (*indo*)] de modo igual: isto é, à pessoa como um todo. A essa pessoa ou indivíduo eles muitas vezes chamavam de *essë* (isto é, "nome"), mas ela também

pessoa poderia, então, inventar para si um novo nome escolhido. Mas isso não ab-rogava o nome anterior, o qual continuava sendo parte do "título completo" de qualquer Noldo: isto é, da sequência de nomes que tinham sido adquiridos no decurso da vida.[17]

Essas alterações deliberadas de nome escolhido não eram frequentes. Havia outra fonte de variedade dos nomes usados por qualquer um dos Eldar, o qual, na leitura de suas histórias, pode nos parecer desnorteadora. Trata-se dos *Anessi*: os nomes atribuídos (ou acrescentados). Desses, os mais importantes eram os chamados "nomes-da-mãe".[18] As mães amiúde davam a seus filhos nomes especiais de sua própria escolha. Os mais notáveis desses eram os "nomes de introspecção", *essi tercenyë*, ou os de "previsão", *apacenyë*. Na hora do nascimento, ou em alguma outra ocasião momentosa, a mãe podia dar um nome a seu filho ou sua filha, indicando algum traço dominante de sua natureza conforme percebida por ela, ou alguma previsão de sua sina especial.[19] Esses nomes tinha autoridade e eram considerados nomes verdadeiros quando dados solenemente, e eram públicos, e não privados, se colocados (como às vezes se fazia) imediatamente depois do nome-do-pai.

Todos os outros "nomes atribuídos" não eram nomes verdadeiros e, de fato, podiam não ser reconhecidos pela pessoa a quem eram aplicados, a menos que fossem de fato adotados ou atribuídos por ela mesma. Os nomes ou apelidos desse tipo podiam ser atribuídos por qualquer um, não necessariamente por membros da mesma casa ou parentela, em memória de algum feito ou evento, ou como sinal de algum traço marcante de corpo ou mente. Raramente eram incluídos no "título completo" da pessoa, mas, quando o eram, por causa de seu amplo uso e renome, eram colocados no final, numa forma tal como esta: "por alguns chamado de Telcontar" (isto é, Passolargo); ou "às vezes conhecido como Mormacil" (isto é, Espada-negra).

Os *amilessi tercenyë*, ou nomes-da-mãe de introspecção, tinham alta posição e, em uso geral, às vezes substituíam, tanto dentro

era chamada de *erdë*, ou "singularidade". Aqueles que voltavam de Mandos, portanto, depois da morte de seu primeiro corpo, voltavam sempre ao mesmo nome e ao mesmo sexo que anteriormente.]

quanto fora da família, o nome-do-pai e o nome escolhido, embora o nome-do-pai (e o escolhido, entre aqueles dos Eldar que tinham o costume do *essecilmë*) permanecessem para sempre o nome verdadeiro ou primário, e uma parte necessária de qualquer "título completo". Os "nomes de introspecção" eram atribuídos, mais amiúde, nos primeiros dias dos Eldar, e naquele tempo chegavam mais prontamente ao uso público, porque ainda era então o costume que o nome-do-pai de um filho fosse uma modificação da designação paterna (tal como *Finwë* / *Curufinwë*) ou um patronímico (tal como *Finwion*, "filho de Finwë"). O nome-do-pai de uma filha, da mesma forma, amiúde era derivado do nome da mãe.

Exemplos renomados dessas coisas se encontram nas histórias mais antigas. Assim, Finwë, primeiro senhor dos Noldor, de início deu a seu filho mais velho o nome *Finwion*;[20] mas, mais tarde, quando seu talento se revelou, esse nome foi modificado para *Curunfinwë*.[21] Mas o nome de introspecção que a mãe dele, Míriel, deu-lhe na hora do nascimento foi *Fëanáro*, "Espírito de Fogo";[**] e por esse nome esse se tornou conhecido de todos, e assim é chamado em todas as histórias. (Diz-se que ele também adotou a designação como seu nome escolhido, em honra a sua mãe, a quem nunca viu.)[22] Elwë, senhor dos Teleri, tornou-se amplamente conhecido pelo *anessë* ou nome atribuído *Sindicollo*, "Mantogris", e por isso mais tarde, na forma alterada da língua sindarin, era chamado de *Elu Thingol*. *Thingol*, de fato, era o nome mais usado para designá-lo por outros, embora *Elu* ou *Elu-thingol* permanecesse seu título correto em seu próprio reino.

DA MORTE E DA SEPARAÇÃO DE FËA E HRONDO [> HRÖA][23]

Deve-se compreender que o que foi dito acerca do casamento eldarin se refere ao seu curso e natureza corretos num mundo não maculado, ou às maneiras daqueles não corrompidos pela Sombra e a dias de paz e ordem. Mas nada, como se disse, evita

[**] Embora a forma *Fëanor*, assumida pelo nome mais tarde na fala de Beleriand, seja usada com mais frequência. [> (*posteriormente*) Embora a forma *Fëanor*, que é usada com mais frequência, fosse uma mistura do q[uenya] *Fëanáro* e do s[indarin] *Faenor*.]

completamente a Sombra sobre Arda, ou está completamente não maculado, de modo a proceder sem barreiras em seus cursos corretos. Nos Dias Antigos, e nas eras antes do Domínio dos Homens, houve tempos de grande tormento e muitos pesares e acasos malignos; e a Morte[24] afligia a todos os Eldar, como o fazia a todas as coisas viventes em Arda, salvo aos Valar apenas; pois a forma visível dos Valar procede de sua própria vontade e, no que diz respeito ao seu ser verdadeiro, deve ser comparada antes à vestimenta escolhida por Elfos e Homens do que a seus corpos.

Ora, os Eldar são imortais dentro de Arda, de acordo com sua reta natureza. Mas, se um *fëa* (ou espírito) habita dentro de e é coerente com um *hrondo* [> *hröa*] (ou forma corpórea) que não é de sua própria escolha, mas lhe foi ordenado, e é feito da carne ou substância da própria Arda, então a sina dessa união deve ser vulnerável aos males que causam ferida a Arda, mesmo se essa união for, por natureza e propósito, permanente. Pois, apesar dessa união, a qual é de tal tipo que, de acordo com a natureza não maculada, nenhuma pessoa vivente e encarnada pode existir sem um *fëa*, nem sem um *hrondo* [> *hröa*], ainda assim *fëa* e *hrondo* [> *hröa*] não são a mesma coisa; e, embora o *fëa* não possa ser rompido ou desintegrado por qualquer violência vinda de fora, o *hrondo* [> *hröa*] pode ser ferido e até completamente destruído.

Se, então, o *hrondo* [> *hröa*] for destruído, ou tão ferido que cessa de ter saúde, mais cedo ou mais tarde ele "morre". Isto é: torna-se doloroso para o *fëa* habitar nele, sendo o corpo nem um auxílio para a vida nem um deleite para o uso, de modo que o *fëa* parte dele, e, com a função do corpo tendo chegado ao fim, sua coerência se desalinha, e ele retorna uma vez mais ao *hrón* [> *orma*] geral de Arda.[26] Então o fëa fica, por assim dizer, sem morada, e se torna invisível aos olhos corpóreos (embora seja claramente perceptível, por consciência direta, para outros *fëar*).

Essa destruição do *hrondo* [> *hröa*], causando a morte ou a perda de morada do *fëa*, logo foi experimentada pelos Eldar imortais quando eles despertaram no reino maculado e ensombrecido de Arda. De fato, em seus dias iniciais, a morte vinha mais prontamente; pois seus corpos eram então menos diferentes[27] dos corpos dos Homens, e o controle de seus espíritos sobre seus corpos, menos completo.

Esse controle era, não obstante, em todos os tempos maior do que jamais foi entre os Homens. Desde seus princípios, a principal diferença entre Elfos e Homens consistiu na sina e na natureza de seus espíritos. Os *fëar* dos Elfos eram destinados a habitar em Arda por toda a vida de Arda, e a morte da carne não ab-rogava esse destino. Seus *fëar* eram tenazes, portanto, quanto à vida "na vestimenta de Arda", e em muito excediam os espíritos dos Homens quanto ao poder sobre essa "vestimenta", mesmo desde os primeiros dias[28] protegendo seus corpos de muitos males e ataques (tais como doenças), e curando-os rapidamente de ferimentos, de modo que se recuperavam de feridas que teriam se mostrado fatais para os Homens.

Conforme as eras passavam, a dominância de seus *fëar* sempre aumentava, "consumindo" seus corpos (como já foi observado).[29] O fim desse processo era o "desvanecimento" deles, como os Homens o chamam; pois o corpo se torna afinal, por assim dizer, mera memória sustentada pelo *fëa*; e esse fim já foi alcançado em muitas regiões da Terra-média, de modo que os Elfos se tornaram de fato sem-morte e não podem ser destruídos ou mudados.[30] Assim é que, quanto mais recuamos nas histórias, mais amiúde lemos sobre a morte dos Elfos de outrora; e, nos dias em que as mentes dos Eldalië eram jovens e ainda não plenamente despertas, a morte entre eles parecia diferir pouco da morte dos Homens.

O que então acontecia com o *fëa* sem-morada? A resposta a essa pergunta os Elfos não sabiam por natureza. Em seu princípio (assim relatam), eles acreditavam, ou inferiam, que "adentravam o Nada" e terminavam de modo semelhante a outras coisas viventes que conheciam, até mesmo como uma árvore que foi derrubada e queimada. Outros inferiam, de modo mais sombrio, que faziam a travessia para o "Reino da Noite" e ficavam em poder do "Senhor da Noite".[31] Essas opiniões eram claramente derivadas da Sombra sob a qual despertaram; e foi para libertá-los dessa sombra sobre suas mentes, mais ainda que dos perigos de Arda maculada, que os Valar desejaram trazê-los à luz de Aman.

Foi em Aman que eles aprenderam com Manwë que cada um dos *fëa* era imperecível dentro da vida de Arda, e que seu fado era habitar Arda até seu fim. Aqueles *fëar*, portanto, que, na maculação de Arda, sofressem de forma não natural um divórcio de seus *hrondor* [> *hröar*] permaneciam ainda em Arda e no Tempo. Mas, nesse estado estavam abertos à instrução e às ordens diretas dos Valar. Tão logo ficavam desincorporados, eram convocados a deixar os lugares de sua vida e morte e ir até os "Salões de Espera": Mandos, no reino dos Valar.

Se obedecessem a essa convocação, diferentes oportunidades surgiam diante deles.[32] O intervalo de tempo que habitavam ali em Espera era estipulado em parte pela vontade de Námo, o Juiz, senhor de Mandos, e em parte pela vontade deles próprios. A sorte mais feliz, julgavam eles, consistia em, depois da espera, renascer, pois assim o mal e a tristeza que tinham sofrido pelo encurtamento de seu curso natural de vida podiam ser remediados.

DO RENASCIMENTO E DE OUTROS DESTINOS DAQUELES QUE VÃO A MANDOS[33]

Ora, os Eldar sustentam que a cada criança-élfica um novo *fëa* é dado, sem parentesco com os *fëar* dos pais (salvo por pertencer à mesma ordem e natureza); e esse *fëa* ou não existia antes do nascimento, ou é o *fëa* de alguém que renasceu.

O novo *fëa*, e, portanto, em seu princípio, todos os *fëar*, eles creem ter vindo diretamente de Eru e d'além de Ëa. Portanto, muitos deles sustentam que não se pode asseverar que o fado dos Elfos é estarem confinados dentro de Arda para sempre e com ela cessarem de existir. Essa última opinião eles tiram de seu próprio pensamento, pois os Valar, não tendo parte nenhuma na criação dos Filhos de Eru, não conhecem totalmente os propósitos de Eru acerca deles, nem os fins definitivos que ele lhes preparou.

Mas eles não chegaram a essas opiniões de imediato ou sem dissenso. Em sua juventude, enquanto seu conhecimento e sua experiência eram pequenos e eles ainda não tinham recebido a instrução dos Valar (ou ainda não a tinham compreendido plenamente), muitos ainda sustentavam que, na criação da gente deles, Eru lhes tinha confiado esse poder: o de gerar crianças de todos os modos semelhantes a si mesmos, em corpo e espírito que nele habitava; e que, portanto, o *fëa* de uma criança vinha de seus pais, assim como o seu *hrondo*.[34]Contudo, alguns sempre discordavam, dizendo: "De fato, uma pessoa vivente pode se assemelhar aos pais e ser percebida como uma mistura, em vários graus, desses dois; mas essa semelhança é mais razoavelmente relacionada ao *hrondo*. Ela é mais forte e mais clara no começo da juventude, enquanto o corpo é dominante e mais semelhante aos corpos de seus pais". (Isso é verdade no caso de todas as crianças-élficas.)[35] "Enquanto em todas as crianças, embora em algumas isso possa ser mais marcante e aparente mais cedo, há uma parte do caráter que não se deve ser compreendida a partir da ascendência, à qual pode ser, de fato, bastante contrária. Essa diferença é mais razoavelmente atribuída ao *fëa*, novo e não aparentado aos pais; pois se torna mais clara e mais forte conforme a vida avança e o *fëa* aumenta seu domínio."

Mais tarde, quando os Elfos se tornaram cônscios do renascimento, foi acrescentado este argumento: "Se os *fëar* das crianças normalmente fossem derivados do dos pais e aparentado ao deles, então o renascimento seria antinatural e injusto. Pois ele privaria os segundos pais, sem consentimento, de metade de sua paternidade, inserindo em sua parentela uma criança que é metade estranha".

Não obstante, a opinião mais antiga não foi inteiramente anulada. Pois todos os Eldar, estando cônscios disso em si mesmos, falavam da transmissão de abundante força, tanto da mente quanto do corpo, a seus filhos, no ato de dar à luz e gerar. Portanto, eles sustentam que o *fëa*, ainda que não gerado, extrai alimento dos pais antes do nascimento da criança: diretamente do *fëa* da mãe enquanto ela carrega e nutre o *hrondo*, e de forma mediada, mas igual, do pai, cujo *fëa* está atado em união ao da mãe e lhe dá apoio.

Era por essa razão que todos os pais desejavam habitar juntos durante o ano da gestação e consideravam a separação naquele tempo como uma tristeza e uma ferida, privando a criança de certa parte de sua paternidade. "Pois", diziam eles, "embora a união dos *fëar* dos casados não seja rompida pela distância de lugar, ainda assim, em criaturas que vivem como espíritos incorporados, um *fëa* comunga com outro *fëa* de forma plena apenas quando os corpos habitam juntos".

Um *fëa* sem morada que escolhia ou tinha permissão para voltar à vida readentrava o mundo encarnado através do nascimento de uma criança. Apenas assim podia ele voltar.* Pois está claro que a

* Salvo em casos raros e estranhos: isto é, nos quais o corpo que o *fëa* abandonara estava inteiro e permanecia ainda coerente e incorrupto. Mas isso raramente podia acontecer; pois a morte involuntária podia ocorrer apenas quando grande violência se fazia ao corpo; e, na morte voluntária, tal como às vezes sobrevinha por causa de extremo cansaço ou grande tristeza, o *fëa* não desejava voltar, até que

provisão de uma morada corpórea para um *fëa*, e a união de *fëa* com *hrondo*, era delegada por Eru aos Filhos, para que fosse realizada no ato de gerar.

Quanto a esse renascimento, não se tratava de uma opinião, mas de coisa conhecida e certa. Pois o *fëa* renascido se tornava de fato uma criança, gozando mais uma vez de todo o assombro e toda a novidade da meninice; mas lentamente, e só depois que ele tivesse adquirido um conhecimento do mundo e domínio de si mesmo, sua memória despertava; até que, quando o elfo renascido tivesse chegado ao crescimento pleno, ele recordava toda a sua vida anterior, e então a vida antiga, e a "espera", e a nova vida se tornavam uma só história e identidade ordenada. Essa memória, assim, conteria uma dupla alegria da meninice, e também uma experiência e um conhecimento maiores do que os anos de seu corpo. Dessa maneira, a violência ou tristeza que o renascido tivesse experimentado era sanada, e seu ser ficava enriquecido. Pois os Renascidos são duplamente nutridos, e duplamente recebem a paternidade,* e têm duas memórias do júbilo de despertar e descobrir o mundo da vida e o esplendor de Arda. A vida deles, portanto, é como se um ano tivesse duas primaveras, sendo a segunda primavera e todo o verão depois dela mais belos e mais abençoados.

Os Eldar dizem que mais de um renascimento raramente se registra. Mas as razões para isso eles não conhecem completamente. Talvez assim seja ordenado pela vontade de Eru; enquanto os Renascidos (dizem) são mais fortes, tendo maior domínio de seus corpos e sendo mais pacientes diante de tristezas. Mas muitos, sem dúvida, entre os que duas vezes morreram não desejam voltar.[36]

O renascimento não é a única sina dos *fëar* sem-morada. A Sombra sobre Arda não causava apenas má fortuna e feridas ao

o corpo, abandonado pelo espírito, dissolvia-se. Isso acontecia com celeridade na Terra-média. Em Aman apenas é que não havia decomposição alguma. Assim, Míriel foi reabrigada em seu próprio corpo, como se conta a seguir.

* Em alguns casos, um *fëa* renascido podia ter os mesmos pais de novo. Por exemplo, se seu primeiro corpo tivesse morrido no começo da juventude. Mas isso não ocorria com frequência; nem um *fëa* necessariamente readentrava sua antiga parentela, pois muitas vezes um grande intervalo de tempo se passava antes que ele desejasse ou tivesse a permissão de voltar.

corpo. Ela podia corromper a mente; e aqueles entre os Eldar que estavam ensombrecidos em espírito cometiam atos antinaturais e eram capazes de ódio e malícia. Nem todos os que morriam sofriam de modo inocente. Ademais, alguns *fëar*, em tristeza ou cansaço, desistiam da esperança e, dando as costas à vida, deixavam de lado seus corpos, ainda que esses pudessem ser curados ou, de fato, não estivessem feridos.*[37] Poucos desses desejavam renascer, pelo menos não até que ficassem longamente em "espera"; alguns nunca voltavam. Dos outros, os malfeitores, muitos ficavam retidos longamente em "espera", e a alguns não era permitido retomar suas vidas de novo.

Pois havia, para todos os *fëar* dos Mortos, um tempo de Espera, no qual, qualquer que fosse a maneira como tinham morrido, eram corrigidos, instruídos, fortalecidos ou confortados, de acordo com suas necessidades e seus merecimentos. *Se a isso consentissem*. Mas o *fëa*, em sua nudez, é obstinado e se mantém longamente na escravidão à sua memória e aos seus antigos propósitos (especialmente se eles eram malignos).

Aqueles que eram curados podiam renascer, se o desejassem: ninguém renasce ou é enviado de volta à vida sem o desejar. Os outros permaneciam, por desejo ou ordem, como *fëar* desincorporados, e podiam apenas observar o desenrolar do Conto de Arda de longe, sem ter efeito sobre ele. Pois era uma sentença de Mandos que apenas aqueles que retomavam a vida podiam operar em Arda, ou comungar com os *fëar* dos Viventes, mesmo no caso daqueles que outrora lhes tinham sido caros.[38]

Acerca do destino de outros elfos, especialmente o dos Elfos-escuros que recusaram a convocação a Aman, os Eldar pouco sabiam. Os Renascidos relatam que em Mandos há muitos elfos, e entre eles muitos dos Alamanyar,[39] mas que há nos Salões de Espera pouco ajuntamento ou comunhão de grupo com grupo, ou, de fato, nem mesmo de qualquer *fëa* com outro. Pois o *fëa* sem-morada é solitário por natureza, e volta-se apenas para aqueles com quem, quiçá, formou laços fortes de amor em vida.

---

* Embora as tristezas pudessem ser grandes e totalmente imerecidas, e a morte (ou, antes, o abandono da vida) pudesse ser, portanto, compreensível e inocente, acreditava-se que a recusa a retornar à vida, depois do repouso em Mandos, era uma falha, mostrando uma fraqueza ou falta de coragem no fëa.

O *fëa* é único e, em última instância, inexpugnável. Não pode ser trazido a Mandos. Ele é convocado; e a convocação procede de uma autoridade justa, e é imperativa; contudo, pode ser recusada. Entre aqueles que recusavam a convocação (ou, antes, o convite) dos Valar para ir a Aman nos primeiros anos dos Elfos, a recusa da convocação a Mandos e aos Salões de Espera é, dizem os Eldar, frequente. Era menos frequente, entretanto, em dias antigos, enquanto Morgoth estava em Arda, ou seu serviçal Sauron, depois dele; pois então o *fëa* desincorporado fugia em terror da Sombra para qualquer refúgio — a menos que já estivesse comprometido com a Escuridão e adentrasse então o domínio dela. De semelhante maneira, até entre os Eldar alguns que tinham se tornado corrompidos recusavam a convocação, e assim tinham pouco poder para resistir à contra-convocação de Morgoth.

Mas ao que parece, nestes dias posteriores, mais e mais dos Elfos, sejam eles dos Eldalië em sua origem, ou sejam eles de outras estirpes, entre os que se demoram na Terra-média, agora recusam a convocação de Mandos e vagam sem-morada pelo mundo,* indesejosos de o deixar[40] e incapazes de habitá-lo, assombrando árvores ou fontes ou lugares ocultos que um dia conheceram. Nem todos esses são bondosos ou não manchados pela Sombra. De fato, a recusa da convocação é, em si mesma, um sinal dessa mancha.

É, portanto, coisa insensata e perigosa, além de ser um ato errado, proibido com justiça pelos Regentes designados de Arda, os Viventes buscarem comunhão com os Desincorporados, embora os sem-morada possam desejar isso, especialmente os mais indignos entre eles. Pois os Desincorporados, vagando pelo mundo, são aqueles que, no mínimo, recusaram a porta da vida e permaneceram presos em remorso e piedade de si mesmos. Alguns estão cheios de amargura, rancor e inveja. Alguns foram escravizados pelo Senhor Sombrio e realizam ainda sua obra, embora ele próprio tenha partido. Não dirão nada que seja verdade ou sabedoria. Chamá-los é insensatez. Tentar dominá-los e fazer deles serviçais

* Pois apenas aqueles que vão voluntariamente a Mandos podem renascer. O renascimento é uma graça e vem do poder que Eru confiou aos Valar para o reger de Arda e a emenda de sua maculação. Não depende do poder de qualquer fëa em si mesmo. Só retornam aqueles que, depois que Mandos pronunciou a sentença de liberação, Manwë e Varda abençoam.

da vontade de alguém é perversidade. Tais práticas são de Morgoth; e os necromantes são da hoste de Sauron, seu serviçal.

Alguns dizem que os Sem-morada desejam corpos, embora não estejam dispostos a buscá-los legitimamente por submissão ao julgamento de Mandos. Os perversos entre eles acabam tomando corpos, se puderem, ilegitimamente. O perigo de ter comunhão com eles é, portanto, não apenas o perigo de ser iludido por fantasias ou mentiras: há também o perigo da destruição. Pois um dos Sem-morada famintos, se for admitido à amizade dos Viventes, pode buscar arrancar o *fëa* de seu corpo; e, na disputa pelo comando, o corpo pode ficar gravemente ferido, mesmo se não for tirado de seu legítimo habitante. Ou o Sem-morada pode implorar abrigo e, se for admitido, então buscará escravizar seu anfitrião e usar tanto a mente quanto o corpo dele para seus próprios propósitos. Dizem que Sauron fazia essas coisas e ensinava a seus seguidores como realizá-las.

[Assim, pode-se ver que aqueles que, em dias posteriores, sustentam que os Elfos são perigosos para os Homens e que é insensatez ou perversidade buscar colóquio com eles não falam sem razão. Pois como, pode-se perguntar, há um mortal de distinguir um tipo do outro? De um lado, os Sem-morada, no mínimo rebeldes contra os Regentes, e talvez ainda mais afundados na Sombra; do outro, os Que Se Demoram, cujas formas corporais não podem mais ser vistas por nós, mortais, ou só são vistas de modo obscuro e impreciso. Contudo, a resposta não é, em verdade, difícil. O mal não é uma coisa entre os Elfos e outra entre os Homens. Aqueles que dão conselho maligno, ou falam contra os Regentes (ou, se ousarem fazê-lo, contra o Um), são malignos e deveriam ser evitados, sendo incorporados ou desincorporados. Ademais, os Que Se Demoram não são sem-morada, embora possam parecer assim. Não desejam corpos nem buscam abrigo, nem contendam pelo domínio sobre corpo ou mente. De fato, eles não buscam colóquio com os Homens de modo algum, salvo talvez raramente, ou para fazer algum bem, ou porque percebem no espírito de um Homem algum amor a coisas antigas e belas. Então podem revelar a ele suas formas (por meio da mente dele operando externamente, talvez), e ele vai contemplá-los em sua beleza. Desses ele pode não ter medo, embora possa sentir assombro diante deles. Pois os Sem-morada não têm formas para revelar, e, mesmo se estivesse em seu poder (como dizem alguns Homens) produzir uma falsificação de formas élficas, iludindo as mentes dos Homens com fantasias, tais visões seriam maculadas pelo mal de sua intenção. Pois os corações de Homens verazes se alevantam em júbilo ao contemplar as verdadeiras semelhanças dos Primogênitos, seus parentes mais velhos; e esse júbilo nada maligno é capaz de falsificar. Assim falou Ælfwine.][41]

DA INTERRUPÇÃO DO CASAMENTO

Muito já se disse acerca da morte e do renascimento entre os Elfos. Pode-se perguntar: qual o efeito dessas coisas sobre o casamento?

Uma vez que a morte e a separação do espírito e do corpo era uma das tristezas de Arda Maculada, veio a acontecer, inevitavelmente, que a morte às vezes se interpunha entre duas pessoas que estavam casadas. Então os Eldar ficaram em dúvida, já que isso era um mal antinatural. O casamento permanente estava de acordo com a natureza élfica, e eles nunca tinham tido necessidade de nenhuma lei que ensinasse ou garantisse isso; mas, se um casamento "permanente" de fato fosse interrompido, como ocorria quando um dos parceiros era morto, então eles não sabiam o que se devia fazer ou pensar.

Quanto a essa matéria, voltaram-se para Manwë em busca de conselho, e, como está registrado no caso de Finwë, Senhor dos Noldor, Manwë lhes entregou sua decisão por meio da boca de Námo Mandos, o Juiz.

"O casamento dos Eldar", disse ele, "é dos e para os Viventes, e tem a duração da vida toda. Uma vez que os Elfos são, por natureza, permanentes de vida dentro de Arda, assim também é seu casamento não maculado. Mas, se a vida deles é interrompida ou encerrada, então o casamento deles deve ser da mesma forma. Ora, o casamento é principalmente do corpo, mas, não obstante, não é do corpo apenas, mas do espírito e do corpo juntos, pois começa e se perpetua pela vontade do *fëa*. Portanto, quando um dos parceiros num casamento morre, o casamento ainda não está terminado, mas está em suspensão. Pois aqueles que estavam unidos agora estavam divididos; mas sua união ainda permanece sendo uma união de vontades.

"Como, então, um casamento pode ser encerrado, e a união, dissolvida? Pois, a menos que isso seja feito, não pode haver segundo casamento algum. Pela lei da natureza dos Elfos, os *neri* e as *nissi* sendo iguais, pode haver união apenas de um com uma.[42] Claramente, só pode haver um fim do casamento pelo encerramento da vontade; e isso deve proceder dos Mortos, ou ocorrer por sentença. Pelo enceramento da vontade, quando os Mortos não estão desejosos de jamais voltar à vida no corpo; por sentença, quando não lhes é permitido voltar. Pois uma reunião que dura toda a vida de Arda é encerrada se não puder ser retomada dentro da vida de Arda.

"Dizemos que o encerramento da vontade deve proceder dos Mortos, pois os Viventes não podem, para seus próprios propósitos, compelir os Mortos a assim permanecer, nem lhes negar renascimento, se o desejarem. E deve ser claramente entendido que essa vontade dos Mortos de não voltar, quando é solenemente declarada e ratificada por Mandos, há então de se tornar uma sentença: aos Mortos não será permitido jamais voltar à vida do corpo."

Os Eldar então perguntaram: "Como há de ser conhecida a vontade ou sentença?". Foi-lhes respondido: "Apenas por meio do recurso a Manwë e do pronunciamento de Námo. Nesta matéria, não há de ser legítimo que qualquer dos Eldar julgue seu próprio caso. Pois quem entre os Viventes consegue discernir os pensamentos dos Mortos, ou presumir quais são as sentenças de Mandos?"

Quanto a esse pronunciamento de Mandos, que é chamado de "a Sentença de Finwë e Míriel",[43] por razões a ser narradas, há muitos comentários que registram a explicação de detalhes derivados de sua consideração, alguns explicados pelos Valar, outros, mais tarde, objeto de raciocínio dos Eldar. Desses, os mais importantes são aqui acrescentados.

1. Perguntou-se: "O que significa o dito de que o casamento é principalmente do corpo e, contudo, é tanto do espírito quanto do corpo?"

Respondeu-se: "O casamento é principalmente do corpo, pois é realizado pela união corporal, e sua primeira operação é o gerar dos corpos de filhos, ainda que ele persista além disso e tenha outras operações. E a união dos corpos no casamento é única, e não há nenhuma união que se assemelhe a ela. Enquanto a união dos *fëar* no casamento difere de outras uniões de amor e amizade não tanto em qualidade quanto em sua proximidade e permanência, que são derivadas em parte dos corpos em sua união e do fato de habitarem juntos.

"Não obstante, o casamento diz respeito também aos *fëar*. Pois os *fëar* dos Elfos são, por sua natureza, masculinos e femininos, e não apenas seus *hrondor*.[44] E o princípio do casamento está na afinidade dos *fëar*, e no amor que daí surge. E esse amor inclui nele, desde seu primeiro despertar, o desejo de casamento, e é, portanto, semelhante mas não de todas as maneiras o mesmo que outros impulsos de amor e amizade, mesmo aqueles entre Elfos de natureza masculina e feminina que não têm essa inclinação. É, portanto, verdadeiro dizer que, embora realizado pelo e no corpo, o casamento procede do *fëa* e reside, em última instância, na vontade dele. Por essa razão, não pode ser encerrado, como já se declarou, enquanto aquela vontade permanece."

2. Perguntou-se: "Se os Mortos voltarem para os Viventes, estão os esposos divididos ainda casados? E como isso pode ser se o casamento é principalmente do corpo, enquanto o corpo de uma parte da união foi destruído? Devem os divididos de novo se casar, se o desejarem? Ou desejando-o ou não?"

Respondeu-se: "Já se disse que o casamento reside, em última instância, na vontade dos *fëar*. Também a identidade de cada pessoa reside totalmente nos *fëar*, e o renascido é a mesma pessoa que aquele que morreu. É o propósito da graça do renascimento que a quebra antinatural na continuidade da vida seja sanada; e a nenhum dos Mortos será permitido renascer até que e a menos que ele deseje retomar sua vida anterior e continuá-la. De fato, eles não podem escapar da vida anterior, pois os renascidos logo recobram uma memória completa de todo o seu passado.

"Se, portanto, o casamento não é encerrado enquanto os Mortos estão nos Salões de Espera, com esperança ou propósito de voltar, mas está apenas em suspensão, como então ele há de Ser encerrado quando o *fëa* está de novo na terra dos viventes?

"Mas aqui há de fato uma dificuldade, que nos revela que a morte é uma coisa antinatural. Ela pode receber emenda, mas não pode, enquanto Arda durar, ser totalmente desfeita ou tratada como se nunca tivesse sido. O que há de vir a acontecer conforme os Eldar se tornam mais velhos não pode ser totalmente previsto. Mas, percebendo sua natureza, como nós agora a percebemos, sustentamos que o amor dos

Aqui a versão datilografada B é interrompida, com boa parte do conteúdo do ensaio, conforme declarado no título, ausente dele (ver p. 259). O texto termina no pé de uma página, mas creio que é virtualmente certo que foi aqui que meu pai o abandonou.

NOTAS

1 Em A, o parágrafo inicial terminava dizendo: "o fogo de seu espírito não os tinha consumido, nem as suas mentes se tinham voltado para dentro", posteriormente alterado para o texto de B.

2 Acrescentado aqui posteriormente em A: "Contudo, a criança-élfica teria mais conhecimento e habilidade". Isso não foi incorporado em B.

3 A: "Eles tinham poucos filhos, mas esses lhes eram mais caros do que tudo o mais que possuíam. (Embora nenhum Elfo falasse em possuir filhos; ele diria: 'três crianças me foram acrescentadas', ou 'estão comigo', ou 'estão em minha casa'; pois suas famílias ficavam unidas..." (sendo os parênteses fechados nas palavras "ou ensinamento").

4 A: "... enquanto os Eldar ainda eram poucos e ávidos para aumentar sua gente, antes que o peso dos anos jazesse sobre eles, não há registro de qualquer número superior a sete", com "raramente" escrito mais tarde acima de "não".

5 Neste parágrafo, o texto A diz:

> Os Eldar se casaram uma vez só e para sempre. Muitos, como revelam as histórias, podiam se alienar do bem, pois nada pode escapar totalmente da sombra maligna que jaz sobre Arda. Alguns caíam no orgulho e na obstinação, e podiam ser culpados de atos de malícia, inimizade, ganância e ciúme. Mas, entre todos esses males, não há registro de nenhum entre os Elfos que tenha tomado o cônjuge de outrem à força; pois isso era totalmente contra sua natureza, e alguém assim forçado teria rejeitado a vida corporal e se passado para Mandos. Astúcia ou trapaça nessa matéria dificilmente seriam possíveis (mesmo que se pudesse pensar que qualquer Elfo teria a intenção de usá-las); pois os Eldar podem decifrar imediatamente, pelos olhos e pela voz de outra pessoa, se ela é casada ou solteira.

6 A formulação original em A era "em um [banquete >] repasto compartilhado pelas duas 'casas' envolvidas", alterada posteriormente para "em uma reunião", como em B. Ver nota 7.

7 A expressão "de novo" em "de novo compartilhado pelas duas casas" depende da variante original em A citada na nota 6.

8 A: "e eram apenas um reconhecimento delicado da mudança de estado".

9 Acrescentado aqui em A, provavelmente muito mais tarde: "[Assim, Beren e Tinúviel poderiam ter se casado de forma legítima, se não fosse o juramento de Beren a Thingol.]"

[10] Esse parágrafo termina assim em A: "Isso é o que os Eldar querem dizer quando falam de seus espíritos a consumi-los; e dizem que, antes de Arda acabar, todo o povo-élfico terá se transformado em espíritos, não menos do que aqueles em Mandos, invisíveis aos olhos mortais, a menos que queiram ser vistos". As palavras "não menos do que aqueles em Mandos" estavam em B conforme o texto foi datilografado originalmente, mas foram riscadas com força.

[11] Para a passagem em B que diz "Pois, no que concerne à geração ...", o texto A diz: "Pois, se os Eldar retêm seu poder de geração (como é provável se falarmos dos dias de antanho, quando todos os Eldalië eram jovens) ou, com o tempo, perdem-no (como alguns dizem que aqueles que permanecem na Terra agora o perderam), a todo momento perdem o desejo e a vontade com o exercício desse poder".

[12] No lugar de *neri* e *nissi* em B (ver as *Etimologias* no vol. V, verbetes NĒR, NIS), A possui as formas *quendor* e *quender*, alteradas posteriormente para *quendur* e *quendir*. Para os singulares *nér* e *nis* que ocorrem posteriormente, A possui *quendo* e *quende*, alterados para *quendu* e *quendi*. A substância dessa passagem relativa à diferença nas atividades características entre homens e mulheres dos Eldar é essencialmente a mesma em A, mas nenhuma referência é feita aos Noldor.

[13] Diz-se em A que o direito do pai era não "formular" o primeiro nome, mas "anunciá-lo", e a afirmação é seguida por uma nota: "Embora o nome fosse muitas vezes escolha da mãe. Mas era considerado direito do pai formular o nome do [primeiro filho] de seus filhos, se ele quisesse, e da mãe formular o nome da [primeira filha] de suas filhas. Mas, de qualquer forma, o pai proclamava o nome". Às palavras "Essa denominação era chamada, portanto, de 'nome-do-pai' ou primeiro nome" foi acrescentado posteriormente o seguinte em A: "Sempre tinha um significado e era formado a partir de palavras conhecidas".

[14] Nesse ponto há uma nota de rodapé em B (derivada de perto do texto A), que mais tarde foi riscada:

> Pode-se observar nas histórias quão raramente o mesmo nome reaparece para designar pessoas diferentes. Isso acontece porque, tanto no caso de *Essecarmë* quanto no de *Essecilmë*, geralmente havia uma tentativa de ressaltar a individualidade; e os nomes eram considerados propriedade daqueles que primeiro os usaram.

[15] A nota de rodapé aqui diz o seguinte em A:

> Esse sentimento não tinha nada a ver com "magia" ou tabu. Os Eldar de fato acreditavam numa relação especial entre o nome de uma pessoa e sua vida e individualidade; mas isso dizia respeito tanto ao primeiro quanto ao segundo nome (sozinhos ou juntos), que eles podiam esconder dos inimigos.

16 A parte final da nota de rodapé aqui, que coloquei entre colchetes, encontra-se batida à máquina em uma página separada pertencente ao texto datilografado B, mas sem orientação sobre onde inseri-la (ver nota 37). Ela aparece, contudo, em palavras muito semelhantes na versão A da nota de rodapé, depois das palavras "seu *lámatyávë* também podia mudar" (O texto não traz a conclusão da nota em B, "Mas tais mudanças ou progressões …").

Na versão A da nota, a palavra élfica que é traduzida como "ânimo-da--mente" é uma tradução foi escrita primeiro *ingil-*[?*weidi*, transcrição muito incerta], alterada para *inwaldi* e, mais tarde, para *inwisti*, como em B. Em A, a palavra élfica para o corpo é *rhōn* (alterada mais tarde para *hrondo*, a palavra usada em B), e, para a mente, *īn*, *indo* (essa última foi alterada mais tarde para *inno*, enquanto B traz as formas *inno* > *indo*).

17 O texto A traz um relato diferente aqui: "Poderiam então inventar um novo 'Nome Escolhido', mas esse substituía o anterior e se tornava o Segundo Nome. A identidade era preservada pela permanência, para todos os efeitos formais e legais, do Primeiro Nome ou nome do pai".

18 O texto A diz: "Esses eram os *Anessi*, os nomes atribuídos ou 'apelidos'" (uma referência ao significado original de *nick-name* ["apelido" em inglês], termo que é uma alteração de (*an*) *eke-name*, expressão que significa um nome adicional ou acrescentado).

19 A passagem seguinte em A é esta:

> Mais tarde, quando o caráter e os dons da criança eram revelados, conforme crescia, a mãe também podia lhe dar um nome parecido (ou modificar seu nome-do-pai). Mas esse tipo posterior de "nomes--da-mãe" diferia apenas em autoridade, e não em tipo, dos nomes gerais atribuídos, ou apelidos. Esses últimos eram atribuídos às pessoas por qualquer um (nem mesmo necessariamente membros de sua "casa" ou parentela), em memória de algum feito, ou evento, ou alguma peculiaridade marcante. Embora esses nomes não tivessem nenhuma autoridade e não fossem "nomes verdadeiros", era comum que se tornassem amplamente conhecidos e usados, e às vezes eram reconhecidos pelas próprias pessoas e suas famílias.
>
> Os "nomes-da-mãe de introspecção" tinham uma posição intermediária. Contavam com a autoridade parental e a autoridade da *terken* [*acrescentado*: introspecção] materna, e muitas vezes eram usados em vez do nome-do-pai ou do nome escolhido, ou podiam substituir ambos — substituindo-os, isto é, no uso corriqueiro. O *Essë* "verdadeiro" ou primário de qualquer pessoa continuava sendo o nome-do-pai. Os "nomes de introspecção", embora não fossem frequentes em nenhuma época, eram frequentes nos dias iniciais dos Eldar ...

20 Em A, o texto diz que "Finwë originalmente deu a seu filho mais velho o nome de *Finwë*".

21 *Curufinwë*: o nome apareceu no acréscimo rejeitado aos AAm, onde aparecem as primeiras ideias de meu pai sobre a história do nascimento de Fëanor (quando sua mãe se chamava Indis): ver p. 115, nota 3.

22 O texto A traz aqui uma passagem que foi omitida em B:

> Finwë então deu a seu segundo filho (de outra mãe, Indis) também o nome de *Finwë*, modificando-o mais tarde para *Nolofinwë*. Mas o nome que Indis lhe deu foi *Ingoldo*, com o significado de que ele era em parte tanto membro dos Ingar (o povo de Ingwë), sua própria gente, quanto dos Noldor. Por esse nome ele também se tornou conhecido de modo geral; ainda que, depois que o governo dos Noldor lhe foi confiado por Manwë (no lugar de seu irmão mais velho e seu pai), ele adotou o nome de *Finwë*, e era, de fato, normalmente chamado de *Ingoldo-finwë*. De modo semelhante, o terceiro filho era *Arafinwë* e também *Ingalaurë* (porque tinha os cabelos dourados da gente de sua mãe).

Como ocorre com o nome *Noldor* ao longo dos textos posteriores, *Nolofinwë* é grafado com um til em cima do *N*. — Quanto à essa passagem, ver ainda p. 321, nota 10.

23 No texto A não há subtítulo aqui, mas antes de "Deve-se compreender que ..." há o seguinte:

> No que foi dito acerca dos nomes, notar-se-á que, no caso de Finwë, primeiro senhor dos Noldor, duas esposas são mencionados pelo nome: Míriel e Indis; embora tenha sido dito que o casamento dos Eldar é permanente e indissolúvel.

24 Depois de "e a Morte" vinha, no texto B, "em seu modo élfico", expressão derivada de A; mas o trecho foi rejeitado logo depois de ser datilografado.

25 Texto A: "e é feito também, por assim dizer, do *rhōn* (ou carne e substância) de Arda"; cf. *rhōn* "corpo", nota 16. A palavra *rhōn* foi deixada inalterada em A aqui (ver nota 26); posteriormente, onde B possui a forma *hrondo* (> *hröa*), A possui *hrōn*, *hrón* e *hrôn* (> *hrondo*), até que mais tarde, nesse texto, a variante *hrondo* aparece em A como a forma escrita desde o começo (nota 34).

26 As palavras "e volta novamente ao *hrôn* geral de Arda" foram acrescentadas ao texto A ao mesmo tempo que outras ocorrências de *hrôn* foram alteradas para *hrondo* (nota 25); assim, *hrón* aqui em B (posteriormente > *orma*) representa uma distinção entre *hrôn* (do "corpo" de Arda) e *hrondo*. Num ponto posterior do manuscrito A há a seguinte nota escrita às pressas a lápis, que foi riscada:

√*s-ron* "carne, substância, matéria". Quen. *hrōn*, *hrŏm-* "matéria", a substância de Arda, daí *hrondo* "corpo físico, 'a carne'".

27 O texto B, conforme datilografado, dizia "pouco diferente", assim como A, mas "pouco" foi imediatamente alterado para "menos".

28 Onde o texto B diz "mesmo desde os primeiros dias", A diz "mesmo de início".

29 "como já foi observado" (isso não é dito em A): as referências anteriores estão nas pp. 260 ("Preâmbulo de Ælfwine") e 262.

30 Em A, a primeira parte deste parágrafo diz:

> Conforme as eras passavam, seus espíritos se tornavam mais dominantes e "consumiam" seus corpos — o fim desse processo (agora concretizado), diziam eles, era que o corpo havia de se tornar, por assim dizer, mera memória do espírito — embora nunca se tornasse mutável, como vestimenta.

31 Texto A: "Outros inferiam que eles adentravam o reino da Sombra e ficavam em poder do Senhor Sombrio (como o chamavam)".

32 Texto A: "(Os *fëar* dos Eldar, com raras exceções, obedeciam imediatamente a essa convocação.) Depois disso, diferentes oportunidades ficavam diante deles".

33 Não há subtítulo aqui em A.

34 Aqui e subsequentemente, *hrondo* (e não *hrôn*) aparece no texto A na escrita inicial (ver notas 25 e 44). Por pura coincidência, ao que parece, aqui e subsequentemente *hrondo* não foi alterado para *hröa* em B.

35 Essa afirmação entre colchetes deriva de um acréscimo feito a A: "Isso é verdade no caso de todas as crianças-élficas, qualquer que seja o caso dos Homens, nos quais o corpo é cada vez mais dominante".

36 Esse parágrafo está ausente em A.

37 Essa nota de rodapé não consta do texto B, mas foi datilografada separadamente na mesma página da passagem citada na nota 16, e, como aquela passagem. sem orientação para sua inserção. O trecho é derivado, de forma bastante próxima, de uma nota de rodapé encontrada nesse ponto em A; essa nota, entretanto, termina dizendo: "... era considerada uma falha ou fraqueza, necessitando de correção ou cura, se isso pudesse ser alcançado".

38 A partir de "Os outros permaneciam" até o final do parágrafo, o texto A, conforme escrito pela primeira vez, dizia o seguinte:

> Outros, libertos do desejo da vida e de fazer algo, mas não das operações da mente ao observar ou fazer reflexões, podiam permanecer como espíritos, *fëar* desincorporados, e ainda assim ter permissão de sair de Mandos e de retornar para lá ou não, como quisessem. Conforme as eras passavam, os números desses aumentavam, dizem os Eldar. Com as mentes dos Viventes eles podem ter comunhão, se os

Viventes se recordarem deles ou abrir suas mentes para recebê-los. A isso os Eldar chamam de "comungar com os *fëar* (ou com os Não Vivos)", e, nos dias posteriores, tem se tornado mais fácil e mais frequente. Mas eles podiam apenas observar o que se passava ou o que era feito conforme o Conto de Arda se desenrolava. Podiam

A passagem foi riscada quando esse trecho foi alcançado, e substituída pelo texto que está aqui em B. Cf. a passagem subsequente (p. 265), encontrada tanto em A como em B: "É, portanto, coisa insensata e perigosa, além de ser um ato errado, proibido com justiça pelos Regentes designados de Arda, os Viventes buscarem comunhão com os Desincorporados ..."

39 Quanto a *Alamanyar*, ver pp. 212-3.

40 O texto A deixa a abertura deste parágrafo no pretérito: "Mas, nos dias posteriores, mais e mais dos Elfos que se demoravam na Terra-média recusavam a convocação de Mandos e vagavam sem-morada pelo mundo, indesejosos de deixá-lo ..."

41 Esse parágrafo, atribuído a Ælfwine e entre colchetes, da mesma forma que o "Preâmbulo" de abertura, está ausente em A, que continua depois de "Essas coisas, dizem, Sauron fazia, e ensinava a seus principais seguidores como realizá-las" da seguinte forma:

> Neste relato, as vidas e os costumes dos Eldar foram considerados principalmente em seus cursos naturais em dias não perturbados, e de acordo com sua natureza verdadeira e não maculada. Mas, como se disse, os Eldar não escaparam da Sombra sobre Arda, que fazia com que tanto azares quanto malfeitos lhes afligissem.

Esse trecho foi substituído pela frase que começa com "Agora muito já se disse acerca da morte e do renascimento entre os Eldar", tal como em B, mas sem o subtítulo "Da Interrupção do Casamento".

42 Essa frase está ausente em A e, portanto, não aparecem aqui equivalentes das palavras *neri* e *nissi* em B (ver nota 12).

43 O texto A usa o nome "Estatuto de Finwë e Míriel", como no título do texto B.

44 A versão A tinha aqui a forma *hróni*, alterada para *hrondor*: ver nota 34.

45 Daqui até o ponto onde se interrompe, o texto B diverge completamente de A, e retomo a apresentação da versão A na íntegra desde o início dessa segunda resposta.

Apresento agora o restante da obra com base no manuscrito original A, retomando-a pouco antes do ponto onde o texto datilografado

B é interrompido (ver nota 45 acima). Alterações e acréscimos são geralmente indicados como tal.

Em A, a história propriamente dita de Finwë, Míriel e Indis reaparece (pp. 289-93); é facilmente demonstrável que essa versão veio depois do FM 1 (a tira de papel do capítulo 6 do QT, *Das Silmarils e do Escurecimento de Valinor*, pp. 254-7), mas penso que o intervalo não foi grande: o estilo manuscrito dos dois textos é notavelmente semelhante.

Respondeu-se: já se disse que o casamento reside, em última instância, na vontade do *fëa*. Também a identidade da pessoa reside no *fëa*; e os Mortos que retornam, com o tempo, [*riscado:* recuperarão] recuperam a memória completa do passado; e mais, embora o corpo seja mais do que vestimenta, e a mudança de corpo [não deixará de ter algum efeito >] certamente terá efeito sobre os renascidos, o *fëa* é o mestre, e os renascidos acabarão por se assemelhar à sua pessoa anterior, de forma tão próxima que todos os que os conheceram antes da Morte vão reconhecê-los, e o primeiro e mais pronto a fazer isso será seu antigo cônjuge. Não obstante, uma vez que o casamento também é do corpo, e que um corpo pereceu, eles devem se casar de novo, se o quiserem. Pois terão voltado, por assim dizer, àquele estado de sua vida anterior quando, pelos impulsos de seus *fëar*, eles desejaram se casar. Não haverá dúvida quanto a desejar isso ou não o desejar. Pois, pela fortaleza dos *fëar* dos Eldar não corrompidos, eles vão desejá-lo; e nenhum dos Mortos receberá permissão de Mandos para renascer, a menos que e até que desejem retomar a vida de novo, em continuidade com o seu passado. Pois é o propósito do tempo de Espera em Mandos que a brecha antinatural na continuidade da vida dos Eldar seja curada, embora não possa ser desfeita ou não tenha efeito nenhum em Arda. Segue-se disso, portanto, também que os Mortos deverão renascer em tal lugar e tempo no qual o encontro e o reconhecimento dos divididos haja de certamente vir a se dar, e não haja impedimento nenhum ao casamento deles.

Sobre isso os Eldar comentam: "Com isso se quer dizer que o Cônjuge Renascido não aparecerá em meio à parentela próxima do Cônjuge Vivente, e, de fato, os Renascidos aparecem, via de regra, em meio à sua própria parentela anterior, a menos que, nos acasos de Arda, as coisas tenham mudado tanto que o encontro dos divididos, dessa maneira, torne-se improvável. [*Acrescentado:* Pois o primeiro propósito do *fëa* que busca o renascimento é encontrar seu cônjuge, e seus filhos, se os teve em vida.] Os Renascidos que não eram casados sempre voltam à sua própria gente". Pois os casamentos dos Eldar não acontecerem entre "parentes próximos". Essa, mais uma vez, é uma matéria na qual eles não necessitavam de nenhuma lei ou instrução, mas agiam por natureza, embora citassem razões para isso mais tarde, declarando que era algo devido à natureza dos corpos e dos processos de geração; mas também à natureza dos *fëar*. "Pois", diziam eles, "os *fëar* também têm parentescos, e os impulsos de amor entre eles, como, digamos, os entre um irmão e uma irmã, não são do mesmo tipo que aqueles que levam ao princípio de um casamento". O termo "parentes próximos", para esse propósito, significava os membros de uma mesma "casa", especialmente irmãs e irmãos. Nenhum dos Eldar se casava com os que estavam na linha direta de descendência, nem com filhos dos mesmos pais, nem com a irmã ou o irmão de qualquer um dos pais; nem se casavam com "meio-irmãs" ou "meio-irmãos". Já que, como se demonstrou, apenas nas situações mais raras os Eldar tinham segundas núpcias, *meio-irmã* ou *meio-irmão* eram palavras que, para eles, tinham um significado especial: eles usavam esses termos quando ambos os pais de uma criança eram aparentados a ambos os pais de outra, tal como quando dois irmãos se casavam com duas irmãs de outra família, ou uma irmã e um irmão de uma casa se casavam com um irmão e uma irmã de outra: coisas que aconteciam amiúde. De resto, "primos de primeiro grau", como diríamos, podiam se casar, mas raramente o faziam, ou desejavam fazê-lo, a menos que um dos pais de cada um deles viesse de uma parentela muito distante.

Dificilmente há de ser de outro modo quando ambos os cônjuges são mortos ou morrem: eles casar-se-ão de novo, no devido tempo, após renascerem, a menos que desejem permanecer juntos em Mandos.

Perguntou-se: por que os Mortos devem permanecer em Mandos para sempre se o *fëa* consente no fim de seu casamento? E o que é essa Sentença da qual Mandos fala?

Respondeu-se: as razões devem ser achadas no que já foi dito. O casamento é para a vida toda e não pode, portanto, ter fim, salvo pela interrupção da morte sem retorno. Enquanto há esperança ou propósito de retorno, ele não está terminado, e os Viventes não podem, portanto, casar-se de novo. Se ao Vivente é permitido se casar de novo, então, por sentença, Mandos não permitirá que o Morto volte. Pois, como já foi declarado, alguém que renasce é a mesma pessoa que era antes da morte e volta para reassumir e continuar sua vida anterior. Mas, se o antigo cônjuge se casasse de novo, isso não seria possível, e grande tristeza e dúvida afligiriam todos os três interessados. Para falar das sentenças de Mandos: essas são de três tipos. Ele profere as decisões de Manwë, ou dos Valar em conclave, as quais se tornam vinculantes para todos, até mesmo para os Valar, quando são assim declaradas; razão pela qual transcorre algum tempo entre a decisão e a sentença. De maneira semelhante, ele profere as decisões e propósitos de outros que estão sob sua jurisdição, os quais são os Mortos, em matérias graves que afetam a justiça e a reta ordem de Arda; e, quando assim pronunciadas, essas decisões se tornam "leis" também, embora concernentes apenas a pessoas ou casos particulares, e Mandos não permite que sejam revogadas ou violadas: razão pela qual, mais uma vez, deve transcorrer algum tempo entre decisão e sentença.* E, por fim, há as sentenças que procedem do próprio Mandos, como juiz em matérias que correspondem ao seu cargo conforme foi ordenado desde o princípio. Ele é o juiz do certo e do errado, e da inocência e da culpa (e de todos os graus e mesclas dessas coisas) nos maus acasos e malfeitos que vêm a se dar em Arda. Todos aqueles que vêm a Mandos são julgados no que diz respeito à inocência ou à culpa, na matéria de sua morte e em todos os outros feitos e propósitos de suas vidas no corpo; e Mandos designa a cada um a maneira e a duração de seu tempo de Espera de acordo com seu julgamento. Mas suas sentenças em tais matérias não são pronunciadas com pressa; e até os mais culpados são testados longamente, de modo que possam ser curados ou corrigidos, antes

* No caso de uma decisão de nunca voltar à vida tomada por um *fëa* dos Mortos, o tempo mínimo de intervalo estabelecido por Mandos era de dez anos valianos. Durante esse período, a decisão podia ser revogada.

que qualquer sentença final seja dada (tal como a de nunca voltar de novo entre os Viventes). É por isso que se dizia: "Quem entre os Viventes é capaz de antecipar as sentenças de Mandos?"

> Sobre isso, os Eldar comentam: "A inocência ou a culpa na matéria da morte são citadas porque ser, de qualquer maneira, culpável na decorrência desse mal (seja ao forçar outros a matar alguém na defesa deles contra violência injusta, ou por temeridade, ou por colocar em prática vanglórias imprevidentes, ou por matar a si mesmo ou voluntariamente retirar o *fëa* do corpo) é considerado uma falta. Ou, no mínimo, a retirada da vida é considerada uma boa razão, a menos que a vontade do *fëa* se altere, para que o *fëa* permaneça em meio aos Mortos e não retorne. Quanto à culpa em outras matérias, pouco se conhece das lides de Mandos com os Mortos. Por várias razões: porque aqueles que fizeram grande mal (que são poucos) não voltam. Porque aqueles que passaram pela correção de Mandos não falam dela e, de fato, estando curados, recordam-se de pouca coisa; pois voltaram aos seus cursos naturais, e o antinatural e o pervertido não estão mais na continuidade de suas vidas. E também porque, como já se disse, embora todos os que morrem sejam convocados a Mandos, está dentro das capacidades dos *fëar* dos Elfos recusar a convocação e, sem dúvida, muitos dos espíritos mais infelizes, ou mais corrompidos (especialmente aqueles dos Elfos-escuros) de fato recusam, e assim enfrentam um mal pior, ou, no melhor dos casos, vagam sem-morada e sem cura, sem esperança de retorno. Não é assim que escaparão do julgamento para sempre; pois Eru persiste e está acima de tudo.

Esse julgamento é conhecido como o "Estatuto de Finwë e Míriel", pois o deles foi o primeiro caso, e foi em favor de Finwë que o conselho de Manwë foi buscado nessa matéria. Ora, Finwë, primeiro Senhor dos Noldor, tinha por esposa Míriel, que era chamada a *Serindë*, por causa de sua habilidade excelsa no tecer e no costurar, e era grande o amor de um pelo outro. Mas, ao dar à luz seu primeiro filho, Míriel foi consumida em espírito e corpo, de modo que quase toda força parecia tê-la deixado. Esse filho era Curufinwë, mais renomado de todos os Noldor como Feänáro (ou Feänor),[1] Espírito-de-fogo, o nome que Míriel lhe deu no nascimento; era poderoso em corpo e em todas as habilidades do corpo, e supremo entre os Eldar em avidez e força e sutileza de mente. Mas Míriel disse a Finwë: "Nunca mais hei de dar à luz um filho; pois a força que poderia ter nutrido a vida de muitos passou para Fëanáro".

Então Finwë ficou grandemente entristecido, pois os Noldor estavam na juventude de seus dias e habitavam na ventura do Zênite de Aman, mas ainda eram poucos em número, e ele desejava gerar muitas crianças naquela ventura. Disse ele, portanto: "Decerto há cura em Aman? Aqui todo cansaço pode achar repouso".

Portanto, Finwë buscou o conselho de Manwë, e Manwë entregou Míriel aos cuidados de Irmo em Lorien.[2] Quando se despediram (por um breve tempo, conforme julgava ele), Finwë estava triste, pois lhe parecia infeliz coisa que a mãe partisse e perdesse o princípio, no mínimo, dos dias de infância de seu filho. "Infeliz é, de fato", disse Míriel, "e eu choraria, se não estivesse tão cansada. Mas me considera sem culpa nisso e no que possa vir depois. Descansar agora é o que tenho de fazer. Adeus, caro senhor." Com mais clareza do que isso não falou, mas, em seu coração, ela ansiava não apenas por sono e descanso, mas pela liberação do labor de viver. Foi então para Lorien e se deitou para dormir debaixo de uma árvore prateada, mas, embora parecesse de fato dormir, seu espírito partiu de seu corpo e passou em silêncio para os salões de Mandos; e as donzelas de Estë cuidaram de seu belo corpo, de modo que permaneceu incorrupto, porém ela não retornou.

A tristeza de Finwë foi grande, e ele ia amiúde aos jardins de Lorien e, sentando-se debaixo dos salgueiros prateados ao lado de sua esposa, chamava-a por seus nomes. Mas isso de nada valeu, e somente ele, em todo o Reino Abençoado, estava enviuvado e cheio de pesar. Depois de algum tempo, ele não foi mais a Lorien, pois isso não fazia mais que aumentar sua tristeza. Todo o seu amor ele deu ao filho; pois Fëanáro era semelhante à mãe em voz e semblante, e Finwë era para ele tanto pai quanto mãe, e havia um laço duplo de amor sobre seus corações. Contudo, Finwë não estava contente, sendo jovem e ávido e desejando ter mais crianças para trazer alegria à sua casa. [Falou, portanto, a Manwë >] Quando, portanto, dez anos tinham passado, ele falou a Manwë, dizendo: "Senhor, eis que estou enviuvado e solitário. Somente eu entre os Eldar não tenho esposa, e não tenho esperança de ter mais filhos exceto um, e nenhuma fiha. Devo permanecer para sempre assim? [Pois não creio que Míriel vá voltar >] Pois meu coração me adverte que Míriel não vai voltar da casa de Vairë enquanto Arda durar. Será que não há cura para a tristeza em Aman?"

Então Manwë teve piedade de Finwë e considerou seu rogo, e, quando Mandos pronunciou sua sentença, como foi registrado,[3] Manwë chamou Finwë e disse: "Ouviste a sentença que foi declarada. Se Míriel, tua esposa, não deseja voltar e te libera, vossa união[4] está dissolvida, e tens licença para tomar outra esposa".

Diz-se que Míriel respondeu a Mandos, dizendo: "Vim até aqui para escapar do corpo e não desejo jamais voltar a ele. Minha vida deixou-me e entrou em Feänáro, meu filho. Esta dádiva dei àquele que amei, e não posso dar mais nada. Além de Arda pode ser que isso seja curado, mas não dentro dela".

Então Mandos a declarou inocente, julgando que tinha morrido sob o peso de uma necessidade grande demais para que ela a suportasse. Portanto, teve permissão para sua escolha e foi deixada em paz; e, depois de dez anos, a sentença de desunião foi pronunciada. [No ano seguinte >] E, depois de três anos mais, Finwë tomou como segunda esposa Indis, a bela; e ela era, de todas as maneiras, diversa de Míriel. Não era dos Noldor, mas dos Vanyar, [da parentela >] irmã de Ingwë; e era de cabelos dourados, e alta, e de pés sobremaneira céleres. Não labutava com as mãos, mas cantava e compunha música, e havia sempre luz e alegria à volta dela enquanto a ventura de Aman perdurou. Amava a Finwë profundamente, pois seu coração se voltara para ele muito antes, enquanto o povo de Ingwë habitava ainda com os Noldor em Túna.[5] Naqueles dias, ela contemplara o Senhor dos Noldor, de cabelos escuros e fronte alva, ávido de rosto e de olhos pensativos, e ele lhe pareceu o mais belo e mais nobre entre os Eldar, e sua voz e maestria das palavras a deleitavam. Portanto, permaneceu sem casar quando seu povo partiu para Valinor, e caminhava amiúde sozinha nos campos e brenhas dos Valar, [voltando seu pensamento para as coisas que cresciam sem cultivo], enchendo-os com música. Mas veio acontecer que Ingwë, ouvindo falar da estranha tristeza de Finwë e desejando levantar o coração dele e tirá-lo do pranto vão em Lorien, enviou mensagens pedindo que deixasse Túna por algum tempo, assim como as lembranças de sua perda, e viesse e habitasse à luz das Árvores. Essa mensagem Finwë não respondeu até depois que a sentença de Mandos foi pronunciada; mas então, julgando que devia buscar reconstruir sua vida e que o pedido de Ingwë era sábio, levantou-se e foi para a casa do rei a oeste do Monte Oiolossë. Sua chegada foi inesperada, mas bem-vinda; e, quando Indis viu Finwë subindo os caminhos da montanha (e a luz de Laurelin estava detrás dele como coisa gloriosa), sem nada prever ela cantou de repente em grande júbilo, e sua voz se elevou como a canção de um *lirulin* no céu.[6] E, quando Finwë ouviu aquela canção caindo do alto, olhou para cima e viu Indis na luz dourada, e soube, naquele momento, que ela o amava, e isso havia muito. Então seu coração se voltou afinal para ela, e ele acreditou que esse acaso, como lhe parecia, tinha sido concedido para confortar a ambos. "Vede!", disse Finwë. "Há de fato cura da tristeza em Aman!"

Dessa maneira, veio a se dar sem muita demora o casamento de Finwë e Indis, irmã de Ingwë. No caso de Indis de fato se mostrou verdadeiro o ditado que diz "a perda de um pode ser o ganho de outro". Mas isto também ela descobriu ser verdadeiro: "a casa se recorda do construtor, embora outros possam habitar nela depois". Pois Finwë bem a amava, e estava contente, e ela lhe deu filhos nos quais ele se regozijava,*[7] porém a sombra de Míriel não partiu de seu coração, e a Fëanáro cabia a parte principal de seu pensamento. As bodas de seu pai não agradaram a Feänáro, e, embora isso não diminuísse seu amor pelo pai, ele tinha pouco amor a Indis ou seus rebentos, e menos ainda a seus meio-irmãos. Assim que pôde (e ele estava quase plenamente crescido antes que Nolofinwë nascesse), deixou a casa do pai e foi viver apartado deles, dedicando todo o seu coração e pensamento à procura do saber e à prática dos ofícios. Naquelas coisas infelizes que mais tarde vieram a se dar e nas quais Feanáro foi um líder, muitos viram os efeitos dessa divisão na casa de Finwë, julgando que, se o rei tivesse suportado sua perda e ficado contente com a paternidade de seu poderoso filho, os cursos tomados por Feanáro teriam sido outros, e muito pesar e mal nunca teriam acontecido.

Assim é que os casos nos quais um novo casamento dos Eldar pode ter lugar são raros, mas mais raros ainda são aqueles que de

* Cinco crianças ela deu à luz, três filhas e dois filhos, nesta ordem: Findis, Nolofinwë, Faniel, Arafinwë e Írimë. Acerca dos nomes dados aos filhos falamos acima.

fato se casam, mesmo quando é algo permissível. Pois o pesar e a contenda na casa de Finwë estão gravados na memória dos Eldar.

[Está registrado pelos Eldar que os Valar acharam estranha essa matéria de Finwë e muito debateram acerca dela. Pois Finwë eles não podiam acusar de culpa alguma, e o Estatuto que tinha sido feito para Finwë e Míriel era justo e razoável. Contudo, estava claro que muitos males teriam sido evitados [ou se Míriel tivesse sido menos fraca, ou Finwë mais paciente >] se o estatuto não tivesse sido feito ou se, pelo menos, não tivesse sido usado. *Essa passagem, mais tarde, foi substituída da seguinte maneira:*] Está registrado pelos Eldar que os Valar debateram longamente o caso de Finwë e Míriel depois que o Estatuto foi feito mas ainda não tinha sido declarado. Pois eles perceberam que essa era uma matéria grave, e um portento, pelo fato de que Míriel morrera mesmo em Aman e trouxera pesar ao Reino Abençoado, coisas as quais, antes, eles tinham acreditado que não poderiam vir a se dar. Além disso, embora o Estatuto parecesse justo, alguns temiam que ele não curasse a morte por tristeza, mas acabasse por perpetuá-la. E Manwë falou aos Valar, dizendo: "Nesta matéria não deveis esquecer que lidais com Arda Maculada — da qual trouxestes os Eldar. Nem deveis esquecer que em Arda Maculada *Justiça* não é *Cura*. A Cura vem apenas por meio de sofrimento e paciência e não faz exigência nenhuma, nem mesmo Justiça. A Justiça opera apenas dentro das fronteiras das coisas como elas são, aceitando a maculação de Arda, e, portanto, embora a Justiça seja boa em si mesma e não deseje nenhum mal a mais, pode acabar não mais do que perpetuando o mal que existiu e não o impede de produzir seu fruto de tristeza. Assim, o Estatuto era justo, mas aceitava a Morte e a separação de Finwë e Míriel, uma coisa antinatural em Arda Imaculada, e, portanto, se comparado a Arda Imaculada, era antinatural e eivado de Morte. A liberdade que ele concedeu era um caminho inferior que, se não levasse ainda mais para baixo, não podia ascender de novo. Mas a Cura deve conter em si sempre o pensamento de Arda Imaculada, e, se não puder ascender, deve suportar as coisas com paciência. Isso é Esperança, a qual, julgo eu, é, antes de tudo o mais, a virtude mais bela dos Filhos de Eru, [mas não pode ser exigido que ela venha quando necessária: a paciência amiúde precisa aguardá-la longamente.]"[8]

Então Aulë, amigo dos Noldor [*acrescentado:* e que amava a Fëanor], falou. "Mas será que essa matéria surgiu de Arda Desfigurada?", perguntou ele. "Pois a mim parece que ela surgiu do nascimento de Feanáro. Ora, Finwë e todos os Noldor que o seguiam nunca foram, em coração ou pensamento, atraídos por [Morgoth >] Melkor, o Maculador; como então essa coisa estranha veio a se dar, até mesmo em Aman, a Não Ensombrecida? Que o dar à luz uma criança lançasse tamanho cansaço sobre a mãe que ela não mais desejasse a vida. Essa criança é a maior em dons que já surgiu ou há de surgir em meio aos Eldar. Mas os Eldar são os primeiros Filhos de Eru, e pertencem a ele diretamente. Portanto, a grandeza da criança deve proceder da vontade dele diretamente e destinada ao bem dos Eldar e de toda Arda. O que dizer então do custo do nascimento? Será que não se deve pensar que a grandeza e o custo provêm não de Arda, Maculada ou Imaculada, mas d'além de Arda? Pois isto sabemos ser verdade e, conforme as eras passam, há de se tornar amiúde manifesto (em matérias pequenas e nas grandes), que nem todo o Conto de Arda estava no Grande Tema, e que certas coisas hão de ser dar que não podem ser previstas, pois elas são novas e não são engendradas pelo passado que as precedeu."[9] [*Acrescentado:* Assim Aulë falou, não desejando acreditar que alguma mancha da Sombra jazia sobre Fëanor, ou sobre qualquer um dos Noldor. Ele tinha sido o mais ávido a convocá-los para Valinor.][10]

Mas Ulmo respondeu: "Mesmo assim, Míriel morreu. [E não é a morte um mal para os Eldar, isto é, uma coisa antinatural em Arda Imaculada, que deve proceder, portanto, da maculação? Ou, se a morte de Míriel não é isso, mas vem d'além de Arda, como há de se distinguir a morte que é antinatural e um mal daquela que é uma coisa nova e não tem razão no passado, a menos que o segundo tipo não cause nem pesar nem dúvida? Mas a morte de Míriel trouxe ambas as coisas para dentro de Aman. *Essa passagem foi, mais tarde, substituída pela seguinte:*] E a morte é, para os Eldar, um mal, isto é, uma coisa antinatural em Arda Imaculada, que deve proceder, portanto, da maculação. Pois, se a morte de Míriel foi outra coisa, e veio d'além de Arda (como uma coisa nova que não tem nenhuma causa no passado), não traria pesar nem dúvida. Pois Eru é Senhor de Tudo e põe em movimento todas as condutas de suas criaturas, até a malícia do Maculador, em seus propósitos finais, mas ele, por seu movimento primeiro, não impõe a tristeza sobre eles. Mas a morte de Míriel trouxe pesar a Aman. / A vinda de Feänáro deve certamente proceder da vontade de Eru; mas sustento que a maculação de seu nascimento vem da Sombra, e é um portento dos males que estão por vir. Pois os maiores são os mais potentes também para o mal. Tende cuidado, meus irmãos, e não acheis que a Sombra se foi para sempre, embora tenha sido abatida. Será que ela não habita agora mesmo em Aman, embora julgueis que as amarras são inquebráveis?" [Pois Ulmo divergira >] Assim Ulmo falou, ele que divergira dos conselhos dos Valar quando eles trouxeram Melkor, o Maculador, para Mandos depois de sua derrota.[11] [*Acrescentado:* Além disso, ele amava os Elfos (e os Homens também, mais tarde), mas de maneira diversa de Aulë, acreditando que deviam ser deixados livres, por mais perigoso que isso pudesse parecer. Assim, mais tarde se viu que, ainda que ele amasse a Fëanor e a todos os Noldor com menos entusiasmo, tinha mais misericórdia de seus erros e malfeitos.]

Então Yavanna falou, e, embora fosse esposa de Aulë, ela se inclinava antes pela opinião de Ulmo. "Meu senhor Aulë se equivoca", disse, "pois fala de Finwë e Míriel como se estivessem livres da Sombra em coração e pensamento, como se isso provasse que nada que lhes sobreveio pudesse vir da Sombra ou da maculação de Arda. Mas, assim como os Filhos não são como nós (que viemos d'além de Arda completamente e em todo o nosso ser), mas são tanto espírito quanto corpo, e esse corpo é de Arda e foi por Arda nutrido: assim também a Sombra opera não apenas sobre espíritos, mas maculou a própria *hrón* de Arda, e toda a Terra-média está pervertida pelo mal de Melkor, que trabalhou nela tão fortemente quanto qualquer um entre nós aqui. Portanto, nenhum daqueles que despertaram na Terra-média e lá habitaram antes de vir para cá chegaram aqui totalmente livres. A falha na força do corpo de Míriel pode então ser atribuída, com alguma razão, ao mal de Arda Maculada, e a morte dela pode ser uma coisa antinatural. E que isso pudesse aparecer em Aman a mim parece, tal como a Ulmo, um sinal a que se precisa dar ouvido."[12]

Então Niënna falou, ela que vinha a Valmar raramente, mas se assentava então ao lado esquerdo de Manwë. "No emprego da Justiça deve haver Piedade, a qual é a consideração da natureza única de cada um que vem diante da Justiça. Quais de vós, Valar, em sua sabedoria, culpareis estes Filhos, Finwë e Míriel? Pois os Filhos são tanto fortes quanto sem poder. Mandos é quem considerais ser o mais forte de todos em Arda, sendo o que menos se abala, e, portanto, ousastes entregar até mesmo o próprio Maculador aos cuidados dele. Contudo, eu vos digo que cada *fëa* dos Filhos é tão forte quanto ele; pois tem a força de sua inexpugnável singularidade (que vem a ele de Eru, tal como para nós); em sua nudez, o *fëa* é obstinado, além de todo poder que tendes para influenciá-lo, se ele não desejar algo. Contudo, os Filhos não são poderosos: em vida, são pequenos, e seus efeitos são pequenos; e são jovens e conhecem apenas o Tempo. Suas mentes são como as mãos de seus bebês, pequenas em alcance, e até esse alcance ainda não é capaz de agarrar. Como hão de perceber o [?fim] de seus feitos, ou deixar de lado os desejos que surgem de sua própria natureza, o habitar do espírito dentro [do] corpo o qual é sua reta condição? Será que já conhecestes o cansaço de Míriel, ou sentistes a viuvez de Finwë?

"Míriel, julgo eu, morreu pela necessidade do corpo, num sofrimento [pelo] qual era sem culpa ou, de fato, era razão para louvá-la, e, contudo, não lhe foi dado poder para resisti-lo: o custo de tão grande parto. E nisso creio que Aulë percebe uma parte da verdade. A separação do *fëa* foi, no caso de Míriel, coisa especial. A morte é de fato a morte e, dentro do Grande Tema, vem do Maculador e é pesarosa; mas Eru, nessa morte, tinha um propósito de bem imediato, e não era preciso que ela produzisse nenhum fruto amargo; enquanto a Morte que vem do Maculador apenas tem intenção maligna, e a cura dela depende da Esperança apenas, e isso até o Fim. Mas Finwë, não compreendendo a morte (e como haveria de compreender?), chamou Míriel, e ela não voltou, e ele ficou enviuvado, e sua vida e expectativa naturais foram mutiladas. Com justiça ele gritou: 'Não há cura em Aman?' Esse grito não poderia deixar de ser ouvido, e o que podia ser feito nós fizemos. Por que motivo deveríamos recusar isso?"

Mas Ulmo respondeu a ela, dizendo: "Não! Embora eu não condene, ainda assim julgarei. Nisso tudo percebo não apenas a vontade direta de Eru, mas a falha em suas criaturas. Não culpa, porém um fracasso em relação àquilo que é mais elevado, que é a Esperança da qual o Rei falou. E não duvido que o seguir a estrada mais elevada, uma ascensão que, embora difícil, não era impossível, era parte daquele propósito de bem imediato do qual Niënna fala.[13] Pois o *fëa* de Míriel pode ter partido por necessidade, mas partiu seguindo a vontade de não retornar. Nisso estava sua falha, pois essa vontade não era irresistível sob compulsão; era um fracasso de esperança por parte do *fëa*, uma aceitação do cansaço e da fraqueza do corpo como uma coisa além da cura, e que, portanto, não podia ser curada. Mas essa resolução consistia não apenas em deixar sua própria vida, mas também no abandono de seu esposo, e a maculação da vida dele. A justificativa que ela defendeu é insuficiente; pois pela dádiva de uma criança, por maior que ela seja, nem, de fato, pela dádiva de muitas crianças, a união do casamento não é encerrada, tendo um propósito que vai além delas. O que é inegável é que Feänáro será privado do papel da mãe em sua criação. Ademais, se ela voltasse, não precisaria ter mais filhos, a não ser que, pela renovação do renascimento, seu cansaço fosse curado.

"Assim, Finwë estava entristecido e clamou por justiça. Mas, quando a chamou e ela não voltou, depois de apenas alguns anos ele caiu em desespero. Nisso está sua falha, e o fracasso da Esperança. Mas ele também fundou seu clamor principalmente no desejo de ter filhos, considerando seu próprio ser e sua perda mais do que as tristezas que tinham sobrevindo à sua esposa: esse foi um fracasso quanto ao amor pleno.

"Os *fëar* dos Eldar, como disse Niënna, não podem ser alquebrados ou forçados,* e a trajetória de suas vontades não pode, portanto, ser prevista com certeza. Contudo, parece-me que ainda havia esperança de que, depois do repouso em Mandos, o *fëa* de Míriel voltasse por si próprio à sua natureza, isto é, ao desejo de habitar um corpo. Esse estranho evento deveria resultar, em vez de na dissolução da união dos dois, no uso, por parte de Finwë, da paciência do amor pleno, e no aprendizado da Esperança; e no retorno de Míriel, mais ampla de mente e renovada de corpo. Assim, juntos, poderiam nutrir seu magno filho com amor unido,

* Essa afirmação se refere em primeiro lugar aos *fëar* desnudos e sem-morada. Quando viventes, os *fëar* podem ser iludidos; e podem ser dominados pelo medo (de alguém com grande poder, tal como Melkor) e, assim, ser escravizados. Mas essas coisas são perversas e tirânicas, e são praticadas apenas por Melkor entre todos os Valar. Elas geram apenas ódio e asco nos escravizados (os quais são sinais de dissenso interno e profundo). Para nenhum bom propósito podem tais meios ser usados, pois fazem com que todos os propósitos se tornem malignos.

e os retos cuidados com ele estariam assegurados. Mas o *fëa* de Míriel não foi deixado em paz e, ao ser importunado, sua vontade se endureceu; e nessa resolução ele deve permanecer sem mudança enquanto Arda durar, se o Estatuto for promulgado. Assim, a impaciência de Finwë fechará a porta da vida diante do *fëa* de sua esposa. Essa é a maior das falhas. Pois é mais antinatural que um dos Eldar permaneça para sempre como *fëa* sem corpo do que um deles permaneça vivo, casado, mas enviuvado. Uma provação foi imposta a Finwë (não só por Míriel), e ele pediu justiça, e alívio."

"Não!", disse Vairë de repente. "O *fëa* de Míriel está comigo. Conheço-o bem, pois é pequeno. Mas é forte; orgulhoso e obstinado. É daquele tipo que, tendo dito *isto eu não farei*, transforma suas palavras numa sentença irrevogável para si mesmo. Ela não voltará à vida, nem voltará para Finwë, mesmo que ele esperasse até o envelhecimento do mundo. Disso ele está ciente, julgo eu, conforme suas palavras mostram. Pois ele não fundou seu pedido apenas em seu desejo de ter filhos, mas disse ao Rei: *meu coração me adverte de que Míriel não voltará enquanto Arda durar*. De que tipo é o conhecimento ou a crença que ele assim expressou, e donde lhe veio, eu não sei. Mas *fëa* é capaz de perceber *fëa* e conhece a disposição do outro, especialmente no casamento, de maneiras que não somos capazes de entender plenamente. Não somos capazes de perscrutar todo o mistério da natureza dos Filhos. Mas, se formos falar de Justiça, então a crença de Finwë deve ser levada em consideração; e se, conforme julgo, ela é bem fundamentada, não sendo uma fantasia de sua própria inconstância, mas estando contra sua própria vontade e desejo, devemos avaliar de outro modo as falhas desses dois. Quando uma das Rainhas dos Valar, Varda ou Yavanna, ou mesmo eu, partir para sempre de Arda e deixar seu esposo, querendo-o ele ou não,[14] então que esse esposo julgue Finwë, se o quiser, recordando que Finwë não é capaz de seguir Míriel sem fazer mal à sua natureza, nem sem abandonar o dever e o elo de sua paternidade."

Quando Vairë terminou de falar, os Valar ficaram sentados longamente em silêncio, até que, afinal, Manwë falou de novo. "Há razão e sabedoria em tudo o que foi dito. Em verdade, na matéria dos Filhos nós ficamos próximos de mistérios, e a chave para o entendimento pleno deles não nos foi dada. Em parte, os Filhos são de fato uma — ou talvez a principal — daquelas 'coisas novas' das quais Aulë falou.* Contudo, eles adentraram Arda Maculada e estavam destinados a fazê-lo, e a suportar a Maculação, ainda que tivessem vindo, em seu princípio, d'além de Eä. Pois essas 'coisas novas', manifestando o dedo de Ilúvatar, como dizemos — elas podem não ter nenhum passado em Arda e ser imprevisíveis antes que apareçam, porém, dali em diante, têm operações futuras que podem ser preditas, de acordo com a sabedoria e o conhecimento, uma vez que se tornam, de imediato, parte de Eä, e parte do passado de tudo o que se seguiu depois. Podemos dizer, portanto, que os Elfos estão destinados a conhecer a 'morte' à sua maneira, sendo enviados a um mundo que contém a 'morte' e tendo uma forma para a qual a 'morte' é possível. Pois, ainda que, por sua natureza primária, não maculada, eles tenham morada corretamente como espírito e corpo coerentes, ainda assim essas são duas coisas separadas, e não as mesmas, e sua separação (que é a 'morte') é uma possibilidade inerente à sua união.

"Aulë e Niënna se equivocam, julgo eu; pois o que cada um diz com palavras diferentes significa em essência isto: que a Morte que vem do Maculador pode ser uma coisa, e que a Morte como um instrumento de Eru pode ser outra coisa, e discernível: a primeira consistindo em malícia e, portanto, apenas maligna e inevitavelmente causa de sofrimento; e a outra consistindo em benevolência, tendo a intenção de causar um bem particular e imediato, e, portanto, não maligna, e ou não causando sofrimento ou de cura fácil e célere. Pois o mal e a tristeza da morte vêm da mera separação e da ruptura na natureza, a qual é semelhante em ambos os casos (ou então o nome deles não é morte); e ambos ocorrem apenas em Arda Maculada e estão de acordo com seus processos.

"Portanto, julgo que a opinião de Ulmo é a que deve seguir, sustentando que Eru não necessita de, e não desejaria ter como um instrumento especial de sua benevolência, uma coisa que é maligna. Por que razão, de fato, ele haveria de introduzir a morte como uma 'coisa nova' num mundo que já a sofre? Não obstante, Eru é Senhor de Tudo e há de usar como instrumentos de seus

* Com o significado de que, embora essas coisas tenham aparecido no Grande Tema, foram introduzidas pelo próprio Eru, não mediadas por qualquer um dos Ainur; e ainda assim não foram plenamente reveladas aos Ainur.

propósitos finais, os quais são bons, quaisquer coisas que suas criaturas, grandes ou pequenas, façam ou imaginem, à sua revelia ou ao seu serviço. Mas devemos sustentar que é a vontade dele que aqueles dos Eldar que o servem não fossem abatidos por tristezas ou males que eles encontram em Arda Maculada; mas ascendessem a uma força e sabedoria que, de outro modo, não teriam alcançado: que os Gerados por Eru crescessem até se tornar filhas e filhos.

"Pois Arda Imaculada tem dois aspectos ou sentidos. O primeiro é o que há de Imaculado que eles são capazes de discernir no que é Maculado, se seus olhos não estão obscurecidos, e pelo qual anseiam, assim como nós ansiamos pela Vontade de Eru: este é o chão sobre qual a Esperança é construída. O segundo é aquilo que é Imaculado que há de existir: isto é, para falar de acordo com o Tempo, no qual eles têm seu ser, a Arda Curada, que há de ser maior e mais bela do que a primeira, por causa da Maculação: essa é a Esperança que sustenta. Ela vem não apenas do anseio pela Vontade de Ilúvatar, Aquele que Gera (a qual, por si só, pode levar àqueles que estão dentro do Tempo a ter não mais do que remorso), mas também da confiança em Eru, o Senhor sempiterno, a crença de que ele é bom e de que todas as suas obras hão de terminar em bem. Isto o Maculador tem negado, e nessa negação está a raiz do mal, e o seu fim é o desespero.

"Portanto, ainda que levando em conta as palavras de Vairë, eu mantenho o que disse primeiro. Pois, embora ela não fale sem conhecimento, está emitindo uma opinião, e não uma certeza. Os Valar não têm e não se arrogam ter certeza no que concerne às vontades dos Filhos. E, mesmo que eles tivessem certeza quanto a este caso acerca do *fëa* de Míriel, nem isso desfaria a união de amor que outrora houve entre ela e seu esposo, ou tornaria nulo o julgamento de que a constância nessa união seria, para Finwë, um curso melhor e mais justo, mais de acordo com Arda Imaculada, ou de acordo com a vontade de Eru ao permitir que essa coisa lhe sobreviesse. O Estatuto deu liberdade para que houvesse um caminho inferior, e, aceitando a morte, acaba por admiti-la e não é capaz de curá-la. Se essa liberdade for usada, o mal da morte de Míriel continuará a ter poder e dará frutos de pesar.

"Mas essa matéria eu agora confio a Námo, o Juiz. Que ele fale por último!"

Então Námo Mandos falou, dizendo: "Tudo o que ouvi considerei de novo; embora nada pertinente ao julgamento tenha sido trazido à baila que não fosse já considerado na formulação do Estatuto. Que o Estatuto se mantenha, pois é justo.

"É nosso papel reger Arda e aconselhar os Filhos, ou governá-los nas coisas confiadas à nossa autoridade. Portanto, é nossa tarefa lidar com Arda Maculada e declarar o que é justo dentro dela. Podemos, de fato, em nossos conselhos, apontar o caminho mais elevado, mas não podemos compelir nenhuma criatura livre a andar por ele. Isso leva à tirania, que desfigura o bem e o faz parecer odioso.

"Curar-se por meio da Esperança final, como a de que falou Manwë, é uma lei que alguém pode dar apenas a si mesmo; dos outros, só a justiça pode ser exigida. Um governante que, discernindo a justiça, recusa a ela a sanção de lei, exigindo abnegação de direitos e sacrifício da própria pessoa, não impulsionará seus súditos a essas virtudes, que são virtuosas apenas se livres, mas, ao tornar a justiça ilegítima de modo não natural, haverá antes de impulsioná-los à rebelião contra toda lei. Não será por tais meios que Arda ficará curada.

"É correto, portanto, que este justo Estatuto seja proclamado, e aqueles que o usem hão de ser inocentes, o que quer que se siga depois. Assim há o Conto dos Eldar, dentro do Conto de Arda, de ter sua feição.

"Ouvi agora, ó Valar! A mim a predição[**] é concedida, e não menos do que as sentenças, e proclamarei agora diante de vós coisas tanto próximas quanto distantes. Eis que Indis, a bela, há de se fazer feliz e fértil, ela que, de outro modo, poderia ter sido solitária. Pois não pela morte apenas a Sombra entrou em Aman, com a vinda dos Filhos destinados a sofrer; há outros pesares, mesmo se forem menores. Longamente ela amou a Finwë, em paciência e sem amargura. Aulë deu a Fëanor o título de maior dos Eldar, e, em potencialidade, isso é verdadeiro. Mas eu vos digo que os filhos

[**] O significado disso é a profecia acerca das coisas que nem a razão com base nas evidências, nem (por parte dos Valar) o conhecimento do Grande Tema, poderiam descobrir ou perceber com celeridade. Só raramente e em grandes matérias Mandos era levado a profetizar.

de Indis também hão de ser grandes, e o Conto de Arda há de ser mais glorioso por causa de sua vinda. E deles hão de brotar coisas tão belas que nenhuma lágrima há de empanar sua beleza; em cujo ser os Valar, e as Gentes, tanto a dos Elfos quanto a dos Homens que há de vir terão parte, e em cujos feitos hão de se regozijar. De modo que, daqui a muito, quando tudo o que aqui está, e que parece inda belo e inexpugnável, mesmo assim há de ter se desvanecido e passado, a Luz de Aman não há de cessar de todo em meio aos povos livres de Arda, até o Fim.

"Quando aquele que há de ser chamado de Eärendil puser pé sobre as costas de Aman, haveis de recordar minhas palavras. Naquela hora não direis que o Estatuto da Justiça deu fruto apenas para a morte; e as tristezas que hão de vir pesareis na balança, e elas não hão de parecer pesadas demais comparadas com o surgir da luz quando Valinor se tornar escura."

"Que assim seja!", disse Manwë.[15]

Portanto, o Estatuto foi proclamado, e o encontro de Indis e Finwë teve lugar, como foi narrado.

Mas, depois de algum tempo, Niënna veio até Manwë e disse: "Senhor de Aman, agora está claro que a morte de Míriel foi um mal de Arda Maculada, pois, com a vinda até aqui dos Eldar, a Sombra encontrou uma entrada até mesmo em Aman. Não obstante, Aman continua sendo o Reino dos Valar, no qual tua vontade é soberana. Embora a morte da separação possa achar os Eldar em teu reino, ainda assim há uma coisa que não chega a ele, e não há de chegar:* e essa coisa é a deformidade e a decomposição. Vê, portanto! O corpo de Míriel jaz imaculado, tal como uma bela casa que aguarda sua dona, que partiu numa jornada. Nisso ao menos, portanto, a morte dela difere da morte na Terra-média: pelo fato de que, para o *fëa* sem-morada, um corpo belo ainda está pronto, e o renascimento não é o único portão pelo qual se pode retornar à vida, se tu lhe concederes permissão e lhe deres tua benção. Ademais, agora há muito o corpo jaz em repouso na

* Contudo, após a matança das Árvores, essa coisa chegou enquanto Melkor permaneceu ali; e o corpo de Finwë, morto por Melkor, ressecou-se e se transformou em poeira, tal como as próprias Árvores tinham secado.

paz de Lorien; e não devem os regentes de Arda ter respeito até mesmo pelos corpos e por todas as formas belas? Por que deveria jazer ocioso e sem habitante, quando sem dúvida agora ele não afligiria o *fëa* com cansaço, mas fá-lo-ia se regozijar com a esperança de agir?"

Mas isso Mandos proibiu. "Não", disse ele, "se Míriel voltasse à morada, estaria de novo entre os Viventes, e Finwë teria duas esposas vivas em Aman. Assim, o Estatuto seria contradito, e minha Sentença transformada em nada. E far-se-ia dano também a Indis, que usou a liberdade do Estatuto, mas agora, pela violação dele, ficaria privada do marido, pois Finwë desejaria voltar à sua esposa anterior."

Mas Niënna disse a Mandos: "Não! Que Míriel possa gozar de seu corpo e do uso de suas artes, nas quais se deleitava, e que não permaneça para sempre recordando apenas sua breve vida anterior, e o fim dela pelo cansaço! Será que ela não pode ser retirada dos Salões de Espera e ser admitida ao serviço de Vairë? Se nunca sair de lá nem buscar caminhar entre os Viventes, por que haverias de considerar que a Sentença passou a ser nada, ou temer tristezas que poderiam surgir? A Piedade tem de ser parte da Justiça."

Mas Mandos não se comoveu. E o corpo de Míriel permaneceu deitado em repouso em Lorien, até a fuga de Melkor, o Maculador, e o Escurecimento de Valinor. Naquele tempo maligno, Finwë foi morto pelo próprio Maculador, e seu corpo foi queimado, como que pelo golpe de um relâmpago, e destruído. Então Míriel e Finwë se encontraram de novo em Mandos, e eis que Míriel ficou contente com o encontro, e sua tristeza foi aliviada; e a vontade a que ficara presa a soltou.

E, quando soube por Finwë de tudo o que sobreviera desde a sua partida (pois não dera ouvido a esses acontecimentos, nem pedira notícias até então), ficou grandemente comovida; e disse a Finwë em seu pensamento: "Eu errei ao abandonar a ti e ao nosso filho, ou no mínimo, ao não voltar logo após breve repouso; pois, se eu assim tivesse agido, ele poderia ter crescido com mais sabedoria. Mas os filhos de Indis hão de emendar os erros dele, e, portanto, estou contente que eles tenham passado a existir, e Indis tem o meu amor. Como eu poderia ter rancor contra alguém que recebeu o que rejeitei e acalentou o que eu abandonei? Quisera retratar todo o Conto de nosso povo, e de ti e teus filhos, numa tapeçaria de muitas cores, como um memorial que é mais vívido que a memória! Pois, embora eu esteja agora apartada do mundo e aceite essa Sentença como algo justo, quisera ainda observar e recordar tudo o que sobrevêm àqueles que me são caros, e à prole deles também. [*Acrescentado:* Sinto de novo o chamado de meu corpo e de seus talentos.]"

E Finwë disse a Vairë: "Ouvis o rogo e o desejo de Míriel? Por que Mandos recusaria essa reparação das tristezas dela, para que seu ser não se torne nulo e sem valia? Vede! Eu, no lugar dela, farei morada em Mandos para sempre e, assim, compensarei tudo. Pois, decerto, se eu continuar sem-morada e desistir da vida em Arda, a Sentença dele então permanecerá não violada."

"Assim podes julgar", respondeu Vairë; "Mandos, contudo, é severo, e não permitirá prontamente que uma jura seja revogada. Além disso, ele considerará não apenas a situação de Míriel e a tua, mas também Indis e teus filhos, a quem pareces esquecer, apiedando-se agora de Míriel apenas."

"Sois injusta comigo em vosso pensamento", disse Finwë. "É ilegítimo ter duas esposas, mas um homem pode amar duas mulheres, cada uma de modo diferente e sem diminuir um amor por causa do outro. O amor a Indis não expulsou de mim o amor a Míriel; de forma que, agora, a piedade que sinto por Míriel não diminui os cuidados de meu coração por Indis. Mas ela se separou de mim sem que houvesse morte. Fazia muitos anos que eu não a via, e, quando o Maculador me golpeou, eu estava sozinho. Ela tem filhos queridos para confortá-la, e seu amor, julgou eu, agora é dedicado mormente a Ingoldo.[16] Do pai dele pode ser que ela tenha saudades; mas não do pai de Fëanáro! Mas, acima de tudo, o coração dela agora anseia pelos salões de Ingwë e a paz dos Vanyar, distantes da contenda dos Noldor. Pouco conforto eu haveria de lhe trazer, se voltasse; e o senhorio dos Noldor passou para meus filhos."[17]

Mas, quando Mandos foi abordado, ele disse a Finwë: "É bom que não desejes voltar, pois isso eu teria proibido até muito depois que as tristezas presentes tivessem passado. Mas é melhor ainda que tenhas feito essa oferta, a de se privar por tua própria livre vontade, e por piedade a outrem. Esse é um alvitre de cura, a partir do qual o bem pode crescer."

Portanto, quando Niënna veio até ele e reiterou os rogos em favor de Míriel, Mandos consentiu, aceitando a abnegação de

Finwë como o resgate dela. Então o *fëa* de Míriel foi solto e veio diante de Manwë, e recebeu a benção dele; e ela então foi até Lorien e reentrou em seu corpo e despertou de novo, como alguém que sai de um sono profundo; e ela se levantou, e seu corpo se revigorara. Mas, depois de ficar no crepúsculo de Lorien por longo tempo em pensamento, recordando sua vida anterior, e todas as novas de que ficara sabendo, seu coração ainda estava triste, e ela não tinha desejo nenhum de voltar a seu próprio povo. Portanto, foi até as portas da Casa de Vairë e rogou que a recebessem; e esse rogo foi concedido, ainda que naquela Casa nenhum dos Viventes habitasse, nem outros jamais a adentraram quando no corpo.[18] Mas Míriel foi aceita por Vairë e se tornou a sua principal aia; e todas as novas dos Noldor ao longo dos anos, desde seu princípio, eram-lhe trazidas, e ela as urdia em historiais tapeçarias, tão belas e engenhosas que pareciam viver, imperecíveis, brilhando com uma luz de muitos tons, mais belos do que os que se conhecem na Terra-média. Esse labor Finwë tem, por vezes, permissão de contemplar. E ainda ela põe mãos à obra, embora seu nome tenha mudado. Pois agora ela é chamada de *Fíriel*,* nome que, para os Eldar, significa "Aquela que morreu",[19] e também "Aquela que suspirou". "Belo como as tapeçarias de Fíriel" é uma loa raramente feita até mesmo para as obras dos Eldar.

* Pois, antes do falecimento de Míriel, os Eldar de Valinor não tinham nenhuma palavra que designasse "morrer" dessa maneira, embora tivessem palavras para ser destruído (no corpo) ou ser assassinado. Mas *fírë* significava "expirar", no sentido de alguém suspirando ou soltando a respiração profundamente; e, no falecimento de Míriel, ela deu um grande suspiro e depois ficou imóvel; e aqueles que estavam por perto disseram *firië*, "ela respirou afora". Essa palavra os Eldar, mais tarde, usaram para designar a morte dos Homens. Mas, embora esse suspiro eles tomem por um símbolo de liberação, e da cessação da vida do corpo, os Eldar não confundem a respiração do corpo com o espírito. A esse (como já foi visto) eles chamam de *fëa* ou *fairë*, cujo significado antigo parece ser antes o de "radiância". Pois, embora o *fëa*, em si mesmo, não seja visível aos olhos corpóreos, é na luz que os Eldar encontram o símbolo mais adequado, em termos corporais, do espírito que habita dentro do corpo, "a luz da casa", ou *cöacalina*, como também a chamam.

E aqueles em quem o *fëa* é forte e não conspurcado, dizem eles, parecem, até mesmo para olhos mortais, brilhar, às vezes, de modo translúcido (ainda que tênue), como se uma lamparina ardesse dentro deles.

No fim do manuscrito de *Leis e Costumes entre os Eldar* há várias páginas de "Notas" escritas com letra rudimentar, e apenso aqui partes desse material.

(i)

Essa deliberação dos Valar não é totalmente ficcional. Pois era permitido aos Eldar presenciar todos os conclaves, e muitos assim faziam (especialmente naquelas reuniões que diziam respeito de modo tão profundo a eles, a seu destino e seu lugar em Arda, como no caso desta matéria). Há referências a coisas que não tinham acontecido ainda naquele tempo (será que ..... profecia?), mas isso se deve em parte a comentaristas posteriores. Pois o "Estatuto de Finwë e Míriel" estava entre os documentos da tradição mais profundamente estudados e analisados. E, como se viu, muitas perguntas e respostas provocadas pela sentença foram apensadas a ela.

[?Assim], foram feitas também perguntas acerca do destino e da morte dos Homens. Tudo [*?leia-se* Também] acerca de outras raças "com fala" e, portanto, "racionais": Ents, Anãos, Trols, Orques — e a fala de animais como Huan, ou as Grandes Águias.

Mais tarde, meu pai comentou, ao lado do início dessa nota, que os Eldar não estariam presentes durante esse debate ("certamente não Finwë!"), e que os Valar teriam informado os mestres-do-saber dos Eldar sobre a discussão.

(ii)

[A] "Sina dos Homens" também foi discutida mais tarde pelos Eldar, quando já tinham encontrado Homens e os conheciam. Mas eles tinham poucas evidências e, portanto, não sabiam nem afirmavam, mas "supunham" ou "inferiam". Uma dessas suposições era a de que Elfos e Homens vão se tornar um só povo. Outra diz que alguns Homens, se o desejarem, terão permissão para se unir aos Elfos na Nova Arda, ou para visitá-los ali — embora esse não vá ser o *lar* dos Homens. A suposição mais amplamente disseminada é a de que a sina dos Homens é totalmente diferente, e de que eles não terão relação alguma com Arda.

No fim dessa nota, meu pai escreveu mais tarde: "Mas ver abordagem completa dessa questão mais tarde em *Athrabeth Finrod ah Andreth*". Essa obra constitui a Parte Quatro deste livro.

(iii)

Destino dos Elfos "Imortais": ? habitar a Nova Arda (ou Arda Curada). Provavelmente não, num sentido físico. Já que o significado de "O Conto de Arda" parece ser este. O Mundo e seu Tempo parecem *começar* e *terminar* simplesmente porque ele é delimitado, não sendo nem infinito nem eterno. Sua "estória" finita, quando completa, será, tal como uma obra de arte, bela e boa (como um todo), e, de fora, isto é, não *dentro* do Tempo ou no Tempo dele, pode ser contemplada com assombro e deleite — especialmente por aqueles que tomaram parte em seu "Conto". Só nesse sentido é que Elfos (ou Homens) *habitarão* Arda Completa. Mas a Nova Arda ou Arda Imaculada (Curada) implicaria uma continuidade, além do Fim (ou Completude). A esse respeito nada pode ser pressuposto. A menos que seja isto. Uma vez que os Elfos (e Homens) foram feitos *para* Arda, a satisfação da natureza deles exigirá Arda (sem a malícia do Maculador): portanto, *antes do Fim*, a Maculação será totalmente desfeita ou curada (ou absorvida pelo bem, pela beleza e pelo júbilo). Naquela região do Tempo e do Espaço, os Elfos viverão como em seu lar, mas não estarão confinados a ela. Mas nenhum dos espíritos abençoados daquilo que para nós ainda é o futuro consegue se imiscuir nos nossos próprios períodos do Tempo. Pois, para contemplar o Conto de Arda, os Abençoados precisam (em espírito ou em ser completo) deixar o Tempo de Arda. Mas outros usam outra analogia, dizendo que de fato existirá uma nova Arda, reconstruída desde o princípio sem Malícia, e que os Elfos tomarão parte nisso desde o princípio. Ela existirá em Ëa, dizem eles — pois sustentam que toda Criação de algum tipo precisa ocorrer em Ëa, procedendo de Eru da mesma maneira e, portanto, sendo da mesma Ordem. Eles não acreditam em mundos contemporâneos não contíguos, exceto como uma fantasia divertida da mente. Tais mundos são (dizem eles) ou de todo incognoscíveis, mesmo do que diz respeito a existirem ou não existirem, ou então, se existem quaisquer interseções (por mais raras que sejam), elas são apenas províncias de uma única Ëa.

No alto da página na qual está essa nota, meu pai escreveu: "Mas ver o *Athrabeth*": ver (ii) acima.

NOTAS

[Essas notas referem-se à parte do texto de *Leis e Costumes entre os Eldar* extraída do manuscrito A, p. 285 e seguintes.]

1 A grafia *Feänáro* também aparece no primeiro texto da narrativa, FM 1 (ver p. 255, nota de rodapé). Mais tarde, o nome é escrito de várias formas em A (*Feänáro, Fëanáro, Feanáro*).

2 Para a forma *Lorien*, com vogal breve, ver p. 77, nota 2, e p. 181, §3.

3 Para a sentença de Mandos (o "Estatuto de Finwë e Míriel") nesta obra, ver pp. 277-8. No FM 1, a sentença, em sua expressão mais antiga, é apresentada neste ponto da história (pp. 254-5).

4 *vossa união*: *vossa* aqui é plural e não é inconsistente com a conjugação na segunda pessoa do singular na mesma frase.

5 *em Túna:* ver p. 238, §52 e p. 243.

6 Meu pai escreveu primeiro "um *aimenel*" (> *aimenal*), mas o alterou imediatamente para "um *lirulin*", escrevendo "cotovia" na margem.

7 A referência na nota de rodapé aqui é à passagem em A (omitida em B) que é apresentada na nota 22 da p. 283. Como naquela passagem, o nome *Nolofinwë* é escrito com um til em cima do *N*. A ordem dos nomes das filhas de Finwë e Indis está como no texto emendado do FM 1, p. 256. Ver ainda p. 318 e a nota 10.

8 Os colchetes estão no original.

9 Cf. o *Ainulindalë* §13 (p. 25): "Contudo, algumas coisas há que eles [os Ainur] não conseguem ver ...; pois para ninguém além de si mesmo Ilúvatar revelou tudo o que reserva, e em cada era surgem coisas que são novas e não foram prenunciadas, pois não brotam do passado".

10 Não é dito em nenhum outro lugar que Aulë era o mais ansioso entre os Valar para que os Elfos fossem convocados para Valinor. Cf. o que foi dito anteriormente em *Leis e Costumes* (p. 249, um trecho encontrado em ambos os textos, mas não em outro lugar) sobre a motivação dos Valar ao trazer os Elfos para Aman.

11 Tal como acontece com a referência a Aulë mencionada na nota 10, não é dito em nenhum outro lugar que Ulmo discordou da decisão dos Valar de trazer

Melkor para Mandos. Cf. a passagem do primeiro texto do *Valaquenta*, perdida na forma final: "seus conselhos [os de Ulmo] iam se afastando cada vez mais da mente de Manwë"(p. 250).

12 Neste ponto, o trecho que se seguia originalmente afirmava: "Então, quando outros já tinham falado, Manwë respondeu: "Há razão em tudo o que foi dito..." O discurso de Manwë foi aparentemente abandonado após algumas linhas, e os discursos de Niënna, Ulmo e Vairë foram introduzidos; após o que o discurso de Manwë reaparece (p. 298).

13 Essa frase ("E não duvido...") foi posteriormente colocada entre colchetes.

14 Aqui, em inglês, o texto usa *nill*, o antigo verbo negativo *will not*: assim, *will he or nill he* significa "quer ele queira ou não" (construção que sobrevive na expressão *willy-nilly*).

15 O texto para aqui, não no final da página. Ele é retomado numa nova folha, com uma letra mais tosca que continua até o final da obra; mas meu pai paginou esse texto adicional de forma contínua com o anterior.

16 *Ingoldo*: o nome-da-mãe de Fingolfin (p. 283, nota 22).

17 No relato sobre o casamento de Finwë e Indis na presente obra (p. 292), não há menção a esse estranhamento ou, pelo menos, separação. Nas alterações finais ao Capítulo 6 do *Quenta Silmarillion*, entretanto, está implícito que Indis não partiu com Finwë para Formenos, porque se afirma que a esposa de Fëanor, Nerdanel, não quis ir com ele para o degredo e "pediu permissão para permanecer com Indis" (p. 339, §53d).

18 Quanto à entrada de Míriel na Casa de Vairë, ver p. 320, nota 9.

19 *Fíriel*: ver as *Etimologias* no Vol. V, p. 463, radical PHIR.

VERSÕES POSTERIORES DA HISTÓRIA DE FINWË E MÍRIEL NO QUENTA SILMARILLION

A versão seguinte da história é um pequeno texto datilografado, derivado de perto, em grande parte, daquele de *Leis e Costumes entre os Eldar* (pp. 289-90); esse texto é intitulado *De Finwë e Míriel* e começa dizendo: "Finwë, primeiro senhor dos Noldor, tinha por esposa Míriel, que era chamada a *Serindë* ..." (cf. p. 289). Não há nenhuma indicação de que a intenção fosse inseri-lo no texto do *Quenta Silmarillion*, mas dificilmente pode haver qualquer dúvida de que meu pai assim o pretendia; vou me referir a ele, portanto, como "**FM 2**".

A divergência mais importante no FM 2 em relação ao texto em *Leis e Costumes* está nas seguintes palavras (p. 291): "Então Manwë teve piedade de Finwë e considerou seu rogo, e, quando Mandos pronunciou sua sentença, como foi registrado, Manwë chamou Finwë ..." Para o propósito da inclusão da história na narrativa do *Quenta Silmarillion*, o julgamento de Mandos obviamente deveria ter sido apresentado neste ponto (como havia sido na versão original, FM 1, p. 255); e no FM 2 o julgamento foi precedido por uma referência ao Debate dos Valar e alguma indicação da natureza das preocupações deles. A palavra "Estatuto" é usada aqui em um sentido mais amplo e outro mais restrito: como um nome para o registro feito pelos Eldar de todos os assuntos relevantes para o julgamento de Mandos, bem como o título do julgamento em si.

Então Manwë se comoveu e teve piedade de Finwë, e considerou seu rogo. Mas, porque isso lhe parecia uma grande matéria que não devia ser levianamente julgada, convocou os Valar para um Concílio. Do longo debate que aconteceu os Elfos escreveram um registro, pois foi permitido que os chefes deles estivessem presentes.[1] Esse registro passou a ser chamado de "O Estatuto de Finwë e Míriel" e foi preservado entre os principais livros de leis dos Eldar; pois, no debate, antes que o Estatuto por fim fosse estabelecido pela sentença de Námo Mandos, muitas matérias acerca dos Eldar, de sua sina em Arda, de sua morte e renascimento e da natureza de seus casamentos, foram examinadas e julgadas. E os Valar estavam grandemente preocupados por ver que todo o seu labor na proteção de Valinor não era de valia nenhuma para deixar de fora o mal e a sombra de Melkor caso qualquer coisa, viva ou não viva, fosse levada para lá vinda da Terra-média e ficasse livre ou desprotegida; e eles perceberam afinal quão grande era o poder de Melkor em Arda, em cuja criação, tal como era,* ele tomara tal parte que todas as coisas, exceto apenas em Aman, tinham uma inclinação para o mal e a perversão em relação às suas formas e aos seus cursos corretos. Donde aqueles cujo ser principiou em Arda e que, ademais, eram por natureza uma união de espírito e corpo, tirando o sustento desse corpo de Arda Maculada, devem sempre estar, em algum grau, sujeitos à tristeza, a fazer ou a sofrer coisas

* *Arda Hastaina*, ou "Arda Maculada", como eles a chamavam. Pois *Arda*, ou em sua forma completa *Arda Alahasta*, a "Imaculada", era o nome que davam ao pensamento que tinham, cada um deles individualmente, ou como Concílio sob a autoridade de Manwë, sobre aquela Arda na qual Melkor não tinha parte alguma.

antinaturais; e, embora habitar em Aman possa ser uma proteção contra esse mal, não chegava a ser uma cura completa, a não ser que isso se desse durante longas eras. E, com esse pensamento, uma sombra passou pelos corações dos Valar, mesmo durante o zênite do Reino Abençoado, presságio dos pesares os quais os Filhos haviam de trazer ao mundo.

Ora, esta foi a sentença de Námo nesse caso, e em todos os casos nos quais um casamento dos Eldar pudesse ser interrompido pela morte de apenas um dos parceiros. "O casamento entre os Eldar se dá pelos e para os Viventes ..."

A sentença de Mandos no FM 2 difere da forma em *Leis e Costumes* (pp. 277-8) apenas em detalhes de formulação, sem diferença alguma na substância, exceto por algumas expansões bem no fim do trecho.

"... Pois se deve entender claramente que, quando essa vontade de não voltar à vida tiver sido solenemente declarada e ratificada por Mandos, então o parceiro vivente pode se unir a outro cônjuge legitimamente. Pois é contrário à natureza dos Eldar viver sem casar-se, e os Mortos não podem compelir os Viventes a permanecerem solitários contra a sua vontade. Se, portanto, o Vivente tomar outro parceiro, a vontade do Morto não há de ser revogada, mas há de ser uma sentença de Mandos. Pois ele não permitirá que nenhum dos Eldar caminhe vivo no corpo se ele tiver dois cônjuges viventes também."

Essa, em suma, foi a Sentença de Mandos, a qual depois foi chamada de o *Estatuto de Finwë e Míriel.* E, quando Mandos já tinha falado no papel de Boca de Manwë, os Eldar que o ouviram perguntaram: "Como há de ser conhecida a vontade ou sentença?"; e foi-lhes respondido: "Apenas por meio do recurso a Manwë e do pronunciamento de Mandos. Nesta matéria, não há de ser legítimo que qualquer dos Eldar julgue seu próprio caso. Pois quem entre os Viventes consegue descobrir os pensamentos dos Mortos, ou presumir quais são os julgamentos de Mandos?"

Então Manwë chamou Finwë à sua presença ...

Outras divergências em relação ao texto de *Leis e Costumes* no FM 2 foram incorporadas no texto final (FM 4), o qual é apresentado em sua totalidade nas pp. 312 e seguintes, e não precisam ser expostas aqui, ou, se foram perdidas no texto final, são apresentadas nas notas sobre ele.

A versão FM 2 foi seguida por mais um texto datilografado, "**FM 3**", feito numa máquina diferente (ver p. 363). Trata-se expressamente de um capítulo do *Quenta Silmarillion*, com o título original *De Fëanor e do Escurecimento de Valinor*, alterado mais tarde para *De Finwë e Míriel*. Essa versão foi um bocado reduzida por meio de omissões, e meu pai evidentemente a achou insatisfatória, pois acabou produzindo mais uma versão, muito mais substancial, a "**FM 4**", na qual a história textual da narrativa de Finwë e Míriel chega ao fim.

Está claro que, ao escrever o FM 3 e o FM 4, ele estava com os textos precedentes diante dele e foi selecionando trechos dos dois de forma variada conforme buscava chegar a uma forma satisfatória do capítulo. Demonstrar todos os detalhes desse desenvolvimento exigiria muito espaço, mas não seria muito útil, já que, na verdade, muito pouco foi omitido no texto final e "re-expandido" FM 4; assim, vou apresentá-lo de forma completa.

Essa versão tem um título geral, *Das Silmarils e do Escurecimento de Valinor*, com o subtítulo *De Finwë e Míriel* (o texto datilografado então prossegue com outros "subcapítulos", aos quais, entretanto, meu pai mais tarde marcou com números, como se fossem capítulos independentes: ver p. 363-4). A numeração de parágrafos usada para referência não está relacionada a números usados anteriormente, já que, após a abertura, o texto é inteiramente diferente; para a versão "QT" (1951) da abertura do capítulo, ver pp. 228-9, §§46, 46a-b.

DAS SILMARILS E DO ESCURECIMENTO DE VALINOR

DE FINWË E MÍRIEL

§1 Ora, os três clãs dos Eldar estavam reunidos enfim em Valinor, e Melkor estava acorrentado. Esse foi o Zênite do Reino Abençoado, a plenitude de sua glória e ventura, longo na contagem dos anos, mas, na memória, curto demais. Naqueles dias os Eldar alcançaram sua estatura plena de corpo e de mente, e os Noldor avançavam sempre em engenho e conhecimento; e os longos anos eram repletos de seus labores jubilosos, nos quais muitas coisas novas, belas e maravilhosas foram criadas. Foi nesse tempo que os Noldor pela primeira vez fizeram letras, e Rúmil de Túna era o nome do mestre-do-saber que primeiro conseguiu fazer sinais adequados para registrar fala e canção, alguns para serem gravados em metal ou pedra, outros para traçar com pincel ou pena.

§2 Veio a acontecer que em Eldamar, na casa do Rei em Tirion, nasceu o mais velho dos filhos de Finwë, e o mais amado. Kurufinwë era seu nome, mas por sua mãe foi chamado de Fëanor,* Espírito de Fogo, título pelo qual é lembrado em todas as histórias dos Noldor.

§3 Míriel era o nome de sua mãe. Seus cabelos eram como prata; e ela era esguia como uma flor branca na relva. Suave e doce era a sua voz, e ela cantava enquanto trabalhava, feito água ondejante, numa música sem palavras. Pois suas mãos eram mais hábeis no fazer de coisas precisas e delicadas do que quaisquer mãos, mesmo entre os Noldor. Por ela é que a arte das agulhas foi inventada; e se um só fragmento dos bordados de Míriel fosse visto na Terra-média, seria considerado mais valioso que os domínios de um rei; pois a riqueza de seus detalhes e o fogo de suas cores eram tão multíplices e tão luzentes quanto a riqueza de folha e flor e caule nos campos de Yavanna. Portanto, ela era chamada de Serinde.†

§4 O amor de Finwë e Míriel era grande e cheio de alegria, pois começou no Reino Abençoado e em dias de júbilo. Mas, ao dar à luz seu filho, ela foi consumida em espírito e corpo, de modo que quase toda força parecia tê-la deixado; e, depois de dar nome ao menino,[2] ela disse a Finwë: "Nunca mais hei de dar à luz um filho, pois a força que poderia nutrir a vida de muitos passou para Fëanor".

§5 Finwë ficou grandemente entristecido, pois os Noldor estavam na juventude de seus dias, mas ainda eram poucos em número, e ele desejava trazer muitas crianças à ventura de Aman. Portanto, disse: "Decerto há cura em Aman? Aqui todo cansaço pode achar repouso".

---

* [nota de rodapé ao texto] *Fëanáro* na forma da fala daqueles dias.

† [nota de rodapé ao texto] *Míriel Serinde*: isto é, *Byrde Míriel* (Míriel, a Bordadeira): disse Ælfwine.

§6 Mas, quando Míriel continuou a definhar, Finwë buscou o conselho de Manwë, e Manwë a entregou aos cuidados de Irmo, em Lorien.[3] Na despedida dos dois (por um breve tempo, pensava ele), Finwë estava triste, pois lhe parecia um acaso infeliz que a mãe partisse e perdesse o princípio, no mínimo, dos dias de infância de seu filho.

§7 "É de fato coisa infeliz", concordou Míriel, "e eu choraria, se não estivesse tão cansada. Mas me considera sem culpa nisso e em tudo o que possa vir depois. Descansar é o que agora devo fazer. Adeus, querido senhor!"

§8 Ela não falou de maneira mais clara naquele tempo, mas, em seu coração, ansiava não apenas pelo sono e pelo descanso, mas pela libertação da labuta de viver. Foi então para Lorien e deitou-se para dormir sob uma árvore prateada; mas, embora parecesse dormir, seu espírito, de fato, partiu de seu corpo e passou em silêncio para a guarda de Mandos, e fez morada na casa de Vairë.[4] As donzelas de Estë cuidaram de seu belo corpo, de modo que ele permaneceu incólume, mas ela não retornou.

§9 Finwë passou a viver em pesar; e ia amiúde aos jardins de Lorien e, sentando-se sob os salgueiros prateados ao lado do corpo de sua esposa, chamava-a pelos seus nomes. Mas isso de nada valeu, e Finwë, sozinho entre todos os do Reino Abençoado, ficou privado de alegria. Depois de algum tempo, não foi mais a Lorien, pois aumentava sua dor ver a bela forma de Míriel, que não ouvia seu chamado. Todo o seu amor ele deu então ao filho; pois Fëanor, na infância, era semelhante à mãe em voz e semblante, e Finwë era para ele tanto pai quanto mãe, e havia um laço duplo de amor sobre eles.

§10 Contudo, Finwë não estava contente, sendo jovem e ávido; e ainda desejava ter mais crianças para trazer alegria à sua casa. Quando, portanto, doze anos tinham passado, ele foi de novo até Manwë. "Meu Senhor", queixou-se ele, "eis que estou enviuvado. Somente eu entre os Eldar não tenho esposa, e não tenho esperança de ter mais filhos exceto um, e nenhuma filha. Ao mesmo tempo, Ingwë e Olwë geram muitos filhos na ventura de Aman. Devo permanecer para sempre assim? Pois meu coração me adverte que Míriel não vai voltar jamais da casa de Vairë."

§11 Então Manwë teve piedade de Finwë; mas, porque aquilo lhe parecia uma grande matéria, e a chegada da morte (embora de livre vontade) ao Reino Abençoado um grave portento que não devia ser julgado levianamente, ele convocou os Valar em Concílio e ordenou que os chefes e mestres-do-saber dos Eldar também estivessem presentes. Sobre o longo debate dos Valar os Eldar escreveram um registro. A esse deram o nome de *Namna Finwë Míriello*, o Estatuto de Finwë e Míriel,[5] e ele ficou preservado entre os livros de sua Lei; pois no debate muitas questões concernentes aos Eldar, seu destino em Arda, e sua morte e renascimento, foram examinadas e julgadas. Pois os Valar estavam grandemente preocupados ao ver que seu labor para a guarda de Valinor de nada valia se alguma coisa, vivente ou não vivente, fosse trazida para lá da Terra-média, e percebiam agora mais claramente quão grande era a ferida que Melkor, desde antanho, havia feito à substância de Arda, de modo que todos aqueles que estavam encarnados e extraíam o sustento de seus corpos de Arda Maculada deviam estar sempre sujeitos à tristeza, a fazer ou sofrer coisas que seriam antinaturais em Arda Imaculada. E essa maculação não poderia agora ser totalmente desfeita, nem mesmo por um Melkor arrependido; pois o poder havia saído dele e não podia ser recuperado, mas continuaria a operar de acordo com a vontade que o colocara em movimento. E, com esse pensamento, uma sombra passou pelos corações dos Valar, presságio dos pesares que os Filhos haviam de trazer ao mundo.

§12 Mas, quando tudo foi dito, Manwë ordenou que Mandos falasse e anunciasse sua sentença. Então Mandos subiu a Colina-do-Julgamento e disse:

"É o modo de Vida que Ilúvatar ordenou a vós, seus filhos, como bem sabeis, que a vida dos Quendi não haja de terminar até o fim de Arda; e que eles tomarão apenas um cônjuge e não terão outro em suas vidas, enquanto Arda perdurar. Mas nisso não é levada em consideração a Morte, que vem da maculação de Arda. Esta sentença é, portanto, formulada agora, com base no direito de legislar que Ilúvatar confiou a Manwë.

> Quando o espírito de um cônjuge, marido ou esposa, por qualquer razão, passar para a guarda de Mandos, então os vivos poderão ser legalmente autorizados a tomar outro cônjuge, se a união anterior for dissolvida para sempre.

§13 "Como um casamento há de ser encerrado para sempre? Pela vontade dos Mortos ou pela sentença de Mandos. Pela vontade dos Mortos, se eles se recusarem a retornar à vida do corpo; pela sentença de Mandos, se ele não permitir que retornem. Pois uma união que devia perdurar durante a vida de Arda é encerrada se não puder ser retomada dentro da vida de Arda.

§14 "Dizemos 'pela vontade dos Mortos', pois seria injusto que os Viventes, para seus próprios propósitos, confinassem os Mortos em Mandos, negando-lhes toda esperança de retorno. Também é injusto que os Mortos, pela recusa da vida, obriguem os Vivos a permanecer solitários até o Fim; e, portanto, declaramos que, em tal caso, os Viventes poderão ter outro cônjuge. Mas entendei bem que, se isso for feito, então a recusa da vida por parte dos Mortos há de ser irrevogável, e eles nunca mais hão de retornar à vida no corpo. Pois nenhum entre os Quendi há de ter dois cônjuges ao mesmo tempo, despertos e vivos.

"Esta é a sentença de Námo Mandos quanto a essa matéria."

§15 Depois que Mandos assim falou, os Eldar que estavam presentes perguntaram: "Como então há de ser conhecida a vontade ou sentença?". Foi-lhes respondido: "Apenas por meio do recurso a Manwë e do pronunciamento de Námo. Pois quem entre os Viventes consegue descobrir a vontade dos Mortos, ou presumir quais são as sentenças de Mandos?"

§16 Então Manwë chamou Finwë para junto de si e disse: "Ouviste a sentença que foi declarada. Se Míriel, tua esposa, não retornar, vosso[6] casamento estará encerrado, e terás permissão para tomar outra esposa. Mas isso é permissão, não conselho. Pois esse rompimento vem da maculação de Arda; e aqueles que aceitam esta permissão aceitam a maculação, enquanto os enlutados que permanecem firmes pertencem em espírito e vontade a Arda Imaculada. Esta é uma matéria grave, da qual o destino de muitos pode depender. Não tenhas pressa!"

§17 Finwë respondeu: "Não tenho pressa, Meu Senhor, e meu coração não tem nenhum desejo, exceto a esperança de que, quando essa sentença ficar clara para Míriel, ela ainda possa ceder e dispor um prazo para o fim de minha viuvez."

§18 Vairë, com quem Míriel habitava, revelou-lhe a sentença[7] e falou também do pesar de Finwë. Mas Míriel respondeu: "Vim até aqui para escapar do corpo e não desejo jamais voltar a ele. Minha vida deixou-me e entrou em Feänáro, meu filho. Esta dádiva dei àquele que amei. Não posso dar mais nada. Além de Arda pode ser que isso seja curado, mas não dentro dela."

§19 Então Vairë disse a Mandos: "O espírito de Míriel tem habitado comigo, e eu o conheço. É pequeno, mas é forte e obstinado: um daqueles que, tendo dito *isto é o que farei*, transforma suas palavras numa lei irrevogável para si mesmo. A menos que forçada, ela não voltará à vida ou para Finwë, mesmo que ele esperasse até o envelhecimento do mundo."[8]

§20 Mas Mandos respondeu: "Não é lícito para os Valar obrigar os Mortos a voltar"; e ele convocou o espírito de Míriel para comparecer diante dele. "Tua vontade deve ser soberana nesta matéria, espírito de Míriel, outrora esposa de Finwë", disse ele. "Em Mandos hás de habitar. Mas atenção! Tu és dos Quendi, e, mesmo se recusares o corpo, deves permanecer em Arda e dentro do tempo de sua história. Os Eldar não são como os Valar. Seus espíritos são menos fortes para suportar as coisas do que julgas. Não te admires, então, se tua vontade mudar com o tempo, e se esta sentença que aceitas sobre ti mesma se tornar dolorosa para ti. Sim, e para muitos outros!"

§21 Mas o espírito de Míriel permaneceu em silêncio. Mandos, portanto, aceitou sua escolha, e ela foi então para os Salões de Espera designados para os Eldar, e foi deixada em paz.*[9] Mesmo assim, Mandos declarou que um intervalo de doze anos deveria se passar entre a declaração da vontade dos Mortos e o pronunciamento da sentença de desunião.

§22 Durante esse tempo, Fëanor viveu sob os cuidados de seu pai. Logo ele começou a mostrar os talentos de mão e mente de ambos, Finwë e Míriel. À medida que crescia e deixava a infância, ele se tornou cada vez mais parecido com Finwë em estatura e semblante, mas em ânimo ele lembrava antes Míriel. Sua vontade era forte e determinada, e ele perseguia todos os seus propósitos ávida e resolutamente. Poucos alguma vez mudaram seu curso por conselho, ninguém pela força.

§23 Veio a acontecer que, depois de três anos mais, Finwë tomou como segunda esposa Indis, a bela. Ela era, de todas as

* [nota de rodapé ao texto] Mas dizem que, depois de algum tempo, foi-lhe permitido retornar à casa de Vairë, e ali era seu papel registrar em tapeçarias e bordados todas as histórias da Gente de Finwë e os feitos dos Noldor.

maneiras, diversa de Míriel. Não era dos Noldor, mas dos Vanyar, sendo a irmã de Ingwë; e era de cabelos dourados, e alta, e de pés sobremaneira céleres. Não labutava com as mãos, mas fazia música e tecia palavras em canção; e havia sempre luz e alegria à volta dela enquanto a ventura de Aman perdurou.

§24 Amava a Finwë profundamente; pois seu coração se voltara para ele muito antes, enquanto os Vanyar habitavam ainda com os Noldor em Túna. Naqueles dias, ela contemplara o Senhor dos Noldor, e ele lhe pareceu o mais belo e mais nobre dos Eldar, de cabelos escuros e fronte alva, ávido de rosto, mas com olhos cheios de reflexão; e sua voz e maestria das palavras a deleitavam. Portanto, permaneceu sem casar quando seu povo se mudou para Valinor, e caminhava amiúde sozinha nas brenhas e campos dos Valar, enchendo-os com música.

§25 Ora, Ingwë, ouvindo falar da estranha tristeza de Finwë e desejando levantar o coração dele e tirá-lo do pranto vão em Lorien, enviou mensagens pedindo que deixasse Túna por algum tempo, e viesse e habitasse por uma estação à luz plena das Árvores. Finwë agradeceu, mas não foi até lá enquanto havia ainda esperança de que Míriel voltasse. Mas, quando a sentença de Mandos foi pronunciada, entrou em seu coração que ele devia tentar reconstruir sua vida de novo. "Talvez haja cura na luz de Laurelin e esperança no florir de Telperion", disse ele. "Aceitarei o conselho de Ingwë".

§26 Portanto, um dia, quando Fëanor estava muito longe, caminhando nas montanhas com a força de sua juventude, Finwë se levantou e saiu de Túna sozinho, e passou pelo Kalakyrian e seguiu rumo à casa de Ingwë nas encostas a oeste de Oiolossë. Sua chegada não foi anunciada nem prevista; e, quando Indis viu Finwë subindo os caminhos da Montanha, e a luz de Laurelin estava detrás dele como coisa gloriosa, sem nada prever ela cantou de repente em grande júbilo, e sua voz se elevou como a canção do *lirulin** no céu. Então Finwë ouviu aquela canção caindo do alto, e olhou para cima e viu Indis na luz dourada, e soube, naquele momento, que ela o amava, e isso havia muito. Então seu coração se voltou afinal para ela; e ele acreditou que esse acaso, como lhe

* [nota de rodapé ao texto] A cotovia.

parecia, tinha sido concedido para confortar a ambos. "Vede!", disse o rei. "Há de fato cura da tristeza em Aman!"

§27 Um ano após o encontro deles sobre a Montanha, Finwë, Rei dos Noldor, desposou Indis, irmã de Ingwë; e os Vanyar e os Noldor, em sua maior parte, regozijaram-se. No caso de Indis se mostrou verdadeiro pela primeira vez o ditado que diz: A perda de um pode ser o ganho de outro; mas este ditado também ela descobriu ser verdadeiro: A casa se recorda do construtor, embora outros possam habitar nela depois. Pois Finwë a amava profundamente, e estava contente de novo; e ela lhe deu cinco filhos a quem ele amava;[*†10] porém a sombra de Míriel não partiu da casa de Finwë, nem de seu coração; e, de todos a quem ele amava, a Fëanor cabia sempre a parte principal de seu pensamento.

§28 O casamento do pai não agradava a Fëanor; e, embora isso não diminuísse o amor entre os dois, Fëanor não tinha grande amor por Indis ou pelos filhos dela. Assim que pôde, passou a viver apartado deles, explorando a terra de Aman ou se ocupando com o saber e as artes nas quais se deleitava. Naquelas coisas infelizes que mais tarde vieram a se dar, e nas quais Fëanor foi o líder, muitos viram o efeito dessa cisão na casa de Finwë, julgando que, se o rei tivesse suportado sua perda e ficado contente por ser pai de seu poderoso filho, os cursos tomados por Fëanor teriam sido outros, e grande pesar e mal poderiam ter sido evitados. Contudo, os filhos de Indis foram grandes e gloriosos, e os filhos deles também; e, se não tivessem vivido, a história dos Eldar teria ficado mais pobre.[11]

NOTAS

1 Ver Nota (i) após *Leis e Costumes* e o comentário de meu pai sobre o tema, pp. 306.

2 No FM 2 afirma-se, seguindo *Leis e Costumes*, p. 289, que Míriel deu o nome de Fëanáro a seu filho "no nascimento", e nesse ponto é acrescentada uma longa nota de rodapé sobre o assunto da atribuição do nome:

> De acordo com o costume dos Eldar. Além dos "nomes verdadeiros", que eram o nome-do-pai e o nome escolhido, muitas vezes

[*†] [nota de rodapé ao texto] Findis, Fingolfin, Finvain, [Finarphin >] Finarfin e Faniel: três filhas e dois filhos (Fingolfin e Finarfin).

eles recebiam outros, os "nomes acrescentados". Destes, os mais importantes eram os nomes-da-mãe. As mães muitas vezes davam aos filhos nomes especiais de sua própria escolha, sendo os mais notáveis os "nomes de introspecção". Na hora do nascimento, ou em alguma outra ocasião, uma mãe poderia dar ao seu filho um nome que se referisse a características dominantes de sua natureza tal como ela a percebia, ou que viesse de uma previsão e se referisse ao seu destino especial. Nomes desse tipo podem se tornar mais amplamente utilizados do que o nome-do-pai (que muitas vezes era apenas o nome paterno repetido ou modificado); e, se a criança adotasse um nome-da-mãe como "nome escolhido", então ele se tornaria também um "nome verdadeiro". Curufinwë escolheu Fëanáro como nome escolhido. Fëanor é a forma que esse nome assumiu no falar mais tardio dos Noldor Exilados.

Esse parágrafo representa uma compressão extrema da seção sobre *Escolha dos Nomes* em *Leis e Costumes*, p. 265 e seguintes.

3 *Lorien* ainda era a forma em *Leis e Costumes* e nos textos FM 2 e FM 3; no presente texto, FM 4, meu pai escreveu *Lórien*, mas depois alterou o nome, voltando a *Lorien*.

4 *e fez morada na casa de Vairë*: essas palavras aparecem pela primeira vez no presente texto; ver a nota 9.

5 Quanto à aplicação do termo "Estatuto" aqui, ver p. 309.

6 Ver p. 308, nota 4.

7 O texto FM 2, quando foi originalmente datilografado, trazia aqui, ampliando a passagem em *Leis e Costumes*, p. 255: "Mas Mandos convocou Míriel e fê-la conhecer a Sentença ..." Isso foi posteriormente alterado para: "Vairë, com quem Míriel habitava, fê-la conhecer a Sentença ...'

8 Essas palavras de Vairë derivam de sua intervenção no Debate dos Valar em *Leis e Costumes*, p. 298.

9 A nota de rodapé neste ponto é derivada de *Leis e Costumes* (pp. 304-5), embora a entrada de Míriel na casa de Vairë esteja ali no final de um longo relato que registra a vinda de Finwë aos salões de Mandos, sua renúncia do renascimento e a re-entrada do *fëa* de Míriel em seu corpo que ainda estava em Lorien. No FM 2 não há menção a Míriel após as palavras "ela foi então para os Salões de Espera designados para os Eldar, e foi deixada em paz". No FM 3, o texto neste ponto é muito comprimido e diz (no lugar de FM 4, §§18–23, todos parágrafos presentes no FM 2, exceto a presente nota de rodapé):

> ... "Vim aqui para escapar do corpo e não voltarei para ele"; e, depois que dez anos se passaram, a sentença de desunião foi promulgada. E Míriel tem habitado desde então na casa de Vairë, e é

> seu papel registrar ali as histórias da Gente de Finwë e todos os feitos dos Noldor.
>
> Veio a se dar que, depois de mais três anos, Finwë tomou como segunda esposa Indis, a Bela ...

Esses textos são, portanto, totalmente inconsistentes no que diz respeito ao destino final de Míriel. Em especial, as referências à Casa de Vairë são confusas. Foi dito nos AAm (p. 69, §3) que "Vairë, a Tecelã, habita com Mandos", e o mesmo está implícito em QS §6 (V. 243, trecho mantido de forma quase inalterada no *Valaquenta*): "Vairë, a tecelã, é sua esposa, ela que tece todas as coisas que já existiram no tempo em suas tapeçarias de histórias, e os salões de Mandos ... estão revestidos delas". Em *Leis e Costumes* (p. 289), o espírito de Míriel partiu de seu corpo em Lorien "e passou em silêncio *para os salões de Mandos*", e Finwë disse a Manwë "meu coração me adverte que Míriel não vai voltar *da casa de Vairë*"; no debate dos Valar antes da proclamação do "Estatuto", Vairë disse que "o *fëa* de Míriel está comigo" (p. 298). Mas depois Niënna pediu a Mandos que Míriel fosse "retirada dos Salões de Espera e admitida ao serviço de Vairë" (p. 305); o pedido foi recusado, e, quando Finwë foi morto, os *fëar* dos dois se encontraram "*em Mandos*". Depois disso, o *fëa* de Míriel foi "liberado" e, depois de uma nova união com seu corpo, ela "foi até as portas da Casa de Vairë e rogou que a recebessem; e esse rogo foi concedido, ainda que naquela Casa nenhum dos Viventes habitasse, nem outros jamais a adentraram quando no corpo". Assim, no mesmo texto, "a casa de Vairë" é ao mesmo tempo equiparada aos "salões de Mandos" e diferenciada deles.

No FM 4 (§8), o espírito de Míriel "passou em silêncio para a *guarda* de Mandos, e fez morada *na casa de Vairë*" (ver nota 4 acima); e em §18 "Vairë, com quem Míriel habitava, revelou-lhe a sentença". Após a recusa do retorno por parte de Míriel, "ela foi então para os Salões de Espera designados para os Eldar, e foi deixada em paz" (§21), mas (de acordo com a nota de rodapé desse parágrafo) "depois de algum tempo, foi-lhe permitido retornar à casa de Vairë". Assim, nesse texto final, parece certo que Vairë, em certo sentido, habitava uma morada só sua.

O que é muito curioso é que meu pai posteriormente colocou a nota de rodapé entre colchetes e escreveu ao lado ela "Omitir", comentando ao lado: "Alterar isso. O que aconteceu quando Finwë foi até Mandos?" Contudo, ele já tinha respondido essa pergunta de forma muito completa em *Leis e Costumes*, onde, de fato, foi o próprio fato da vinda de Finwë aos salões de Mandos que levou à liberação de Míriel e à sua admissão à casa de Vairë.

10 No FM 2, a nota de rodapé sobre os nomes dos filhos de Indis diz o seguinte:

> Três filhas e dois filhos, nesta ordem: Findis, Nolofinwë, Faniel, Arafinwë e Írimë. O nome-da-mãe de Nolofinwë era Ingoldo,

indicando que ele vinha tanto da parentela dos Ingar quanto dos Noldor. O nome materno de Arafinwë era Ingalaurë, pois ele tinha os cabelos dourados do povo de sua mãe, e isso perdurou em sua linhagem mais tarde.

Esse trecho foi derivado de uma passagem no texto A de *Leis e Costumes* (p. 283, nota 22) que foi omitida em B; naquele texto, porém, as filhas não foram mencionadas. O nome Írimë (no lugar da forma posterior *Finvain*) remonta ao texto original FM 1 (p. 257). Na nota do FM 3, os nomes são como os do FM 4, mas os dos filhos são grafados *Fingolphin* e *Finarphin*, e este comentário foi acrescentado: "Esses nomes são apresentados nas formas da língua mais tardia usada na Terra-média (exceto no caso de Findis e Faniel, que não deixaram Valinor)".

Num ensaio muito tardio (datado de 1968 ou depois; citado em IV. 198), meu pai disse que o nome materno de Finrod Felagund era *Ingoldo*, mas deu a ele um significado totalmente diferente. O termo *Ingar* ("povo de Ingwë"), que ocorre no texto A de *Leis e Costumes* (p. 283, nota 22) e aqui, não apareceu antes.

11 O FM 2 termina de forma diferente depois de "poderia ter sido evitado":

> Assim, são raros os casos em que os Eldar podem se casar novamente ou desejam fazê-lo; e mais raros ainda são aqueles que fazem isso mesmo quando é lícito; pois o pesar e a contenda na casa de Finwë estão gravadas na memória dos Elfos Noldor.

Esse trecho é derivado de *Leis e Costumes*, p. 293. No FM 3, a conclusão é como a do FM 4, mas depois de "e grande pesar e mal poderiam ter sido evitados", o texto continua: "Mas essa conclusão era apenas uma inferência. Certo é que os filhos de Indis foram grandes e gloriosos ..." O final posterior deriva, em sua lógica, da profecia de Mandos em *Leis e Costumes* (p. 302), na proclamação final do "Estatuto de Finwë e Míriel".

Uma nota acerca de certas concepções na história de Finwë e Míriel

A natureza da "imortalidade" e da "morte" élficas tinha sido formulada muito tempo antes em *O Livro dos Contos Perdidos* (I. 98):

> Para ali [isto é, para Mandos] em dias posteriores iam os Elfos de todos os clãs que por má sina eram mortos com armas ou morriam de pesar pelos que foram mortos — e somente assim

> podiam os Eldar morrer, e mesmo assim era apenas por pouco tempo. Ali Mandos pronunciava sua sina, e ali esperavam na treva, sonhando de seus feitos passados, até o momento por ele determinado quando podiam renascer em seus filhos, e partir para rirem e cantarem outra vez.

E na *Música dos Ainur* original (I. 79) afirma-se a respeito dos Elfos que "morrendo, eles renascem em seus filhos, de modo que seu número não diminui, nem cresce".

No *Quenta* (IV. 119, trecho derivado do "Esboço da Mitologia", IV. 29) a ideia de renascimento recebe nova roupagem:

> Imortais eram os Elfos, e sua sabedoria aumentava e crescia de era a era, e nenhuma doença nem pestilência traziam-lhes a morte. Mas eles podiam ser mortos com armas naqueles dias, mesmo por Homens mortais, e alguns desvaneciam e eram consumidos pelo pesar até desaparecerem da terra. Mortos ou desvanecidos, seus espíritos voltavam aos salões de Mandos para aguardar por mil anos, ou o aprazimento de Mandos de acordo com seus merecimentos, antes de serem chamados de volta à vida livre em Valinor, ou renascerem, diz-se, em seus próprios filhos.

No QS, a passagem correspondente (§85, V. 293) foi muito ampliada:

> Imortais eram os Elfos, e sua sabedoria crescia de era a era, e nenhuma doença nem pestilência traziam-lhes a morte. Contudo, seus corpos eram da matéria da terra e podiam ser destruídos, e, naqueles dias, eram mais semelhantes aos corpos dos Homens, e à terra, já que não eram habitados, havia tanto, pelo fogo do espírito, que os consome de dentro com o correr do tempo. Portanto, podiam perecer nos tumultos do mundo, e pedra e água tinham poder sobre eles, e podiam ser mortos com armas naqueles dias, mesmo por Homens mortais. E fora de Valinor provavam de amarga tristeza, e alguns desvaneciam e eram consumidos pelo pesar até desaparecerem da terra. Tal era a medida de sua mortalidade prevista na Sentença de Mandos pronunciada em Eruman. Mas se eram mortos ou se desvaneciam pelo pesar, eles não morriam da terra, e seus espíritos

> voltavam aos salões de Mandos, e lá aguardavam, dias ou anos, mesmo mil, de acordo com a vontade de Mandos e seus merecimentos. De lá eram finalmente chamados de volta à liberdade, ou como espíritos, assumindo formas de acordo com seus próprios pensamentos, como a gente menor da raça divina; ou então, diz-se, por vezes renascem em seus próprios filhos, e a sabedoria antiga de sua raça não perece nem é diminuída.

No final do *Ainulindalë*, afirma-se (cito o texto final D, p. 54, mas a passagem remonta quase inalterada à versão pré-*Senhor dos Anéis*, V. 194):

> Pois os Eldar não morrem até que o mundo morra, a menos que sejam assassinados ou feneçam de tristeza (e a essas duas mortes aparentes eles estão sujeitos); nem a idade subjuga a força deles, a menos que fiquem exaustos após dez mil séculos; e, morrendo, são recolhidos aos salões de Mandos em Valinor, donde amiúde retornam e renascem em meio a seus filhos.

E na Condenação dos Noldor, conforme ela aparece nos AAm (§154, p. 149), o texto declara:

> Pois sabei que, embora Eru tenha estipulado que não morrêsseis em Eä e que nenhuma doença vos pudesse assaltar, podeis, porém, ser mortos e mortos haveis de ser: por arma, e por tormento, e por tristeza; e vossos espíritos sem lar hão de vir então a Mandos. Lá, longamente haveis de morar e ansiar por vossos corpos, e achar pouca piedade, ainda que todos os que matastes possam interceder por vós.

O significado disso, tenho certeza, é o seguinte: de fato é algo contrário à "reta natureza" dos Elfos que eles morram, mas mesmo assim a morte pode chegar até eles.

O testemunho de todas essas passagens (e de outras não citadas), iniciais e tardias, é o de que a "morte" élfica (ou "morte aparente", nas palavras do *Ainulindalë*) sempre foi um destino possível, decorrente de sua natureza como seres encarnados. Mas há uma ameaça constante de ambiguidade imposta pelas palavras que devem ser utilizadas. Os Elfos não podem "morrer" no sentido em que os Homens "morrem", uma vez que os Homens (pelo Dom de Ilúvatar) partem do "mundo" para nunca mais retornar, enquanto os Elfos não podem partir dele enquanto o mundo durar. Na lenda de Beren e Lúthien, Mandos ofereceu a ela uma escolha: e a sentença que ela escolheu foi que o destino decretado por sua natureza fosse mudado. "Assim foi que, *única entre os Eldalië, ela morreu de fato* e deixou o mundo muito tempo atrás" (*O Silmarillion*, p. 255). Mas os Elfos podem, mesmo assim, sofrer a separação entre o espírito e o corpo, que é a "morte". Assim, pode-se dizer que a distinção essencial entre a (possível) morte dos Elfos e a morte (inevitável) dos Homens é uma diferença de *destino após a morte*. Ver V. 365; e cf. *Leis e Costumes*, p. 268: "Desde seus princípios, a principal diferença entre Elfos e Homens consistiu na sina e na natureza de seus espíritos. Os *fëar* dos Elfos eram destinados a habitar em Arda por toda a vida de Arda, e a morte da carne não ab-rogava esse destino".

Num rascunho de uma carta escrita em outubro de 1958 (ver p. 363), meu pai discutiu o significado da "imortalidade" dos Elfos (*Cartas* nº 212):

> Nessa "pré-história" mítica a *imortalidade*, estritamente a longevidade de duração igual à vida de Arda, era parte da natureza determinada dos Elfos; além do Fim nada fora revelado. A *mortalidade*, que é uma duração de vida curta sem relação com a vida de Arda, é mencionada como a natureza determinada dos Homens ...
>
> Nas lendas élficas há registro de um estranho caso de uma Elfa (Míriel, mãe de Fëanor) que tentou *morrer*, o que teve resultados desastrosos, conduzindo à "Queda" dos Altos-Elfos. Os Elfos não estavam sujeitos à enfermidade, mas podiam ser "mortos": isto é, seus corpos podiam ser destruídos ou mutilados a ponto de se tornarem incapazes de sustentar a vida. Isso, porém, não levava naturalmente à "morte": eram reabilitados e renasciam e, por fim, recuperavam a memória de todo o seu passado — permaneciam "idênticos". Mas Míriel desejava abandonar o ser e recusou o renascimento.

"Mas Míriel desejava *abandonar o ser*": essa é uma afirmação obscura. Não há nada em nenhum dos relatos que sugira que ela desejasse a aniquilação, o fim de sua existência sob qualquer forma. Em *Leis e Costumes* (p. 262) meu pai escreveu que "alguns *fëar*, em tristeza ou cansaço, desistiam da esperança e, dando as costas à vida, deixavam de lado seus corpos, ainda que esses pudessem ser curados ou, de fato, não estivessem feridos. Poucos desses desejavam renascer, pelo menos não até que ficassem longamente em 'espera'; alguns nunca voltavam". Isso certamente está de acordo com o que é contado sobre a morte de Míriel.

Parece, de qualquer forma, que, quando o meu pai disse aqui que Míriel "tentou *morrer*", ele quis dizer que ela procurou enfrentar uma "morte verdadeira": não uma "morte aparente", mas uma partida para sempre de Arda. Contudo, isso não poderia acontecer: pois a morte, nesse sentido, era contrária à "natureza determinada para os Elfos", designada por Ilúvatar; e de fato, em *De Finwë e Míriel* (§20), Mandos falou ao *fëa* de Míriel, dizendo: "Em Mandos hás de habitar. Mas atenção! Tu és dos Quendi, e, mesmo se recusares o corpo, *deves permanecer em Arda e dentro do tempo de sua história*".

Mas a "morte aparente" a que os Elfos estão sujeitos ainda não tinha aparecido em Aman durante todos os longos anos desde que os Vanyar e os Noldor chegaram a Eldamar. Nos *Anais de Aman*, escritos antes do surgimento da história de Míriel, Fëanor falou diante dos Valar após a Morte das Árvores (§§120–1, p. 138):

> "... Pode acontecer que eu consiga destrancar minhas joias, mas nunca mais hei de criar coisa semelhante a elas; e, se forem quebradas, então quebrado estará meu coração, e hei de morrer: o primeiro de todos os Filhos de Eru."
>
> "Não o primeiro", disse Mandos, mas eles não entenderam suas palavras ...

Mandos sabia que Morgoth havia assassinado Finwë em Formenos, "e derramou o primeiro sangue dos Filhos de Ilúvatar" (§122).

Ao lado das palavras de Mandos, meu pai anotou posteriormente no texto datilografado dos AAm (p. 161, §120): "Isso não se encaixa mais nem mesmo no caso dos Eldar de Valinor. Finwë, pai de Fëanor, foi o primeiro a ser morto entre os Altos-Elfos, e Míriel, mãe de Fëanor, foi a primeira a morrer", e no próprio texto ele alterou o "Hei de morrer" de Fëanor para "Hei de ser morto". Pode parecer que aqui se faz uma distinção entre "morrer" e "ser morto", mas não creio que seja esse o caso. O que se quer dizer é simplesmente que Míriel foi a primeiro a morrer, e Finwë foi o segundo a morrer — mas o primeiro a ser morto. Depois que a história de Míriel foi inserida na narrativa, Fëanor não podia mais dizer "Hei de morrer: o primeiro de todos os Filhos de Eru"; meu pai, portanto, desejando manter as palavras prenhes de significado de Mandos, "Não o primeiro", alterou as de Fëanor para "Hei de ser morto".

Muito mais tarde, essa passagem nos AAm foi usada novamente no novo trabalho com o *Quenta Silmarillion* (ver p. 357), assumindo esta forma:

> "... e hei de ser morto, o primeiro de todos os Filhos de Eru."
>
> "Não o primeiro", disse Mandos, mas eles não entenderam suas palavras, pensando que ele falava de Míriel.

O significado aqui parece ser que aqueles que ouviram as palavras de Mandos (falando do assassinato de Finwë ainda desconhecido para eles) pensaram que ele falava de Míriel, porque ela era a única dos Eldar que eles sabiam ter morrido; mas, como Míriel não tinha sido morta, "eles não entenderam suas palavras". Mesmo assim, não se pode supor que Finwë tenha sido o primeiro a ser morto entre os Filhos de Eru; cf. a nota de meu pai no texto datilografado dos AAm, "Isso não se encaixa mais nem mesmo no caso dos Eldar de Valinor", e a passagem em *Leis e Costumes*, p. 269: "Essa destruição do *hröa*, causando a morte ou a perda de morada do *fëa*, logo foi experimentada pelos Eldar imortais quando eles despertaram no reino maculado e ensombrecido de Arda".

Fica claro em *Leis e Costumes* e no novo "subcapítulo" do *Quenta Silmarillion* que o significado principal da morte de Míriel é que ela foi a primeira aparição da Morte em Aman; e o debate centrou-se nesse *acontecimento inesperado* e nas suas implicações para as leis que governavam a vida do reino sem-morte de Aman. Em *Leis e Costumes* (p. 295), Yavanna declarou que "a Sombra ... maculou a própria *hrón* de Arda, e toda a Terra-média está pervertida pelo mal de Melkor ... Portanto, nenhum daqueles que despertaram na Terra-média e lá habitaram antes de vir para cá chegaram aqui totalmente livres. A falha na força do corpo de Míriel pode então ser atribuída, com alguma razão, ao mal de Arda Maculada, e a morte dela pode ser uma coisa antinatural". No FM 2 (p. 298), essa reflexão, representada como uma nova percepção por parte dos Valar, assume a seguinte forma:

> Pois os Valar estavam grandemente preocupados ao ver que seu labor para a guarda de Valinor de nada valia para manter fora daquela terra o mal e a sombra de Melkor, se alguma coisa, vivente ou não vivente, fosse trazida para lá da Terra-média e deixada livre ou não guardada; e perceberam afinal quão grande era o poder de Melkor em Arda, em cuja criação o papel dele tinha sido tal que todas as coisas, *salvo apenas em Aman*, tinham uma inclinação para o mal e para a perversão em relação a suas retas formas e cursos. Donde aqueles cujo ser principiou em Arda, e que, ademais, eram por natureza uma união de espírito e corpo, tirando o sustento da parte corporal de Arda Maculada, deviam estar sempre, em algum grau, sujeitos à tristeza, a fazer ou a sofrer coisas antinaturais; e, embora habitar em Aman pudesse trazer uma proteção contra esse mal, isso não era uma cura completa, a menos que após longas eras.

Isso foi mantido, em larga medida, no texto final FM 4 (p. 314, §11), embora sem as referências a Aman; e Mandos declarou expressamente que a Morte (isto é, a dos Primogênitos) é uma consequência da Maculação de Arda (§12).

No rascunho da carta de 1958, citado acima em referência à morte de Míriel, meu pai prosseguiu:

> Suponho que esta seja uma diferença entre este Mito e o que talvez possa ser chamada de mitologia cristã. Na segunda, a Queda do Homem é subsequente a e uma consequência (embora não uma consequência necessária) da "Queda dos Anjos": uma rebelião de livre-arbítrio criado em um nível mais elevado do que o Homem; mas não se sustenta claramente (e em muitas versões não é sustentado de modo algum) que isso tenha afetado o "Mundo" em sua natureza: o mal foi trazido de fora, por Satã. Neste Mito, a rebelião do livre-arbítrio criado precede a criação do Mundo (Eä); e Eä já possuía em si, subcriativamente introduzidos, o mal, rebeliões, elementos dissonantes de sua

própria natureza quando o *Que Seja* foi pronunciado. A Queda ou corrupção, portanto, de todas as coisas nela e de todos seus habitantes, era uma possibilidade, se é que não era inevitável.

Em *De Finwë e Míriel* tudo isso é apresentado como uma nova percepção, ou pelo menos como uma percepção muito aguçada, por parte dos Valar; e "com esse pensamento, uma sombra passou pelos corações dos Valar, mesmo durante o zênite do Reino Abençoado, presságio dos pesares os quais os Filhos haviam de trazer ao mundo". Pode-se perguntar se era necessária a morte de Míriel para fazer com que os Poderes de Arda tivessem essa percepção. Poderíamos também nos perguntar como é que, mesmo em Aman, nenhum dos Eldar se afogou no mar ou perdeu o equilíbrio nas montanhas e caiu de uma grande altura. Essa última consideração é, de fato, contrariada, até certo ponto, pelo que é dito sobre a natureza corpórea dos Elfos. Seus corpos são descritos como análogos muito próximos dos de Homens mortais, mas é preciso contrapor isso à seguinte passagem de *Leis e Costumes* (p. 369):

> Os *fëar* dos Elfos eram destinados a habitar em Arda por toda a vida de Arda, e a morte da carne não ab-rogava esse destino. Seus *fëar* eram tenazes, portanto, quanto à vida "na vestimenta de Arda", e em muito excediam os espíritos dos Homens quanto ao poder sobre essa "vestimenta", mesmo desde os primeiros dias protegendo seus corpos de muitos males e ataques (tais como doenças), e curando-os rapidamente de ferimentos, de modo que se recuperavam de feridas que teriam se mostrado fatais para os Homens.

Isso, no entanto, embora diminua a vulnerabilidade física dos Elfos em comparação com os Homens, não altera o fato de que a destruição real de tais corpos pela violência é uma possibilidade inerente à natureza de Arda: "embora o *fëa* não possa ser rompido ou desintegrado por qualquer violência vinda de fora, o *hröa* pode ser ferido e até completamente destruído" (*ibid.*). São muito explícitas as palavras de Manwë no seu discurso final aos Valar antes da proclamação do Estatuto (p. 298):

> [Os Elfos] adentraram Arda Maculada e estavam destinados a fazê-lo, e a suportar a Maculação, ainda que tivessem vindo,

> em seu princípio, d'além de Eä ... Podemos dizer, portanto, que os Elfos estão destinados a conhecer a "morte" à sua maneira, sendo enviados a um mundo que contém a "morte" e tendo uma forma para a qual a "morte" é possível. Pois, ainda que, por sua natureza primária, não maculada, eles têm morada corretamente como espírito e corpo coerentes, ainda assim essas são duas coisas separadas, e não as mesmas, e sua separação (que é a "morte") é uma possibilidade inerente à sua união.

Mas fica claro que, embora, por um lado, esta possibilidade da "morte" para os Elfos tenha sido uma consequência da Maculação de Arda por Melkor, por outro lado, a morte de Míriel inquietou tão gravemente os Valar porque foi a primeira que ocorreu em Aman. Deve-se supor, portanto, que até então os Valar estavam iludidos, acreditando falsamente que os Elfos encarnados, *pelo fato de habitarem em Aman*, estavam protegidos de toda possibilidade de separação do espírito e do corpo, em qualquer uma das maneiras pelas quais tal separação poderia ocorrer na Terra-média — acreditando, de fato, que a Maculação de Arda e a possibilidade da morte para os encarnados tinham efeito apenas a leste do Grande Mar, e só agora descobrindo a falsidade dessa crença quando Míriel morreu? (Ver a passagem do "texto VII" na p. 481.)

A "imortalidade" dos Elfos (coextensiva à "vida" de Arda), suas mortes e renascimentos, eram elementos profundamente arraigados e fundamentais nas concepções de meu pai. Nesse momento, ele estava submetendo essas ideias a uma análise complexa e estendendo essa análise às ideias sobre a "Aman sem-morte" e à importância de Melkor na perversão da Criação, tal como isso havia sido exposto aos Ainur por Ilúvatar no Princípio. Essa análise é, em parte, apresentada como um debate entre os próprios Valar, no qual eles alcançam novas percepções sobre a natureza de Arda; mas a discussão teórica das leis morais e naturais ganha uma dimensão imediata por surgir da estranha história das tristezas de Finwë e Míriel. Essa história foi mantida no *Silmarillion* publicado, mas sem nenhuma indicação de suas implicações para os Regentes de Arda e os mestres-do-saber dos Elfos.

Nesses escritos se vê a preocupação de meu pai, nos anos que se seguiram à publicação de *O Senhor dos Anéis*, com os aspectos filosóficos da mitologia e sua sistematização. Das deliberações dos Deuses, os eruditos dos Eldar preservaram um registro entre os livros de suas leis. Quão distante desses graves Doutores parece estar a lua crescente que passou por cima do navio de Ælfwine ao largo da costa da Ilha Solitária (II. 387), enquanto "noite longa de Feéria continuava"! Ælfwine continua presente como transmissor de textos e comentador; mas houve grandes mudanças em Elfinesse.

DE FËANOR E DE MELKOR DESACORRENTADO

O "subcapítulo" anterior *De Finwë e Míriel* atingiu apenas, nos termos da versão anterior do Capítulo 6, o final de §46b (p. 229). Para a seção seguinte, há apenas dois textos tardios, continuando diretamente os textos datilografados que chamei de FM 3 e FM 4 (pp. 312): a partir deste ponto, é conveniente chamá-los de "**A**" e "**B**". A versão A, embora seja um texto finalizado, é na verdade um rascunho para o segundo texto datilografado (B), que claramente o seguiu de imediato, e não precisa ser considerado além de notar que não contém a nova passagem sobre a esposa de Fëanor, e que o título é *De Fëanor e das Silmarils e do Escurecimento de Valinor*: esse texto não traz mais subdivisões.

Nessa seção, meu pai não alterou muito (exceto pelo acréscimo relativo à esposa de Fëanor) o texto de QT, §§46c–48, e as alterações podem ser registradas sem fornecer novamente o texto inteiro. Diferenças muito pequenas não são mencionadas.

§46c A única diferença aqui em relação ao QT é que se diz que o cabelo de Fëanor era "escuro como as penas de um corvo". Mas, no final do parágrafo, depois de "Raramente estavam a mão e a mente de Fëanor em repouso", a seguinte passagem foi acrescentada:

Quando ainda estava no começo da juventude, Fëanor desposou Nerdanel, uma donzela dos Noldor; ao que muitos se admiraram, pois ela não estava entre as mais belas de seu povo. Mas era forte, e de mente livre, e cheia do desejo de conhecimento. Em sua juventude, amava vagar longe das habitações dos Noldor, à beira das compridas costas do Mar ou nas colinas; e assim ela e Fëanor tinham se encontrado e se tornaram companheiros em muitas jornadas. O pai dela, Mahtan, era um grande ferreiro, e entre aqueles dos Noldor que eram mais caros ao coração de Aulë. Com Mahtan Nerdanel aprendeu muito sobre ofícios com os quais as mulheres dos Noldor raramente se ocupavam: o fazer de coisas de metal e pedra. Ela fazia imagens, algumas dos Valar em suas visíveis formas, e muitas outras de homens e mulheres dos Eldar, e essas eram tão perfeitas que os amigos de tais pessoas, se não conheciam a arte de Nerdanel, falavam com elas: mas muitas coisas ela obrou também de seu próprio pensamento, em formas fortes e estranhas, mas belas.

Também era de vontade firme, mas era mais lenta e mais paciente que Fëanor, desejando entender mentes antes que dominá-las. Quando na companhia de outros, amiúde sentava-se quieta, escutando suas palavras e observando seus gestos e os movimentos de seus rostos. Sua índole ela legou em parte a alguns de seus filhos, mas não a todos. Sete filhos deu a Fëanor, e não está registrado nas histórias de outrora que quaisquer outras das Eldar tivessem tantos filhos. Com sua sabedoria, de início, ela fez o marido amainar quando o fogo de seu coração se tornava quente demais; mas seus feitos posteriores a entristeceram, e eles se afastaram.

Ora, mesmo enquanto Fëanor e os artífices dos Noldor trabalhavam com deleite, sem prever término algum para seus labores, e enquanto os filhos de Indis cresciam até chegar à idade viril, o Zênite de Valinor se aproximava de seu fim.

O texto então continua tal como em QT §47 (p. 229). — O nome *Nerdanel*, usado para designar a esposa de Fëanor, foi uma emenda: o nome original, quando o texto foi datilografado, era *Istarnië*.

§47 "aos pés dos deuses" do QT passa a ser "aos pés dos Poderosos".

§48 "e, acima de tudo, na cura das muitas feridas que tinha feito ao mundo. Niënna o ajudou em seu rogo, mas os outros ficaram em silêncio."

Depois da frase no QT "Donde, após algum tempo, foi-lhe dada permissão para andar livremente pela terra", o texto foi alterado:

Portanto, após algum tempo, Manwë lhe deu permissão para andar livremente pela terra. O mal que Melkor fizera outrora, em ira e malícia, estava além da cura plena [cf. p. 314, §11], mas a ajuda dele, se verdadeiramente a oferecesse, faria mais do que qualquer outra coisa para dar emenda ao mundo. Pois Melkor foi, em seu princípio, o maior dos Poderes, e Manwë acreditava que, se ele estivesse arrependido, recuperaria em grande parte sua primeira potência e sabedoria. Nesse caminho ele julgava que Melkor agora estava posto e perseveraria se fosse tratado sem mágoa. Inveja e rancor Manwë era lento para perceber, pois não os conhecia em si mesmo; e não entendia que todo amor tinha partido da mente de Melkor para sempre.

Ulmo, dizem, não se deixava enganar, e Tulkas fechava as mãos toda vez que via Melkor, seu inimigo, passar, pois, se Tulkas é lento para a ira, é lento também para esquecer. Mas eles obedeceram a decisão de Manwë; pois aqueles que desejam defender autoridade contra rebelião não devem eles próprios se rebelar.

DAS SILMARILS E DA INQUIETAÇÃO DOS NOLDOR

O título desse capítulo está presente apenas no segundo dos dois textos datilografados tardios (B) e foi inserido ali mais tarde. O primeiro dos textos (A) ainda era relativamente próximo do de QT §§49–54; embora muitas mudanças tenham sido introduzidas, a maior parte delas tinha significado narrativo sutil, se é que tinha algum. Aqui, mais uma vez, ele era efetivamente um rascunho do segundo texto, e não precisa ser considerado em mais detalhe. O segundo texto, entretanto, foi muito alterado e expandido na segunda parte do "subcapítulo".

§49 O mais belo de seus semblantes Melkor mostrava aos Eldar, e ele os ajudava em muitas obras, quando o deixavam. Os Vanyar, de fato, tinham-no por suspeito, pois habitavam à luz das Árvores e estavam contentes; e aos Teleri ele dava pouca atenção, julgando-os de pouco valor, instrumentos fracos demais para seus desígnios. Mas os Noldor

tinham deleite no conhecimento oculto que era capaz de lhes revelar; e alguns deram ouvido a palavras que teria sido melhor para eles jamais ter escutado.

§49a Em dias que vieram depois, Melkor, de fato, declarou que Fëanor dele aprendera muitas artes em segredo; mas essa era apenas uma das muitas mentiras de Melkor, invejando o engenho de

Fëanor e desejando reivindicar parte de suas obras. Pois nenhum dos Eldalië jamais odiou Melkor mais do que Fëanor, filho de Finwë, e, embora estivesse enlaçado nas tramas da malícia de Melkor contra os Valar, não tinha nenhum colóquio com ele em pessoa e não recebia conselho nenhum dele. De fato, não buscava o conselho de ninguém que habitasse em Aman, grande ou pequeno, salvo apenas, e por pouco tempo, o de Nerdanel, a sábia, sua esposa.

§49b Naquele tempo, mas antes que a Melkor lhe fosse dada liberdade dentro da terra de Aman, foram feitas aquelas coisas que mais tarde foram as mais renomadas de todas as obras do Povo-élfico. Pois Fëanor, tendo então chegado a seu poder pleno, ficou repleto de um novo pensamento, ou pode ser que alguma sombra de presságio tenha vindo a ele sobre a sina que estava próxima; e ponderou como a Luz das Árvores, a glória do Reino Abençoado, poderia ser preservada de modo imperecível. Então começou longo e secreto labor e chamou a si todo o seu conhecimento, e seu poder, e seu engenho sutil, no criar de joias mais maravilhosas do que quaisquer das que até então tinham sido inventadas, cuja beleza houvesse de durar além do Fim.

Três joias ele fez, e deu-lhes o nome de Silmarils. Um fogo vivo ardia dentro delas, o qual era uma mescla da Luz das Duas Árvores. Por sua própria radiância elas brilhavam, mesmo no escuro do mais profundo salão de tesouro; porém todas as luzes que caíam sobre elas, por mais tênues que fossem, elas recebiam e devolviam de novo em matizes maravilhosas às quais seu próprio fogo interno dava uma doçura excelsa. Nenhuma carne mortal, nem mãos imundas, nem nada de vontade maligna podia tocá-las, mas era escorchado e fenecia; nem podiam elas ser quebradas por qualquer força dentro do Reino de Arda. As Silmarils os Eldar prezavam além de todos os outros tesouros em Aman ou sobre a Terra; e Varda as consagrou, e Mandos predisse que os destinos de Arda, terra, mar e ar, jaziam contidos dentro delas. O coração de Fëanor prendera-se estreitamente a essas coisas que ele mesmo fizera.

§50 Então Melkor cobiçou também as Silmarils; e, desde aquele tempo, inflamado por esse desejo, a malícia de seu coração se tornou maior, embora nada disso ainda pudesse ser visto no semblante que mostrava, ou na forma bela que assumia, à maneira dos Valar, seus irmãos.

Portanto, sempre que percebia uma oportunidade, começou a semear uma semente de falsidade e insinuações malignas entre todos os que estavam abertos ao colóquio com ele. Mas fazia isso de modo matreiro, de modo que poucos dos que ouviam essas mentiras chegaram a recebê-las dos próprios lábios dele: elas passavam de amigo a amigo, como segredos cujo conhecimento provava que quem os contava era sábio; e, no contar, cresciam e se espalhavam, como ervas daninhas infestando lugares sombreados. Amargamente os Noldor pagaram pela insensatez de seus ouvidos abertos nos dias que vieram.

Quando via que muitos se inclinavam a ele, Melkor amiúde caminhava entre esses, pronunciando sempre palavras com os maiores louvores, mel cheio de doçura, mas envenenado; pois, em meio às belas palavras, outras eram tecidas, tão sutilmente que muitos dos que as ouviam acreditavam, ao recordá-las, que tinham surgido de seu próprio pensamento. Visões conjurava em seus corações dos reinos magnos que poderiam ter governado à vontade, em poder e liberdade no Leste; e então espalharam-se sussurros de que os Valar tinham trazido os Eldar a Aman por causa de seu ciúme, temendo que a beleza dos Quendi e o poder de criadores que Ilúvatar lhes legara ficasse grande demais para que os Valar os governassem, conforme o Povo-élfico crescesse e se espalhasse pelas amplas terras do mundo.

Naqueles dias, ademais, embora os Valar soubessem, de fato, da vinda dos Homens que havia de acontecer, os Elfos, por ora, nada sabiam dela; pois isso Manwë não lhes tinha revelado, e o tempo inda não estava próximo. Mas Melkor falou a eles em segredo sobre os Homens Mortais, vendo como o silêncio dos Valar podia ser distorcido para o mal. Pouco ele sabia ainda acerca dos Homens, pois, imerso em seu próprio pensamento na Música, dera pouca atenção ao Segundo Tema de Ilúvatar; mas então espalhou-se entre os Elfos o sussurro de que Manwë os mantinha cativos, para que pudessem vir os Homens e suplantá-los nos domínios da Terra-média. Pois os Valar viam que poderiam mais facilmente dobrar essa raça de mais fraca e de vida curta. Ai de nós! pouco os Valar jamais prevaleceram ao tentar dobrar as vontades dos Homens; mas muitos dos Noldor acreditaram, de todo ou em parte, nessas palavras malignas.

§51 Assim, antes que os Valar percebessem, a paz de Valinor foi envenenada. Os Noldor começaram a murmurar contra eles e contra toda a sua gente; e muitos se tornaram cheios de vaidade, esquecendo quanto do que eles tinham e sabiam viera a eles como dádiva dos Valar. Fortíssima queimava a nova chama do desejo por liberdade e reinos mais dilatados no coração ávido de Fëanor; e Melkor riu em seu segredo, pois àquele alvo dirigira suas mentiras, odiando Fëanor acima de todos e cobiçando sempre as Silmarils. Mas dessas não permitiam que ele se aproximasse. Pois, embora em grandes festas Fëanor as usasse, luzindo em sua fronte, em outras horas eram guardadas de perto, trancadas nas fundas câmaras de seu tesouro em Túna. Não havia ladrões em Valinor, por ora; mas Fëanor começou a amar as Silmarils com um amor avaro e se recusava a mostrá-las a todos, salvo a seu pai ou a seus filhos. Raramente lembrava agora que a luz com a qual estavam acesas não era sua.

§52 Altos príncipes eram Fëanor e Fingolfin, os filhos mais velhos de Finwë, honrados por todos em Aman; mas agora tinham se tornado soberbos e ciosos de seus direitos e suas posses. E eis que Melkor então espalhou novas mentiras terra afora, e sussurros chegaram a Fëanor de que Fingolfin e seus filhos estavam tramando usurpar a liderança de Finwë e da linhagem mais velha de Fëanor e suplantá-los com permissão dos Valar; pois aos Valar não agradava que as Silmarils ficassem em Túna e não fossem entregues à guarda deles. Mas a Fingolfin e Finarfin se dizia: "Cuidado! Pouco amor teve sempre o soberbo filho de Míriel pelos filhos de Indis. Agora ele se fez grande e tem seu pai na palma da mão. Não há de demorar para que ele vos expulse de Túna!"

§52ª Conta-se também que, quando Melkor viu que essas mentiras ardiam como brasa, ele começou a falar, primeiro aos filhos de Fëanor e, em outros momentos, aos filhos de Indis, acerca de armas e armaduras, e do poder que elas dão àquele que as tem para defender o que é seu (como dizia). Ora, os Quendi tinham possuído armas na Terra-média, mas de sua própria criação. Elas tinham sido feitas por Aulë e enviadas como presentes pela mão de Oromë, quando se tornou conhecido entre os Valar que os Quendi estavam cercados de males à espreita que tinham descoberto os lugares de sua morada à beira de Cuiviénen; e mais armas foram mandadas mais tarde para a defesa dos Eldar durante a Grande Marcha até as costas do Mar. Mas todas elas não eram usadas havia muito, e jaziam entesouradas, como memoriais de dias antigos e meio esquecidos; e, desde o acorrentamento de Melkor, os arsenais dos Valar também tinham sido trancados.

§52b Mas agora os senhores dos Noldor tomaram suas espadas e lanças e as amolaram, repuseram as cordas de seus arcos e encheram suas aljavas com flechas. E naquele tempo os Noldor começaram a forja de espadas, e machados, e lanças. E fizeram escudos naqueles dias, e puseram neles brasões com detalhes de prata e ouro e gemas. Estes, apenas, usavam diante de todos e de outras armas não falavam, pois cada um acreditava que apenas ele tinha recebido o aviso. Mas, quando Fëanor teve notícia do que se fazia, construiu para si uma forja secreta, da qual nem mesmo Melkor sabia; e lá fez espadas cruéis de aço temperado para si mesmo e para seus filhos, bem como altos elmos com plumas rubras. Amargamente Mahtan lamentou o dia em que ensinara ao marido de Nerdanel, sua filha, todo o saber sobre o trabalho com metais que aprendera com Aulë.

§52c Assim, com mentiras e sussurros malignos e falso conselho, Melkor inflamou os corações dos Noldor para a contenda; e das querelas deles veio, com o tempo, o fim dos dias excelsos de Valinor e o anoitecer de sua antiga glória. Pois Fëanor então começou abertamente a pronunciar palavras de rebelião contra os Valar, gritando em alta voz que partiria de Valinor, de volta para o mundo de fora, e que libertaria os Noldor da servidão (conforme dizia), se os seguissem.

§52d Então houve grande inquietação em Túna, e Finwë ficou aflito, e convocou todos os seus senhores a um concílio. Mas Fingolfin se apressou aos salões reais e se postou diante dele, dizendo: "Rei e pai, será que não reprimirás a soberba de nosso irmão, Curufinwë, que é chamado o Espírito de Fogo, com muito acerto? Com que direito ele fala por todo o nosso povo, como se fosse rei? Foste tu que há muito falaste diante dos Quendi, pedindo que aceitassem o abrigo dos Poderosos em Aman. Foste tu que levaste os Noldor pela longa estrada, através da Terra perigosa, até a luz de Eldanor. Se disso agora não te arrependes, dois filhos ao menos tens para honrar tuas palavras!"

§52e Mas, no exato momento em que falava, de repente Fëanor apareceu, e atravessou a câmara, alto e ameaçador. Um fogo de raiva se via em seus olhos, e ele estava totalmente armado: o elmo alto sobre a cabeça e, em seu flanco, uma espada poderosa.

"Então é assim, tal como imaginei", disse ele: "meu meio-irmão queria estar à minha frente com meu pai, nisso como em todas as outras matérias. Não queria esperar o concílio, onde todas as palavras seriam ouvidas por todos, e respondidas. Queria falar contra mim em segredo. Isso eu não tolerarei!", gritou, voltando-se para Fingolfin. "Vai-te daqui e toma teu devido lugar!" Então, feito um corisco de fogo, desembainhou a espada. "Vai-te daqui e não desafies mais minha ira!"

§52f Então Fingolfin se curvou diante de Finwë e, sem palavra ou olhar para Fëanor, saiu da câmara. Mas Fëanor o seguiu e, à porta da casa do rei, deteve-o. A ponta de sua espada reluzente ele pôs contra o peito de Fingolfin. "Vê, meio-irmão!", exclamou. "Esta é mais afiada que tua língua. Tenta só mais uma vez usurpar meu lugar e o amor de meu pai, e pode ser que ela livre os Noldor de quem aspira a ser mestre de servos."

§52g Essas palavras foram ouvidas por muitos, pois a casa de Finwë ficava na grande praça sob a Mindon. Mas, de novo, Fingolfin nada respondeu e, passando pelo meio da multidão em silêncio, foi procurar Finarfin, seu irmão.

§52h A inquietação dos Noldor, de fato, não estava oculta dos Valar; mas sua semente fora semeada às escuras; e, portanto, já que Fëanor fora o primeiro a falar abertamente contra eles, julgaram que dele viera o descontentamento, por ser eminente em vontade própria e arrogância, embora todos os Noldor tivessem se tornado soberbos. Era, talvez, da natureza dos Filhos que, conforme crescessem, fossem se tornar voluntariosos e desejassem escapar da tutela, recordando-a com pouca gratidão. Portanto, Manwë estava entristecido, mas observava e não dizia palavra. Os Valar tinham trazido os Eldar à sua terra livremente, para lá habitarem ou partirem; e, embora pudessem julgar que a partida seria insensatez, não seria lícito impedi-los de partir, se conselhos sábios não fossem suficientes.

§53 Mas dessa vez os feitos de Fëanor não podiam ser ignorados, e os Valar estavam enfurecidos; e também assombrados, percebendo que algo mais do que os modos voluntariosos da juventude estava a operar. Portanto, Manwë convocou Fëanor a aparecer diante dos Valar para responder por todas as suas palavras e ações, e ele foi trazido aos portões de Valmar. Para lá também foram convocados todos os outros que tinham alguma parte nessa matéria ou algum conhecimento dela, ou qualquer rancor seu que quisessem declarar.

§53a Então Mandos pôs Fëanor diante de si no Círculo do Julgamento e pediu que respondesse a tudo o que lhe fosse perguntado. Grandes precisam ser o poder e a vontade de qualquer um que deseje mentir para Mandos, ou até mesmo recusar seus questionamentos. Mas Fëanor nem chegou a pensar nisso. Estava tão ébrio com as mentiras de Melkor que tinham se enraizado em seu coração soberbo (embora ainda não percebesse claramente a fonte delas) que se julgava justificado em todos os detalhes, e de outros julgamentos ele escarnecia.

§53b Mas, quando tudo foi dito, e todos os testemunhos foram dados, e palavras e ações foram tiradas do escuro e trazidas à luz, então afinal a raiz foi desnudada: a malícia de Melkor foi revelada, e suas mentiras e meias-verdades ficaram claras para que todos com a força de vontade para ver pudessem reconhecê-las. De imediato Tulkas foi enviado pelo concílio para deitar mãos sobre Melkor e trazê-lo de novo a julgamento. Mas Fëanor não foi considerado de todo sem culpa em si mesmo. Pois tinha forjado espadas secretas e desembainhara uma delas com raiva injustificada, ameaçando a vida de seu parente.

§53c Portanto, Mandos lhe disse: "Falas de servidão. Se servidão for, não podes escapar dela. Pois Manwë é Rei de Arda, e não de Aman apenas. E tua ação foi contra a lei, seja em Aman ou fora de Aman. Embora tenha sido mais insolente em Aman, pois é uma terra consagrada. Portanto, faz-se agora esta sentença: por doze anos hás de deixar Túna, onde essa ameaça foi pronunciada. Nesse tempo, aconselha-te contigo e lembra-te de quem e do que tu és. Mas, depois desse tempo, essa matéria dará lugar à paz e será considerada resolvida, se outros te liberarem."

§53d Então Fingolfin se levantou e disse: "Eu liberarei meu irmão". Mas Fëanor não pronunciou palavra em resposta; e, depois de ficar postado em silêncio diante dos Valar por algum tempo, ele se voltou e deixou o concílio, e partiu de Valmar. De imediato retornou a Túna e, antes do prazo de sete dias que tinha sido estabelecido, reuniu seus bens e seus tesouros e deixou a cidade, indo para muito longe. Com ele foram seus sete filhos, e Finwë, seu pai, que não quis se separar dele, tendo errado ou sendo inocente, e ainda alguns outros dos Noldor. Mas Nerdanel não queria ir com ele e pediu licença para fazer morada com Indis, a quem sempre estimara, embora disso Fëanor pouco gostasse. A norte de Valinor, nos montes perto dos salões de Mandos, Fëanor e seus filhos fizeram um lugar fortificado e salão do tesouro em Formenos, e entesouraram uma multidão de gemas, e armas também: não puseram de lado as espadas que Fëanor fizera. Mas Fingolfin agora governava os Noldor em Túna; e assim as próprias palavras de Melkor pareciam ter se cumprido (embora Fëanor, por seus próprios atos, tivesse feito isso acontecer); e a amargura que Melkor tinha semeado subsistiu, ainda que suas mentiras tivessem se tornado manifestas. Por longo tempo depois essa amargura sobreviveu ainda entre Fëanor e os filhos de Indis.

§54 Coisa pior então sobreveio. Em vão Tulkas buscava a Melkor. Pois ele, sabendo que seus ardis tinham sido revelados, escondeu-se e foi passando de lugar a lugar, como uma nuvem nos montes. E, embora ninguém pudesse descobrir aonde tinha ido, parecia que a luz de Valinor estava enfraquecida, e as sombras de todas as coisas de pé ficaram mais longas e escuras naquele tempo. Dizem que, por dois anos, ninguém em Valinor viu a Melkor de novo, nem ouviu qualquer rumor dele, até que de repente ele buscou a Fëanor. Em segredo, ele veio a Formenos, na forma de um viajante que busca abrigo; e falou com Fëanor diante da porta dele. Amizade fingiu com alvitre matreiro, incitando-o a retomar seu pensamento anterior de fugir aos empecilhos dos Valar.

"Eis a verdade de tudo o que falei, e como tu foste banido injustamente", disse ele. "Mas se o coração de Fëanor ainda é destemido como o era em Túna, então vou ajudá-lo e levá-lo para longe desta terra estreita. Pois não sou eu também Vala? Sim, e mais do que aqueles que se sentam aqui em soberba. Sempre tenho sido um amigo dos Noldor, conhecendo-lhes o valor: o mais hábil e mais valente de todos os povos de Arda."

Ora, o coração de Fëanor ainda estava amargurado por sua humilhação diante de Mandos, e por um instante ele parou e olhou para Melkor em silêncio, imaginando se de fato ainda podia confiar nele a ponto, ao menos, de deixá-lo ajudar em sua fuga. Mas a astúcia de Melkor atingiu o alvo errado e, vendo que Fëanor hesitava, e sabendo que as Silmarils tinham seu coração por servo, disse enfim: "Este é um lugar forte e bem guardado, mas não penses que as Silmarils ficarão seguras em qualquer tesouro dentro do reino dos Valar!"

Então os fogos do coração de Fëanor se acenderam, e seus olhos se inflamaram; e sua vista abriu caminho ardente pela semelhança bela de Melkor até as profundezas escuras de sua mente, percebendo ali a cobiça feroz pelas Silmarils. Então o ódio sobrepujou o medo de Fëanor, e ele falou a Melkor em termos vergonhosos, dizendo: "Vai-te do meu portão, andejo! Corvo-da-prisão de Mandos!" E trancou as portas de sua casa no rosto do mais poderoso de todos os habitantes de Eä.

Então Melkor partiu, cheio de vergonha, pois ele próprio corria perigo e ainda não estipulara a hora da vingança; mas seu coração se enegrecera de raiva. E Finwë se encheu de grande terror e, apressado, enviou mensageiros a Manwë em Valmar.

Comentário

Na primeira parte deste "subcapítulo" *Das Silmarils e da Inquietação dos Noldor*, a história, conforme foi contada no QT (p. 343 e seguintes), quase não foi alterada, mesmo em detalhes, apesar das muitas mudanças de redação introduzidas nesta última versão — exceto no que diz respeito às armas dos Eldar (§§52a, b). No QS, onde o tema foi abordado pela primeira vez (V. 270, nota de Pengoloð a §49), o texto diz que "Os Elfos antes haviam possuído somente armas de caça, lanças e arcos e flechas", mas que então, sob a influência de Melkor, os Noldor "aprenderam o feitio de espadas de aço temperado, e a feitura de malhas" e escudos. Isso foi reescrito em QT §50 (p. 334), ainda como uma observação feita por Pengoloð, segundo a qual os Elfos originalmente não possuíam *nenhuma* arma, e que então aprenderam a fazer todos os tipos de armas, espadas, lanças, arcos e flechas. Vemos algo parecido em AAm §97 (p. 125): "Melkor falou aos Eldar acerca de armas, que antes eles não tinham possuído ou conhecido"; mas meu pai posteriormente anotou no texto datilografado dos AAm (p. 137, §97): "Não! Eles devem ter tido armas na Grande Jornada". Sentindo necessidade de explicar como os Quendi sobreviveram "em meio aos engodos do crepúsculo estrelado", e concluindo que deviam estar armados na Terra-média, ele adotou o dispositivo narrativo um tanto mecânico (na minha opinião) aqui introduzido (§52a).

As explicações num mundo assim podem provocar reflexões desnecessárias. A passagem de Oromë, em seu cavalo, Nahar, de

Aman para a Terra-média nunca é descrita, nem (eu diria) precisava ser, nem deveria ser; os movimentos dos grandes Valar (e, de fato, os dos seres divinos menores, como Melian) são um mistério que não procuramos penetrar. Eles vêm d'além de Arda e não são derivados dela. Na história (muito antiga) do transporte dos três "embaixadores" élficos originais de Kuiviénen até Valinor, poderíamos nos perguntar com mais razão, talvez, como eles viajaram, pois os Elfos, quaisquer que sejam seus poderes, são Filhos da Terra, e precisam viver e se mover no mundo físico de Arda. Meu pai nunca mais falou sobre isso; e podemos supor, se quisermos, que eles passaram pelo Gelo Pungente montados em Nahar.* Mas o fato de ele ter percebido a necessidade de responder, em certo nível, a especulações desse tipo, fica evidente nessa história sobre Oromë trazendo para os Eldar um grande estoque de armas feitas em Valinor — pois o estoque deve ter sido enorme para ser útil na proteção de tal hoste.

Na última parte da nova versão, a história é bastante desenvolvida, mas não de forma a contradizer as versões anteriores — que podem ser lidas como uma sinopse das últimas. Na verdade, pode ser que a história do encontro violento de Fëanor com Fingolfin na casa de Finwë já estivesse presente na mente de meu pai quando ele escreveu o QT (final de §52), embora ele só a tenha contado de fato muito mais tarde.

Vale observar que, ao escrever a nova versão, ele também estava de olho nos AAm; assim, em §54, retomou as palavras de Melkor para Fëanor em Formenos em AAm §101 (p. 126) — embora removendo a frase "E não penses que as Silmarils ficarão seguras em qualquer tesouro dentro do reino dos deuses" de seu lugar nos AAm e usando-a como ela foi usada no QT, como pista repentina das verdadeiras intenções de Melkor para Fëanor.

Restam alguns pontos isolados. Em ambos os textos da última versão, ocorre a frase em §49b: "As Silmarils os Eldar prezavam acima de todos os outros tesouros *em Aman ou sobre a Terra*". Essa formulação remonta a muito tempo antes (ver o Índice Remissivo

* Cf. a história citada no antigo "Esboço da Mitologia", segundo a qual "Lúthien chegou a atravessar o Gelo Pungente, auxiliada pelo poder de sua mãe divina, Melian, até os salões de Mandos" (IV. 33, 67).

do Vol. IV, verbetes *Terra* e *Mundo*), por mais inadequado que possa parecer no caso de um mundo em que Aman era fisicamente acessível através do Mar. Mas a Terra é a Terra-média: não é o equivalente de Arda; cf. também §52d: "Foste tu que levaste os Noldor pela longa estrada, através da Terra perigosa, até a luz de Eldanor".

Também é curioso que *Túna* seja agora o nome usado em todas as ocorrências, e não *Tirion*; ver p. 118, §67 e p. 238, §52.

Em §50 afirma-se sobre Melkor que "Pouco ele sabia ainda acerca dos Homens, pois, imerso em seu próprio pensamento na Música, dera pouca atenção ao Segundo Tema de Ilúvatar". Convém comparar com essa afirmação o *Ainulindalë* (ambos os textos, C e D), §13: os Filhos de Ilúvatar "vieram com o Terceiro Tema", e §24: Manwë "foi o instrumento principal do segundo Tema que Ilúvatar levantou contra o desacordo de Melkor." Ver ainda p. 432, nota 10.

Os nomes *Fingolfin* e *Finarfin* são grafados assim em B, mas em A as formas são *Fingolphin* e *Finarphin* (ver p. 321, nota 10). Na Segunda Edição de *O Senhor dos Anéis* (1966), o nome *Finarphin* foi escrito dessa maneira, mais tarde alterado por sugestão minha para *Finarfin* (Apêndice F, *Dos Elfos*).

DO ESCURECIMENTO DE VALINOR

O primeiro dos dois textos datilografados tardios (A) termina após algumas linhas deste próximo "subcapítulo", no qual QT §55 foi seguido virtualmente palavra por palavra; e termina exatamente no mesmo ponto que a reescrita QT do QS (ver p. 236 e nota 8). Para a próxima parte da narrativa, portanto, temos, de um lado, o texto do QS (§§55–9), com as pouquíssimas revisões que foram feitas nele em 1951, e, de outro, a versão muito posterior e bastante ampliada que se segue aqui, preservada em quase toda a sua extensão apenas no único texto datilografado B. Há também uma única página datilografada, intermediária entre A e B, que se estende um pouco mais do que A; e uma grande quantidade de rascunhos extremamente rudimentares do capítulo em sua forma tardia, os quais, em sua maior parte, quase não são legíveis.

Grande parte desta versão final da história de Melkor e Ungoliantë e da destruição das Árvores está tão intimamente relacionada com os AAm que seria possível, em algumas seções do texto, contentar-se com referências aos AAm e notas sobre as diferenças; no entanto, apresento o texto na íntegra, pelas seguintes razões. Primeiro porque, apesar da proximidade com os AAm, há também uma transformação de grande monta da lenda; em segundo lugar, porque a relação entre as duas tradições, a *O Silmarillion* e a dos *Anais*, toma aqui um novo rumo, e isso é importante para a compreensão da natureza do *Silmarillion* publicado e para justificar sua existência. Seria menos fácil acompanhar esses interessantes desenvolvimentos se parte do texto aparecesse apenas em notas que fazem referência a outro texto.

§55 Ora, os Valar estavam sentados em concílio diante dos portões de Valmar, temendo o crescimento das sombras, quando os mensageiros vieram da parte de Finwë. De imediato, Oromë e Tulkas se levantaram, mas, na hora em que partiam em perseguição, outros mensageiros trouxeram novas de Eldanor. Melkor tinha fugido através do Kalakiryan e, da colina de Túna, os Elfos o tinham visto passar iracundo, feito nuvem trovejante. "Depois", disseram, "ele virou para o norte, e nossa parentela em Alqualondë relata que sua Sombra passou perto do porto deles, no rumo de Araman."

Assim Melkor partiu de Valinor e, por algum tempo, as Duas Árvores brilharam de novo sem sombra, e a terra se encheu de luz; contudo, como uma nuvem ao longe que sobe cada vez mais alto, levada por um vento vagaroso e frio, uma dúvida agora maculava a alegria de todos os habitantes de Aman, fazendo-os temer um mal desconhecido que ainda podia vir.

§55a Quando Manwë ouviu sobre os caminhos que Melkor tinha tomado, pareceu-lhe claro que seu propósito era escapar para suas antigas fortalezas no Norte da Terra-média, como era, de fato, seu curso mais provável. Embora houvesse pouca esperança nisso, Oromë e Tulkas, com muitos de sua gente, foram a toda velocidade na direção norte, buscando alcançá-lo, se pudessem; mas não acharam traço ou rumor dele além das praias dos Teleri, e, nos ermos despovoados que ficavam perto do Gelo, não conseguiram ouvir notícias nem mesmo das aves. Portanto, no fim das contas, eles retornaram, mas a guarda foi redobrada ao longo das defesas setentrionais de Aman.

§55b Isso, de fato, era o que Melkor esperara; mas ele tinha outras coisas a fazer antes que voltasse à Terra-média, e, antes que a perseguição começasse, e de fato antes que os mensageiros chegassem a Valmar, ele tinha voltado atrás e, com grande segredo, fora para o distante Sul. Pois Melkor ainda era como um dos Valar e podia (inda que com dor) mudar sua forma ou caminhar desnudo, como faziam seus irmãos; embora aquele poder ele fosse logo perder para sempre.

§55c Assim, sem ser visto, chegou afinal à região que outrora foi chamada de Avathar,* debaixo dos sopés orientais das Pelóri; uma terra estreita tinha se tornado, sendo comida pelo Mar, e havia muito estava abandonada. Ali as sombras eram as mais profundas e espessas do mundo. Em Avathar, em segredo e ignota salvo para Melkor, habitava Ungoliantë, e ela tomara forma de aranha e era uma tecelã de teias escuras. Não se sabe donde veio, embora, entre os Eldar, dizia-se que, em eras muito anteriores, ela descera da escuridão que jaz à volta de Arda, quando Melkor primeiro olhou para baixo com inveja da luz do reino de Manwë. Mas ela tinha repudiado seu Mestre, desejando ser senhora de sua própria gula, tomando todas as coisas para si para alimentar seu esvaziamento. Para o Sul fugira, e assim tinha escapado dos ataques dos Valar e dos caçadores de Oromë, pois a vigilância deles tinha sido voltada sempre para o Norte, e o Sul ficou muito tempo sem receber atenção. De lá, ela se arrastara na direção da luz do Reino Abençoado; pois tinha fome de luz e a odiava.

§55d Em uma ravina foi viver e tecia suas teias negras em uma fenda das montanhas. Toda luz sugava e a fiava, transformando-a em redes escuras de treva. Mas agora estava esfaimada, e em grande tormento; pois todas as coisas viventes tinham fugido para longe, e suas próprias teias deixavam trancada para fora toda luz que pudesse chegar à sua habitação, seja através dos passos nas muralhas de Aman, seja do firmamento acima dela. Contudo, não tinha mais a força ou a vontade necessária para partir.

§56 Ora, Melkor a procurou e pôs de novo a forma que usara como o tirano de Utumno: um Senhor sombrio, alto e terrível. Naquela forma permaneceu para sempre depois disso. E, quando Ungoliantë o viu chegar, teve medo, conhecendo o ódio que Melkor tinha a todos os que tentavam escapar dele. Ela se encolheu

* [nota de rodapé ao texto] As Sombras (em quenya antigo).

em sua toca mais funda e tentou se amortalhar com nova sombra; mas escuridão tal como, em sua fome, ela era capaz de tecer não era defesa alguma contra os olhos de Melkor, Senhor de Utumno e Angband.

§56a "Vem para fora!", exclamou ele. "Três vezes tola: por me deixar, em primeiro lugar, por habitar aqui definhando ao alcance de banquetes incontáveis, e agora por se negar a mim, Distribuidor de Dádivas, tua única esperança! Vem para fora e vê! Trouxe para ti um sinal da fartura maior que virá." Mas Ungoliantë não lhe deu resposta e recuou ainda mais fundo na rocha fendida. Então Melkor se enraiveceu, pois tinha pressa, tendo medido o tempo necessário com precisão. "Vem para fora!", gritou. "Tenho necessidade de ti e não serei negado. Ou tu me serves ou enterrar-te-ei aqui e, debaixo de pedra negra, hás de mirrar até virares nada." Então, de repente, ergueu em suas mãos duas gemas luzentes. Eram verdes e, naquele lugar sem luz, refletiram a luz horrenda dos olhos dele, como se alguma fera sedenta tivesse vindo caçar ali. Assim o grande Ladrão lançou sua isca para o ladrão menor.

§56b Devagar, Ungoliantë saiu; mas, quando chegou perto, Melkor retirou a isca. "Não, não", disse ele. "Não te trago estes quitutes élficos por amor ou piedade; eles são para te fortalecer quanto tiveres concordado em fazer o que desejo." "O que desejas, Mestre?", perguntou ela, enquanto devorava as gemas com os olhos.

§56c Lá, nas sombras negras, além até mesmo da vista de Manwë em seus salões mais altos, Melkor, com Ungoliantë, tramou sua vingança. Mas, quando Ungoliantë entendeu o propósito de Melkor, ficou dividida entre grande gula e grande medo. Não ousava enfrentar os perigos de Aman, ou o poder dos terríveis Senhores, sem uma grande recompensa; pois temia os olhos de Manwë e Varda mais até do que a ira de Melkor. Portanto, Melkor lhe disse: "Faze como te peço; e, se tiveres ainda fome quando nos encontrarmos de novo, então, juro, dar-te-ei o que quer que tua gula possa exigir. Sim, com ambas as mãos!" Levianamente fez essa jura (como sempre o fazia), pouco pensando em seu cumprimento, e riu em seu coração; pois, se ela realizasse o desígnio dele, não teria necessidade nenhuma de contemporizar com ela, pensou, nem qualquer outro ser em Arda, grande ou pequeno.

§56d "Vem então!", disse ele. "Aqui está a primeira paga!" E lhe entregou as gemas, não apenas as duas primeiras, mas muitas outras que tinha roubado em Valinor. Então, rapidamente, Ungoliantë começou a crescer de novo e a achar nova força. Um manto de escuridão ela teceu em torno de si: uma desluz, na qual as coisas pareciam não mais existir e os olhos não podiam penetrar, pois era vazia. Então, lentamente, teceu suas teias: corda a corda de fenda a fenda, de rocha saliente a pináculo de pedra, sempre escalando montanha acima, arrastando-se dependurada até que, por fim, alcançou o próprio cume do Monte Hyarmentir, a mais alta montanha daquela região do mundo, muito ao sul da grande Taniquetil. Ali os Valar não estavam vigilantes; pois, a oeste das Pelóri, havia uma terra vazia sob o crepúsculo, até que, no rumo norte, chegava-se às altas cercas das matas de Oromë; e a leste as montanhas davam, salvo pela esquecida Avathar, para as águas escuras do mar sem caminhos.

§57 Mas então no topo da montanha estava a sombria Ungoliantë. Por um instante descansou e, com olhos fracos pelo esforço, viu o chamejar das estrelas no domo de Varda, e a radiância de Valmar ao longe. Devagar, seus olhos despertaram e pegaram fogo, e sua gula aumentou até sobrepujar o medo. Começou, furtiva, a rastejar para baixo, rumo ao Reino Abençoado.

§57a Ainda nas profundezas escuras, Melkor estava postado, remordendo-se em sua mente, entre a esperança maligna e a dúvida; mas, depois de ficar assim, pensando nas chances que tinha, por todo o tempo que a urgência lhe permitia, voltou-se e desceu até a costa. Ali amaldiçoou o Mar, dizendo: "Limo de Ulmo! Ainda hei de te vencer, de fazer-te secar até que te tornes gosma de fedentina. Sim, em breve Ulmo e Ossë hão de fenecer, e Uinen, de rastejar feito verme de lama a meus pés!" Depois disso, de repente, ele deixou Avathar e partiu para fazer sua vontade.

§58 [*ver* AAm §§109–10] Ora, era um tempo de festival, como Melkor bem sabia. Em Aman todos os tempos e estações vinham pela vontade dos Valar, e não havia nenhum inverno de morte; mas, tal como era o deleite dos Valar trajarem-se nas formas dos Filhos de Ilúvatar,* assim também eles comiam, e bebiam, e colhiam os frutos de Yavanna, e compartilhavam a fatura da Terra, a qual, sob

* [nota de rodapé ao texto] Como se conta no *Ainulindalë*. [A mesma referência ao *Ainulindalë* (§25) é feita em AAm §109.]

Eru, tinham feito. Portanto, Yavanna dispôs tempos para o florescer e o amadurecer de todas as coisas que cresciam em Valinor; o brotar, o formar botão e o tempo das sementes. E, depois da vinda dos Filhos Primogênitos, os Eldar, nessas épocas eles faziam festas, nas quais todos os habitantes de Aman se reuniam em folguedo. A maior dessas festas acontecia durante a primeira colheita de frutos, e essa era celebrada sobre Taniquetil; pois Manwë decretara que nessa época todos deviam se juntar no louvor a Eru Ilúvatar, e os povos de Valinor, Valar, Maiar e Eldar, derramavam seu júbilo em música e canção.

§58a Esse dia agora chegara uma vez mais, e Manwë preparara uma festa maior do que qualquer uma das celebradas desde a entrada dos Eldar em Aman. Pois, embora a fuga de Melkor fosse um portento de trabalhos e tristezas por vir, e, de fato, ninguém pudesse dizer que feridas mais seriam feitas a Arda antes que ele fosse subjugado de novo, naquele tempo Manwë desejava unir todo o seu povo uma vez mais em júbilo, curando tudo o que estava fora de lugar, e fortalecendo-os com a benção de Eru para que mantivessem sempre no coração a esperança de Arda Imaculada. Pediu que viessem todos os que quisessem, mas acima de tudo os Noldor; pois tinha esperança de que ali eles poriam de lado as tristezas que jaziam entre seus senhores e esqueceriam completamente as mentiras de seu Inimigo. Portanto, enviou um mensageiro a Formenos, dizendo: "Fëanor, filho de Finwë, vem e não negues meu pedido! No meu amor permaneces e serás honrado em meu paço".

§58b [*ver* AAm §111] Vieram os Vanyar, e vieram os Noldor de Túna, e os Maiar foram congregados, e os Valar arranjaram-se em sua beleza e majestade; e cantaram diante de Manwë e Varda nos salões de Taniquetil, ou folgaram e dançaram sobre as encostas verdejantes da Montanha que davam para o oeste, na direção das Árvores. Naquele dia, as ruas de Valmar ficaram vazias, e as escadarias de Túna ficaram em silêncio, e toda a terra jazia dormida, em paz. Só os Teleri, além das montanhas, ainda cantavam nas costas do mar; pois pouco cuidavam de estações ou tempos e não pensavam nas preocupações do Rei de Arda ou na sombra que caíra sobre Valinor, pois não os tinha tocado, por ora.

§58c [*ver* AAm §112] Uma coisa apenas maculava a esperança de Manwë. Fëanor viera, de fato, pois enxergara a mensagem de

Manwë como uma ordem; mas Finwë não veio e permaneceu em Formenos, e com ele estavam os filhos de Fëanor. Pois disse Finwë: "Enquanto a proibição contra Fëanor, meu filho, durar — a de que ele não pode ir a Túna —, considero-me destronado, e não encontrarei meu povo". E Fëanor não vinha com vestimenta de festival e não usava ornamento algum, nem prata, nem ouro, nem qualquer gema; e negou a vista das Silmarils aos Valar e aos Eldar e as deixou em Formenos, trancadas numa câmara de ferro.

Apesar disso, encontrou-se com Fingolfin diante do trono de Manwë e se reconciliou com ele, em palavra. Pois Fingolfin lhe estendeu a mão, dizendo: "Como prometi, faço agora. Libero-te e não recordo ofensa nenhuma".

Então Fëanor tomou a mão dele em silêncio; mas Fingolfin continuou: "Meio-irmão em sangue, irmão inteiro no coração serei. Tu hás de liderar, e eu seguirei. Que nenhum novo rancor nos divida!"

"Eu te ouço", respondeu Fëanor. "Assim seja!" Mas não sabiam então o sentido que suas palavras ganhariam.

§58d [*ver* AAm §113] Conta-se que, enquanto Fëanor e Fingolfin estavam diante de Manwë, veio a Mescla das Luzes, quando ambas as Árvores estavam brilhando, e a cidade silente de Valmar ficou repleta de uma radiância de prata e ouro. E, naquela mesma hora, Ungoliantë passou apressada pelos campos de Valinor. A fome e a sede agora a empurravam. Não mais se esgueirava, mas corria, feito a sombra de uma nuvem negra ao vento desliza sobre a terra iluminada pelo sol. Então chegou ao Teso Verde do Corolairë, e suja Desluz se elevou até as próprias raízes das Árvores. Então, com seu bico negro, perfurou a casca delas, ferindo-as fundo; e seus sumos vazaram e ela os bebeu. Mas, quando não mais fluíam, pôs sua boca nas feridas e as sugou até secarem, e o veneno de Morte que estava nela entrou nos tecidos das Árvores e as fez fenecer, raiz, galho e folha, e elas morreram. E, ainda assim, Ungoliantë tinha sede; e foi até os grandes Poços de Varda e os drenou até secarem. E, conforme bebia, arrotava vapores negros, e no meio deles foi inchando até chegar a uma forma mais vasta e hedionda do que até seu sonho mais guloso jamais tivera esperança de alcançar. Por fim, sabendo que o tempo era curto, ela fugiu apressada, para o norte, para o encontro que Melkor acertara com ela e não planejava cumprir.

§58e Do lado de fora ele esperara, até que o fraquejar da Luz anunciou que Ungoliantë tinha feito seu trabalho. Então, através do Kalakyrian, agora apenas uma ravina obscura em muralhas de sombra, ele voltou caminhando, o Senhor de Utumno, uma forma negra de ódio, trazendo aos lugares de sua humilhação a vingança. Toda a terra caiu rapidamente, após um crepúsculo cinzento, na noite quando Melkor se postou no Círculo do Julgamento e o amaldiçoou; e ele profanou o assento de Manwë e derrubou os tronos dos Valar.

§58f Então partiu para sua segunda meta, a qual tinha mantido em segredo em sua mente; mas Ungoliantë o tinha percebido e, virando-se célere, atalhou-o em seu caminho. Assombrado, de fato, ficou Melkor ao vê-la, monstruosa, alcançando-o uma gula e um poder que ele não era capaz de dominar sem auxílio. Não podia contender com ela, mesmo se o tempo o permitisse; e não podia escapar. Ela o tomou em sua Desluz, e prosseguiram juntos para o único ponto da terra dos Valar que ele queria esconder dela.

§59 [*ver* AAm §114] Assim a grande Escuridão caiu sobre Valinor. Dos feitos daquele dia muito está contado no *Aldudénië*,* que Elemmírë dos Vanyar compôs e é conhecido de todos os Eldar. Contudo, nenhuma canção ou história contém todo o pesar e terror que então caíram sobre o Reino Abençoado. A Luz se apagou; mas a Escuridão que se seguiu era mais do que perda. Naquela hora, os habitantes de Aman passaram a conhecer a Desluz, e ela parecia não falta, mas uma coisa com um ser só seu, a qual, feita por maldade a partir da Luz, tinha poder para penetrar o olho, adentrar coração e mente, e estrangular a própria vontade.

§59a [*ver* AAm §115] Varda olhou do alto da Montanha Sacra e contemplou a Sombra a se elevar em repentinas torres de treva. Valmar tinha sido borrada, e toda a terra naufragava num mar profundo de noite. Logo Taniquetil ficou sozinha, uma última ilha em um mundo que se afogara. Toda canção cessou. Houve silêncio em Valinor, e nenhum som se podia ouvir, salvo apenas que, ao longe, vinha pelo vento, através do passo das montanhas, os gemidos dos Teleri, feito o grito frio das gaivotas. Pois o vento soprava gelado do Leste naquela hora, e as vastas sombras do Mar rolavam contra as muralhas da costa.

* [nota de rodapé ao texto] O Lamento pelas Duas Árvores.

§59b [*ver* AAm §116] Então Manwë foi até seu alto assento sobre o topo da montanha, e olhou para longe, e seus olhos penetraram a noite, até que viram dentro do escuro uma Escuridão que não podiam penetrar, imensa, mas distante, movendo-se agora para o norte com grande velocidade; e ele soube que Melkor tinha vindo e se fora. Então os Valar iniciaram sua perseguição; e logo a terra tremeu debaixo dos cavalos da hoste de Oromë, e o fogo que vinha do bater dos cascos de Nahar foi a primeira luz que retornou a Valinor. Mas, quando a cavalgada da ira dos Valar chegou até a Nuvem de Ungoliantë, todos ficaram cegos e desnorteados, e a hoste se dispersou, e eles iam de cá para lá, sem saber para onde seguir. Em vão Oromë soou sua trompa, pois a Valaróma engasgou-se e não produzia som. Tulkas era como um homem preso em uma rede negra à noite, e ficou parado, impotente, e esmurrava o ar em vão. E, quando a Nuvem passou, era tarde demais. Melkor tinha ido para onde queria, e sua vingança estava consumada.

Comentário

Deixando de lado por um momento a notável mudança narrativa neste "subcapítulo" *Do Escurecimento de Valinor*, a nova versão introduz muitos elementos que faltam na forma antiga da história. Entre os mais importantes estão a origem de Ungoliantë; o relato sobre o festival em Valinor, com a "adoção", por parte dos Valar, da forma dos Filhos de Ilúvatar e sua participação na celebração física da colheita; o propósito de Manwë de alcançar a concórdia entre os Noldor; a recusa de Finwë em deixar Formenos enquanto Fëanor estivesse banido de Tirion; e a reconciliação de Fëanor com Fingolfin diante do trono de Manwë. Mas tudo isso está presente nos *Anais de Aman*, e, em grande parte, narrado com as mesmas palavras. Meu pai, obviamente, escreveu o capítulo com os AAm na frente dele; como foi visto (pp. 236-7), o QT e os AAm estavam muito próximos na parte anterior da versão do Capítulo 6 que agora foi substituída, e, embora o QT tenha sido abandonado no ponto em que Melkor vai para Arvalin, isso não acontece com os AAm, que prosseguem (§§105–16) da mesma forma mais ampla, expandindo a versão antiga da história enquanto mantém a estrutura da tradição do *Quenta*.

Agora, porém, nessa versão final do *Quenta*, o meu pai voltou aos *Anais* e os utilizou para a expansão da outra "tradição" — que está cada vez mais difícil de diferenciar do texto dos *Anais*. Em termos esquemáticos:

QS (pré-*O Senhor dos Anéis*)
Capítulo 6 *Das Silmarils e do Escurecimento de Valinor*

(Ligeira revisão preliminar em 1951)

Extensa reescrita de QS no antigo manuscrito em 1951 (até a vinda de Melkor para Arvalin)	*Anais de Aman* §§78–104 (até vinda de Melkor para Arvalin)	continuando até §§105–16 (até o momento em que Melkor escapa)

Versão final no *Quenta Silmarillion*

O fato de que, no período pré-*O Senhor dos Anéis,* os *Anais de Valinor* e os *Anais de Beleriand* constituíam entidades distintas, formando, com o *Quenta Silmarillion,* uma obra tripartite, está bastante claro; e uma lista das partes constituintes da Matéria da Terra-média, associada à longa carta para Milton Waldman (ver p. 15), mostra que isso ainda valia, pelo menos do ponto de vista teórico, em 1951.

Contudo, vimos quão próximas as versões na verdade ficaram durante a revisão de 1951; e agora, na última fase de seu trabalho nas narrativas propriamente ditas, quando (como sugeri, p. 178) meu pai estava cogitando uma "reexpansão" do todo, uma nova concepção de *O Silmarillion*, com um estilo de narrativa novo e muito mais completo, ele derivou passagens inteiras do texto a partir dos *Anais* com quase nenhuma mudança significativa. Eu já disse (p. 237) que os AAm e a reescrita (QT) da primeira parte do Capítulo 6, textos que, conforme imagino, são claramente contemporâneos, têm semelhanças demais em todos os aspectos, embora sejam seguidamente diferentes na redação propriamente dita, para serem considerados como o produto de uma tradição separada de aprendizagem e memória, ou mesmo como produto de dois "mestres-do-saber" diferentes; mas a relação dessa última versão da tradição do *Silmarillion* com os AAm, na qual ela se baseia, parece mostrar que meu pai já havia deixado de considerá-las como obras diferentes. Pode ser que — embora eu não tenha outras provas disso —, se ele tivesse continuado essa última versão, teria "canibalizado" os *Anais* onde quer que quisesse, considerando esses últimos agora como nada mais do que um esboço de texto constituinte para a única obra que seria publicada: *O Silmarillion*.

Voltemo-nos agora para a enorme mudança em relação à versão antiga da lenda — que remonta ao conto original de *O Roubo de Melko e o Obscurecer de Valinor* (I. 173): *Melkor não estava presente na destruição das Árvores*. Quando Ungoliantë sobe o Monte Hyarmentir, ele permanece por um tempo ao lado do covil do monstro; desce então ao litoral de Avathar e amaldiçoa o Mar; fica à espreita do lado externo das Pelóri até a chegada da grande escuridão; depois, corre pelo passo até Valmar para profanar o Círculo do Julgamento. Por que essas mudanças foram feitas? Certamente não para inserir a derrubada dos tronos dos Valar por Melkor — pois isso poderia ter sido conseguido sem alterar a história, ou pelo menos sem alterá-la tão radicalmente. A razão para a mudança, penso eu, foi que meu pai achou inaceitável que Melkor tivesse se arriscado a permitir que Ungoliantë chegasse perto das Silmarils. Na nova história, o plano de Melkor era esperar até que ela destruísse as Árvores e então seguir sozinho na escuridão para Formenos. O encontro "que Melkor acertara com ela e não planejava cumprir" (§58d) não ocorreu em Formenos — sendo esse lugar "sua segunda meta, a qual tinha mantido em segredo em sua mente" (§58f); é por isso que se diz que Ungoliantë, "virando-se célere", alcançou-o. Depois, "prosseguiram juntos para o único ponto da terra dos Valar que ele queria esconder dela".

Outras características deste texto são discutidas parágrafo a parágrafo.

§§55, 55b Aparece agora a história de que, depois que Melkor foi visto da colina de Túna, passando pelo Kalakiryan, ele virou para o norte, subindo a costa, até Araman; mas era um engodo, e ele voltou para o sul em segredo e entrou em Avathar para encontrar Ungoliantë. (Já sugeri (I. 193), talvez de forma excessivamente assertiva, que a origem desse movimento para o norte por parte de Melkor pode ser encontrado no antigo *Conto* (I. 179), onde Melko originalmente "pretendia rumar norte pelos passos próximos a Mandos", mas pensou melhor e não o fez. De fato, não há vestígios da ideia em nenhuma versão intermediária; mas características aparentemente perdidas há muito tempo sem dúvida emergem novamente.)

§55a "seu propósito era escapar para *suas antigas fortalezas* no Norte da Terra-média": ou seja, Utumno e Angband. Ver p. 195, §12.

§55c Aqui aparece pela primeira vez o nome *Avathar*, e o antigo nome *Arvalin* finalmente desaparece. No curto texto datilografado intermediário mencionado na p. 343, o nome não é *Avathar*, mas *Vastuman* (datilografado por cima de *Arvalin*). *Vastuman* não está traduzido.

§56d *Hyarmentir* substitui a forma *Hyarantar* de AAm §107.

§57 "O brilho das estrelas no domo de Varda": quanto ao Domo de Varda, ver as pp. 464-6.

§58d *Corolairë*: ver AAm §122 (pp. 139, 161). — *Os Poços de Varda*: ver p. 196, §17.

§59 O *Aldudénië* de *Elemmírë* também é citado em AAm §114 (*Elemírë*; posteriormente, *Elemmírë*, p. 137).

Inteiramente novas são as afirmações de que Melkor "podia (inda que com dor) mudar sua forma ou caminhar desnudo", mas que, no momento de seu encontro com Ungoliantë, apareceu como o Senhor Sombrio de Utumno e nunca mais mudou de aparência depois disso (§§55b, 56). Ele agora é explicitamente o Mestre de Ungoliantë (§§56a, b); cf. AAm §106: "Pode bem ser que ... ela tenha sido, no princípio, um daqueles que ele corrompera a seu serviço". A narrativa é grandemente ampliada com o relato de como ele persuadiu Ungoliantë e a atraiu usando como isca gemas roubadas em Valinor — dando-lhe força também para ousar fazer seu ataque, pois a grande aranha estava fraca devido à fome de luz (§55d).

O DESENVOLVIMENTO POSTERIOR DO CAPÍTULO 7

O texto datilografado tardio B prossegue diretamente depois da frase "Melkor tinha ido para onde queria, e sua vingança estava consumada" no final do "subcapítulo" *Do Escurecimento de Valinor* (p. 351), separando os parágrafos apenas com um espaço, mas meu pai depois inseriu o título [*Da*] *Rapina das Silmarils*; mais adiante há um título datilografado *Da Querela dos Ladrões*.

Tal como no "subcapítulo" anterior, cujo término corresponde ao final do antigo Capítulo 6 (Capítulo 4 do QS), ele voltou novamente aos *Anais de Aman* e, nesse caso, adotou tão de perto partes substanciais do texto mais antigo que o novo é quase uma cópia exata, com apenas uma ou duas palavras alteradas aqui e ali (sobre as implicações de ele fundir assim as duas "tradições", ver as pp. 351-4). Mas ele também introduziu um novo elemento na narrativa: o ataque de Melkor a Formenos relatado por Maedros (como o nome do personagem é grafado aqui: em uma emenda tardia à forma no Capítulo 5 do QT, *Maedhros*, p. 219, §41). Só agora os filhos de Fëanor desempenham um papel nessa história: ver p. 155, §122.

Não apresento o texto nas seções em que ele se torna quase indistinguível daquele dos AAm. Os números dos parágrafos aqui iniciam uma nova série, uma vez que não podem ser comparados de forma significativa aos do QS.

DA RAPINA DAS SILMARILS

§1 Quando as Árvores teriam florescido por ainda mais um dia, embora na verdade o tempo fosse cego e impossível de medir, os Valar voltaram ao Círculo do Julgamento. Sentaram-se no chão, pois seus tronos tinham sido profanados, e usavam a vestimenta escura do luto. À volta deles havia grande congregação do povo, que mal se podia ver; pois era noite. Mas as estrelas de Varda agora bruxuleavam acima das cabeças deles, e o ar estava limpo. Os ventos de Manwë tinham empurrado os vapores da morte para muito longe e feito recuar as sombras do Mar. Então Yavanna se levantou e ficou de pé sobre o Teso Verdejante, mas ele estava desnudo e negro. Pôs suas mãos sobre as Árvores, mas estavam mortas e escuras; e cada galho que tocava se partia e caía sem vida a seus pés. Então as vozes de toda a multidão se alevantaram em lamento; e parecia àqueles que pranteavam que já tinham bebido até o fundo o cálice de opróbrio que Melkor enchera para eles. Mas não era assim.

§§2–3 *Pois Yavanna falou diante dos Valar, dizendo* ... Esses parágrafos, nos quais é feita a Fëanor a exigência de que se libere a luz das Silmarils para salvar as Árvores, são quase idênticos aos de AAm §§118–19 (p. 138), com pouquíssimas alterações sem nenhum significado, tais como de "Fëanor não respondia palavra" para "Fëanor não dava resposta".

§§4–5 *Mas Fëanor falou, então, e gritou amargamente* ... Esses parágrafos são virtualmente idênticos aos de AAm §§120–1, exceto no fim de §120 e no começo de §121. Nos AAm, Fëanor declara que seria o primeiro a morrer "de todos os Filhos de Eru", mas, no texto datilografado dos AAm, depois do surgimento da história de Míriel, meu pai corrigiu "Hei de morrer" para "Hei de ser morto", e essa mudança foi incorporada aqui. A forma da passagem na nova versão foi apresentada e discutida nas pp. 268-9.

§6 "Tu falaste", disse Mandos. Então novamente fez-se silêncio, e o pensamento se deteve. Mas, depois de algum tempo, Niënna se levantou e foi até o Teso; e lançou para trás seu capuz cinzento, e seus olhos brilhavam como estrelas na chuva, pois suas lágrimas saíam aos borbotões, e ela lavou as profanações de Ungoliantë. E, depois de chorar, cantou lentamente, em luto pela amargura do mundo e por todas as feridas da Maculação de Arda.

§7 Mas, enquanto pranteava as Árvores, ouviu-se o som de pés apressados na noite. Então, pelo meio da multidão, vieram os filhos de Fëanor, fugindo do Norte, e traziam mais novas de desgraça. Maedros falou em nome deles. "Sangue e escuridão!", gritou. "Finwë, o rei, foi morto, e as Silmarils desapareceram!"

Então Fëanor caiu sobre sua face e jazeu como quem está morto, até que toda a história fosse contada.

§8 "Meu senhor", disse Maedros a Manwë, "era o dia do festival, mas sobre o rei pesava a tristeza pela partida de meu pai, um agouro lhe viera. Não queria sair da casa. Estávamos irritados com o ócio e o silêncio daquele dia, e saímos a cavalgar na direção das Colinas Verdes. Nossos rostos estavam voltados para o norte, mas de repente percebemos que tudo estava ficando escurecido. A Luz estava falhando. Em terror, demos meia-volta e cavalgamos apressados, vendo grandes sombras que se levantavam diante de nós. Mas, assim que nos aproximamos de Formenos, a escuridão caiu sobre nós; e, no meio dela, estava um negrume semelhante a uma nuvem que envolvia a casa de Fëanor.

§9 "Ouvimos o som de grandes golpes sendo assestados. Da nuvem vimos sair uma repentina chama de fogo. E então houve um único grito lancinante. Mas, quando incitamos nossos cavalos, eles empinaram e nos lançaram ao chão, e fugiram para longe, alucinados. Ficamos deitados sobre nossos rostos, sem força; pois de repente a nuvem se aproximou e, por algum tempo, ficamos cegos. Mas ela passou por nós e se afastou rumo ao norte, em grande velocidade. Melkor estava ali, não temos dúvida disso. Mas não apenas ele! Algum outro poder estava com ele, algum mal imenso: assim que passou, roubou-nos todo juízo e toda vontade.

§10 "Escuridão e sangue! Quando conseguimos nos mexer de novo, fomos até a casa. Ali encontramos o rei morto à porta. Sua cabeça tinha sido esmagada, como se com uma grande maça de ferro. Não encontramos outras pessoas: todos tinham fugido, e ele ficara sozinho, impávido. Isso está claro; pois sua espada estava caída a seu lado, entortada e sem têmpera, como se atingida por um relâmpago. A casa toda estava destroçada e saqueada. Nada foi deixado. Os tesouros estão vazios. A câmara de ferro foi rachada. As Silmarils foram levadas!"

§11 [*ver* AAm §123] Então, de repente, Fëanor se levantou e, erguendo sua mão diante de Manwë, amaldiçoou a Melkor, dando-lhe o nome de Morgoth, o Sombrio Inimigo do Mundo.* E amaldiçoou também a convocação de Manwë e a hora em que viera a Taniquetil, pensando, na loucura de sua tristeza, que, se tivesse estado em Formenos, sua força teria lhe valido mais do que apenas ser morto também, como Morgoth pretendera. Então, com um grito, correu do Círculo do Julgamento e fugiu noite adentro, desacorçoado; pois seu pai lhe era mais caro do que a Luz de Valinor ou as obras sem-par de suas mãos; e quem entre filhos, de Elfos ou de Homens, alguma vez teve seus pais em maior conta?

§12 [*ver* AAm §124] Atrás dele Maedros e seus irmãos foram apressados, cheios de dor, pois não sabiam que ele estava presente quando Maedros falara; e agora temiam que ele pudesse se matar. Todos aqueles que viram a angústia de Fëanor se entristeceram por ele e perdoaram toda a sua amargura. Mas a perda dele não era só sua. Yavanna chorou, tal como Niënna, temendo que a Escuridão fosse agora engolir os últimos raios da Luz de Valinor para sempre.

* [nota de rodapé ao texto] Por aquele nome apenas ele foi sempre conhecido entre os Eldar depois disso. (Na forma antiga usada por Fëanor, o nome era *Moriñgotho*.) [Cf. a nota acrescentada no QT a QS §60 (p. 240), na qual a forma antiga citada é *Moringotto*.]

Pois, embora os Valar ainda não entendessem completamente o que havia ocorrido, perceberam que Melkor tinha convocado algum auxílio que viera de fora de Arda.

As Silmarils tinham sumido, e pode parecer que pouca diferença faria se Fëanor tivesse dito sim ou não a Yavanna. Contudo, se tivesse dito sim no início e, assim, tivesse purificado seu coração antes que as horrendas notícias chegassem, seus feitos posteriores teriam sido outros do que os que foram. Mas agora a sina dos Noldor se aproximava.

DA QUERELA DOS LADRÕES

§13 Enquanto isso, conta-se, Morgoth, escapando da perseguição dos Valar, chegou aos ermos de Araman. Essa terra ficava ao norte, entre as Montanhas das Pelóri e o Grande Mar, tal como Avathar ficava ao sul. Mas Araman era uma terra mais larga e, entre as costas e as montanhas, havia planícies compridas e tristonhas, sem obstáculo à passagem, mas desoladas, e cada vez mais frias conforme o Gelo ficava mais próximo.

§14 Através dessa região sombria Morgoth e Ungoliant passaram apressados e assim vieram, atravessando as grandes brumas de Oiomúrë, ao Helkaraxë, onde o estreito entre Araman e a Terra-média estava cheio de gelo pungente; e eles atravessaram e voltaram, enfim, ao norte do Mundo de Fora. Juntos eles continuaram, pois Morgoth não conseguia escapulir de Ungoliant, e a nuvem dela ainda estava à sua volta, e todos os olhos dela o fitavam. Mas, quando chegaram àquela região que mais tarde foi chamada de Lammoth, ao norte do Estreito de Drengist, Morgoth ficou mais esperançoso, pois estavam se aproximando das ruínas de Angband, onde sua grande fortaleza ocidental estivera. Mas Ungoliant percebeu seu humor e imaginou que ele tentaria escapar e defraudá-la, se pudesse. Portanto, ela o deteve e exigiu que cumprisse então sua promessa.

§15 "Coração-negro!", gritou (não mais chamando-o de "Mestre"). "Fiz o que pedistes. Mas tenho fome ainda."

"O que mais querias?", indagou Morgoth. "O mundo todo para tua barriga? Isso não jurei te dar. Sou o Senhor dele."

"Não quero tanto", respondeu Ungoliant. "Mas havia um grande tesouro, do qual nada me dissestes, e não teríeis dito nada até agora, se eu não vos tivesse vigiado. Vou comer tudo aquilo. Sim, com ambas as mãos haveis de dá-lo!"

"Já comeste a metade", disse Morgoth. Pois, quando ela fora com ele (contra sua vontade) ao saque de Formenos, tinha deixado que ela se banqueteasse algum tempo com as gemas de Fëanor, para que Ungoliant não fosse à câmara de ferro.

"Tenho fome", insistiu ela. "Comerei a outra metade!"

Então Morgoth foi obrigado a ceder-lhe as gemas que trazia consigo, uma a uma e de má vontade; e ela as devorou, e sua beleza pereceu do mundo. Então a força de Ungoliant foi renovada, mas sua gula não estava saciada.

"Com uma mão me destes", disse ela, "com a esquerda apenas. Abri vossa mão direita!"

§16 Em sua mão direita, Morgoth segurava apertado as Silmarils que tinha tirado da câmara de ferro; e, embora estivessem trancadas dentro de uma arca de cristal, tinham começado a queimá-lo, e sua mão se cerrava de dor. Mas não queria abri-la. "Não!", disse ele. "Estas coisas não devorarás, nem verás. Nelas ponho o meu nome para sempre. Já recebeste mais do que te era devido. Pois pelo meu poder, que pus em ti, tua obra foi realizada. Não preciso mais de ti. Vai-te daqui, imundície! Remorde tua gula em alguma toca longe de mim, ou porei um fogo em tua goela que há de te queimar para sempre!"

§17 Mas Ungoliant não se intimidou. Ela se tornara grande, e ele, menor pelo poder que saíra de si. Agora ela se levantara contra ele, e sua nuvem se fechou à volta de Morgoth, e Ungoliant lançou sobre ele uma teia hedionda de tiras que aderiam a seu corpo para estrangulá-lo. Então Morgoth soltou um grito terrível, que ecoou nas montanhas. Portanto, aquela região passou a ser chamada de Lammoth;* pois os ecos da voz dele habitaram ali para sempre depois disso, de modo que qualquer um que gritasse naquela terra os despertava, e todo o ermo entre os montes e o mar ficava repleto de um clamor como o de vozes em angústia.

§18 Mas o grito de Morgoth naquela hora foi o maior e mais horrendo que jamais se ouviu no mundo setentrional: as montanhas vibraram, e a terra tremeu, e rochas se partiram. No fundo de

* [nota de rodapé ao texto] O Grande Eco.

lugares esquecidos aquele grito foi ouvido. Muito abaixo dos salões de Angband, em porões aos quais os Valar, na pressa de seu assalto, não tinham descido, os Balrogs ainda se demoravam, aguardando sempre o retorno de seu senhor. Velozmente se levantaram, e passaram por Hithlum com velocidade alada, e chegaram a Lammoth como uma tempestade de fogo.

§19 Então Ungoliant se acovardou e se pôs em fuga, arrotando vapores negros para se encobrir; mas os Balrogs a perseguiram com seus açoites de chama Montanhas de Sombra* adentro, até que Morgoth os chamou de volta. Então suas teias foram rasgadas, e Morgoth foi solto e voltou a Angband.

§20 Mas Ungoliant entrou em Beleriand e lá habitou por algum tempo sob as Eryd Orgoroth [> Gorgoroth], no vale escuro que depois foi chamado de Nan Dungortheb† por causa do horror que ela engendrou ali. Mas, depois de curar suas feridas da melhor maneira que pôde, e de ter gerado ali prole imunda, ela foi embora. Pois havia outras criaturas malignas em forma de aranha que tinham habitado lá desde os dias da escavação de Angband; e Ungoliant cruzava com elas e as devorava. Mas para onde foi depois nenhum conto conta. Dizem que ela pereceu há muito, quando, em sua fome extrema, devorou a si mesma afinal.

§21 Assim terminou a Querela dos Ladrões; e o medo de Yavanna de que as Silmarils seriam engolidas e cairiam no nada não veio a acontecer. Mas elas permaneceram em poder de Morgoth.

A nova versão termina aqui no texto datilografado; mas, entre as páginas de esboços muito rudimentares há a seguinte passagem abandonada, que continua a narrativa por dois parágrafos:

Ora, Morgoth, tendo alcançado a maldade que queria operar contra Valinor e escapado da servidão, reuniu de novo todos os seus serviçais que pôde encontrar; e, por todo o Norte, correu a notícia de que ele tinha retornado. De perto e de longe, das ruínas de Utumno e de valões profundos e sombras sob as montanhas, e de todos os lugares escuros e ocultos eles rastejaram de volta para ele.

* [nota de rodapé ao texto] Eryd Wethrin, nas fronteiras de Beleriand.
† [nota de rodapé ao texto] O Vale da Morte Horrenda.

Então, rapidamente, começaram a escavar de novo as vastas fossas de Angband e a erguer seus salões de pedra de muitos pilares em meio a fumaça e fogo, e acima deles foram levantadas as torres fétidas das Thangorodrim.

Aqui, a escrita foi abandonada. Depois de "Thangorodrim", meu pai acrescentou mais tarde: "(As Montanhas da Opressão)". Em termos da narrativa pré-*Senhor dos Anéis*, a nova versão se estende até metade do terceiro parágrafo (§62) do capítulo *Da Fuga dos Noldor* no QS (V. 276).

Comentário

§10 Com a passagem "Sua cabeça tinha sido esmagada, como se com uma grande maça de ferro", compare-se *Leis e Costumes*, p. 303, onde se diz que o corpo de Finwë "foi queimado, como que pelo golpe de um relâmpago, e destruído". Mas os relatos podem não ser totalmente contraditórios, pois, no presente texto, Maedros fala de ver uma chama repentina saindo da Nuvem de Ungoliantë, seguida por "um grito lancinante", e de encontrar a espada de Finwë "entortada e sem têmpera, como se atingida por um relâmpago".

§14 A partir desse ponto, o nome tem a forma *Ungoliant* (como em *O Senhor dos Anéis*), e não *Ungoliantë*, como até então. — Aqui aparece o nome *Lammoth* (cf. "as Montanhas Ressoantes de Lammoth" na versão tardia do *Conto de Tuor*, *Contos Inacabados*, p. 47); ver em §17 abaixo.

"as ruínas de Angband": cf. a alteração feita no QT 2, p. 243: "Ao seu auxílio vieram os Balrogs que viviam ainda nos lugares mais profundos de sua antiga fortaleza, [Utumno >] Angband, no Norte".

§15 Ungoliant não chama mais Morgoth de "Mestre", mas ela continua a tratá-lo como um superior, usando "vós", enquanto Morgoth a chama de "tu", como antes.

Há aqui uma diferença na narrativa. Nas fontes anteriores, havia um pacto entre eles de que metade da paga de Ungoliant seria a seiva das Árvores e a outra metade "uma parte igual de todas as joias que eles roubassem" (AAm §125). A história agora é que a seiva das Árvores foi sua recompensa por destruí-las; pois não fazia parte da intenção de Morgoth que ela fosse para

Formenos e, portanto, ela não teria por que receber "a outra metade de sua paga" em joias a serem saqueadas lá. A "metade" de que Morgoth fala agora se refere às joias que Ungoliant devorou em Formenos porque ele não conseguiu impedi-la; e ela tenta forçá-lo a ceder "a outra metade", as joias que Morgoth tinha obtido lá para si próprio.

"com ambas as mãos" é uma referência às palavras de Morgoth a Ungoliant em Avathar (p. 346, §56c): ""Faze como te peço; e, se tiveres ainda fome quando nos encontrarmos de novo, então, juro, dar-te-ei o que quer que tua gula possa exigir. Sim, com ambas as mãos!"

§17 O grande grito de Morgoth quando Ungoliant o enredou remonta ao Q (IV. 111), mas só agora aparece a história de seu eco, que sempre podia ser despertado. Quanto aos ecos de Lammoth, ver *Contos Inacabados*, pp. 43–4, 81.

§19 Aqui (na nota de rodapé) aparece pela primeira vez *Eryd Wethrin* (no lugar da forma anterior, *Eredwethion*).

§20 *Ered Orgoroth* foi alterado para *Ered Gorgorath* no texto datilografado dos AAm, e *Nan Dungorthin* para *Nan Dungortheb* (p. 161, §126). "Vale da Morte Horrenda" é a primeira tradução dada a esse nome desde que *Nan Dumgorthin* foi traduzida como "terra dos ídolos sombrios" no antigo *Conto de Tinúviel* (ver II. 48).

A história de que Ungoliant foi para Nan Dungorthin e gerou prole lá também aparece nos AAm (§126, pp. 140, 155); mas naquele texto se diz que ela "retornou para o Sul do mundo, onde mora ainda, até onde os Eldar ouviram dizer".

Tratei todos esses novos escritos no texto datilografado B como uma série de "subcapítulos", em vista do título geral no início (p. 312), *Das Silmarils e do Escurecimento de Valinor*; mas, numa página de rosto do texto datilografado, meu pai escreveu numa letra muito apressada:

Este [é] um exemplo da nova forma revisada e ampliada (final?) e, portanto, não é inteiramente consistente com o restante. Contém:

V De Finwë e Míriel
VI De Fëanor e de Melkor Desacorrentado
VII Das Silmarils e da Inquietação dos Noldor

VIII Do Escurecimento de Valinor
IX Da Querela dos Ladrões

Esses números de capítulo foram posteriormente escritos a lápis junto aos subtítulos do texto datilografado; mas o título geral *Das Silmarils e do Escurecimento de Valinor* não foi removido. *A Rapina das Silmarils* (p. 355) não foi incluído nessa lista e não recebeu número no texto; talvez tenha sido adicionado depois que a lista foi feita.

O Capítulo 1 original *Dos Valar* foi separado com o título de *Valaquenta*, e o Capítulo 2 original, *De Valinor e as Duas Árvores*, tornou-se o Capítulo 1 (ver p. 248). Visto que *De Finwë e Míriel* é aqui numerado como 5, os capítulos 2, 3 e 4 deviam evidentemente ser *Da Vinda dos Elfos*, *De Thingol e Melian*, e *De Eldanor e dos Príncipes dos Eldalië*.

Por último, deve-se mencionar que meu pai escreveu o número de capítulo "X" ao lado do título *A Fuga dos Noldor* no texto datilografado QT 2 (após "IX *A Querela dos Ladrões*" na lista fornecida acima), e "XI" junto ao título do próximo capítulo existente da série QT 2, *Dos Homens*. Ao lado das palavras presentes nesse capítulo (QS §82, V. 291), "Ao primeiro nascer do Sol acima da terra, os filhos mais novos do mundo despertaram", ele escreveu no QT 2: "Essa afirmação se baseia numa versão antiga na qual o Sol foi criado depois da morte das Árvores (fato descrito num capítulo omitido)". O significado disso ficará claro na Parte Cinco.

Nota sobre a Datação

É conveniente reunir aqui as evidências — as poucas que existem — relativas à data dessa reescrita tardia, e os textos a ela associados.

Mencionei que, numa carta de dezembro de 1957, meu pai disse a Rayner Unwin que era sua intenção "fazer cópias de todo o material copiável", com o objetivo de fazer uma "remodelagem" de *O Silmarillion*; sugeri que o QT 2, o texto datilografado por um secretário de *O Silmarillion*, bem como o dos *Anais de Aman*, que foram feitos na mesma máquina de escrever e provavelmente correspondem à mesma época, podem, portanto, ser provisoriamente atribuídos a mais ou menos 1958 (ver p. 177).

Se essa datação for aceita no momento, então os anais inseridos no manuscrito dos AAm acerca da morte de Míriel, a "Sentença de Manwë acerca dos esponsais dos Eldar" e o casamento de Finwë com Indis devem ter precedido 1958 ou correspondem a esse ano, pois aparecem no texto datilografado dos AAm na sua forma original (p. 131, notas 1 e 4, p. 161, §120); enquanto o pedaço de papel FM 1, inserido no QT e relativo a Finwë e Míriel, é certamente contemporâneo das inserções dos AAm (p. 254). A história de Finwë e Míriel no manuscrito (A) de *Leis e Costumes entre os Eldar* certamente veio depois do FM 1, mas os dois textos provavelmente foram produzidos em momentos próximos (p. 285). É, portanto, notável que, na carta escrita pelo meu pai em outubro de 1958 (ver pp. 325, 328), essa história e as suas implicações estivessem frescas na cabeça dele.

O segundo texto da história de Finwë e Míriel (FM 2, p. 309) destinado à inclusão em *O Silmarillion* muito provavelmente precedeu o texto datilografado (B) de *Leis e Costumes entre os Eldar*, uma vez que esse último foi datilografado em uma nova máquina de escrever com um tipo de letra bastante distinto. Também foram datilografados nessa máquina o *Valaquenta* e os textos da reescrita tardia do Capítulo 6(–7). A primeira carta de meu pai que sabidamente foi datilografada na nova máquina de escrever é datada de janeiro de 1959.

Não há nenhuma prova propriamente dita da data em nada disso, é claro, mas, no conjunto, esses dados apontam claramente, creio eu, para o final da década de 1950 como a época em que a história de Finwë e Míriel surgiu e o texto *Leis e Costumes entre os Eldar* foi escrito. Evidências adicionais podem ser obtidas analisando o *Athrabeth Finrod ah Andreth* (ver pp. 368, 434).

PARTE QUATRO

Athrabeth Finrod Ah Andreth

Embora "O Debate de Finrod e Andreth", uma narrativa muito impactante e até agora desconhecida, tenha como cenário um momento dos Dias Antigos posterior ao alcançado neste livro em outros textos, fica claro que ela deveria ser apresentada aqui, por conta de sua associação, tanto na data quanto no conteúdo, com os escritos e revisões da "Segunda Fase" da história de *O Silmarillion* pós-*Senhor dos Anéis*. Achei que seria melhor deixá-la como uma Parte separada deste livro, em vez de incluí-la junto com a miscelânea de escritos da Parte Cinco, uma vez que, ao contrário deles, trata-se de uma obra concluída e de grande escala, e há referências a ela em outros textos, dando a entender que, para meu pai, ela teria alguma "autoridade".

A situação textual, no que diz respeito à narrativa propriamente dita do "Debate", é simples. Há um único manuscrito ("**A**"), muito parecido, em estilo e apresentação, com o de *Leis e Costumes entre os Eldar*, e, tal como ele, claro e produzido com fluidez — embora, no presente caso, existam algumas páginas de esboços, com indicações claras de que outras existiam (ver p. 422 e seguintes). Também há dois textos datilografados por terceiros, produzidos de forma independente a partir do manuscrito depois que todas as emendas nele já tinham sido feitas. Uma dessas versões datilografadas ("**B**"), provavelmente a primeira a ser feita, é de pouco valor: traz muitos erros e foi revisada muito rapidamente por meu pai, sem receber quase nenhuma emenda. A outra ("**C**"), que também existe em cópia-carbono, é um texto melhor, ainda que não sem erros; essa versão foi lida com mais cuidado e recebeu algumas alterações menores, mas ele deixou passar alguns erros porque não a cotejou com o manuscrito. O texto publicado aqui, portanto, foi estabelecido com base no manuscrito, recebendo emendas que foram feitas nas versões datilografadas.

Nenhum dos textos datilografados do *Athrabeth* tem título; ambos começam com as palavras "Ora, aconteceu que, num tempo de primavera ..." (p. 372). O manuscrito, por outro lado, traz o título *Da Morte e dos Filhos de Eru, e da Desfiguração dos Homens* (com outro título ou subtítulo acrescentado mais tarde, *O Colóquio de Finrod e Andreth*), e duas páginas de texto introdutório precedem a frase que abre os textos escritos a máquina. Essa introdução ao "Colóquio" era, na verdade, a continuação de um ensaio que meu pai retirou dali e transformou num texto separado: ver p. 510 e seguintes, onde apresento essa obra, intitulada *Aman*.

Essa seção introdutória foi, mais tarde, datilografada por meu pai, com uma cópia-carbono, em sua nova máquina de escrever (ver p. 363), e anexada ao início das cópias do texto datilografado C. Não tem título nem cabeçalho. Ao datilografar essa seção, acabou por reescrevê-la substancialmente; mas o conteúdo geral da versão manuscrita foi mantido, em larga medida, de forma que apenas algumas diferenças precisam ser apontadas (ver pp. 369-70).

Quanto à data da narrativa, o fato de que foi escrita após a conclusão do manuscrito de *Leis e Costumes entre os Eldar* pode ser percebido pelos comentários de meu pai nesse último texto, "Mas ver abordagem completa desse tema em *Athrabeth Finrod ah Andreth* e "Mas ver *Athrabeth*" (pp. 206-7). É evidente também que o *Athrabeth* veio depois do texto datilografado B de *Leis e Costumes*, já que a palavra *hröa(r)* é usada, termo que só foi substituído em B por meio de correções rápidas feitas tempos depois (p. 259). O texto e o Comentário extremamente complexo (elaborado com a máquina de escrever nova) apensado a ele estão preservados em folhas de jornal dobradas que datam de janeiro de 1960, e fica claro, com base no que está escrito nesses jornais (ver p. 397), que o material já estava completo quando as folhas foram usadas para esse propósito. É verdade, claro, que isso não chega a ser uma prova de que janeiro de 1960 é um *terminus ad quem*, porque o jornal poderia ter sido usado como capa numa data indefinidamente posterior a essa; mas isso, creio eu, é muito improvável, e, portanto, eu proporia que essa obra data de 1959. A única evidência que pode ser contraposta a essa ideia é o fato de que os poucos esboços foram todos escritos em pedaços de papel tirados de documentos correspondentes ao ano de 1955; mas, se meu pai tinha guardado esses papéis, como é bastante provável, isso indicaria apenas que o trabalho inicial com o *Athrabeth* aconteceu naquele ano ou depois. Ao mesmo tempo, deve-se admitir que é perfeitamente possível que ele estivesse trabalhando no texto em intervalos, ao longo de um período substancial.

Segue-se agora o texto introdutório na versão datilografada.

Ora, os Eldar descobriram que, de acordo com a tradição dos Edain, os Homens acreditavam que seus *hröar* não eram por natureza justa de vida curta, mas haviam se tornado assim pela malícia de Melkor. Não estava claro para os Eldar o que os Homens queriam dizer com isso: se pela desfiguração em geral de Arda (a qual eles próprios sustentavam ser a causa do desvanecimento de seus próprios *hröar*); ou por alguma malícia especial contra os Homens enquanto Homens que havia sido perpetrada nas eras escuras antes que os Edain e os Eldar se encontrassem em Beleriand; ou por ambos. Mas aos Eldar parecia que, se a mortalidade dos Homens viera por malícia especial, a natureza deles havia sido gravemente modificada em relação ao desígnio primeiro de Eru; e isso era matéria de assombro e terror para eles, pois, se assim de fato se dera, então o poder de Melkor devia ser (ou deveria ter sido no princípio) muito maior do que até mesmo os Eldar haviam compreendido; enquanto a natureza original dos Homens devia ter sido de fato estranha, e diferente da de qualquer um dos outros habitantes de Arda.

Acerca dessas coisas está registrado no antigo saber dos Eldar que certa vez Finrod Felagund e Andreth, a Mulher-sábia, tiveram colóquio em Beleriand há muito tempo. Essa história, que os Eldar chamam de *Athrabeth Finrod ah Andreth*, é aqui dada numa das formas em que foi preservada.

Finrod (filho de Finarfin, filho de Finwë) era o mais sábio dos Noldor exilados, estando mais preocupado que todos os outros com matérias do pensamento (e não com a criação ou a habilidade das mãos); e era ávido, além disso, por descobrir tudo o que pudesse a respeito da Gente dos Homens. Foi ele o primeiro a encontrar os Homens em Beleriand e travar amizade com eles; e por essa razão era muitas vezes chamado pelos Eldar de *Edennil*, "o Amigo dos Homens". Seu amor era dado mormente ao povo de Bëor, o Velho, pois foram esses os que ele primeiro encontrou nos bosques de Beleriand Oriental.

Andreth era uma mulher da Casa de Bëor, a irmã de Bregor, pai de Barahir (cujo filho era Beren Uma-mão, o renomado). Era sábia em pensamento e versada nos conhecimentos dos Homens e em suas histórias; razão pela qual os Eldar a chamavam de *Saelind*, "Coração-sábio".

Entre os Sábios alguns eram mulheres, e elas eram grandemente estimadas entre os Homens, especialmente por conhecer as lendas dos dias antigos. Outra mulher-sábia era Adanel, irmã de Hador Lorindol, que certa vez fora Senhor do Povo de Marach, cujos saberes e tradições, e também cuja língua, eram diferentes dos do Povo de Bëor. Mas Adanel era casada com um parente de Andreth, Belemir da Casa de Bëor: ele era avô de Emeldir, mãe de Beren. Em sua juventude, Andreth habitara por longo tempo na casa de Belemir, e assim aprendera de Adanel muito do saber do Povo de Marach, além do saber de seu próprio povo.

Nos dias de paz antes que Melkor rompesse o Cerco de Angband, Finrod visitava amiúde Andreth, a quem amava em grande amizade, pois ele a achava mais pronta a compartilhar seu conhecimento do que a maioria dos Sábios entre os Homens. Uma sombra parecia jazer sobre eles, e havia uma escuridão detrás dessa gente, da qual eram avessos a falar mesmo entre eles próprios. E se intimidavam com a majestade dos Eldar, e não costumavam revelar facilmente aos Elfos seu pensamento ou suas lendas. De fato, os Sábios entre os Homens (que eram poucos), em sua maioria, mantinham sua sabedoria em segredo, e a revelavam apenas àqueles a quem escolhiam.

> A principal diferença entre as versões manuscritas e datilografadas, nesse trecho introdutório, tem a ver com a genealogia expandida da Casa de Bëor, pois aqui o manuscrito traz algumas informações adicionais acerca de Adanel:

Outra mulher-sábia, ainda que de uma Casa e tradição diferentes, era Adanel, irmã de Hador. Ela se casou com Belemir da Casa de Bëor, neto de Belen, segundo filho de Bëor, o Velho, a quem a sabedoria de Bëor (pois ele próprio fora um dos sábios) fora principalmente transmitida. E havia grande amor entre Belemir e Andreth, sua parente mais jovem (filha de seu primo em segundo grau Boromir), e ela habitou por muito tempo em casa dele, e assim aprendeu também muito do saber do "povo de Marach" e da Casa de Hador com Adanel.

Se acrescentarmos às referências genealógicas no *Silmarillion* publicado (p. 202, 207 e, no Índice Remissivo, o verbete *Emeldir*) essas informações da introdução do *Athrabeth*, é possível montar a seguinte árvore genealógica (os nomes inéditos estão em itálico):

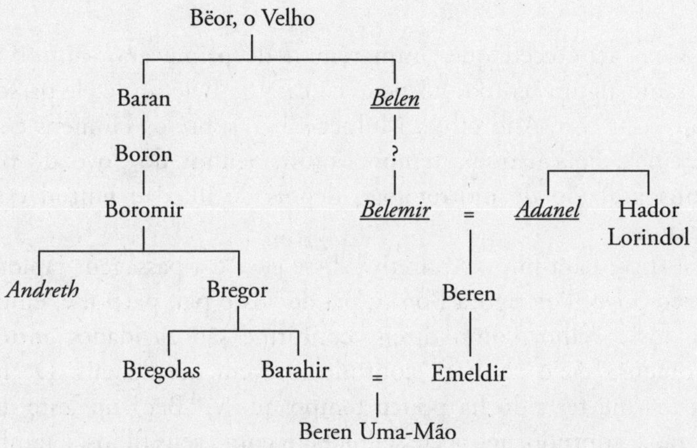

A maioria das informações genealógicas sobre a Casa de Bëor no *Silmarillion* publicado deriva, é claro, da elaboração do texto pós-*-Senhor dos Anéis*: no QS e nos *Anais de Beleriand* (AB 2), o pai de Beren, Barahir, era filho de Bëor, o Velho, e o Povo de Marach ainda não tinha surgido.

Outras diferenças na versão manuscrita da introdução são as afirmações de que Andreth "aprendeu também tudo o que podia ouvir dos Eldar" e que Finrod frequentemente era chamado de "*Atandil* (ou *Edennil*)" pelos Eldar (ver o "Glossário" do *Athrabeth*, p. 420).

Na primeira nota de rodapé à abertura da narrativa propriamente dita, a data do *Athrabeth* é citada como "por volta do ano 409 durante a Longa Paz (260–455)". No ano 260, Glaurung emergiu dos portões de Angband, e em 455 sobreveio a Dagor Bragollach ou Batalha da Chama Repentina, quando o Cerco de Angband foi rompido. De acordo com a cronologia mais antiga (ver V. 157, 327; ainda preservada nos *Anais Cinzentos*, de cerca de

1951), Finrod Felagund encontrou Bëor nos sopés das Montanhas Azuis no ano 400, mas a data desse encontro tinha sido recuada em cerca de noventa anos, passando a 310 (terceira nota de rodapé ao texto).

A seguir, temos "O Debate de Finrod e Andreth", o qual, como já indicado, não tem título nos textos datilografados (B e C), e que, no manuscrito original (A) prossegue de forma contínua sem um novo cabeçalho depois da introdução.

Ora, aconteceu que, num tempo de primavera,* Finrod foi, durante algum tempo, hóspede na casa de Belemir; e ele passou a conversar com Andreth, a Mulher-sábia, sobre os Homens e seus destinos. Pois naquele tempo Boron, Senhor do Povo de Bëor, tinha acabado de morrer logo depois de Iule,† e Finrod estava pesaroso.

"Triste para mim, Andreth", disse ele, "é a passagem rápida de vosso povo. Pois agora Boron, pai de vosso pai, partiu; e, embora ele fosse velho, como dizeis, conforme são as idades entre os Homens,‡ eu o conheci, contudo, brevemente demais. De fato, parece-me ter sido há pouco tempo que vi§ Bëor no leste desta terra, e, contudo, agora ele se foi, bem como seus filhos, e também o filho de seu filho."

"Agora já faz mais de cem anos", disse Andreth, "desde que viemos do outro lado das Montanhas; e Bëor e Baran e Boron viveram, cada um deles, além de seu nonagésimo ano. Nossa passagem era mais rápida antes que encontrássemos esta terra."

"Então estais contentes aqui?", disse Finrod.

"Contentes?", disse Andreth. "Nenhum coração dos Homens está contente. Todo passar e morrer é um pesar para eles; mas, se o

* [nota de rodapé ao texto] Isso corresponderia a algo como o ano de 409 durante a Longa Paz (260–455). Nessa época, Belemir e Adanel eram idosos segundo a contagem dos Homens, tendo cerca de 70 anos de idade; mas Andreth estava em seu vigor pleno, não chegando ainda aos 50 (48 anos). Era solteira, o que não era incomum entre as Mulheres-sábias dos Homens.

† O festival do fim de dezembro, próximo da época do Natal no nosso calendário. [N.T.]

‡ [nota de rodapé ao texto] Ele tinha 93 anos.

§ [nota de rodapé ao texto] Em 310, cerca de 100 anos antes dessa conversa.

murchar não acontece tão cedo, então há aí alguma emenda, um certo retirar da Sombra."

"O que quereis dizer com isso?", disse Finrod.

"Certamente o sabeis bem!", disse Andreth. "A Escuridão que está agora confinada no Norte, mas que outrora"; e aqui ela parou e seus olhos se escureceram, como se sua mente tivesse voltado para anos negros que seria melhor esquecer. "Mas que outrora jazia sobre toda a Terra-média, enquanto vivíeis em vosso contentamento."

"Não foi acerca da Sombra que perguntei", disse Finrod. "O que quereis dizer, perguntaria eu, com o retirar dela? Ou como a sina célere dos Homens está ligada a tal Sombra? Vós também, sustentamos (sendo instruídos pelos Grandes que têm conhecimento), sois Filhos de Eru, e vosso destino e natureza vêm Dele."

"Vejo", disse Andreth, "que nisto vós dos Altos-Elfos não sois diferentes de vossos parentes menos elevados que encontramos no mundo, embora eles não tenham vivido na Luz. Todos vós, os Elfos, acreditais que morremos rapidamente por nossa verdadeira natureza. Que somos frágeis e breves, e vós sois fortes e duradouros. Podemos ser 'Filhos de Eru', como dizeis em vosso saber; mas somos como crianças também para vós: devemos ser amados um pouco, talvez, e, contudo, somos criaturas de menos valor, para as quais vos cabe olhar do alto do vosso poder e do vosso conhecimento, com um sorriso, ou com pena, ou com um sacudir de cabeças."

"Ai de nós, o que dizeis está perto da verdade", disse Finrod. "Pelo menos para muitos de meu povo; mas não para todos, e certamente não para mim. Mas considerai bem isto, Andreth: quando vos chamamos de 'Filhos de Eru', não falamos levianamente; pois tal nome nós jamais pronunciamos por troça ou sem plena intenção. Quando assim falamos, falamos por conhecimento, e não por mera tradição élfica; e proclamamos que sois nossos parentes, num parentesco muito mais próximo (tanto de *hröa* quanto de *fëa*) do que o que une todas as outras criaturas de Arda, e nós a elas.

"Outras criaturas na Terra-média nós também amamos em sua medida e espécie: os animais e pássaros que são nossos amigos, as árvores, e mesmo as belas flores que passam mais rapidamente que os Homens. A passagem delas nós lamentamos; mas acreditamos que seja uma parte de sua natureza, tanto quanto são suas formas e cores.

"Mas por vós, que sois nossos parentes mais próximos, nosso lamento é muito maior. Porém, se considerarmos a brevidade da vida em toda a Terra-média, não devemos acreditar que vossa brevidade é também parte de vossa natureza? Vosso próprio povo não acredita nisso também? E, contudo, de vossas palavras e da amargura nelas depreendo que achais que erramos."

"Acho que errais, e todos os que assim pensam", disse Andreth; "e que esse erro mesmo vem da Sombra. Mas, para falar dos Homens: alguns dirão isto, e outros, aquilo; mas a maioria, pouco pensando, irá sempre sustentar que seu breve tempo no mundo sempre foi assim, e assim sempre há de permanecer, gostem ou não. Mas há alguns que pensam de outra forma; os Homens chamam a esses de 'Sábios', mas pouco lhes dão ouvidos. Pois não falam com certeza ou em uma só voz, não tendo conhecimento certo como o de que vos vangloriais, mas por força dependendo de 'tradição', a partir da qual a verdade (se puder ser encontrada) tem de ser joeirada.* E, a cada passo, há palha com o trigo que é escolhido, e sem dúvida também trigo com a palha que é rejeitada.

"Contudo, entre meu povo, de Sábio para Sábio desde a escuridão, vem a voz dizendo que os Homens não são agora como eram, nem como era sua verdadeira natureza no princípio. E mais claramente ainda isso é dito pelos Sábios do Povo de Marach, que preservaram na memória um nome para Ele a quem vós chamais Eru, embora entre meu povo ele tenha sido quase esquecido. Assim aprendi com Adanel. Eles dizem claramente que os Homens *não* são por natureza de vida curta, mas assim se tornaram pela malícia do Senhor da Escuridão a quem não dão nome."

"Nisso eu bem posso acreditar", disse Finrod: "que vossos corpos sofrem em alguma medida a malícia de Melkor. Pois viveis em Arda Desfigurada, como nós vivemos, e toda a matéria de Arda foi maculada por ele, antes que vós ou nós viéssemos e tirássemos nossos *hröar* e nosso sustento dela; toda Arda, salvo, talvez, apenas Aman antes que ele fosse para lá.[1] Pois sabei que não é de outra forma com os próprios Quendi:[2] a saúde e a estatura deles está

* "Joeirar" é o processo pelo qual a palha que recobre os grãos de trigo é retirada com a ajuda do vento na agricultura tradicional. A metáfora usada por Andreth compara a verdade aos grãos de trigo e as tradições falsas à palha. [N.T.]

diminuída. Já aqueles de nós que habitam a Terra-média, e mesmo nós que retornamos a ela, têm descoberto que a mudança[3] de seus corpos é mais rápida do que no início. E isso, julgo eu, deve pressagiar que eles provar-se-ão ser menos fortes e duradouros do que foram designados a ser, embora isso possa não se revelar claramente por muitos e longos anos.

"E da mesma maneira se dá com os *hröar* dos Homens: eles são mais fracos do que deveriam ser. Assim vem a acontecer que aqui no Oeste, para onde, em antanho, o poder dele pouco se estendia, os Homens têm mais saúde, como dizeis."

"Não, não!" disse Andreth. "Não compreendeis minhas palavras. Pois tendes sempre um só pensamento, meu senhor: os Elfos são os Elfos, e os Homens são Homens, e embora tenham um Inimigo comum, por quem ambos são feridos, ainda assim o intervalo ordenado permanece entre os senhores e os humildes, os primogênitos excelsos e duradouros, os seguidores simples e de breve serviço.

"Essa não é a voz que os Sábios escutam desde a escuridão e de além dela. Não, senhor, os Sábios entre os Homens dizem: 'Não fomos feitos para a morte, nem sempre nascemos para morrer. A morte foi imposta sobre nós'. E eis que o medo dela está conosco o tempo todo, e fugimos dela para sempre como o cervo foge do caçador. Mas, quanto a mim, creio que não podemos escapar da morte dentro deste mundo, não, nem se pudéssemos chegar à Luz além do Mar, ou àquela Aman da qual falais. Nessa esperança nós partimos, e viajamos durante muitas vidas de Homens; mas a esperança era vã. Assim dizem os Sábios, mas isso não deteve a marcha, pois, como eu disse, eles são pouco ouvidos. E eis que fugimos da Sombra até as últimas costas da Terra-média, para descobrir apenas que ela está aqui diante de nós!"

Então Finrod ficou em silêncio; mas, depois de algum tempo, disse: "Essas palavras são estranhas e terríveis. E falais com a amargura de alguém cujo orgulho foi humilhado, e procura então ferir aqueles com quem fala. Se todos os Sábios entre os Homens falam assim, então bem posso acreditar que sofrestes alguma grande ferida. Mas não pelas mãos de meu povo, Andreth, nem por nenhum dos Quendi. Se nós somos como somos, e vós sois como vos encontramos, isso não é por nenhuma ação nossa, nem por nosso desejo; e vossa tristeza não nos regozija nem alimenta nosso orgulho. Só um diria o contrário: aquele Inimigo a quem não dais nome.

"Cuidado com a palha junto com vosso trigo, Andreth! Pois pode ser mortal: mentiras do Inimigo que, da inveja, vão gerar ódio. Nem todas as vozes que vêm da escuridão dizem a verdade para aquelas mentes que escutam estranhas novas.

"Mas quem vos fez essa ferida? Quem impôs a morte sobre vós? Melkor, parece claro que diríeis, ou qualquer que seja o nome que tendes para ele em segredo. Pois falais da morte e da sombra dele, como se fossem a mesma e uma só coisa; e como se escapar da Sombra fosse também escapar da Morte.

"Mas essas duas coisas não são as mesmas, Andreth. Assim julgo eu, ou a morte não seria encontrada de modo algum neste mundo que ele não concebeu, mas Outro. Não, *morte* é apenas o nome que damos a algo que ele maculou, e que, portanto, nos parece mau; mas, se imaculado, o seu nome seria bom."[4]

"O que sabeis da morte? Não a temeis[5] porque não a conheceis", disse Andreth.

"Nós a vimos e a tememos", respondeu Finrod. "Também nós podemos morrer, Andreth; e temos morrido. O pai de meu pai foi cruelmente assassinado, e muitos o seguiram, exilados na noite, no gelo cruel, no mar insaciável. E na Terra-média temos morrido, por fogo e por fumaça, por veneno e pelas cruéis lâminas da batalha. Fëanor está morto, e Fingolphin foi pisoteado sob os pés do Morgoth.[6]

"Para que fim? Para derrotar a Sombra ou, se isso não puder acontecer, para impedi-la de se espalhar uma vez mais por toda a Terra-média — para defender os Filhos de Eru, Andreth, todos os Filhos, e não apenas os orgulhosos Eldar!"

"Eu tinha ouvido", disse Andreth, "que era para recuperar vosso tesouro, que o Inimigo tinha roubado; mas talvez a Casa de Finarfin não esteja de acordo com os Filhos de Fëanor. Mesmo assim, apesar de todo o vosso valor, digo outra vez: 'o que sabeis da morte?'. Para vós ela pode ocorrer com dores, pode ser amarga e uma perda — mas apenas por algum tempo, tirando um pouco da abundância, a menos que me tenham dito uma inverdade. Pois sabeis que, morrendo, não deixais o mundo, e que podeis retornar à vida.

"De outra forma se dá conosco: morrendo, nós morremos, e partimos para não voltar. A morte é um fim último, uma irremediável perda. E é abominável; pois também é uma injustiça feita contra nós."

"Essa diferença eu percebo", disse Finrod. "Diríeis que há duas mortes: uma que é uma ferida e uma perda, mas não um fim, e outra que é um fim sem reparação; e os Quendi sofrem apenas a primeira?"

"Sim, mas há outra diferença também ", disse Andreth. "Uma é apenas um ferimento nos acasos do mundo, que os bravos, os fortes ou os afortunados podem esperar evitar. A outra é morte inelutável; a morte, o caçador de quem, no fim, não se pode escapar. Seja um homem forte, ou rápido, ou ousado; seja sábio ou um tolo; seja ele mau, ou seja em todos os atos de sua vida justo e misericordioso, ame ele o mundo ou o abomine, deve morrer e deixá-lo — e se tornar carniça, a qual os Homens estão sempre ávidos para queimar ou esconder."

"E, sendo assim perseguidos, os Homens não têm nenhuma esperança?", perguntou Finrod.

"Eles não têm nenhuma certeza e nenhum conhecimento, apenas medos, ou sonhos no escuro", respondeu Andreth. "Mas esperança? Esperança, isso é outra matéria, da qual mesmo os Sábios raramente falam". A voz dela então se fez mais suave. "Contudo, Senhor Finrod da Casa de Finarphin, dos altivos e possantes Elfos, talvez eu e vós possamos falar dela em breve."

"Em breve poderemos", assentiu Finrod, "mas, por enquanto, caminhamos nas sombras do medo. Até agora, então, percebo que a grande diferença entre Elfos e Homens está na velocidade do fim. Nisso apenas. Pois, se julgais que para os Quendi não há morte inelutável, errais.

"Ora, nenhum de nós sabe, embora os Valar possam saber, o futuro de Arda, ou quanto tempo ela foi prescrita para durar. Mas não durará para sempre. Foi feita por Eru, mas Ele não está nela. Apenas o Único não tem limites. Arda, e mesmo Eä, devem, portanto, ser restritas. Vós nos vedes, aos Quendi, ainda nas primeiras eras de nosso ser, e o fim está distante. É como talvez entre vós a morte possa parecer a um jovem em seu vigor; salvo que nós temos já longas eras de vida e pensamento detrás de nós. Mas o fim virá. Isso nós todos sabemos. E então deveremos morrer; deveremos perecer completamente, ao que parece, pois pertencemos a Arda (em *hröa* e em *fëa*).[7] E para além disso o quê? 'A partida para não retornar', como dizeis, "o fim último, a perda irremediável?"

"Nosso caçador é de pés lentos, mas nunca perde a trilha. Além do dia em que ele soprar sua trombeta,[8] não temos nenhuma certeza, nenhum conhecimento. E ninguém nos fala de esperança."

"Eu não sabia disso", reconheceu Andreth, "e, contudo..."

"E, contudo, ao menos o nosso caçador é de pés lentos, diríeis?", disse Finrod. "Verdade. Mas não está claro que uma sina prevista e por muito tempo adiada seja, de todo modo, um peso mais leve do que aquela que chega logo. Mas, se entendi vossas palavras até aqui, não acreditais que essa diferença foi assim concebida no princípio. Não éreis, de início, fadados à morte rápida.

"Muito poderia ser dito acerca dessa crença (seja ela uma suposição verdadeira ou não). Mas primeiro eu perguntaria: como dizeis que isso veio a acontecer? Pela malícia de Melkor, eu supus, e vós não o negastes. Mas vejo agora que não falais da diminuição que todos em Arda Desfigurada sofrem; mas de algum golpe especial de inimizade contra vosso povo, contra os Homens enquanto Homens. É assim?"

"De fato é", respondeu Andreth.

"Então isso é matéria de horror", disse Finrod. "Conhecemos Melkor, o Morgoth, e o sabemos ser poderoso. Sim, eu o vi, e ouvi sua voz; e estive cego na noite que existe no coração de sua sombra, da qual vós, Andreth, nada sabeis salvo por ouvir dizer e pela memória de vosso povo. Mas nunca, mesmo na noite, acreditamos que ele pudesse prevalecer contra os Filhos de Eru. Este ele poderia iludir, ou aquele ele poderia corromper; mas mudar o destino de todo um povo dos Filhos, roubá-los de sua herança: se ele pudesse fazer tal coisa à revelia de Eru, então de longe maior e mais terrível é ele do que imaginávamos; então todo o valor dos Noldor é apenas presunção e insensatez — não, Valinor e as Montanhas dos Pelóri estão construídas sobre a areia."

"Vede!", exclamou Andreth. "Eu não disse que não conheceis a morte? Eis que quando sois forçados a encará-la em pensamento apenas, como a conhecemos em ato e em pensamento todas as nossas vidas, logo caís em desespero. Nós sabemos, se vós não o sabeis,[9] que o Inominável é o Senhor deste Mundo, e que o vosso valor, e o nosso também, é insensatez; ou pelo menos é infrutífero."

"Cuidado!", retrucou Finrod. "Cuidado para que não digais o impronunciável, conscientemente ou em ignorância, confundindo Eru com o Inimigo, que comprazer-se-ia em ver-vos fazer isso.

O Senhor deste Mundo não é ele, mas o Único que o fez, e seu Vice-regente é Manwë, o Rei Mais Antigo de Arda, que é abençoado.

"Não, Andreth, a mente obscurecida e em confusão; curvar-se e, contudo, abominar; fugir e, contudo, não rejeitar; amar o corpo e, contudo, desprezá-lo, o asco do carniceiro: essas coisas podem vir do Morgoth, de fato. Mas condenar os imortais à morte, de pai para filho, e ainda deixar-lhes a memória de uma herança retirada, e o desejo pelo que foi perdido: poderia o Morgoth fazer isso? Não, digo eu. E por essa razão eu disse que, se vossa história é verdadeira, então tudo em Arda é vão, do pináculo de Oiolossë até o mais profundo abismo. Pois não acredito em vossa história. Ninguém poderia ter feito isso além do Único.

"Portanto eu vos digo, Andreth, que fizestes, vós, os Homens, há muito tempo atrás na escuridão? Como enraivecestes Eru? Pois do contrário todas as vossas histórias são apenas sonhos sombrios numa Mente Sombria. Direis o que sabeis ou escutastes?"

"Não o farei", disse Andreth. "Não falamos disso com aqueles de outra raça. Mas, de fato, os Sábios estão incertos e falam com vozes contrárias; pois o que quer que tenha acontecido há muito tempo, temos fugido do que ocorreu; temos tentado esquecer, e tão longamente tentamos que agora não conseguimos recordar nenhum tempo em que não fôssemos como agora somos — exceto apenas lendas de dias em que a morte vinha menos rapidamente e o tempo que nos cabia ainda era muito maior, mas já havia morte."

"Não conseguis recordar?", perguntou Finrod. "Não há histórias de vossos dias antes da morte, ainda que não as desejeis contar a estranhos?"

"Talvez", disse Andreth. "Se não entre meu povo, então quiçá entre o povo de Adanel." Ela ficou em silêncio e fitou o fogo.

"Achais que ninguém sabe exceto vós próprios?", perguntou Finrod, enfim. "Os Valar não sabem?"

Andreth olhou para cima e seus olhos escureceram. "Os Valar?", disse. "Como deveria eu saber, ou qualquer Homem? Vossos Valar não nos importunam com cuidados ou com instrução. Não enviaram nenhuma convocação para nós."

"O que sabeis deles?", questionou Finrod. "Eu os vi, e habitei no meio deles, e na presença de Manwë e Varda estive na Luz. Não faleis deles assim, nem de nada que está muito acima de vós. Tais palavras vieram primeiro da Boca que Mente.

"Nunca entrou em vosso pensamento, Andreth, que lá fora, em eras há muito passadas, podeis ter colocado a vós próprios fora do cuidado dos Valar, e além do alcance de sua ajuda? Ou mesmo que vós, os Filhos dos Homens, não eram um assunto que eles pudessem governar? Pois éreis grandes demais. Sim, é o que quero dizer, e não apenas lisonjeio vosso orgulho: grandes demais. Os únicos mestres de vós próprios dentro de Arda, sob a mão do Único. Cuidado então com a maneira como falais! Se não desejais falar com outros de vosso ferimento ou de como o sofrestes, prestai atenção antes que (como médicos inábeis) julgueis erradamente a ferida, ou, em orgulho, coloqueis a culpa em lugar errado.

"Mas voltemo-nos agora para outras matérias, já que não desejais falar mais disso. Gostaria de considerar vosso primeiro estado antes do ferimento. Pois o que dizeis disso é também para mim um assombro, e difícil de entender. Dizeis: 'não fomos feitos para a morte, nem sempre nascidos para morrer'. O que quereis dizer: que éreis como nós somos, ou de outra maneira?"

"Esta tradição não vos leva em conta", explicou Andreth, "pois nada sabíamos dos Eldar. Considerávamos apenas morrer e não morrer. De vida tão longa quanto a do mundo, mas não mais longa, não tínhamos ouvido; de fato, até agora tal coisa não havia entrado em minha mente."

"Para falar com franqueza", disse Finrod, "eu havia pensado que essa vossa crença de que vós também não fostes feitos para a morte era apenas um sonho de orgulho, gerado por inveja dos Quendi, para igualá-los ou superá-los. Não é assim, dizeis. Contudo, muito antes que chegastes a esta terra, encontrastes outros povos dos Quendi, e recebestes a amizade de alguns. Já não éreis então mortais? E nunca falastes com eles acerca da vida e da morte? Ainda que, sem quaisquer palavras, eles logo descobririam vossa mortalidade, e antes de muito tempo perceberíeis que eles não morriam."

"De fato, 'não é assim' é o que digo", respondeu Andreth. "Podemos ter sido mortais quando encontramos os Elfos pela primeira vez longe daqui, ou talvez não o fôssemos; nosso saber não o diz, ao menos o que aprendi. Mas já tínhamos nosso saber, e não precisávamos de nenhum vindo dos Elfos: sabíamos que em nosso princípio havíamos nascido *para nunca morrer*. E com isso, meu senhor, queríamos dizer: *nascidos para a vida sempiterna, sem qualquer sombra de fim algum.*"

"Então os Sábios entre vós já consideraram como é estranha a natureza que eles atribuem aos Atani?", perguntou Finrod.

"É assim tão estranha?", retorquiu Andreth. "Muitos dos Sábios sustentam que, em sua verdadeira natureza, nenhuma das coisas vivas morreria."

"Nisso os Eldar diriam que eles erram", disse Finrod. "Para nós vossa afirmação sobre os Homens é estranha, e, de fato, difícil de aceitar, por duas razões. Afirmais, se entendeis completamente vossas próprias palavras, que tivestes corpos imperecíveis, não restringidos pelos limites de Arda, e mesmo assim derivados de sua matéria e sustentados por ela. E afirmais também (embora isto possais não ter percebido) que tivestes *hröar* e *fëar* que estavam desde o princípio em desarmonia. Contudo, a harmonia de *hröa* e *fëa* é, acreditamos, essencial para a natureza verdadeira e incorrupta de todos os Encarnados: os *Mirröanwi*,[10] como chamamos os Filhos de Eru."

"A primeira dificuldade eu percebo", disse Andreth, "e para ela nossos Sábios têm sua própria resposta. A segunda, como adivinhastes, não percebo."

"Não?", disse Finrod. "Então não vedes a vós próprios claramente. Mas pode acontecer amiúde que amigos e parentes vejam com clareza algumas coisas que estão ocultas de seu próprio amigo.

"Ora, nós Eldar somos vossos parentes, e vossos amigos também (se puderdes crê-lo), e já vos observamos por três vidas de Homens com amor e preocupação e muito pensamento. Disto então estamos certos sem dúvida, ou do contrário toda a nossa sabedoria é vã: os *fëar* dos Homens, embora de fato estreitamente aparentados aos *fëar* dos Quendi, não são, contudo, iguais aos nossos. Pois, por mais estranho que o julguemos, vemos claramente que os *fëar* dos Homens não estão, como os nossos, confinados em Arda, nem Arda é seu lar.

"Podeis negá-lo? Ora, nós, os Eldar, não negamos que amais Arda e tudo que está nela (na medida em que estejais livres da Sombra) talvez tão grandemente quanto nós. Mas de outra maneira. Cada uma de nossas gentes percebe Arda diferentemente e se regozija em suas belezas em modo e grau diferentes. Como dizê-lo? Para mim a diferença é como a que existe entre aquele que visita um país estranho e lá habita por algum tempo (mas não precisa fazê-lo), e aquele que sempre viveu nessa terra (e precisa viver ali). Para o primeiro, todas as coisas que vê são novas e estranhas, e, nesse aspecto, dignas de amor. Para o outro, todas as coisas lhe são familiares, as únicas coisas que existem, são suas, e, nesse aspecto, preciosas."

"Quereis dizer talvez que os Homens são os visitantes", ponderou Andreth.

"Dissestes a palavra", assentiu Finrod: "esse nome o demos a vós."

"Senhoris como sempre", disse Andreth. "Mas se somos apenas visitantes numa terra em que tudo é vosso, meus senhores, como afirmais, dizei-me: que outra terra ou coisas conhecemos?"

"Não, dizei-me vós!", exclamou Finrod. "Pois se não o sabeis, como podemos sabê-lo? Mas sabeis que os Eldar dizem dos Homens que estes não olham para coisa alguma pelo que ela é; que, se eles a estudam, é para descobrir algo mais; que, se eles a amam, é somente (assim parece) porque ela lhes lembra outra coisa mais cara? Mas com o que fazem tal comparação? Onde estão essas outras coisas?

"Nós ambos, Elfos e Homens, estamos em Arda e somos de Arda; e qualquer conhecimento que os Homens possuam é derivado de Arda (ou assim pareceria). De onde então vem essa memória que tendes convosco, mesmo antes que comeceis a aprender?

"Não vem de outras regiões em Arda das quais viestes. Nós também viemos de longe. Mas se vós e eu fôssemos até vossos antigos lares no leste, eu reconheceria as coisas lá como parte de meu lar, mas veria em vossos olhos a mesma admiração e comparação que vejo nos olhos dos Homens de Beleriand, que nasceram aqui."

"Proferis palavras estranhas, Finrod", observou Andreth, "as quais eu não tinha ouvido antes. Contudo, meu coração se comove como se por alguma verdade que ele reconhece, mesmo que não a entenda. Mas passageira é essa memória, e parte antes que possa ser agarrada; e então nos fazemos cegos. E aqueles dentre nós que conheceram os Eldar, e talvez os tenham amado, dizem por nossa vez: 'Não há cansaço nos olhos dos Elfos'. E descobrimos que eles não compreendem o ditado que existe entre os Homens: *o que é visto demais não é mais visto*. E se admiram muito de que nas línguas dos Homens a mesma palavra possa significar tanto 'velho conhecido' quanto 'apodrecido'.

"Pensamos que era assim apenas porque os Elfos têm vida duradoura e vigor inquebrantável. 'Crianças crescidas' é como nós, os visitantes, às vezes vos chamamos, meu senhor. E, contudo, — e, contudo, se para nós nada em Arda mantém seu sabor por muito tempo, e todas as coisas belas se tornam remotas, o que isso significa? Isso não vem [da] Sombra sobre nossos corações? Ou dizeis que não é assim, mas que essa era nossa verdadeira natureza, mesmo antes do ferimento?"

"Digo que é assim, de fato", respondeu Finrod. "A Sombra pode ter escurecido vossa inquietação, trazendo cansaço mais célere e logo o transformando em desdém, mas a inquietação sempre esteve lá, creio. E se isso é assim, não podeis agora perceber a desarmonia de que falei? Isso se de fato vossa Sabedoria tivesse uma tradição como a nossa, ensinando que os *Mirröanwi* são feitos de uma união de corpo e mente, de *hröa* e *fëa*, ou, como dizemos por imagens, da Casa e do Habitante.

"Pois o que é a 'morte' que lamentais se não a separação desses dois? E o que é a 'imortalidade' que perdestes se não o fato de que os dois deveriam permanecer unidos para sempre?

"Mas o que então deveríamos pensar dessa união no Homem: a de um Habitante que é apenas um visitante aqui em Arda e não está em seu lar, com uma Casa que é feita da matéria de Arda e deve, portanto (é de se supor), cá permanecer?

"Ao menos não seria de se esperar, para essa Casa, uma vida maior que a de Arda, da qual ela é parte. Contudo, afirmais que a Casa também era imortal, não? Eu preferiria acreditar que tal *fëa*, por sua própria natureza, iria em algum momento, de livre vontade, abandonar a casa de sua passagem por aqui, ainda que a passagem pudesse ter sido mais longa do que é agora permitido. Então a 'morte' soaria (como eu disse) de maneira diversa para vós: como uma libertação, ou um retorno — não, como ir para casa! Mas nisso não acreditais, parece?"

"Não, não acredito nisso", concordou Andreth. "Pois isso seria desprezo pelo corpo, e esse é um pensamento da Escuridão, antinatural em qualquer dos Encarnados, cuja vida incorrupta é uma união de amor mútuo. Mas o corpo não é uma estalagem que mantém um viajante aquecido por uma noite, antes que ele siga seu caminho, e depois recebe outro. É uma casa feita para um habitante apenas, e de fato não apenas casa, mas também vestimenta; e não está claro para mim se deveríamos neste caso dizer que a vestimenta é adequada ao que a usa e não que aquele que a usa é adequado à vestimenta.

"Sustento então que não se deve pensar que a separação desses dois poderia ser de acordo com a verdadeira natureza dos Homens. Pois se fosse 'natural' para o corpo ser abandonado e morrer, mas 'natural' para o *fëa* continuar a viver, então de fato haveria uma desarmonia no Homem, e suas partes não estariam unidas por amor. Seu corpo seria, no melhor dos casos, um impedimento, ou uma cadeia. De fato, uma imposição, e não uma dádiva. Mas há alguém que impõe, e que concebe cadeias, e se tal fosse a nossa natureza no princípio, então deveríamos derivá-la dele — mas isto, dizeis, não se deve falar.

"Ai de nós! Lá fora, na escuridão, os homens o dizem mesmo assim, mas não os Atani como os conheceis, não agora. Sustento que nisto somos como vós sois, verdadeiramente Encarnados, e que não vivemos nosso ser correto e em sua plenitude salvo numa união de amor e paz entre a Casa e o Habitante. Donde a morte, que os divide, é um desastre para ambos."

"Cada vez mais assombrais meu pensamento, Andreth", disse Finrod. "Pois, se vossa afirmação é verdadeira, então eis que um *fëa* que aqui é apenas um viajante está casado indissoluvelmente com um *hröa* de Arda; dividi-los é um ferimento doloroso, e, contudo, cada um deles precisa cumprir sua justa natureza sem tirania sobre o outro. Então a consequência deve ser certamente esta: o *fëa*, quando parte, deve levar consigo o *hröa*. E o que pode isso significar a não ser que o *fëa* deverá ter o poder de reerguer o *hröa*, como seu eterno esposo e companheiro, numa existência eterna além de Eä, e além do Tempo? Assim Arda, ou parte dela, seria curada não apenas da mancha de Melkor, mas libertada até dos limites impostos a ela na 'Visão de Eru' da qual os Valar falam.

"Portanto eu digo que, se é possível crer nisso, então realmente poderosos sob Eru foram os Homens criados em seu princípio; e terrível, acima de todas as outras calamidades, foi a mudança em seu estado.

"É então com uma visão daquilo que fora designado a existir quando Arda estivesse completa — das coisas vivas e mesmo das próprias terras e mares de Arda feitos eternos e indestrutíveis, para sempre belos e novos — que os *fëar* dos Homens comparam o que veem aqui? Ou existe em algum outro lugar um mundo do qual todas as coisas que vemos, todas as coisas que tanto Elfos quanto Homens conhecem, são apenas sinais ou lembranças?"

"Se existe, isso reside na mente de Eru, julgo eu", ponderou Andreth. "Para tais perguntas, como podemos achar as respostas, aqui nas névoas de Arda Desfigurada? De outra forma poderia ter sido, se não tivéssemos sido mudados; mas sendo como somos, mesmo os Sábios entre nós dedicaram tão pouco pensamento à própria Arda, ou a outras coisas que aqui habitam. Temos pensado principalmente em nós mesmos: em como nossos *hröar* e *fëar* deveriam ter habitado juntos para sempre em júbilo, e na impenetrável escuridão que agora nos espera."

"Então não são apenas os Excelsos Eldar que se esquecem de seus parentes!", disse Finrod. "Mas isso é estranho para mim, e, tal como vosso coração o fez quando falei de vossa inquietação, assim agora o meu salta como ao ouvir de boas novas.

"Esta então, proponho, era a missão dos Homens, não os seguidores, mas os herdeiros e agentes da plenitude de tudo: curar a Desfiguração de Arda, já pressagiada antes da concepção deles; e fazer mais, como agentes da magnificência de Eru: tornar mais ampla a Música e ultrapassar a Visão do Mundo![11]

"Pois essa Arda Curada não será Arda Não Desfigurada, mas uma terceira e maior coisa, e, contudo, a mesma.[12] Tive colóquio com os Valar que estavam presentes no criar da Música antes que o ser do mundo começasse. E agora me pergunto: será que eles ouviram o fim da Música? Não havia algo dentro dos acordes finais de Eru ou além deles que, estando arrebatados pela Música, eles não perceberam?[13]

"Ou, de novo, uma vez que Eru é perpetuamente livre, talvez ele não tenha feito Música alguma nem mostrado nenhuma Visão além de um certo ponto. Além desse ponto não podemos ver ou saber, até que por nossas próprias estradas cheguemos até lá, Valar ou Eldar ou Homens.

"É como um mestre no contar de histórias que pode manter oculto o mais grandioso momento até que ele venha no tempo devido. Tal momento pode ser de fato imaginado, em alguma medida, por aqueles que ouviram com coração e mente plenos; mas assim o contador desejá-lo-ia. De forma alguma a surpresa e o assombro de sua arte são assim diminuídos, pois dessa maneira nós como que partilhamos de sua autoria. Mas não seria assim, se tudo nos fosse contado num prefácio antes que entrássemos!"

"Qual então diríeis que é o momento supremo que Eru nos reservou?", perguntou Andreth.

"Ah, senhora sábia!", disse Finrod. "Sou um Elda, e novamente estava pensando em meu próprio povo. Mas não, em todos os Filhos de Eru. Estava pensando que pelos Segundos Filhos poderíamos ter sido libertados da morte. Pois, durante todo o tempo em que faláveis da morte como sendo uma divisão dos que estão unidos, pensei em meu coração numa morte que não é assim, mas o fim de ambos juntos. Pois é isso que jaz diante de nós, até onde nossa razão pode ver: o completar de Arda e seu fim, e, portanto, também o fim de nós, filhos de Arda; o fim quando todas as longas vidas dos Elfos estarão totalmente no passado.[14]

"E de repente contemplei como numa visão Arda Refeita; e lá os Eldar, completos, mas não terminados, poderiam habitar no presente para sempre,[15] e lá caminhar, talvez, com os Filhos dos Homens, seus libertadores, e cantar para eles canções tais que, mesmo na Ventura além da ventura, fariam os vales verdes ressoarem e os topos sempiternos das montanhas vibrarem como harpas."

Andreth então olhou para Finrod por baixo de suas sobrancelhas: "E o que, quando não estivésseis cantando, diríeis a nós?", perguntou.

Finrod riu. "Só posso tentar adivinhar", disse. "Ora, senhora sábia, acho que contar-vos-íamos histórias do Passado e da Arda que fora antes, dos perigos e grandes feitos e da criação das Silmarils! Nós éramos os senhoris então! Mas vós, vós estaríeis então em casa, olhando para todas as coisas atentamente, como vossas próprias coisas. Vós seríeis os altivos. 'Os olhos dos Elfos estão sempre pensando em alguma outra coisa', diríeis. Mas então saberíeis do que éramos lembrados: dos dias em que primeiro nos encontramos, quando nossas mãos se tocaram no escuro. Além do Fim do Mundo nós não mudaremos; pois na memória está o nosso grande talento, como será visto cada vez mais claramente conforme as eras desta Arda passarem: um fardo pesado que está por vir, temo eu; mas, nos Dias dos quais ora falamos, uma grande riqueza." E então ele parou de falar, pois viu que Andreth estava chorando baixinho.

"Ai de nós, senhor!", lamentou Andreth. "O que então se pode fazer agora? Pois falamos como se essas coisas o fossem, ou como se certamente o fossem ser. Mas os Homens foram diminuídos e seu poder retirado. Não esperamos nenhuma Arda Refeita: a escuridão jaz diante de nós, e dentro dela fitamos em vão. Se por nossa ajuda vossas mansões sempiternas devem ser preparadas, elas não serão construídas agora."

"Não tendes então esperança alguma?", perguntou Finrod.

"O que é esperança?", disse ela. "Uma expectativa do bem, a qual, embora incerta, tem algum fundamento no que é conhecido? Então não temos nenhuma."

"Essa é uma das coisas que os Homens chamam de 'esperança'", disse Finrod. "*Amdir* é como a chamamos, 'olhar para o alto'. Mas existe outra coisa, que é fundada mais solidamente. *Estel* é como a chamamos, isto é, 'confiança'. Ela não é derrotada pelos caminhos do mundo, pois não vem da experiência, mas de nossa natureza e primeiro ser. Se somos de fato os *Eruhin*, os Filhos do Uno, então Ele não permitir-Se-á ser privado do que é Seu, nem por Inimigo algum, nem mesmo por nós próprios. Este é o último fundamento de *Estel*, que mantemos mesmo quando contemplamos o Fim: em todos os Seus desígnios, o objetivo deve ser para a alegria de Seus Filhos. *Amdir* não tendes, dizeis. Será que *Estel* não subsiste de forma nenhuma?"

"Talvez", respondeu ela. "Mas não! Não percebeis que é parte de nosso ferimento que *Estel* falhe e suas fundações sejam sacudidas? Somos os Filhos do Uno? Não fomos apartados de forma definitiva? Ou será que alguma vez o fomos? Não é o Inominável o Senhor do Mundo?"

"Não o digais nem mesmo em pergunta!", exclamou Finrod.

"É algo que não pode ser desdito", reiterou Andreth, "se desejais entender o desespero no qual caminhamos. Ou no qual a maioria dos Homens caminha. Entre os Atani, como nos chamais, ou os Viajantes, como dizemos — os que deixaram as terras do desespero e dos Homens da escuridão e rumaram para o oeste em esperança vã — acredita-se que a cura ainda possa ser encontrada, ou que haja alguma via de escape. Mas será isso de fato *Estel*? Não será antes *Amdir,* mas sem razão; mera fuga num sonho daquilo que despertos eles sabem: que não há escapatória da escuridão e da morte?"

"*Mera fuga num sonho*, dizeis", respondeu Finrod. "Nos sonhos muitos desejos são revelados; e o desejo pode ser o último bruxulear de *Estel*. Mas o que quereis dizer não é *sonho*, Andreth. Confundis *sonho* e *despertar* com *esperança* e *crença*, de maneira a fazer que um seja mais duvidoso e o outro mais certo. Será que estão adormecidos os que falam de escape e cura?"

"Adormecidos ou despertos, eles nada falam claramente", respondeu Andreth. "Como ou quando a cura virá? Em que forma de ser serão refeitos os que virem esse tempo? E quanto a nós, que antes disso partiremos para a escuridão sem ser curados? Para tais questões apenas os da 'Antiga Esperança' (como eles chamam a si próprios) têm alguma ideia da resposta."

"*Os da Antiga Esperança*?", indagou Finrod. "Quem são eles?"

"Uns poucos", disse ela, "mas seu número tem crescido desde que viemos para esta terra, e eles veem que o Inominável pode (como pensam) ser desafiado. Contudo, essa não é uma boa razão. Desafiá-lo não desfaz sua obra de outrora. E se o valor dos Eldar fracassar aqui, então o desespero deles será mais profundo. Pois não era no poderio dos Homens, nem no de nenhum dos povos de Arda, que a antiga esperança estava fundada."

"O que então era essa esperança, se o sabeis?", Finrod perguntou.

"Eles dizem", respondeu Andreth, "eles dizem que o próprio Uno entrará em Arda e curará os Homens e toda a Desfiguração do princípio até o fim. Isso, dizem também, ou o fingem, é um rumor que veio através de anos incontáveis, até mesmo dos dias de nossa derrocada."[16]

"Dizem, fingem?", disse Finrod. "Não sois então um deles?"

"Como posso sê-lo, senhor? Toda sabedoria está contra eles. Quem é o Uno, a quem chamais Eru? Se colocarmos de lado os Homens que servem o Inominável, como muitos o fazem na Terra-média, ainda assim muitos Homens percebem o mundo apenas como uma guerra entre Luz e Escuridão equipotentes. Mas direis: não, isso é Melkor e Manwë; Eru está acima deles. É então Eru somente o maior dos Valar, um grande deus entre deuses, como a maioria dos Homens dirá, mesmo entre os Atani: um rei que vive longe de seu reino e deixa que príncipes menores façam lá o que lhes aprouver? Novamente dizeis: não, Eru é Uno, sozinho e sem-par, e ele fez Eä, e está além dela; e os Valar são maiores que nós, e, contudo, não estão mais próximos de Sua majestade. Não é assim?"

"Sim", assentiu Finrod, "é o que dizemos, e os Valar nós conhecemos, e eles dizem o mesmo, todos exceto um. Mas qual destes, pensais, é mais passível de mentir: aqueles que se fazem humildes, ou aquele que se exalta?"

"Não tenho dúvidas", disse Andreth. "E por essa razão o dizer da Esperança ultrapassa meu entendimento. Como Eru poderia entrar na coisa que Ele fez, e da qual Ele é imensuravelmente maior? O que canta é capaz de entrar em sua história, ou o que desenha em sua figura?"

"Ele já está dentro dela, assim como está fora", explicou Finrod. "Mas, de fato, o 'habitar-dentro' e o 'viver-fora' não correspondem ao mesmo modo de existir."

"Realmente", disse Andreth. "Assim Eru pode, desse modo, estar presente em Eä, que procedeu dele. Mas eles falam do próprio Eru *entrando em Arda*, e essa é uma coisa inteiramente diferente. Como Ele, o maior, poderia fazê-lo? Isso não despedaçaria Arda, ou, de fato, toda Eä?"

"Não me pergunteis", disse Finrod. "Essas coisas estão além do alcance da sabedoria dos Eldar, ou talvez da dos Valar. Mas desconfio que nossas palavras podem nos confundir, e que quando dizeis 'maior' pensais nas dimensões de Arda, na qual o recipiente maior não pode ser contido no menor.

"Mas tais palavras não podem ser usadas para se referir ao Imensurável. Se Eru desejasse fazer isso, não duvido que Ele encontraria uma maneira, embora eu não possa prevê-la. Pois, como me parece, ainda que Ele próprio tenha que entrar, deve também permanecer como é: o Autor do lado de fora. E contudo, Andreth, para falar com humildade, não consigo conceber de que outra maneira essa cura pudesse ser realizada, uma vez que Eru certamente não permitirá que Melkor dirija o mundo para sua própria vontade e triunfe no fim. Contudo, não há poder algum concebivelmente maior que Melkor, salvo apenas Eru. Portanto, se Ele não quiser entregar sua obra a Melkor, que do contrário deve alcançar o domínio, precisa entrar nela para derrotá-lo.

"E mais: mesmo se Melkor (ou o Morgoth em que se transformou) pudesse de alguma forma ser sobrepujado ou lançado fora de Arda, sua Sombra ainda permaneceria, e o mal que ele perpetrou e plantou como uma semente cresceria e multiplicar-se-ia. E se algum remédio para isso deve ser encontrado, antes que tudo esteja terminado, alguma luz nova para se opor à sombra, ou algum remédio para os ferimentos, então isso deve, julgo eu, vir de fora."

"Então, senhor", disse Andreth, e ela ergueu seu olhar em assombro, "credes nessa Esperança?"

"Não me pergunteis ainda", ele respondeu. "Pois ela ainda é para mim como uma estranha nova que vem de longe. Nenhuma esperança como essa foi jamais transmitida aos Quendi. Para vós apenas ela foi mandada. E, contudo, através de vós podemos ouvi-la e levantar nossos corações." Parou de falar por um momento e então, olhando gravemente para Andreth, disse: "Sim, Mulher-sábia, talvez tenha sido ordenado que nós, os Quendi, e vós, os Atani, antes que o mundo envelheça, nós encontrássemos e trouxéssemos novas uns para os outros, e assim soubéssemos da Esperança por meio de vós: ordenado, de fato, que tu e eu, Andreth, sentássemos aqui e falássemos juntos, cruzando o golfo que divide nossas gentes, para que, enquanto a Sombra ainda paira no Norte, não ficássemos de todo amedrontados."

"*Cruzando o golfo que divide nossas gentes!*", exclamou Andreth. "Não há ponte alguma além de meras palavras?". E então ela chorou outra vez.

"Talvez haja. Para alguns. Eu não sei", ponderou ele. "O golfo, talvez exista mais entre nossos destinos, pois de resto somos parentes próximos, mais próximos do que quaisquer outras criaturas no mundo. Contudo, perigoso é cruzar um golfo imposto pelo destino; e os que se arriscassem a fazê-lo não encontrariam regozijo do outro lado, mas os pesares de ambos. Assim julgo eu.

"Mas por que dizes 'meras palavras'? Será que palavras não ultrapassam o golfo entre uma vida e outra? Entre ti e mim certamente passou mais do que som vazio? Não nos aproximamos de forma alguma? Mas isso é, creio, pouco conforto para ti."

"Não pedi conforto", disse Andreth. "Por que preciso dele?"

"Pelo destino dos Homens que te tocou como mulher", disse Finrod. "Pensas que não sei? Não é ele meu irmão muito amado? Aegnor:[17] *Aikanár*, a Chama Afiada, célere e sôfrego. E não são longos os anos desde que vos encontrastes pela primeira vez, e vossas mãos se tocaram neste escuro. Contudo, eras então apenas uma donzela, valente e sôfrega, na manhã sobre os altos montes de Dorthonion."[18]

"Continuai!", exclamou Andreth. "Continuai: e és agora só uma mulher-sábia, sozinha, e a idade que não há de tocá-lo já pôs o cinza do inverno em teu cabelo! Mas não digais *tu* para mim, pois assim ele outrora o fez!"[19]

"Ai de nós!", lamentou Finrod. "É esta a amargura, amada *adaneth*, mulher dos Homens, não é? que perpassou todas as tuas palavras. Se eu tentasse dar-te algum conforto, julgá-lo-ias senhoril vindo de alguém do meu lado do destino que nos separa. Mas o que posso dizer, salvo lembrar-te da Esperança que tu mesma revelaste?"

"Eu não disse que alguma vez ela fora a minha esperança", respondeu Andreth. "E mesmo que assim fosse, ainda assim eu gritaria: por que esse ferimento deveria vir aqui e agora? Por que deveríamos amar-vos, e por que vós deveríeis amar-nos (se é que nos amais) e ainda dispor o golfo entre nós?"

"Porque assim fomos feitos, parentes próximos", disse Finrod. "Mas não fizemos a nós mesmos, Andreth, e, portanto, nós, os Eldar, não dispusemos esse golfo. Não, *adaneth*, não somos senhoris nisto, mas cheios de compaixão.[20] Tal palavra pode desagradar-te. Contudo, a compaixão é de dois tipos: uma vem do parentesco reconhecido, e é próxima do amor; a outra vem da diferença de sorte percebida, e é próxima do orgulho. Falo da primeira."

"Não faleis de nenhuma para mim!", redarguiu Andreth. "Não desejo nenhuma. Eu era jovem e olhei para a chama dele, e agora estou velha e perdida. Ele era jovem, e sua chama saltou na minha direção, mas ele se afastou, e é jovem ainda. Velas se compadecem de mariposas?"

"Ou mariposas de velas, quando o vento as apaga?", disse Finrod. "*Adaneth*, eu te digo, *Aikanár*, a Chama Afiada, te amava. Por tua causa ele jamais tomará a mão de qualquer noiva de sua própria gente, mas viverá sozinho até o fim, lembrando-se da manhã nos montes de Dorthonion. Mas cedo demais no Vento Norte a chama dele apagar-se-á! Previsão é dada aos Eldar em muitas coisas que não estão distantes, embora raramente por alegria, e digo a ti que viverás muito na medida de tua gente, e ele sairá diante de ti e não desejará retornar."

Então Andreth se levantou e estendeu suas mãos na direção do fogo. "Por que então ele se afastou? Por que deixar-me se eu ainda tinha alguns bons anos para gastar?"

"Ai de nós!", disse Finrod. "Temo que a verdade não te vai satisfazer. Os Eldar são de uma maneira, e vós de outra; e cada um julga os outros por si mesmo — até que aprenda, o que poucos fazem. Este é um tempo de guerra, Andreth, e em tais dias os Elfos não se casam nem concebem criança,[21] mas preparam-se para a morte — ou para a fuga. Aegnor não tem confiança alguma (nem eu tenho) de que este cerco de Angband dure muito; e então o que será desta terra? Se seu coração o governasse, ele teria desejado tomar-te consigo e fugir para longe, para o leste ou o sul, abandonando sua gente, e a tua. Amor e lealdade o prendem à gente dele. E quanto a ti à tua? Tu mesma disseste que não há escapatória por fuga dentro dos limites do mundo."

"Por um ano, um dia da chama, eu teria dado tudo: parentesco, juventude e a própria esperança; *adaneth* eu sou", respondeu Andreth.

"Isso ele sabia", disse Finrod; "e se retirou e não tomou aquilo que estava diante de sua mão: *elda* ele é. Pois tais barganhas são pagas em angústia que não pode ser imaginada até que venha, e em ignorância, e não em coragem, os Elfos creem que elas são feitas.

"Não, *adaneth*, se algum casamento pode haver entre nossa gente e a tua, então será por algum alto propósito do Destino. Breve será e duro no fim. Sim, a sina menos cruel que poderia suceder-lhe seria que a morte logo o encerrasse."

"Mas o fim é sempre cruel — para os Homens", disse Andreth. "Eu não o teria importunado quando minha curta juventude estivesse esgotada. Não teria me arrastado como uma megera atrás de seus pés luzentes quando não mais pudesse correr ao lado dele!"

"Talvez não", disse Finrod. "Assim o sentes agora. Mas não pensas nele? Ele não teria corrido diante de ti. Teria ficado a teu lado para te levantar. Então compaixão terias a toda hora, compaixão inescapável. Ele não consentiria em ver-te assim humilhada.

"Andreth *adaneth*, a vida e o amor dos Eldar repousam muito na memória; e nós (se não vós) preferimos antes ter uma memória que é bela, mas inacabada, do que uma que continua até um fim pesaroso. Agora ele sempre lembrar-se-á de ti no sol da manhã, e daquela última noite perto da água do Aeluin, na qual viu teu rosto espelhado com uma estrela presa em teus cabelos — sempre, até que o Vento Norte traga a noite de sua chama. Sim, e depois disso, sentar-se na Casa de Mandos nos Salões da Espera até o fim de Arda."

"E do que me lembrarei?", disse ela. "E quando eu partir, para que salões irei? Para uma escuridão na qual até a memória da chama afiada será apagada? Até a memória da rejeição. Pelo menos essa."

Finrod suspirou e se levantou. "Os Eldar não têm palavras de cura para tais pensamentos, *adaneth*", disse. "Mas desejarias que Elfos e Homens jamais tivessem se encontrado? A luz da chama, que de outra forma nunca terias visto, não tem valor mesmo agora?

Tu te acreditas desprezada? Afasta de ti ao menos esse pensamento, que vem da Escuridão, e então nosso colóquio juntos não terá sido de todo em vão. Adeus!"

A escuridão caiu sobre o aposento. Ele tomou a mão dela à luz do fogo. "Para onde ides?", disse Andreth.

"Para o Norte", respondeu ele: "para as espadas, e o cerco, e os muros de defesa — para que por ainda algum tempo em Beleriand os rios possam correr limpos, as folhas possam brotar e os pássaros possam fazer seus ninhos, antes que a Noite venha."

"Ele estará lá, luzente e alto, com o vento em seus cabelos? Dizei-lhe. Dizei-lhe para não ser temerário. Para não buscar o perigo sem necessidade!"

"Direi isso a ele", assentiu Finrod. "Mas poderia também dizer-te para não chorar. Ele é um guerreiro, Andreth, e um espírito de ira. Em cada golpe que desfere, ele vê o Inimigo que há muito te fez este ferimento.

"Mas vós não sois de Arda. Para onde fordes, que possais encontrar luz. Espera por nós lá, a meu irmão — e a mim."

NOTAS

1 Talvez seja possível comparar com esse trecho uma passagem no Debate dos Valar em *Leis e Costumes* (p. 302), onde Niënna diz a Manwë: "Embora a morte da separação possa afetar os Eldar em teu reino, uma coisa, contudo, não o atinge, nem há de atingir: e essa coisa é a deformidade e a decomposição"; ao que se acrescenta uma nota de rodapé: "Contudo, depois do assassínio das Árvores, isso aconteceu enquanto Melkor permaneceu ali; e o corpo de Finwë , assassinado por Melkor, feneceu e se transformou em poeira, tal como as próprias Árvores feneceram".

2 Aqui e em várias ocorrências subsequentes (mas de modo algum em todas), o termo *Quendi* foi alterado para *Elfos* no texto datilografado C.

3 *mudança* corresponde a uma emenda no texto datilografado B (apenas nele); no manuscrito a palavra é *crescimento*.

4 Cf. as palavras ditas por Pengoloð a Ælfwine no fim do *Ainulindalë* (p. 54), a respeito da mortalidade dos Homens: "A morte é sua sina, a dádiva de Ilúvatar, a qual, conforme o Tempo se desgasta, até os Poderes hão de invejar. Mas Melkor lançou sua sombra sobre ela, e a confundiu com a escuridão, e fez vir o mal do bem, e o medo da esperança".

5 O manuscrito, nesse ponto, diz: "O que sabeis vós [*ye*, plural] da morte? Não a temeis [*ye*, plural] porque não a conheceis [*you*, singular de tratamento]". O

datilógrafo do texto C substituiu o primeiro *ye* por *you*; meu pai não mudou isso, mas corrigiu a ocorrência original de *you* para *ye*. Na página de abertura do texto datilografado, ele observou que *ye* é usado apenas para o plural, e que *you* "representa o pronome élfico usado como cortesia", enquanto *thou, thee* [tu, ti] "representa o pronome familiar (ou afetuoso)". Essa distinção nem sempre é mantida no manuscrito, mas, em certos casos, o pronome *you*, onde poderíamos esperar *ye*, pode ter sido o escolhido pelo autor, e corrigi apenas as formas onde o erro parece certo.**

6 Trata-se de um erro estranho. Fingolfin morreu em 456, o ano posterior à Dagor Bragollach (V. 159, data repetida nos *Anais Cinzentos*): ver p. 271.

7 Cf. *Leis e Costumes*, p. 371: "O novo *fëa* e, portanto, em seu princípio, todos os *fëar*, eles [os Eldar] julgam vir diretamente de Eru e de além de Ëa. Portanto, muitos deles sustentam que não se pode afirmar que a sina dos Elfos é estarem confinados dentro de Arda para sempre e com ela cessarem de existir".

8 A referência é ao som da trompa de um caçador quando a presa é abatida, chamado de *mort*.

9 Aqui a distinção entre *ye* ["vós" no plural] e *you* [pronome de tratamento respeitoso, singular] provavelmente era a intenção (ver nota 5)

10 O manuscrito traz o termo *Mirruyainar*, reproduzido em ambos os textos datilografados. Em B, meu pai corrigiu o nome para *Mirroyainar* aqui, mas não na segunda ocorrência (p. 382); em C, alterou-o para *Mirröanwi* em ambas as ocorrências. Ver o "Glossário" do *Athrabeth*, p. 420.

11 Na margem do manuscrito, repetindo-se no texto datilografado C, há a seguinte nota a esse parágrafo: "Na Música de Eru, os Homens só entraram depois dos desacordos de Melkor". É claro que isso também é verdade quanto aos Elfos. Ver a Nota 1 do Autor no Comentário ao *Athrabeth*, bem como a nota 10 (p. 432).

12 Cf. as palavras de Manwë no fim do Debate dos Valar em *Leis e Costumes* (p. 299): "Pois Arda Imaculada tem dois aspectos ou sentidos. O primeiro é aquilo de Imaculado que eles [os Eldar] discernem no que há de Maculado ...: essa é a base sobre a qual a Esperança se constrói. O segundo é o Imaculado que há de ser: isto é, para falar de acordo com o Tempo no qual eles têm seu ser, a Arda Curada, que há de ser maior e mais bela que a primeira, por causa da Mácula: essa é a Esperança que dá sustento".

13 Afirma-se no *Ainulindalë* (p. 28, §19) que "a história estava incompleta, e os círculos, não de todo traçados quando a visão foi retirada", ponto onde, no texto final D (p. 48), foi acrescentada uma nota de rodapé, atribuída a Pengoloð:

** Em português, mantivemos o uso do *vós*, que só muda quando Finrod passa a usar o *tu* como forma de enfatizar seu carinho pessoal por Andreth, algo que ela nota no texto. [N.T.]

E alguns disseram que a Visão cessou antes da plenitude do Domínio dos Homens e do esvanecimento dos Primogênitos; donde, embora a Música esteja acima de tudo, os Valar não viram, como que com visão, as Eras Posteriores ou o final do Mundo.

No texto datilografado "perdido" AAm* equivalente à abertura dos *Anais de Aman* (p. 87), afirma-se que Nienna não conseguiu suportar a Música até o fim e que "portanto, ela não tem a esperança de Manwë" (p. 92).

14 Ver p. 377 e nota 7.

15 Quanto à concepção da Arda Completa, ver nota (iii) no fim de *Leis e Costumes* (p. 307).

16 É claro que um ponto fundamental para toda a concepção dos Dias Antigos era o de que os Homens teriam despertado no Leste com o primeiro Nascer do Sol, e que eles teriam existido por não mais do que algumas centenas de anos quando Finrod Felagund se deparou com Bëor e seu povo nos sopés das Montanhas Azuis. Apareceram sugestões anteriormente no *Athrabeth* de que Andreth estava vislumbrando períodos muito anteriores quando fala do despertar dos Homens (ela fala, por exemplo, de "lendas de dias em que a morte vinha menos rapidamente e o tempo que nos cabia ainda era muito maior", p. 379); nas palavras dela aqui, "um rumor que veio através de anos incontáveis", parece claro que há uma profunda alteração nesses conceitos. A cronologia dos Anos do Sol, entretanto, é mantida no *Athrabeth*, com a datação do encontro de Finrod e Andreth sendo "algo como o ano de 409 durante a Longa Paz (260–455)" (ver p. 371). Ver ainda p. 456.

17 Tanto aqui quanto na p. 391 o nome foi escrito como *Egnor* no manuscrito, depois alterado para *Aegnor*; cf. p. 220 (§42) e p. 243.

18 Cf. QS, §117 (V. 315): "Angrod e Egnor vigiavam Bladorion das encostas do norte de Dorthonion" (durante o Cerco de Angband), e §129 (V. 328–9): "Barahir [filho de Bëor, o Velho] habitava mormente nas marcas do norte com Angrod e Egnor".

19 A frase "Mas não digais *tu* para mim, pois assim ele outrora o fez!" foi um acréscimo ao manuscrito; Finrod tinha começado a se dirigir a Andreth chamando-a de *tu* um pouco antes desse ponto. Mas daqui até o fim do texto o uso dos pronomes é muito confuso, inconsistente no manuscrito e com emendas inconsistentes ao texto datilografado (trocando tanto *tu* por *vós* quanto *vós* por *tu*); parece que meu pai estava indeciso quanto às formas que Finrod deveria empregar, e deixei o texto como estava.

20 [No original,] *pitiful*: isto é, repleto de *pity* [piedade], compadecido.*

* Em contraste com o emprego mais usual da palavra *pitiful*, com o significado de "deplorável, lamentável". [N. T.]

[21] Cf. *Leis e Costumes*, p. 264: "pareceria a qualquer um dos Eldar algo pesaroso se um casal de esposos fosse separado durante a geração de uma criança, ou enquanto os primeiros anos de sua meninice durassem. Por tal razão, os Eldar geravam crianças apenas nos dias de alegria e paz, se pudessem".

O *Athrabeth Finrod ah Andreth* marca, talvez, a culminância do pensamento de meu pai sobre a relação entre Elfos e Homens, por meio da visão excelsa de Finrod sobre o desígnio original de Eru para a Gente dos Homens; mas seu propósito central era explorar de forma completa, pela primeira vez, a natureza da "Desfiguração dos Homens". No longo relato sobre sua obra que ele escreveu para Milton Waldman em 1951 (*Cartas*, nº 131, p. 219), ele tinha dito:

> A primeira queda do Homem ... não aparece em lugar algum — os Homens não entram em cena até que tudo isso tenha há muito passado, e há apenas um rumor de que, por algum tempo, eles sucumbiram ao domínio do Inimigo e de que alguns se arrependeram.

No *Athrabeth*, Finrod aborda esse "rumor" diretamente: "Portanto eu vos digo, Andreth, *que fizestes, vós, os Homens, há muito tempo atrás na escuridão?* Como enraivecestes Eru? ... Direis o que sabeis ou escutastes?" Ele acaba se deparando com uma recusa peremptória: "'Não o farei', disse Andreth. 'Não falamos disso com aqueles de outra raça.'"; mas, diante da pergunta posterior de Finrod, "Não há histórias de vossos dias antes da morte, ainda que não as desejeis contar a estranhos?", Andreth responde: "Talvez. Se não entre meu povo, então quiçá entre o povo de Adanel". A lenda da Queda do Homem preservada entre certos Edain estava prestes a ser introduzida (como veremos em breve).

Apresentando as diferenças fundamentais de destino, natureza e experiência entre Elfos e Homens na forma de um debate filosófico entre Finrod, Senhor de Nargothrond, e Andreth, descendente de Bëor, o Velho, a argumentação é, não obstante, conduzida com intensidade crescente, e amargura por parte de Andreth, cuja motivação (embora conhecida de ambos os personagens de forma independente) só é revelada no fim do diálogo. Mas a essa obra apaixonada meu pai apensou um longo comentário analítico e crítico, numa veia muito diferente, que apresento aqui.

Os jornais em que o *Athrabeth* e o comentário foram preservados (ver p. 368) trazem a seguinte inscrição:

Acrésc. Silmarillion

Athrabeth Finrod ah Andreth

Comentário

Em um desses papéis de embrulho, meu pai acrescentou: "Deve ser último item num apêndice" (isto é, um apêndice de *O Silmarillion*).

Este comentário foi datilografado por ele mesmo, numa versão principal e cópia-carbono, com algumas poucas emendas posteriores, quase idênticas em ambas as versões. Depois do comentário temos notas numeradas que abrangem um volume de texto muito maior que o do próprio comentário, já que algumas delas correspondem a ensaios curtos. Faço a distinção entre elas e minhas próprias notas numeradas ao texto (p. 430 e seguintes) usando as palavras "Nota do Autor".

Esboços muito rudimentares do comentário sobreviveram, e o fato de que eles foram escritos depois dos textos datilografados do *Athrabeth* propriamente dito pode ser comprovado com base na ocorrência da palavra *Mirröanwi* (ver nota 10 acima).

ATHRABETH FINROD AH ANDRETH

O Debate de Finrod e Andreth

Esta obra não está sendo apresentada como uma argumentação que tenha qualquer impacto para os Homens em sua situação presente (ou para a situação na qual creem estar), embora possa ter algum interesse para Homens cujo ponto de partida inclua crenças ou pressupostos similares aos sustentados pelo rei élfico Finrod.

Ela é, de fato, simplesmente parte do retrato do mundo imaginário do *Silmarillion*, e um exemplo do tipo de coisa que mentes analíticas de qualquer um dos lados, o élfico ou o humano, devem ter dito umas às outras depois que passaram a se conhecer. Vemos aqui a tentativa de uma mente élfica generosa de avaliar as relações de Elfos e Homens e o papel que estavam destinados a desempenhar no que ele chamaria de *Oienkarmë Eruo* (a perpétua produção do Uno), o que poderia ser traduzido como "O gerenciamento do Drama feito por Deus".

Há algumas coisas nesse mundo que precisam ser aceitas como "fatos". *A existência dos Elfos:* isto é, a de uma raça de seres proximamente aparentados aos Homens, tão próximos, de fato, que eles devem ser considerados, fisicamente (ou biologicamente), como simples ramos da mesma raça.[1] Os Elfos apareceram na Terra antes, mas não (mitologicamente ou geologicamente) muito antes;[2] eram "imortais" e não "morriam", exceto por acidente. Os Homens, quando apareceram nesse cenário (isto é, quando encontraram os Elfos), já eram, entretanto, essencialmente como o são hoje: "morriam", mesmo se escapassem de todos os acidentes, por volta da idade de 70 ou 80. *A existência dos Valar:* isto é, a de certos Seres angélicos (criados, mas pelo menos tão poderosos quanto os "deuses" das mitologias humanas), cujos líderes ainda residiam numa região física real da Terra. Eram os agentes e vice-regentes de Eru (Deus). Tinham se ocupado, durante eras sem nome, com uma labuta demiúrgica,[3] completando o desígnio de Eru para a estrutura do Universo (Eä); mas agora estavam concentrados na Terra para o principal Drama da Criação: a guerra dos *Eruhín* (Os Filhos de Deus), Elfos e Homens, contra Melkor. Esse Melkor, originalmente o mais poderoso dos Valar,[4] tornara-se um rebelde contra seus irmãos e contra Eru, e era o Espírito do Mal primevo.

No que diz respeito ao Rei Finrod, é preciso entender que ele tem como pressupostos certas crenças básicas, que ele diria serem derivadas de uma ou mais das seguintes fontes: sua natureza criada; a instrução angélica; o pensamento; e a experiência.

1. Existe Eru (O Uno); isto é, o Único Deus Criador, que fez (ou, mais precisamente, projetou) o Mundo, mas não é, Ele mesmo, o Mundo. Esse mundo, ou Universo, ele chama de *Eä*, uma palavra élfica que significa "Isto é" ou "Que Exista".

2. Na Terra existem criaturas "encarnadas", Elfos e Homens: essas são feitas a partir de uma união de *hröa* e *fëa* (grosso modo, mas não exatamente, equivalentes a "corpo" e "alma"). Isso, diria Finrod, era um *fato sabido* acerca da natureza élfica, e podia, portanto, ser deduzido quanto à natureza humana com base no parentesco próximo de Elfos e Homens.

3. *Hröa* e *fëa*, diria ele, são de natureza totalmente distinta, e não estão no "mesmo plano de derivação a partir de Eru" *(Nota do Autor 1, p. 405)*, mas foram designados um para o outro, para subsistirem em harmonia perpétua. O *fëa* é indestrutível, uma

identidade única que não pode ser desintegrada ou absorvida por nenhuma outra identidade. O *hröa*, entretanto, pode ser destruído e dissolvido: trata-se de um fato da experiência. (Em tal caso, ele descreveria o *fëa* como "exilado" ou "sem-morada".)

4. A separação de *fëa* e *hröa* é "antinatural" e não procede do desígnio original, mas da "Desfiguração de Arda", que se deve às operações de Melkor.

5. A "imortalidade" élfica está circunscrita dentro de uma parte do Tempo (a qual ele designaria como a História de Arda) e, portanto, deveria ser mais estritamente chamada de "longevidade serial", cujo limite máximo é a duração da existência de Arda. *(Nota do Autor 2, p. 406)* Um corolário desse fato é que o *fëa* élfico também é limitado ao Tempo de Arda, ou pelo menos fica mantido dentro dele e é incapaz de deixá-lo enquanto ele durar.

6. Com base nisso viria o raciocínio, se não fosse um fato da experiência élfica, que um *fëa* élfico "sem-morada" deve ter o poder ou a oportunidade de retornar à vida encarnada, se tiver o desejo ou a vontade de fazê-lo. (Na verdade, os Elfos descobriram que seus *fëar* não tinham esse poder em si mesmos, mas que a oportunidade e os meios eram fornecidos pelos Valar, por meio da permissão especial de Eru, para emendar o estado antinatural do divórcio. Não era lícito que os Valar forçassem um *fëa* a retornar; mas podiam impor condições e julgar se o retorno deveria ser permitido de algum modo, e, se sim, de que maneira ou depois de quanto tempo.) *(Nota do Autor 3, p. 408)*

7. Uma vez que os Homens morrem, mesmo sem acidentes e querendo ou não fazê-lo, seus *fëar* devem ter uma relação diferente com o Tempo. Os Elfos acreditavam, embora não tivessem informações inequívocas sobre isso, que os *fëar* dos Homens, se ficavam desincorporados, deixavam o Tempo (mais cedo ou mais tarde) e nunca mais retornavam. *(Nota do Autor 4, p. 410)*

Os Elfos observaram que todos os Homens morriam (um fato confirmado pelos Homens). Portanto, deduziram que isso era "natural" para os Homens (ou seja, seguia o desígnio de Eru) e supuseram que a brevidade da vida humana se devia a esta característica do *fëa* humano: a de que ele não fora designado a ficar por muito tempo em Arda. Enquanto os *fëar* deles próprios, sendo designados a permanecer em Arda até o fim dela, produziam uma grande resistência em seus corpos; pois tinham (o que era um fato da experiência) um controle muito maior sobre eles. *(Nota do Autor 5, p. 411)*

Par além do "Fim de Arda" o pensamento élfico não conseguia avançar, e eles não tinham nenhuma instrução específica a esse respeito. *(Nota do Autor 6, p. 411)* Parecia-lhes claro que os seus *hröar* deveriam, com esse fim, também deixar de existir, e que, portanto, qualquer tipo de reencarnação tornar-se-ia impossível. *(Nota do Autor 7, p. 411*) Todos os Elfos, então, "morreriam" no Fim de Arda. O que isso significaria eles não sabiam. Diziam, portanto, que os Homens tinham uma sombra detrás deles, mas que os Elfos tinham uma sombra diante deles.

O dilema que enfrentavam era este: imaginar a existência como *fëar* apenas era nauseante para eles, e achavam difícil acreditar que isso fosse algo natural ou designado para sua gente, já que eram essencialmente "habitantes de Arda" e, por natureza, estavam totalmente apaixonados por Arda. A alternativa, a de que seus *fëar* também deixariam de existir no "Fim", parecia ainda mais intolerável. Tanto a aniquilação absoluta quanto a cessação da identidade consciente eram totalmente repugnantes para seu pensamento e desejo. *(Nota do Autor 8, p. 413)*

Alguns argumentavam que, embora fosse integral e único (como Eru, de quem procedia diretamente), cada *fëa*, sendo criado, era finito, e podia, portanto, ser também de duração finita. Não era destrutível nos limites de seu tempo estabelecido, mas, quando esse era alcançado, ele cessava de existir; ou cessava de ter quaisquer outras experiências e "residia somente no Passado".

Mas eles perceberam que isso não trazia escapatória nenhuma. Pois, mesmo se um *fëa* élfico pudesse "conscientemente" habitar ou contemplar o Passado, essa seria uma condição totalmente insatisfatória para seus desejos. *(Referência à Nota do Autor 8)*. Os Elfos tinham (como eles próprios diziam) um "grande talento" para a memória, mas ele tendia antes ao arrependimento que ao regozijo. Além disso, por mais longa que a História dos Elfos se tornasse antes de seu término, ela seria um objeto de variedade muito limitada. Ficar perpetuamente "aprisionado num conto" (como eles diziam), mesmo que fosse um conto grandioso que terminava em triunfo, acabaria se tornando um tormento.[5] Pois maior do que o talento da memória era o talento élfico para *criar*, e para descobertas. O *fëa* élfico era, acima de tudo, projetado para criar coisas em cooperação com seu *hröa*.

Portanto, como último recurso, os Elfos eram obrigados a se apoiar na "*estel* desnuda" (como diziam): a confiança em Eru, segundo a qual o que quer que Ele planejasse para além do Fim seria reconhecido por cada *fëa* como totalmente satisfatório (no mínimo). Provavelmente conteria júbilos imprevisíveis. Mas eles ainda mantinham a crença de que seria algo que manteria uma relação inteligível com sua natureza e desejos presentes, derivaria deles e haveria de incluí-los.

Por essas razões, os Elfos tinham menos empatia do que os Homens esperavam pela falta de esperança (ou *estel*) dos Homens que enfrentavam a morte. Os Homens, é claro, em geral eram inteiramente ignorantes quanto à "Sombra Adiante" que condicionava o pensamento e os sentimentos élficos, e invejavam a "imortalidade" élfica. Mas os Elfos eram, por sua vez, geralmente ignorantes quanto à tradição persistente entre os Homens de que eles também, por natureza, eram imortais.

Como se vê no *Athrabeth*, Finrod fica profundamente comovido e maravilhado ao descobrir essa tradição. Ele se depara também com uma tradição concomitante segundo a qual a mudança na condição dos Homens em relação à sua natureza original se deveu a um desastre primevo, a respeito do qual o saber humano não é claro, ou Andreth, pelo menos, não está disposta a dizer muito. *(Nota do Autor 9, p. 414)* Não obstante, ele mantém a opinião de que a condição dos Homens antes do desastre (ou, como poderíamos dizer, a condição do Homem não caído) não pode ter sido a mesma dos Elfos. Isto é, a "imortalidade" deles não pode ter sido a longevidade circunscrita a Arda dos Elfos; do contrário, eles teriam sido simplesmente Elfos, e sua introdução separada e posterior no Drama por parte de Eru não teria função nenhuma. Finrod acha que a opinião dos Homens de que, se inalterados, eles não teriam morrido (no sentido de deixar Arda) se deve à incompreensão humana de sua própria tradição e, possivelmente, à comparação invejosa entre eles e os Elfos. Para começar, ele não acha que isso se encaixa com (como diríamos) "as peculiaridades observáveis da psicologia humana", quando comparadas com os sentimentos élficos em relação ao mundo visível.

Ele, portanto, infere que o medo da morte é o verdadeiro resultado do desastre. A morte passa a ser temida porque agora é acompanhada da separação de *hröa* e *fëa*. Mas os *fëar* dos Homens devem ter sido projetados para deixar Arda de boa vontade, ou mesmo por desejar fazê-lo — talvez depois de um período mais longo do que a presente média da vida humana, mas ainda assim após um período muito curto se comparado às vidas élficas. Então, baseando seu argumento no axioma de que a separação de *hröa* e *fëa* é antinatural e contrária ao desígnio de Eru, ele chega à conclusão (ou, se preferir, dá um salto rumo a essa conclusão) de que o *fëa* do Homem não caído teria levado consigo seu *hröa* rumo ao novo modo de existência (livre do Tempo). Em outras palavras, essa "assunção" era o fim natural de cada vida humana, embora, até onde sabemos, tenha sido o fim do único membro "não caído" da Raça Humana.[6] Com isso, Finrod tem uma visão dos Homens como os agentes da "contra-desfiguração" de Arda, não apenas desfazendo a desfiguração ou o mal obrados por Melkor, mas produzindo uma terceira coisa, "Arda Refeita" — pois Eru nunca meramente desfaz o passado, mas traz ao ser algo novo, mais rico que o "primeiro desígnio". Em Arda Refeita, Elfos e Homens vão ambos, de maneira separada, encontrar júbilo e contentamento, e uma interrelação de amizade, cujo laço virá do Passado.

Andreth diz que, nesse caso, o desastre que afetou os Homens foi apavorante, pois essa recriação (se de fato essa era a função correta dos Homens) não pode ser realizada agora. Finrod evidentemente continua tendo esperança de que ela será realizada, embora não diga como isso poderia se dar. Ele agora percebe, entretanto, que o poder de Melkor era maior do que muitos tinham compreendido (mesmo entre os Elfos, que chegaram mesmo a vê-lo em forma encarnada), se ele tinha sido capaz de modificar os Homens e, assim, destruir o plano.[7]

Mais estritamente falando, ele diria que Melkor não "modificou" os Homens, mas os "seduziu" (à vassalagem a ele) muito cedo na história dessa gente, de modo que Eru modificara o "destino" deles. Pois Melkor era capaz de seduzir mentes e vontades individuais, mas não era capaz de fazer com que isso se tornasse hereditário ou de alterar (na contramão da vontade e do desígnio de Eru) a relação de um povo inteiro com o Tempo e com Arda. Mas o poder de Melkor sobre as coisas materiais era claramente vasto.

A totalidade de Arda (e, de fato, provavelmente muitas outras partes de Eä) tinham sido desfiguradas por ele. Melkor não era apenas um Mal local da Terra, nem um Anjo da Guarda da Terra que tinha se pervertido: ele era o Espírito do Mal, surgido antes mesmo da criação de Eä. Sua tentativa de dominar a estrutura de Eä, e a de Arda em particular, e alterar os desígnios de Eru (os quais governavam todas as operações dos Valar fiéis a ele), tinha introduzido o mal, ou uma tendência aberrante em relação ao desígnio, em toda a matéria física de Arda. Foi por essa razão, sem dúvida, que ele tinha sido totalmente bem-sucedido com os Homens, mas apenas parcialmente com os Elfos (que permaneciam, enquanto povo, "não caídos"). Seu poder era empregado sobre a matéria, e através dela. *(Nota do Autor 10, p. 415)* Mas, por natureza, os *fëar* dos Homens tinham controle muito menos forte sobre seus *hröar* do era o caso dos Elfos. Membros da raça élfica, individualmente, podiam ser seduzidos por um tipo de "melkorismo" menor: o desejo de serem seus próprios mestres em Arda, e o de fazer as coisas a seu bel-prazer, o que levava, em casos extremos, à rebelião contra a tutelagem dos Valar; mas nenhum jamais tinha se tornado serviçal ou vassalo do próprio Melkor, nem jamais negado a existência e absoluta supremacia de Eru. Algumas coisas horrendas dessa sorte, infere Finrod, os Homens devem ter feito como um todo; mas Andreth não revela quais eram as tradições dos Homens sobre esse ponto. *(Referência à Nota do Autor 9)*

Finrod, entretanto, agora percebe que, da maneira como as coisas eram, nenhuma coisa ou ser criado em Arda, ou em toda Eä, era poderoso o suficiente para contrabalançar ou curar o Mal: isto é, para subjugar Melkor (em sua pessoa presente, por mais reduzida que estivesse) *e* o Mal que ele tinha dissipado e lançado adiante de si dentro da própria estrutura do mundo.

Só o próprio Eru poderia fazer isso. Portanto, uma vez que era impensável que Eru abandonasse o mundo ao triunfo e domínio últimos de Melkor (o que significaria sua ruína e redução ao caos), o próprio Eru deveria, em algum momento, vir para se opor a Melkor. Mas Eru não poderia entrar *totalmente* no Mundo e em sua história, a qual, por maior que seja, é apenas um Drama finito. Ele, como Autor, deve sempre permanecer "fora" do Drama, ainda que esse Drama dependa de Seu desígnio e de Sua vontade para seu princípio e continuação, em todos os detalhes e momentos.

Finrod, portanto, crê que Ele, quando vier, terá de ficar tanto "fora" quanto dentro; e, assim, vislumbra a possibilidade de certa complexidade ou de distinções dentro da natureza de Eru, as quais, mesmo assim, permitem que Ele permaneça sendo "O Uno". *(Nota do Autor 11, p. 415)*

Uma vez que Finrod já tinha inferido que a função redentora originalmente tinha sido atribuída de modo especial aos Homens, ele provavelmente passou à expectativa de que "a vinda de Eru", se acontecesse, estaria voltada especial e principalmente para os Homens: ou seja, trata-se de uma inferência ou visão imaginativa de que Eru viria encarnado em forma humana. Isso, entretanto, não aparece no *Athrabeth*.

Essa argumentação, é claro, não é apresentada no *Athrabeth* nesses termos, ou nessa ordem, ou de forma tão precisa. O *Athrabeth* é uma conversa, na qual muitos pressupostos e etapas de pensamento precisam ser trazidos à mesa pelo leitor. Na verdade, embora o texto aborde coisas tais como a morte e as relações de Elfos e Homens com o Tempo e Arda, e uns com os outros, seu propósito real é dramático: exibir a generosidade da mente de Finrod, seu amor e compaixão por Andreth e as situações trágicas que forçosamente surgem a partir do encontro de Elfos e Homens (nas eras da juventude dos Elfos). Pois, como acaba ficando claro, Andreth, em sua juventude, apaixonara-se por Aegnor, irmão de Finrod; e, embora ela soubesse que ele correspondia ao seu amor (ou poderia ter correspondido, caso se dignasse a isso), Aegnor não se declarou, mas a deixou — e ela acreditava ter sido rejeitada por ser humilde demais para um Elfo. Finrod (embora ela não estivesse ciente disso) sabia dessa situação. Por essa razão, ele a compreendeu e não ficou ofendido pela amargura com a qual ela falava dos Elfos, e mesmo dos Valar. Ele teve sucesso, no fim das contas, em fazê-la entender que não foi "rejeitada" por desprezo ou arrogância élfica; mas que a partida de Aegnor se deu por motivos de "sabedoria" e lhe custou grande dor: ele era igualmente uma vítima da tragédia.

De fato, Aegnor pereceu logo depois dessa conversa,[8] quando Melkor rompeu o Cerco de Angband na ruinosa Batalha da Chama Repentina, e a destruição dos reinos élficos em Beleriand se iniciou. Finrod refugiou-se na grande praça-forte meridional de

Nargothrond; mas, não muito tempo depois, sacrificou a vida para salvar Beren Uma-Mão. (É provável, embora não seja afirmado em lugar nenhum, que a própria Andreth tenha perecido nessa época, pois todo o reino setentrional, onde Finrod, seus irmãos e o Povo de Bëor habitavam, foi devastado e conquistado por Melkor. Mas, nessa época, ela já seria muito idosa.)[9]

Finrod, assim, foi morto antes que os dois casamentos de Elfos e Homens tivessem lugar, ainda que, sem sua ajuda, a união de Beren e Lúthien não teria vindo a ocorrer. O casamento de Beren certamente cumpriu a previsão dele de que tais uniões só aconteceriam por algum alto propósito do Destino, e que a sina menos cruel seria a de que a morte logo daria fim a elas.

Notas do Autor sobre o "Comentário"

Nota 1

Isso porque considerava-se que os *fëar* eram criados diretamente por Eru e "enviados para dentro" de Eä, enquanto Eä foi arquitetada de forma mediada pelos Valar.

De acordo com o *Ainulindalë*, houve cinco estágios na Criação. a. A criação dos Ainur. b. A comunicação do desígnio de Eru aos Ainur. c. A Grande Música, a qual foi, por assim dizer, um ensaio, e permaneceu no estágio de pensamento ou imaginação. d. A "Visão" de Eru, a qual, de novo, foi apenas um prenúncio das possibilidades e estava incompleta. e. A Realização, que ainda está acontecendo.

Os Eldar sustentavam que Eru era e é livre em todos esses estágios. Essa liberdade foi demonstrada na Música por meio da introdução, depois do surgimento dos desacordos de Melkor, dos dois novos temas, representando a vinda de Elfos e Homens, os quais não eram parte da primeira comunicação feita por Ele.[10] Eru pode, portanto, no estágio 5, introduzir coisas novas diretamente, as quais não estavam na Música e, assim, não são realizadas através dos Valar. Não obstante, continua sendo correto, de modo geral, considerar que Eä se tornou realidade pela mediação dos Valar.

Os acréscimos de Eru, entretanto, não serão "alheios" ao todo; vão ser acomodados à natureza e ao caráter de Eä e daqueles que nele habitam; podem ampliar o passado e enriquecer seu propósito e sua significância, mas vão contê-lo, e não destruí-lo.

Assim, a "novidade" dos temas dos Filhos de Eru, Elfos e Homens, consistia na associação dos *fëar* com, ou na "morada" deles dentro de, *hröar* pertencentes a Eä, de tal maneira que uns se tornavam incompletos sem os outros. Mas os *fëar* não eram espíritos de natureza totalmente diferente da dos Ainur, enquanto os corpos eram de um tipo proximamente aparentado ao dos corpos das coisas vivas já presentes no desígnio primário (mesmo se adaptados à sua nova função, ou modificados pelos *fëar* que neles habitavam).

Nota 2

Arda, ou "O Reino de Arda" (estando diretamente sob o reinado do vice-regente de Eru, Manwë), não é um termo fácil de traduzir, já que nem "Terra" nem "mundo" são inteiramente adequados. Fisicamente, Arda era o que chamaríamos de Sistema Solar.[11] Presumivelmente, os Eldar poderiam ter obtido uma quantidade tão grande e precisa de informação acerca de Arda, sua estrutura, origem e relação com o resto de Eä (o Universo) quanto seriam capazes de compreender. Provavelmente, aqueles que estavam interessados de fato adquiriam esse conhecimento. Nem todos os Eldar estavam interessados em tudo; a maioria deles concentrava sua atenção (ou, como diziam, "dedicavam seu amor") à Terra.

As tradições aqui mencionadas derivam dos Eldar da Primeira Era, por meio de Elfos que nunca tiveram contato direto com os Valar e de Homens que receberam esse "saber" dos Elfos, mas tinham mitos, lendas cosmogônicas e inferências astronômicas próprias. Entretanto, não há nada nessas tradições que conflite seriamente com as ideias presentes dos seres humanos sobre o Sistema Solar e seu tamanho e posição em relação ao Universo. É preciso lembrar, entretanto, que isso não necessariamente quer dizer que "Informações Verdadeiras" acerca de Arda (tais como as que os antigos Eldar poderiam ter recebido dos Valar) devem estar de acordo com as teorias atuais dos Homens. Além disso, os Eldar (e os Valar) não ficavam embasbacados ou mesmo muito impressionados com ideias sobre tamanho e distância. O interesse deles, e decerto o interesse do *Silmarillion* e de toda a matéria relacionada a ele, pode ser definido como "dramático". Lugares ou mundos eram interessantes ou importantes por causa do que acontecia neles.

Certamente, no caso das tradições élficas, a parte principal de Arda era a Terra (*Imbar*, "A Habitação"),[12] por ser o cenário do Drama da guerra dos Valar e dos Filhos de Eru contra Melkor. Desse modo, quando empregado de forma genérica, o termo "Arda" frequentemente parece significar a Terra, indicando que, desse ponto de vista, a função do Sistema Solar era tornar possível a existência de Imbar. Quanto à relação de Arda com Eä, a afirmação de que os principais Ainur demiúrgicos (os Valar), incluindo o que originalmente era o maior deles, Melkor, tinham feito sua "residência" em Arda[13] desde o estabelecimento dela, também implica que, por mais minúscula que fosse, Arda era, dramaticamente, o ponto principal de Eä.

Essa visão não é matemática ou astronômica, ou mesmo biológica, e, assim, não se pode afirmar que necessariamente ela está em conflito com as teorias das nossas ciências físicas. Não podemos dizer que "devem" existir em outros lugares de Eä outros sistemas solares "semelhantes" a Arda, e ainda menos que, se existirem, eles ou qualquer um deles deve conter algo paralelo a Imbar. Não podemos nem dizer que essas coisas são matematicamente muito "prováveis". Mas, mesmo se a presença da vida "biológica" em outro lugar de Eä fosse demonstrável, isso não invalidaria a visão élfica de que Arda (ao menos enquanto ela durar) é o centro dramático. A demonstração de que em outro lugar existissem Encarnados, em paralelo aos Filhos de Eru, modificaria, é claro, o cenário, embora não o invalidasse completamente. A resposta élfica provavelmente seria: "Bem, esse é outro Conto. Não é o nosso Conto. Eru pode, sem dúvida, trazer à existência mais de um deles. Nem tudo está prenunciado no *Ainulindalë*; ou o *Ainulindalë* pode estar se referindo a algo mais amplo do que imaginamos: outros dramas, semelhantes em tipo, ainda que diferentes em seus processos e resultados, podem ter se desenrolado em Eä, ou podem ainda se desenrolar". Mas eles certamente acrescentariam: "Mas não estão se desenrolando agora. O drama de Arda é o tema presente de Eä". Na verdade, a visão da tradição élfica claramente é a de que o Drama de Arda é único. Não podemos, no momento, afirmar que isso não é verdadeiro.

Os Elfos, é claro, estavam preocupados, primária e profundamente (mais profundamente que os Homens) com Arda, e com Imbar em particular. Parecem ter defendido que o universo físico,

Eä, teve um princípio e teria um fim: que ele era limitado e finito em todas as dimensões. Certamente sustentavam que todas as coisas ou "criações", isto é, entidades construídas (mesmo que de forma simples e incipiente) a partir da "matéria" básica, que eles chamavam de *erma*,[14] eram impermanentes dentro de Eä. Estavam, portanto, muito preocupados com "O Fim de Arda". Sabiam que eles próprios estavam limitados por Arda; mas a duração da existência dela é algo que não parecem ter sabido. É possível que nem os Valar soubessem. Mais provavelmente, não foram informados pela vontade ou pelo desígnio de Eru, que parece, na tradição élfica, exigir duas coisas de Seus Filhos (de qualquer uma das Gentes): crença Nele e, derivada disso, esperança ou confiança Nele (chamada de *estel* pelos Eldar).

Mas, de qualquer modo, fosse prenunciado na Música ou não, o Fim poderia ser desencadeado por Eru a qualquer momento por sua intervenção, de modo que não podia ser previsto com certeza. (Uma intervenção menor e, por assim dizer, prenunciadora desse tipo foi a catástrofe na qual Númenor acabou sendo obliterada, encerrando a residência física dos Valar em Imbar.) A concepção élfica do Fim era, de fato, *catastrófica*. Eles não achavam que Arda (ou, de qualquer modo, Imbar) simplesmente definharia num esvaziamento sem vida. Mas essa concepção não tinha sido incorporada por eles em nenhum tipo de mito ou lenda. Ver a Nota 7.

Nota 3

Na tradição élfica, a reencarnação era uma permissão especial concedida por Eru a Manwë, quando Manwë O consultou diretamente na época do debate acerca de Finwë e Míriel.[15] (Míriel "morreu" em Aman ao recusar a continuidade da vida no corpo, e assim levantou toda a questão do divórcio antinatural entre um *fëa* élfico e seu *hröa*, e da perda dos Elfos que ainda viviam: Finwë, o marido dela, ficou solitário.) Os Valar, ou Mandos, como porta-voz de todas as ordens deles e em muitos casos seu executor, receberam poder para convocar, com plena autoridade, todos os *fëar* sem-morada dos Elfos para Aman. Ali, recebiam a escolha de permanecer sem-morada ou (se o desejassem) de receber nova morada com a mesma forma e feitio que tinham antes.[16] Normalmente, mesmo assim, tinham de permanecer em Aman.[17]

Portanto, se habitassem a Terra-média, a perda do contato com amigos e parentela, bem como a perda dessas pessoas na Terra-média, não eram remediadas. A morte não era totalmente curada. Mas, na visão de Andreth, essa certeza acerca do futuro imediato deles após a morte, e o conhecimento de que, pelo menos, eles seriam novamente capazes, se desejassem, de fazer e criar coisas como *encarnados* e continuar a experimentar Arda, faziam com que a morte, para os Elfos, fosse uma coisa totalmente diferente da morte conforme ela parecia aos olhos dos Homens.

Eles podiam escolher porque Eru não permitia que seu livre-arbítrio fosse retirado. Da mesma maneira, os *fëar* sem-morada eram *convocados*, e não trazidos, até Mandos. Podiam recusar a convocação, mas isso implicaria que estavam, de alguma maneira, conspurcados, ou então não desejariam recusar a autoridade de Mandos: a recusa tinha graves consequências, que inevitavelmente derivavam da rebelião contra a autoridade.

Eles "normalmente permaneciam em Aman". Simplesmente porque, quando recebiam nova morada, eram abrigados de novo em corpos físicos reais, e o retorno à Terra-média, portanto, era muito difícil e perigoso. Além disso, durante o período do Exílio dos Noldor, os Valar tinham temporariamente cortado toda comunicação (por meios físicos) entre Aman e a Terra-média. Os Valar podiam, claro, achar meios para a transferência dos Elfos, se houvesse uma razão suficientemente grave para isso. A perda dos amigos e da parentela, aparentemente, não era considerada uma razão suficiente. Provavelmente de acordo com as instruções de Eru. De qualquer modo, no que diz respeito aos Noldor, eles tinham, enquanto povo, alijado a si próprios da misericórdia dos Valar; deixaram Aman exigindo liberdade absoluta para serem seus próprios mestres, para continuar a guerra contra Melkor por meio de sua própria valentia sem auxílio e para encarar a morte e suas consequências. O único caso de um arranjo especial registrado nas Histórias é o de Beren e Lúthien. Beren foi morto logo depois do casamento dos dois, e Lúthien morreu de tristeza. Ambos receberam novas moradas e foram enviados de volta a Beleriand; mas ambos se tornaram "mortais" e morreram mais tarde, de acordo com o tempo de vida normal humano. As razões para essa exceção, que deve ter sido aberta por uma permissão expressa de Eru, não ficaram totalmente claras até mais tarde, mas certamente o peso delas era único. A tristeza de Lúthien era tamanha que, de acordo com os Eldar, comoveu até a piedade o próprio Mandos, o Impassível. Beren e Lúthien, juntos, realizaram o maior de todos os feitos contra Melkor: a recuperação de uma das Silmarils. Lúthien não era dos Noldor, mas filha de Thingol (dos Teleri), e sua mãe, Melian, era "divina", uma *maia* (um dos membros menores da raça de espíritos dos Valar). Assim, da união de Lúthien e Beren, a qual se tornou possível pelo retorno dos dois, a infusão de uma estirpe "divina" e élfica na Gente dos Homens pôde se realizar, forjando um elo entre a Gente dos Homens e o Mundo Antigo, depois do estabelecimento do Domínio dos Homens.

Nota 4

Mais cedo ou mais tarde: porque os Elfos acreditavam que os *fëar* dos Homens mortos também iam para Mandos (sem poder de escolha nessa matéria: seu livre arbítrio no que diz respeito à morte era retirado). Lá eles aguardavam até serem entregues a Eru. A verdade quanto a isso não é afirmada com todas as letras. Não se permitia que nenhum Homem vivente fosse a Aman. Nenhum *fëa* de um Homem morto jamais voltou à vida na Terra-média. No caso de todas essas afirmações e decretos, sempre havia algumas exceções (por causa da "liberdade de Eru"). Eärendil alcançou Aman, mesmo na época do Interdito; mas ele trazia a Silmaril recuperada por sua ancestral Lúthien,[18] e era "meio-elfo": não lhe foi permitido retornar à Terra-média. Beren retornou à vida em sentido estrito, por um tempo curto; mas não chegou a ser efetivamente visto de novo por Homens viventes.

A viagem "além-mar" para Eressëa (uma ilha que ficava à vista de Aman) era permitida e, de fato, fortemente estimulada no caso de todos os Elfos que permaneciam na Terra-média depois da queda de Morgoth em Angband. Isso, de fato, marcou o início do Domínio dos Homens, embora houvesse (do nosso ponto de vista) um longo período crepuscular entre a queda de Morgoth e a derrocada final de Sauron — isto é, algo que durou toda a Segunda e Terceira Eras. Mas, no fim da Segunda Era, veio a grande Catástrofe (por meio de uma intervenção de Eru que prenunciou, por assim dizer, o Fim de Arda): a aniquilação de Númenor e a "remoção" de Aman do mundo físico. Portanto, a viagem para "além-mar" de

Mortais após a Catástrofe — a qual está registrada em *O Senhor dos Anéis* — não é exatamente a mesma coisa. Em todo caso, tratava-se de uma graça especial. Uma oportunidade para morrer de acordo com o plano original quanto aos não caídos: eles alcançavam um estado no qual podiam adquirir maior conhecimento e paz de espírito, e, estando curados de todas as feridas, tanto da mente quanto do corpo, podiam afinal se entregar: morrer de livre vontade, e até mesmo por seu próprio desejo, em *estel*. Uma coisa que Aragorn conseguiu realizar sem nenhuma ajuda desse tipo.

Nota 5

Assim, eles eram capazes de esforços físicos muito maiores e mais longos (na busca de algum propósito dominante de suas mentes) sem cansaço; não estavam sujeitos a doenças; curavam-se rápida e completamente depois de ferimentos que teriam se mostrado fatais para Homens; e conseguiam suportar grande dor física por longos períodos. Seus corpos, entretanto, não eram capazes de sobreviver a ferimentos em órgãos vitais ou a ataques violentos à sua estrutura, nem podiam substituir membros faltantes (tais como uma mão decepada). Por outro lado: os Elfos podiam morrer, e de fato morriam, por sua própria vontade, como, por exemplo, por causa de uma grande tristeza ou perda de alguém, ou por causa da frustração de seus desejos e propósitos dominantes. Essa morte voluntária não era considerada perversa, mas era uma falha que implicava algum defeito ou conspurcação do *fëa*, e àqueles que chegavam a Mandos por esse meio poderia ser negada uma nova vida encarnada.

Nota 6

Porque os Valar não tinham nenhuma informação sobre isso; ou porque essa informação não era divulgada. Ver a Nota 2 [quinto parágrafo].

Nota 7

Ver a Nota 2. Os Elfos esperavam que o Fim de Arda fosse catastrófico. Achavam que ele realizar-se-ia pela dissolução da estrutura de Imbar, pelo menos, se não a do sistema inteiro. O Fim de Arda não é, claro, a mesma coisa que o fim de Eä. A esse respeito eles defendiam que não era possível saber nada, exceto que Eä era, em última instância, finita. Vale ressaltar que os Elfos não tinham mitos ou lendas que abordassem o fim do mundo. O mito que aparece no fim do *Silmarillion* é de origem númenóreana;[19] claramente foi criado por Homens, ainda que fossem Homens familiarizados com a tradição élfica. Todas as tradições élficas são apresentadas como "histórias", ou relatos do que outrora aconteceu.

Aqui, estamos lidando com o pensamento élfico num período antigo, quando os Eldar ainda eram completamente "físicos" em sua forma corpórea. Muito mais tarde, quando o processo (já vislumbrado por Finrod) chamado de "fenecimento" ou "desvanecimento" passou a ter efeitos mais claros, as visões que tinham sobre o Fim de Arda, até onde isso os afetava, devem ter se modificado. Mas há poucos registros de quaisquer contatos entre o pensamento élfico e o humano em dias tão tardios. Eles acabaram adquirindo uma morada, se é que pode ser chamada assim, que não era a de *hröar* verdadeiros, visíveis e tangíveis, mas apenas a memória que o *fëa* tinha de sua forma corpórea e de seu desejo por ela; e, portanto, algo que não era dependente, para sua mera existência, do material de Arda.[20] Mas eles parecem ter defendido, e, de fato, ainda parecem defender, que esse desejo pelo *hröa* mostra que sua condição mais tardia (e presente) não é natural para eles, e permanecem na *estel* de que Eru vai curá-la. "Não é natural" seja porque se deve totalmente, como pensavam antes, ao enfraquecimento do *hröa* (derivado da debilidade introduzida por Melkor na substância de Arda da qual o *hröa* precisa se alimentar), ou, parcialmente, devido à ação inevitável de um *fëa* dominante sobre um *hröa* material através de muitas eras. (No segundo caso, "natural" só pode ser uma referência a um estado ideal, em que a matéria não desfigurada poderia suportar ser habitada para sempre por um *fëa* perfeitamente adaptado a ela. O termo não pode ser uma referência ao desígnio real de Eru, já que os Temas dos Filhos foram introduzidos depois que se levantaram os desacordos de Melkor. O "desvanecimento" dos *hröar* élficos deve, portanto, ser parte da História de Arda conforme planejada por Eru, sendo o modo pelo qual os Elfos deviam abrir caminho para o Domínio dos Homens. Os Elfos encaram o fato que os Homens os suplantaram como um mistério e uma causa de pesar; pois dizem que os Homens, ao menos tão influenciados pelo mal de Melkor quanto eles, têm cada vez menos *amor* por Arda em si própria, ocupando-se, em larga medida, com a destruição dela, na tentativa de dominá-la. Eles ainda acreditam que a cura de todas as tristezas de Arda por parte de Eru virá agora dos Homens ou através deles; mas o papel dos Elfos na cura ou redenção estará principalmente na restauração do *amor* a Arda, para o qual a memória que têm do Passado e a compreensão do que poderia ter sido vai contribuir. Arda, dizem eles, será destruída por Homens perversos (ou pela perversidade dentro dos Homens), mas curada pela bondade dentro dos Homens. A perversidade, o desamor dominador, os Elfos vão contrabalançar. Pela santidade dos homens bons — sua ligação direta com Eru, que precede e está acima de todas as obras de Eru[21] — os Elfos podem ser libertados do último de seus pesares: a tristeza; a tristeza que deve vir até mesmo do amor não egoísta por qualquer coisa menor do que Eru.)

Nota 8

Desejo. Os Elfos insistiam que "desejos", especialmente desejos tão fundamentais quanto os abordados aqui, deviam ser tomados como indicações das verdadeiras naturezas dos Encarnados, e da direção na qual sua plenitude não desfigurada devia seguir. Eles distinguiam entre o *desejo do fëa* (a percepção de que algo correto ou necessário não está presente, levando ao desejo ou à esperança de que esteja); *desejo pessoal* (a sensação da falta de algo, cuja força tem a ver principalmente com o eu de alguém e que pode ter pouca ou nenhuma relação com a justeza geral das coisas); e *ilusão*, a recusa de reconhecer que as coisas não estão como deveriam estar, levando à impressão de que elas estão como deveriam estar, quando não estão. (Hoje, poderíamos chamar esse último conceito de "pensamento desejoso" de forma legítima; mas esse termo, diriam os Elfos, não seria usado de forma legítima para classificar a primeira ideia. O tipo de pensamento representado pelo último conceito pode ser desmentido por meio da referência a fatos, enquanto o primeiro não. A menos que a desejabilidade seja considerada *sempre* ilusória e funcione como a única base para a esperança de uma melhora. Mas com frequência é possível demonstrar que *os desejos do fëa* são razoáveis por meios de argumentos que não estão ligados a um desejo pessoal. O fato de que estão *em acordo* com o "desejo", ou mesmo com uma vontade pessoal, não os invalida. Na verdade, os Elfos acreditavam que o "alívio do coração" ou o "despertar do júblio" — ao qual se referiam com frequência —, que pode acompanhar a escuta de uma proposição ou de um argumento, não é uma indicação de sua falsidade, mas um reconhecimento, por parte do *fëa*, de que ele está seguindo o caminho da verdade.)

Nota 9

É provável que Andreth, na verdade, não desejasse falar mais disso. Em parte por uma espécie de lealdade que impedia que os Homens revelassem aos Elfos tudo o que sabiam sobre a escuridão de seu passado; em parte porque ela se sentia incapaz de se decidir sobre as tradições humanas conflitantes. Recensões mais longas do *Athrabeth*, evidentemente editadas sob influência númenóreana, fazem com que ela dê a Finrod, sob pressão, uma resposta mais precisa. Algumas dessas versões são muito breves, outras mais longas. Todas concordam, entretanto, ao afirmar que a causa do desastre foi a aceitação de Melkor como Rei (ou Rei e Deus) por parte dos Homens. Em uma das versões, uma lenda completa (com escalas temporais comprimidas) é apresentada explicitamente como uma tradição númenóreana, pois o texto retrata Andreth dizendo: *Este é o Conto que Adanel, da Casa de Hador, contou-me*. Os Númenóreanos descendiam em larga medida do Povo de Marach, cujos líderes vinham da Casa de Hador, e suas tradições não élficas derivavam principalmente desse povo.[22] A lenda mostra algumas semelhanças com as tradições númenóreanas acerca do papel desempenhado por Sauron na queda de Númenor. Mas isso não prova que a narrativa seja inteiramente uma ficção dos dias pós-Queda. Sem dúvida, ela deriva principalmente do saber real do Povo de Marach, que era bastante independente do *Athrabeth*. [*Nota acrescentada*: Ao dizer isso, não afirmamos nada acerca da "verdade" desse texto, seja histórica, seja de outro tipo.] As maquinações de Sauron natural e inevitavelmente lembravam ou repetiam aquelas de seu mestre. Que um povo de posse de tal lenda ou tradição fosse, mais tarde, iludido por Sauron é um fato triste, mas, levando em conta a história humana em geral, não é algo incrível. De fato, se os peixes tivessem seu próprio saber e contassem com

Peixes-sábios, é provável que o negócio dos pescadores fosse muito pouco afetado.[23]

O "Conto de Adanel" segue em anexo [pp. 416-20].

Nota 10

A "Matéria" não é vista como maligna ou oposta ao "Espírito". A matéria era totalmente boa em sua origem. Continuava sendo uma "criatura de Eru" e ainda boa em larga medida, e, de fato, era capaz de curar a si mesma quando nada interferia nela: isto é, quando o mal latente introduzido por Melkor não era atiçado deliberadamente nem usado por mentes malignas. Melkor tinha concentrado sua atenção na "matéria" porque os espíritos só podiam ser dominados completamente pelo medo; e era mais fácil exercer o medo por meio da matéria (especialmente no caso dos Encarnados, os que ele mais desejava subjugar). Por exemplo, o medo de que coisas materiais que eram amadas fossem destruídas, ou o medo (nos Encarnados) de que seus corpos fossem feridos. (Melkor também usava e pervertia para seus propósitos o "temor de Eru", compreendido de forma completa ou vaga. Mas isso era mais difícil e perigoso, e exigia mais sagacidade dele. Espíritos menores poderiam ser atraídos pelo amor ou admiração que tinham por Melkor e por seus poderes, e assim ser levados, afinal, a uma postura de rebelião contra Eru. O temor que tinham Dele poderia, então, ser corrompido, de modo que aderiam a Melkor, como um capitão e protetor, ficando, finalmente, aterrorizados demais para retornar à lealdade a Eru, mesmo depois que tivessem descoberto a verdade sobre Melkor e começassem a odiá-lo.)

Nota 11

Na verdade, isso é algo já vislumbrado no *Ainulindalë*, no qual há referências à "Imperecível Chama". O termo parece significar a Atividade Criativa de Eru (em algum sentido, distinta Dele ou dentro Dele), pela qual as coisas podiam receber uma existência "real" e independente (embora derivativa e criada). A Imperecível Chama é enviada por Eru para habitar no coração do mundo, e o mundo então É, no mesmo plano que os Ainur, e eles podem adentrá-lo. Mas isso não é, claro, a mesma coisa que a reentrada de Eru para derrotar Melkor. É algo que se refere antes ao mistério da "autoria", pelo qual o autor, enquanto permanece "fora" de sua obra e independente dela, também "habita dentro" dela, em seu plano derivativo, abaixo de seu próprio ser, como a fonte e o fiador do ser dessa obra.

[*O "Conto de Adanel"*]

Então Andreth, sendo incitada por Finrod, disse afinal: "Este é o conto que Adanel, da Casa de Hador, contou-me:"

Alguns dizem que o Desastre aconteceu no princípio da história de nosso povo, antes que qualquer um tivesse inda morrido. A Voz falara conosco, e nós escutáramos. Disse a Voz: "Sois meus filhos. Enviei-vos para habitar aqui. Com o tempo, herdareis toda esta Terra, mas primeiro deveis ser crianças e aprender. Chamai-me e eu hei de escutar: pois estou aqui para vos guardar."

Entendemos a Voz em nossos corações, embora ainda não tivéssemos palavras. Então o desejo por palavras despertou em nós, e começamos a criá-las. Mas éramos poucos, e o mundo era vasto e estranho. Embora desejássemos grandemente entender, o aprendizado era difícil, e o criar de palavras era lento.

Naquele tempo, nós a chamávamos amiúde, e a Voz respondia. Mas era raro que respondesse às nossas questões, dizendo apenas: "Buscai primeiro a resposta por vós mesmos. Pois tereis regozijo com a descoberta, e assim crescereis, deixando a infância, e tornar-vos-eis sábios. Não busqueis deixar a infância antes de vossa hora."

Mas tínhamos pressa e desejávamos ordenar as coisas à nossa vontade; e as formas de muitas coisas que desejávamos criar despertaram em nossas mentes. Portanto, falávamos cada vez menos com a voz.

Então apareceu alguém entre nós, na nossa própria forma visível, mas maior e mais bela; e ele disse que viera por compaixão. "Não deviam ter-vos deixado sozinhos e sem instrução", declarou. "O mundo está cheio de riquezas maravilhosas que o conhecimento pode revelar. Podíeis ter mais abundante comida, e mais deliciosa do que as míseras coisas que ora comeis. Podíeis ter moradas de conforto, nas quais guardaríeis a luz e deixaríeis de fora a noite. Podíeis trajar-vos tal como eu."

Então olhamos para ele, e eis que estava trajado com vestimenta que luzia feito prata e ouro, e tinha uma coroa na cabeça, e gemas nos cabelos. "Se desejais ser como eu", disse, "ensinar-vos-ei". Então fizemos dele tutor.

Era menos célere do que esperávamos para nos ensinar como encontrar, ou fazer por nós mesmos, as coisas que desejávamos, embora despertasse muitos desejos em nossos corações. Mas, se alguém duvidava ou ficava impaciente, trazia e dispunha diante de nós tudo o que desejávamos. "Sou Aquele que Concede Dádivas", dizia; "e as dádivas nunca hão de faltar enquanto confiardes em mim".

Portanto, nós o reverenciamos e caímos sob o seu feitiço; e passamos a depender de suas dádivas, temendo voltar a uma vida sem elas, que agora parecia pobre e dura. E acreditamos em tudo o que ensinava. Pois estávamos ávidos para saber mais sobre o mundo e seu ser: sobre as feras e aves, e sobre as plantas que cresciam na Terra; sobre a nossa própria criação; e sobre as luzes do firmamento, e as estrelas incontáveis, e o Escuro no qual estão postas.

Tudo o que ele ensinava parecia bom, pois tinha grande conhecimento. Mas cada vez mais e mais ele falava do Escuro. "A maior de todas as coisas é o Escuro", dizia, "pois Ele não tem limites. Vim do Escuro, mas sou o mestre Dele. Pois eu fiz a Luz. Fiz o Sol e a Lua e a estrelas incontáveis. Proteger-vos-ei do Escuro, o qual, do contrário, haveria de vos devorar."

Então falamos da Voz. Mas o rosto dele se fez terrível; pois estava enraivecido. "Tolos!", disse. "Aquela era a Voz do Escuro. Ela deseja separar-vos de mim; pois tem fome de vós."

Então foi embora, e não o vimos durante longo tempo, e, sem suas dádivas, tornamo-nos pobres. E veio um dia quando, de repente, a luz do Sol começou a fraquejar, até que foi apagada, e uma grande sombra caiu sobre o mundo; e todas as feras e aves ficaram com medo. Então ele veio de novo, caminhando através da sombra feito um fogo reluzente.

Caímos sobre nossas faces. "Há alguns entre vós que ainda estão escutando a Voz do Escuro", disse ele, "e, portanto, Ela está se aproximando. Escolhei agora! Podeis ter o Escuro como vosso Senhor, ou podeis ter a Mim. Mas, a menos que façais de Mim vosso Senhor e jureis servir-Me, hei de partir e deixar-vos; pois tenho outros reinos e lugares de habitação e não preciso da Terra, nem de vós."

Então, com medo, falamos como ele ordenou, dizendo: "Tu és o Senhor; a Ti apenas serviremos. A Voz abjuramos e não dar-lhe-emos mais ouvido."

"Que assim seja!", exclamou ele. "Agora, fazei para Mim uma casa sobre um lugar alto, e chamai-a de Casa do Senhor. Para lá irei quando eu desejar. Lá haveis de clamar a Mim e fazer-Me vossas petições."

E, depois que construímos uma grande casa, ele veio e ficou de pé diante do assento elevado, e a casa estava iluminada, como que com fogo. "Agora", disse ele, "que venha à frente qualquer um que ainda escuta a Voz!"

Havia alguns, mas, por medo, permaneceram parados e nada disseram. "Então curvai-vos diante de Mim e reconhecei-Me!", ordenou ele. E todos se curvaram até o chão diante dele, dizendo: "Tu és o Único Grande, e nós somos Teus."

Com isso, ele inflamou-se como que numa grande chama e fumaça, e nós fomos chamuscados pelo calor. Mas, de repente, ele se foi, e estava mais escuro do que a noite; e nós fugimos da Casa.

Depois disso, sempre sentíamos grande terror do Escuro; mas ele pouco apareceu no nosso meio novamente com forma bela, e trazia parcas dádivas. Se, em grande necessidade, ousávamos ir até a Casa e rogar que ele nos ajudasse, ouvíamos sua voz e recebíamos suas ordens. Mas agora ele sempre ordenava que fizéssemos algum feito, ou oferecêssemos a ele alguma dádiva, antes que escutasse a nossa prece; e os feitos tornavam-se sempre piores, e as dádivas, mais difíceis de entregar.

A primeira Voz nunca mais ouvimos de novo, exceto uma vez. Na quietude da noite, Ela falou, dizendo: "Vós Me Abjurastes, mas continuais a ser Meus. Dei-vos a vida. Agora ela há de ser encurtada, e cada um de vós, dentro em pouco, há de vir até Mim, para aprender quem é vosso Senhor: aquele a quem adorais ou Eu, que o fiz."

Então o terror que sentíamos do Escuro aumentou; pois acreditávamos que a Voz era a da Escuridão atrás das estrelas. E alguns de nós começaram a morrer em horror e angústia, temendo sair no Escuro. Então conjuramos nosso Mestre a nos salvar da morte, e ele não respondeu. Mas, quando fomos à Casa e todos nos curvamos ali dentro, por fim ele veio, grande e majestoso, mas sua face era cruel e soberba.

"Agora sois Meus e deveis fazer Minha vontade", disse. "Não Me incomoda que alguns de vós morrais para apaziguar a fome do Escuro; pois do contrário haveria gente demais entre vós, arrastando-se feito piolhos sobre a Terra. Mas, se não fizerdes Minha vontade, sentireis Minha raiva e morrereis mais cedo, pois matar-vos-ei."

Dali em diante fomos duramente afligidos pelo cansaço, e pela fome, e pela doença; e a Terra e todas as coisas nela se voltaram contra nós. Fogo e Água se rebelaram contra nós. As aves e as feras nos evitavam ou, se fossem fortes, atacavam-nos. As plantas nos davam veneno; e temíamos as sombras debaixo das árvores.

Então passamos a ansiar por nossa vida da maneira que ela era antes que nosso Mestre viesse; e o odiamos, mas o temíamos não menos que ao Escuro. E fazíamos o que ordenava, e mais do que o que ordenava; pois o que quer que achássemos que lhe agradasse, por mais maligno que fosse, nós o fazíamos, na esperança de que ele aliviasse nossas aflições e pelo menos não nos matasse.

Para a maioria de nós, tudo isso era em vão. Mas a alguns ele começou a dar seu favor: aos mais fortes e mais cruéis, e àqueles que iam mais amiúde à Casa. Ele lhes oferecia dádivas, e conhecimento que mantinham em segredo; e se tornaram poderosos e soberbos, e nos escravizaram, de modo que não tínhamos repouso da labuta em meio às nossas aflições.

Então se alevantaram alguns entre nós que disseram abertamente, em seu desespero: "Agora sabemos, afinal, quem mentia, e quem desejava nos devorar. Não era a primeira Voz. Aquele a quem tomamos por Mestre é que é a Escuridão; e ele não veio dela, como disse, mas habita nela. Não vamos mais servi-lo! Ele é nosso Inimigo."

Então, com medo de que ele os ouvisse e nos punisse a todos, nós os matávamos, se fosse possível; e aqueles que fugiam nós caçávamos; e, se algum desses era apanhado, nossos chefes, amigos do Mestre, ordenavam que fosse levado até a Casa e que ali fosse morto com fogo. Aquilo o agradava grandemente, diziam seus amigos; e, de fato, por algum tempo, pareceu que nossas aflições foram aliviadas.

Mas conta-se que houve alguns que escaparam de nós e foram embora para países distantes, fugindo da sombra. Contudo, não escaparam da ira da Voz; pois tinham construído a Casa e se curvado dentro dela. E chegaram por fim ao fim da terra e às costas da água impassável; e eis que o Inimigo estava lá diante deles.

Junto aos textos do *Athrabeth* existe um *Glossário* (como meu pai o designou), um breve índice de nomes e termos com definições e algumas informações etimológicas. Ele se restringe ao *Athrabeth* propriamente dito e, por causa da natureza da obra, não é grande, mas há algumas omissões (como *Athrabeth, Andreth* e nomes do Povo de Bëor). Escrito a mão, ele foi feito depois que os textos datilografados por amanuenses foram produzidos e receberam emendas, conforme mostra o verbete *Mirröanwi* (ver p. 394, nota 10). Parece curioso que meu pai tenha decidido incluir esse glossário, já que a maioria das definições ou explicações seriam desnecessárias para quem tivesse lido *O Silmarillion*, e, junto com as explicações de conceitos fundamentais que aparecem no Comentário, isso pode sugerir que ele concebia o *Athrabeth* como uma obra independente — embora, num dos embrulhos de jornal dos textos (p. 397), ele tenha anotado que o material deveria ser o último item de um Apêndice (de *O Silmarillion*).

A maioria das informações do glossário pode ser achada facilmente em outros lugares, e apresento aqui apenas uma seleção dos verbetes, completos ou em parte, editados muito levemente para fins de clareza.

Adaneth sindarin, "mulher, mulher mortal";

Arda "reino", isto é, o "reino de Manwë". O "Sistema Solar", ou a Terra como o centro *dramático* dele, como o cenário da guerra dos "Filhos de Eru" contra Melkor.

Edennil (quenya, *Atandil*), "devotado aos *Atani*, os Homens"; nome dado a Finrod.

[Extraído do verbete *Eldar*:] Mas apenas parte dos Eldar chegou de fato a Aman. Uma grande parte da Terceira Hoste (*Lindar*, "os Cantores", também chamados de *Teleri*, "Aqueles que Estão Atrás") permaneceu no Oeste da Terra-média. Esse subgrupo é o dos *Sindar*, "Elfos-cinzentos" .... Os Elfos que estavam em Aman ou chegaram a habitar lá eram chamados de Altos-Elfos (*Tareldar*).[24]

fëa "espírito": o "espírito" particular que pertencia a, e tinha sua morada em, qualquer um dos *hröar* dos Encarnados. O termo corresponde mais ou menos a "alma"; e também a "mente" quando se faz alguma tentativa de distinguir entre a mentalidade e os processos mentais dos Encarnados, condicionados e limitados pela cooperação dos órgãos físicos do *hröa*. Assim, o *fëa* era, em seu ser (separado de sua experiência) o impulso e o poder de pensar: inquirir e refletir, enquanto faculdades distintas dos meios de adquirir dados. Era consciente e capaz de perceber a si mesmo: o "si mesmo" dos Encarnados, entretanto, incluía o *hröa*. Os Eldar diziam que o *fëa* retinha a impressão ou memória do *hröa* e de todas as experiências combinadas de si mesmo e de seu corpo. (A palavra quenya *fëa* — dissilábica — vem da forma mais antiga **phăya*. Em sindarin, o termo *faer*, com o mesmo significado, corresponde ao quenya *fairë*, "espírito no sentido geral", por oposição à matéria (*erma*) ou à "carne" (*hrávë*).)

Finarphin / Finarfin [o nome, assim, aparece com grafias alternativas]

hröa Ver *fëa*. (A forma em quenya é derivada do termo mais antigo **srawā*; A forma sindarin de *hröa* e *hrávë* (*srāwē*) era *rhaw*: cf. *Mirröanwi*.)

Mandos [extrato] (O nome *Mandos*, da raiz *mandost-*, significa aproximadamente "castelo de custódia": de *mbandō* "custódia, guarda" e *osto* "um lugar ou edifício reforçado ou fortificado". A forma sindarin de *mbandō*, em quenya *mando*, era *band*, e está presente em *Angband*, "Prisão-de-ferro", o nome dado à morada de Morgoth, em quenya *Angamando*.)

Melkor (também Melko) [extrato] (*Melkor*, ou *Melkórë* na forma mais antiga, provavelmente significa "Poderoso-a-se-erguer", isto é, "soerguimento de poder"; *Melko* é simplesmente "o Poderoso".)[25]

Mirröanwi Encarnados; aqueles (espíritos) "postos dentro da carne"; cf. *hröa*. (Derivado de **mi-srawanwe*.)

Ñoldor O nome significa "mestres-do-saber" ou aqueles especialmente devotados ao conhecimento. (A forma mais antiga era *ngolodō*, em quenya *noldo*, sindarin *golodh*: na transcrição, *ñ* = a letra fëanoriana usada para a consoante nasal posterior, o *ng* de *king*.)[26] Em quenya, a palavra *ñólë* significava "saber, conhecimento", mas seu equivalente sindarin *gûl*, devido ao seu uso frequente em combinações como *morgul* (cf. *Minas Morgul* em *O Senhor dos Anéis*) era usada apenas para designar o conhecimento maligno ou pervertido, a necromancia, a feitiçaria. Essa palavra *gûl* também era usada no idioma de Mordor.

Valar [extrato] (O nome) significa "aqueles com poder, os Poderes". Mas deveria ser traduzido mais estritamente como "as Autoridades". O "poder" dos Valar residia na "autoridade" que receberam de Eru. Tinham "poder" suficiente para suas funções — isto é, poder vasto ou similar ao divino e conhecimento sobre a estrutura física do Universo, e compreensão dos desígnios de Eru. Mas lhes era proibido usar *força* contra os Filhos de Eru. A raiz *melk-*[27] (vista em *Melkor*), por outro lado, significa "poder" no sentido de força e potência.

Já me referi (na p. 367) à existência de materiais originais que correspondem a esboços do *Athrabeth*. O principal elemento desse conjunto é um pequeno maço de pedaços de papel feitos a partir de documentos do Merton College datados de 1955, com textos escritos muito rapidamente com caneta esferográfica; mas fica claro que meu pai estava seguindo um texto anterior, que não existe mais, o qual ele não conseguia ler em todos os trechos: as palavras estão marcadas com interrogações, pontinhos correspondem a frases faltantes (algumas das quais inseridas de forma duvidosa mais tarde), e algumas frases não parecem estar corretas. Esse esboço, que chamarei de "**A**", corresponde à seção do texto final a partir das palavras de Finrod "Mas o que então deveríamos pensar dessa união no Homem" na p. 383 até "precisa entrar nela para derrotá-lo" na p. 389; mas, em certos aspectos, uma é extraordinariamente diferente da outra. Apresento aqui dois extratos para ilustrar isso. O primeiro prossegue depois das perguntas de Finrod (p. 184) "Ou existe em algum outro lugar um mundo do qual todas as coisas que vemos, todas as coisas que tanto Elfos quanto Homens conhecem, são apenas sinais ou lembranças?":

"Se existir, ele reside apenas na mente de Eru", disse Andreth. "Mas para tais perguntas não conheço resposta. Isto apenas posso dizer: que entre nós alguns sustentam que nossa missão aqui era curar a Desfiguração de Arda, e, ao fazer com que o *hröa* compartilhasse da vida do *fëa*, colocá-lo além de qualquer desfiguração feita por Melkor ou qualquer outro espírito de malícia para sempre. Mas essa 'Arda Curada' (ou Refeita) não há de ser 'Arda Não Desfigurada', mas uma terceira coisa, e uma coisa maior ainda. E essa terceira coisa talvez esteja na mente de Eru e faça parte de sua resposta. Vós me contastes da Música e de que já tivestes colóquio com os Valar que estavam presentes no fazer dela antes que o mundo começasse. Será que eles ouviram o fim da Música? Ou será que não havia algo além dos acordes finais de Eru, o qual (estando compenetrados nela) os Valar não ouviram? Ou, de novo, talvez, já que Eru é perpetuamente livre, Ele não fez música nenhuma nem mostrou Visão nenhuma além de um certo ponto. Além daquele ponto (o qual nem Valar nem Eldar ...) não somos capazes de ver ou saber, até que, cada um por sua própria estrada, cheguemos lá."

"No que a malícia de Melkor se mostrou?"

A escuridão jaz sobre esse ponto. Saelon (isto é, Andreth)[28] tem pouco a responder. "Alguns homens dizem que ele blasfemou contra Eru e negou Sua Existência, ou Seu poder, e que nossos pais assentiram e consideraram que Melkor era um Senhor e Deus; e que por isso nossos *fëar* negaram sua própria natureza verdadeira e assim se tornaram ensombrecidos e enfraquecidos, quase até a morte (se isso for possível para *fëar*). E, por meio da fraqueza dos *fëar*, nossos *hröar* caíram na enfermidade e ficaram abertos a todos os males e todas as desordens do mundo. E outros dizem que o próprio Eru falou em ira, dizendo: 'Se a Escuridão for vosso Deus, pouco haveis de ter aqui de Luz, mas haveis de deixar o mundo em breve e vir diante de Mim, para descobrir quem mente: Melkor ou Eu, que o fiz'."[29]

A segunda passagem corresponde, em sua posição, à que começa com as palavras de Andreth no texto final (p. 387), "Adormecidos ou despertos, eles nada falam claramente":

"... Alguns dizem que ... Eru encontrará um caminho de cura que curará tanto nossos pais e nós mesmos como aqueles que hão de vir depois de nós. Mas como isso há de vir a se passar, ou rumo a que maneira de ser essa cura há de nos levar, apenas aqueles da Esperança (como dizemos) podem intuir; ninguém pode afirmar com clareza.

Mas há entre nós uns poucos (dos quais faço parte) que carregam a Grande Esperança, como a chamamos, e cremos que o segredo Dele foi transmitido desde os dias antes de nosso ferimento. Esta é a Grande Esperança: a de que Eru, ele próprio, adentrará Arda e curará os Homens e toda a Desfiguração."

"Mas essa é uma coisa estranha! Afirmais ter conhecido Eru antes mesmo que nos encontrássemos? Qual é o nome dele?"

"Tal como é entre vós, mas diferente apenas na forma do som: o Uno."

"Mas ainda assim isso ultrapassa meu entendimento", disse Finrod. "Pois como poderia Eru adentrar a coisa que Ele fez, e da qual Ele é infinitamente maior? Pode o poeta entrar em sua história ou o pintor entrar em sua pintura?"

"Ele já está dentro dela, e fora dela", disse Saelon, "embora não do mesmo modo."

"Sim, em verdade", disse Finrod, "e assim está Eru nesse modo / sentido dentro de Arda. Mas falais de Eru *adentrando* Arda, o que decerto é outra matéria. Como ele poderia fazer isso, ele que é infinitamente maior: isso não haveria de despedaçar Arda, ou, de fato, Eä?"

"Ele poderia achar uma maneira de fazê-lo, não duvido", disse Saelon, "embora, de fato, eu não consiga conceber essa maneira. Mas, o que quer que penseis, essa é a Grande Esperança dos Homens. E não vejo — para falar com humildade — o que mais poderia ser feito; uma vez que Eru certamente não permitirá que Melkor triunfe nem abandonará Sua própria obra. Mas não há nada mais poderoso que possa ser concebido do que Melkor, salvo Eru apenas. Portanto, Eru, se não quiser relegar sua obra a Melkor, que é ...., Eru deve entrar para derrotá-lo.

Nesse ponto o esboço A termina. Pode-se ver, na primeira dessas passagens, que a grande visão de Finrod, na forma final do *Athrabeth*, acerca de "Arda Refeita", a qual surge em sua mente a partir das palavras de Andreth, originalmente era uma crença seguida por certos dos Atani, e é Andreth que propõe a ideia de que essa visão estava ausente do fim da Música dos Ainur, ou não tinha sido percebida por eles; enquanto, na segunda passagem, Andreth descreve a si mesma como uma dos que acalentam "a Grande Esperança", e, diante da incredulidade de Finrod de que Eru seria capaz de adentrar Arda, ela dá as mesmas respostas especulativas que são as de Finrod no texto final. Assim, fica claro que as ideias de meu pai acerca não apenas da estrutura e conteúdo do "Colóquio de Finrod e Andreth", mas também acerca da própria natureza das crenças dos primeiros Homens em Beleriand, passou por um grande desenvolvimento conforme ele trabalhava no *Athrabeth*.

Uma página isolada ("**B**"), escrita, tal como o esboço A, num documento do Merton College de 1955, traz uma passagem interessante que não foi usada na versão final.

"O que diz a sabedoria dos Homens acerca da natureza dos *Mirruyaina*?", disse Finrod. "Ou o que sustentais, Andreth, vós que sabeis também muito sobre os ensinamentos dos Eldar?"

"Os Homens dizem coisas várias, sejam Sábios ou não", respondeu Andreth. "Muitos sustentam que há apenas uma coisa só: o corpo, e que somos uma das feras, ainda que sejamos a que veio mais tarde e a mais matreira. Mas outros sustentam que o corpo não é tudo, mas contém alguma outra coisa. Pois amiúde falamos do corpo como uma 'casa', ou como 'vestimenta', e isso implica algo que habita dentro dele, embora do que seja isso falemos com incerteza.[30]

"Entre meu povo, os homens falam mormente do "sopro" (ou do 'sopro da vida'), e dizem que, se ele deixa a casa, pode ser visto por olhos que veem como um *espectro*, uma imagem em sombra da coisa vivente que existia."

"Isso não passa de inferência", disse Finrod, "e muito tempo atrás dizíamos coisas semelhantes, mas sabemos agora que o Habitante não é 'sopro'[31] (o qual o *hröa* usa), e que os olhos que veem não são capazes de ver aquele que está sem-morada, mas que os olhos viventes podem receber do *fëa* dentro deles uma imagem que o sem-morada transmite ao que tem morada: a memória de si mesmo."

"Talvez", ponderou Andreth. "Mas entre o povo de Marach os homens falam antes do 'fogo', ou do 'fogo na lareira', cuja ardência aquece a morada, e do qual surgem os calores do coração, ou os fumos da ira."

"Essa é outra inferência", disse Finrod, "e contém também alguma verdade, creio eu."

"Sem dúvida", concordou Andreth. "Mas aqueles que falam assim, sobre o 'sopro' ou o 'fogo', não pensam nele como algo pertencente aos Homens apenas, mas como a vida de todas as coisas viventes. Como os Homens têm suas casas, mas feras também têm suas moradas em tocas ou em ninhos, assim também ambos têm uma vida dentro de si, que pode esfriar ou ser expirada."

"Então de que maneira os Homens diferem das feras em tal saber?", disse Finrod. "Como podem afirmar que algum dia tiveram uma vida indestrutível?"

"Os Sábios já consideraram isso", disse Andreth. "E entre eles há alguns que falam mais segundo a maneira dos Eldar. Mas eles falam antes de três coisas: a *terra* e o *fogo* e o *Habitante*. Com o que querem dizer a coisa com a qual o corpo é construído, a qual, em si mesma, é inerte e não cresce ou se move; e a vida que cresce e toma para si esse aumento; e o *Habitante-dentro* que habita ali, e é mestre tanto da casa como da lareira — ou o foi um dia."

"E deseja nunca deixá-los — e outrora nunca o fazia? Foi então o Habitante que sofreu o ferimento?", perguntou Finrod.

"Não foi", respondeu Andreth. "Claramente não foi; mas sim o Homem, o todo: casa, vida e mestre."

"Mas o Mestre deve ter sido aquele que sofreu a injustiça (como dizeis) ou a cometeu (como eu infiro); pois a casa poderia sofrer pela insensatez do Mestre, mas dificilmente o Mestre sofreria pelos malfeitos da casa! Mas deixemos estar, pois não desejais falar disso. Vós sustentais também essa crença?"

"Não é uma crença", disse Andreth. "Pois não sabemos o suficiente para ter qualquer certeza acerca da *terra* ou do *crescimento* ou do *pensamento*, e talvez nunca hajamos de saber; pois, se foram desenhados pelo Uno, então sem dúvida sempre conterão para nós algum inescrutável mistério, por mais que aprendamos. Mas é uma inferência que chega perto da verdade, sustento eu."

O texto termina aí. Finalmente, há outro pedaço de papel isolado ("**C**"), de novo oriundo de um documento datado de 1955, com o seguinte texto:

> Questão: Não seria correto fazer com que Andreth se recuse a discutir quaisquer tradições ou lendas da "Queda"? Isso já ficou (ainda que isso seja inevitável) parecido demais com uma paródia do cristianismo. Qualquer lenda da Queda faria com que ele se transformasse completamente nisso?
>
> Originalmente, em vez da recusa em falar disso, Andreth foi levada (sob pressão) a dizer algo deste tipo:
>
> Dizem que Melkor tinha aparência bela em dias antigos, e que, quando ganhou o amor dos Homens, blasfemou contra Eru, negando sua existência e afirmando que ele era o Senhor, e os Homens assentiram e o tomaram como Senhor e Deus. Com

> isso (dizem alguns), nossos espíritos, tendo negado sua própria natureza verdadeira, de imediato se tornaram ensombrecidos e enfraquecidos; e, através dessa fraqueza, perderam o domínio de seus corpos, os quais caíram na enfermidade. Outros dizem que o próprio Eru falou em ira, dizendo: "Se a Escuridão é vosso deus, pouco haveis de ter aqui de Luz [*posteriormente* > na terra haveis de ter pouca Luz], e haveis de deixá-la logo e vir diante de Mim para aprender quem mente: vosso deus ou eu, que o fiz." E esses são os que mais têm medo da morte.

Esse trecho é muito difícil de interpretar. A questão inicial de meu pai deve significar (em vista das frases seguintes): "Com certeza é melhor fazer com que Andreth recuse ...", com a implicação "como é o caso agora, da maneira como o texto está". Mas depois ele prossegue escrevendo uma passagem na qual Andreth não se recusa a dizer algo sobre tais tradições, mas consente "sob pressão" (não sei como interpretar a palavra "Originalmente" na frase "Originalmente, em vez da recusa em falar disso"); e é aqui que evidentemente o germe do que passaria a ser o "Conto de Adanel", a lenda da Queda, apareceu pela primeira vez. Mas esse esboço do que Andreth diz a Finrod sobre a Queda do Homem é muito próximo do que, e de fato, em grande medida, a mesma coisa que, ela diz no esboço A (p. 423); e aquele esboço foi, ele próprio, derivado de um texto anterior que se perdeu (p. 422). Parece, então, que esse texto perdido não continha nenhum relato da Queda, e imagina-se que tenha sido a ele que a questão do meu pai se referia: "Não seria correto fazer com que Andreth se recuse a discutir quaisquer tradições ou lendas da 'Queda'?"

Os comentários com os quais o texto C começa são evidência de que ele estava, de alguma maneira, preocupado com esses novos desenvolvimentos, essas novas direções, da "teologia" subjacente de Arda, ou, de qualquer modo, com sua expressão de maneira tão explícita. Certamente, quando se examinam seus escritos anteriores, é difícil não tomar consciência de uma mudança significativa. No relato escrito para Milton Waldman em 1951 (*Cartas*, nº 131, pp. 218–9), ele tinha dito:

> A Sina (ou a Dádiva) dos Homens é a mortalidade, a liberdade para além dos círculos do mundo. Posto que o ponto de vista

de todo o ciclo é o élfico, a mortalidade não é explicada miticamente: ela é um mistério de Deus sobre a qual nada mais é sabido além de que "o que Deus designou aos Homens permanece oculto" — um pesar e uma inveja para os Elfos imortais. ...

Na cosmogonia há uma queda: uma queda de Anjos, diríamos, apesar de evidentemente ser bem diferente, em forma, daquela do mito cristão. Essas histórias são "novas", não são derivadas diretamente de outros mitos e lendas, mas devem possuir inevitavelmente uma ampla medida de motivos ou elementos antigos e difundidos. Afinal, acredito que as lendas e mitos são compostos mormente da "verdade", e, sem dúvida, aspectos presentes nela só podem ser recebidos nesse modo; e, há muito tempo, certas verdades e modos dessa espécie foram descobertos e devem reaparecer sempre. Não pode haver qualquer "história" sem queda — todas as histórias, no fim, são sobre a queda —, pelo menos não para mentes humanas tal como as conhecemos e possuímos.

Assim, prosseguindo, os Elfos sofrem uma queda, antes que sua "história" possa tornar-se histórica. (A primeira queda do Homem, por razões explicadas, não aparece em lugar algum — os Homens não entram em cena até que tudo isso tenha há muito passado, e há apenas um rumor de que, por algum tempo, eles sucumbiram ao domínio do Inimigo e de que alguns se arrependeram.)

"A primeira queda do Homem, *por razões explicadas*, não aparece em lugar algum." Quais eram essas razões? Meu pai deve estar se referindo ao princípio dessa carta, onde ele escreve, a respeito da lenda arthuriana, "está envolta na (e explicitamente contém) a religião cristã", e prossegue:

> Por razões que não elaborarei, isso me parece fatal. Mitos e estórias de fadas, como toda arte, devem refletir e conter, em solução, elementos de verdade (ou erro) moral e religiosa, mas não explícitos, não na forma conhecida do mundo "real" primário.

Alguns anos antes da época dessa carta, entretanto, em um dos curiosos "Esboços" associados com *A Submersão de Anadûnê*, ele tinha se referido brevemente à Queda dos Homens original, e a menção era acompanhada de uma especulação muito estranha sobre o desígnio original de Deus para a raça humana (IX. 479):

> Os Homens (os Seguidores ou Segunda Gente) vieram depois, mas estima-se que, nos desígnios primevos de Deus, eles eram destinados (depois de certa tutela) a assumir a governança de toda a Terra e, em última instância, a se tornar Valar, a "enriquecer o Céu", *Ilúve*. Mas o Mal (encarnado em Melekō) os seduziu, e eles caíram.

Um pouco depois no mesmo texto (IX. 480), ele escreveu:

> Embora todos os Homens tivessem "caído", nem todos permaneceram escravizados. Alguns se arrependeram, rebelaram-se contra Melekō e se tornaram amigos dos Eldar, e tentaram ser leais a Deus.

Certamente há uma crença expressada aqui (qualquer que seja o peso dado a ela — pois esse "estima-se" se refere a quem?) que a Queda introduziu uma mudança incalculavelmente vasta na natureza e no destino dos Homens, uma mudança operada pelo "Espírito do Mal", Melkor.

Mas, em 1954, ele estava dizendo, no esboço de uma longa carta para Peter Hastings que não foi enviada (*Cartas*, nº 153):

> meu *legendário*, especialmente a "Queda de Númenor", que se situa imediatamente antes de *O Senhor dos Anéis*, é baseado em minha própria visão: a de que os Homens são essencialmente mortais e não devem tentar tornar-se "imortais" na carne.

Aqui ele acrescentou uma nota de rodapé:

> Visto que a "mortalidade" é assim representada como uma dádiva especial de Deus à Segunda Raça dos Filhos (os *Eruhíni*, os Filhos do Deus Uno) e não como uma punição por uma Queda, o senhor pode chamar isso de "má teologia". Talvez o seja, no mundo primário, mas é uma imaginação capaz de elucidar a verdade, e uma base legítima de lendas.

E, novamente, em outra carta de 1954, para o Padre Robert Murray (*Cartas*, nº 156, nota de rodapé às pp. 312–3), ele escreveu:

Mas a visão do mito é de que a Morte — a mera brevidade da duração da vida humana — não é um castigo pela Queda, mas uma parte biologicamente (e, portanto, também espiritualmente, visto que o corpo e o espírito são integrados) inerente à natureza do Homem.

Parece-me, portanto, que há problemas no *Athrabeth Finrod ah Andreth* quanto à interpretação do pensamento de meu pai sobre esses temas; mas sou incapaz de resolvê-los. É uma pena que os questionamentos com os quais esse pedaço de papel começa são expressados de forma tão vaga, especialmente com as palavras "O texto já ficou (ainda que isso seja inevitável) parecido demais com uma paródia do cristianismo". Obviamente, ele não estava se referindo à lenda da Queda: estava dizendo claramente que a introdução de tal lenda faria com que "isso" — presumivelmente, o *Athrabeth* — se transformasse totalmente em "uma paródia do cristianismo".

Será que então ele estava se referindo à concepção impressionante, no *Athrabeth*, da "Grande Esperança dos Homens", como é chamada no esboço A (p. 424), "a Antiga Esperança", como é chamada no texto final (p. 388), de que o próprio Eru adentraria Arda para se opor ao mal de Melkor? No comentário (p. 403), isso ficou mais definido: "Finrod ... provavelmente passou à expectativa de que 'a vinda de Eru', se acontecesse, estaria voltada especial e principalmente para os Homens: ou seja, trata-se de uma inferência ou visão imaginativa de que Eru *viria encarnado em forma humana*" — embora meu pai tenha observado que "Isso não aparece no *Athrabeth*". Mas isso certamente não é uma paródia, nem mesmo um paralelo, mas a extensão — mesmo se representada apenas como visão, esperança ou profecia — da "teologia" de Arda rumo a crenças cristãs específicas e, é claro, centrais; e também um desafio manifesto à visão de meu pai, em sua carta de 1951, sobre as limitações necessárias da expressão da "verdade (ou erro) moral e religiosa" num "Mundo Secundário".

NOTAS

1 Cf. o esboço de uma carta de meu pai, datada de setembro de 1954 (*Cartas* nº 153, pp. 293–4): "Elfos e Homens são evidentemente uma raça, em termos biológicos, ou não poderiam procriar e produzir descendentes férteis — mesmo como um raro evento", e a passagem seguinte.

[2] De acordo com a cronologia dos *Anais de Aman*, os Elfos despertaram no Ano das Árvores 1050 (p. 97, §37), 450 Anos antes do surgimento do Sol, ou um pouco mais que 4.300 anos do calendário (para a contagem, ver p. 80); ver p. 395, nota 16.

[3] *labuta demiúrgica*: a obra criativa de "demiurgos", com o significado de seres poderosos, mas limitados, subordinados a Deus.

[4] Quanto a Melkor como "originalmente o mais poderoso dos Valar", ver p. 88, §2. Há uma série de referências, nos escritos tardios, à supremacia do poder de Melkor no princípio, mas ver especialmente o ensaio *Melkor Morgoth* apresentado na p. 470 e seguintes. É curioso que, em sua carta para Rhona Beare datada de outubro de 1958 (*Cartas*, nº 211), meu pai tenha escrito: "No mito cosmogônico, é dito que Manwë é 'irmão' de Melkor, isto é, eram coevos e equipotentes na mente do Criador".

[5] Cf. as palavras de Finrod no *Athrabeth*, p. 386: "Além do Fim do Mundo nós não mudaremos; pois na memória está o nosso grande talento, como será visto cada vez mais claramente conforme as eras desta Arda passarem: um fardo pesado que está por vir, temo eu; mas, nos Dias dos quais ora falamos, uma grande riqueza".

[6] Trata-se de uma referência à Virgem Maria. Ver a nota de rodapé (*Cartas*, p. 417) ao esboço da continuação da carta citada na nota 4.

[7] Essa análise não segue estritamente o curso do *Athrabeth*, e (como foi afirmado expressamente, p. 404) não foi escrita com esse propósito. Assim, na verdade foi Finrod que disse que "o desastre que afetou os Homens foi apavorante" ("e terrível, acima de todas as outras calamidades, foi a mudança em seu estado", p. 384); e o reconhecimento, por parte dele, de que "o poder de Melkor era maior do que muitos tinham compreendido" aparece muito antes no debate ("mudar o destino de todo um povo dos Filhos, roubá-los de sua herança: se ele pudesse fazer tal coisa à revelia de Eru, então de longe maior e mais terrível é ele do que imaginávamos", p. 378).

[8] "Aegnor pereceu logo depois dessa conversa": na verdade, 46 anos mais tarde (ver nota 9).

[9] Nos *Anais Cinzentos* (e no *Silmarillion* publicado) Finrod é claramente representado como um rei que governa seu grande domínio a partir da praça-forte de Nargothrond (fundada séculos antes) durante o Cerco de Angband, e, na Batalha da Chama Repentina, afirma-se que ele estava "vindo apressado do sul" (*O Silmarillion*, p. 211). No fim do *Athrabeth*, por outro lado, ele diz a Andreth que está partindo para o Norte, "para as espadas, e o cerco, e os muros de defesa" (p. 393), e, na presente passagem, afirma-se que ele, seus irmãos e o Povo de Bëor moravam "no reino setentrional" e que, quando o Cerco foi rompido, ele "se refugiou" em Nargothrond.

A última frase do parágrafo, "Mas, nessa época, ela já seria muito idosa", foi um acréscimo bem posterior. Ao lado da frase, meu pai escreveu a lápis "com cerca de 94 anos"; cf. a nota de rodapé na frase de abertura do *Athrabeth*, p. 372: Andreth tinha 48 anos na época da conversa com Finrod, que teria acontecido por volta do ano 409, e, portanto, "cerca de 94" em 455, o ano da Batalha da Chama Repentina.

[10] No *Ainulindalë* (p. 25, §13), está afirmado expressamente que os Filhos de Ilúvatar "*vieram com o Terceiro Tema*, e não estavam no tema que Ilúvatar propusera no princípio". Sobre o Segundo Tema, o *Ainulindalë* diz (p. 29, §24) que "Manwë ... foi o instrumento principal do Segundo Tema que Ilúvatar erguera contra o desacordo de Melkor".

É possível, talvez, que ao mencionar "os dois novos temas" na presente passagem, meu pai estivesse pensando na introdução de Elfos e Homens na Música como "temas" associados, os quais, no *Ainulindalë*, foram descritos como "o Terceiro Tema", mas me parece mais provável que uma concepção diferente da Música foi inserida nessa passagem. A esse respeito, numa passagem da reescrita e elaboração final do Capítulo 6 do QS (p. 334, §50), conta-se que Melkor falara dos Homens secretamente aos Eldar em Amam, embora soubesse pouco sobre eles, "pois, imerso em seu próprio pensamento na Música, dera pouca atenção ao Segundo Tema de Ilúvatar". Se isso não foi escrito simplesmente por inadvertência, é algo que poderia dar apoio à visão de que o Segundo e o Terceiro Temas tinha se tornado aqueles que introduziram Elfos e Homens — ainda que certamente os Elfos entrassem no Segundo Tema, e os Homens, no Terceiro. Vale notar também que, no esboço da continuação da carta para Rhona Beare, de outubro de 1958 (*Cartas*, nº 212), ao qual já me referi várias vezes, meu pai escreveu: "Os 'temas' deles foram introduzidos na Música pelo Uno quando os desacordos de Melkor surgiram"; e há ainda outra referência aos "Temas dos Filhos" na Nota do Autor 7 (p. 411).

[11] Ao lado das frases de abertura da Nota 2 está escrito na margem: "*Arda* significa Reino". Quanto à afirmação aqui de que "Fisicamente, Arda era o que chamaríamos de Sistema Solar", e, no terceiro parágrafo dessa Nota, a de que "a parte principal de Arda era a Terra (*Imbar*, 'A Habitação')", embora "quando empregado de forma genérica, o termo 'Arda' frequentemente parece significar a Terra", cf. a lista de nomes associados com a revisão do *Quenta Silmarillion* em 1951 (p. 21): "*Arda*   nome élfico da Terra — nosso mundo. Também *Reino de Arda* = região cercada". As afirmações nessa Nota implicam, é claro, uma transformação radical do mito cosmológico, uma recrudescência das ideias abandonadas vistas no texto C* do *Ainulindalë* do fim dos anos 1940 (pp. 15-20, 62). Muitos outros escritos sobre esse tema podem ser encontrados no conjunto de textos da Parte Cinco (ver especialmente os Textos I e II, pp. 446, 452 e seguintes).

[12] O termo *Imbar* não tinha ocorrido antes; mas cf. *Ambar*, "a Terra" (IV. 279 e seguintes, e as *Etimologias*, V. 450, "quenya *a-mbar*, 'oikoumenē', Terra"; também *Ambar-metta*, "o fim do mundo", nas palavras de Aragorn durante sua coroação, *O Retorno do Rei*, p. 1382).

13 "os principais Ainur demiúrgicos ... tinham feito sua 'residência' em Arda": cf. o *Ainulindalë* (p. 28, §21): "Assim veio a se dar que, dos Sacros, alguns residiram ainda com Ilúvatar além dos confins do Mundo; mas outros, e, entre eles, muitos dos maiores e mais belos, despediram-se de Ilúvatar e desceram ao mundo." — Quanto à palavra "demiúrgicos", ver nota 3 acima.

14 *erma*: no texto datilografado B de *Leis e Costumes* aparece a palavra *orma*, uma alteração posterior feita a lápis da palavra *hrón* ("o *hrón* [> *orma*] geral de Arda"), p. 269.

15 Trata-se de uma referência a uma concepção que ainda não encontramos: ver o Apêndice desta Parte, p. 435 e seguintes.

16 A possibilidade de retorno à vida encarnada por meio do nascimento não é mais contemplada: ver nota 15.

17 "Normalmente, mesmo assim, tinham de permanecer em Aman": as razões para isso são explicadas mais tarde nessa Nota. Ver ainda pp. 439-40.

18 Lúthien não era ancestral de Eärendil, filho de Tuor e Idril Celebrindal de Gondolin; ela era avó de Elwing, esposa de Eärendil.

19 "O mito que aparece no fim do *Silmarillion*": até onde essa referência tem a ver com algum texto escrito real, trata-se da conclusão do QS (V. 399–400, §§31–2), a Profecia de Mandos.

20 Cf. *Leis e Costumes* (texto datilografado B, p. 270-1):

> Conforme as eras passavam, a dominância de seus *fëar* sempre aumentava, "consumindo" seus corpos ... O fim desse processo é o "desvanecimento" deles ...; pois o corpo se torna afinal, por assim dizer, uma mera memória mantida pelo *fëa*; e esse final já se realizou em muitas regiões da Terra-média, de modo que os Elfos se tornaram de fato sem-morte e não podem ser destruídos ou alterados.

21 "precede e está acima de todas as obras de Eru"; isto é, "precede e está acima das *obras* de Eru, de qualquer tipo que sejam".

22 Para referências anteriores ao Povo de Marach, ver pp. 370-1, 374, 414.

23 Outra versão da Nota 9 foi preservada. Sua abertura diz o seguinte:

> É provável que Andreth, na verdade, não estivesse desejosa de contar mais. Também pode ter se sentido incapaz de se decidir sobre as tradições humanas conflitantes que abordam o tema. Recensões mais extensas do *Athrabeth*, que parecem ter sido "editadas" sob influência númenóreana (os Númenóreanos descendiam principalmente do Povo de Marach, que tinha tradições mais específicas acerca do que chamamos de Queda), fazem com que ela apresente, sob pressão, uma resposta mais precisa. Em resumo, é esta:

Alguns dizem que o desastre aconteceu muito cedo na história de nosso povo; alguns dizem que na primeira geração. A Voz do Uno falara conosco, alguns dizem que por meio de um Mensageiro, outros que teria sido por meio de uma Voz apenas, ainda outros que foi por meio de um conhecimento em nossos corações que tínhamos desde o princípio. Mas éramos poucos e o mundo parecia muito vasto; e nos admirávamos muito com tudo o que víamos, mas éramos ignorantes, e, contudo, desejávamos grandemente saber, e tínhamos pressa para criar coisas, cujas formas cresciam em nossas mentes.

Então alguém veio em nosso meio, na nossa própria forma, mas maior e mais bela ...

A partir desse ponto o texto difere do "Conto de Adanel" (p. 417) apenas em detalhes muito pequenos do fraseado; mas ele termina (num ponto que não é o fim de uma página) nas palavras "ouvíamos sua voz e recebíamos suas ordens" (o "Conto de Adanel", p. 418).

A primeira versão foi rejeitada e posta de lado, e, em algum momento posterior, meu pai anotou o seguinte no texto datilografado: "O resto das notas e a conclusão da lenda do Engodo de Melkor parecem ter se perdido. A cópia completa foi enviada para a Sra. E. J. Neave (minha tia) no País de Gales pouco antes de sua morte. Parece que nunca foi devolvida. Perdida — ou destruída por seus testamenteiros apressados?" Então, mais tarde, ele anotou ao lado dessa observação que o texto completo das Notas e a lenda (o "Conto de Adanel") tinham sido achados. O costume de guardar os documentos dele em lugares separados por medo de perdê-los causava esse tipo de dor de cabeça no fim da vida dele. — Jane Neave morreu em 1963; ver a *Nota sobre a Datação*, p. 363-4.

24 Quanto aos nomes *Lindar* ("Cantores", associado aos Teleri) e *Tareldar* ("Altos-Elfos"), cf. o Índice Remissivo de *O Silmarillion*, verbetes *Teleri*, *Eldar*.

25 É notável que a antiga forma *Melko* seja apresentada aqui como uma variante válida.

26 Ver p. 131, nota 2.

27 *melk-*: esse radical inicialmente foi escrito com duas vogais, talvez *melek-*, mas a segunda vogal parece ter sido coberta com tinta.

28 *Saelon*: forma substituída por *Saelind* ("Coração-sábio"), p. 370.

29 Cf. as palavras da Voz de Eru no "Conto de Adanel", p. 418.

30 O significado é "embora falemos de modo incerto sobre o que estaria 'habitando dentro'".

31 Cf. a nota de rodapé no final de *Leis e Costumes*, p. 305.

APÊNDICE

"O Colóquio de Manwë com Eru" e concepções posteriores sobre a reencarnação élfica

A afirmação no início da Nota 3 (p. 408) de que "na tradição élfica, a reencarnação era uma permissão especial concedida por Eru a Manwë, quando Manwë O consultou diretamente na época do debate acerca de Finwë e Míriel" parece muito estranha à luz de *Leis e Costumes entre os Eldar*, texto no qual se afirma de forma bem explícita (p. 272) que "Um *fëa* sem-morada que escolhesse ou recebesse a permissão de voltar à vida *reentrava no mundo encarnado por meio do nascimento. Só assim podia voltar*" (o "caso raro e estranho" de Míriel, que "voltou a ter morada em seu próprio corpo", é destacado como a única exceção). Em *Leis e Costumes*, um pressuposto de toda essa questão é que Míriel poderia, segundo a natureza das coisas, voltar da morte se quisesse; assim, Ulmo disse no Debate dos Valar que "o *fëa* de Míriel pode ter partido por necessidade, mas partiu *com a vontade de não voltar*" e que "*nisso estava a falha dela*" (p. 296). Não se deve pensar que *Leis e Costumes* foi escrito com base na ideia de que o renascimento era "concedido como uma permissão especial" de Eru a Manwë "na época do debate acerca de Finwë e Míriel", já que não há pista ou indicação nenhuma desse tipo de ideia naquele texto.

A explicação disso é que, depois de escrever *Leis e Costumes*, as visões de meu pai acerca da sina dos Elfos que tinham morrido passaram por uma mudança radical, e a passagem citada na Nota 3 ao Comentário sobre o *Athrabeth* não se refere, na verdade, a "renascimento" algum.

Existe um texto intitulado *O Colóquio de Manwë com Eru*, que veio depois de *Leis e Costumes*, mas precedeu o Comentário sobre o *Athrabeth*. Esse texto (datilografado) foi planejado como algo duplo, com a primeira parte trazendo as perguntas de Manwë e as respostas de Eru, e a segunda, uma discussão filosófica complexa do significado e implicações das respostas; mas ela foi abandonada antes de ser terminada, e uma segunda versão do "Colóquio", mais ampla, também parou depois de apenas duas páginas. Apresento apenas a primeira parte, o "Colóquio", em sua recensão original mais breve.

Manwë falou a Eru, dizendo: "Eis que aparece em Arda um mal que não esperávamos: teus Filhos Primogênitos, a quem fizeste imortais, sofrem agora a separação de espírito e corpo. Muitos dos *fëar* dos Elfos na Terra-média agora estão sem morada; e mesmo em Aman há um desses. Os sem-morada convocamos a Aman, para guardá-los da Escuridão, e todos os que ouvem nossa voz aqui ficam à espera. O que mais se há de fazer? Não há meio pelo qual as vidas deles possam ser renovadas, para seguir os cursos que Tu designaste? E quanto aos abandonados que pranteiam aqueles que se foram?"

Eru respondeu: "Que os sem-morada voltem a ter morada!"

Manwë perguntou: "Como se há de fazer isso?"

Eru respondeu: "Que o corpo que foi destruído seja refeito. Ou que o *fëa* desnudo renasça como criança."

Manwë disse: "É da Tua vontade que tentemos essas coisas? Pois tememos intervir em Teus Filhos."

Eru respondeu: "Não dei aos Valar o governo de Arda, e poder sobre toda substância nela, para moldá-la pela vontade deles e sob Minha vontade? Não hesitastes em fazer essas coisas. Quanto a Meus Primogênitos, não retirastes da Terra-média, onde os coloquei, grandes números deles, e os trouxestes para Aman?"

Manwë respondeu: "Isso fizemos por medo de Melcor, e com boa intenção, ainda que não sem desassossego. Mas usar nosso poder sobre a carne que Tu destinaste a ser morada dos espíritos de Teus Filhos — isso parece ser matéria além de nossa autoridade, mesmo se não estivesse além de nosso engenho."

Eru disse: "Dou-vos essa autoridade. O engenho já o tendes, se prestardes atenção. Procurai e vereis que cada espírito de Meus Filhos retém em si a marca e memória completas de sua morada anterior; e, em sua nudez, está aberto a vós, de modo que podeis perceber claramente tudo o que há nele. Seguindo essa marca, podeis fazer para ele de novo tal morada, em todos os particulares, como a que ele tinha antes que o mal lhe sobreviesse. Assim, podeis mandá-lo de volta às terras dos Viventes."

Então perguntou ainda Manwë: "Ó Ilúvatar, não falaste ainda de renascimento? Isso também está dentro de nosso poder e nossa autoridade?"

Eru respondeu: "Há de estar dentro de vossa autoridade, mas não está em vosso poder. Aqueles a quem julgardes aptos ao renascimento, se o desejarem e entenderem claramente no que isso implica, haveis de entregar a Mim; e eu considerarei o caso deles."

Podemos perceber que dimensões totalmente novas da questão do retorno dos Mortos para o mundo dos Viventes acabam de ser introduzidas. Meu pai tinha passado a pensar que, antes da morte de Míriel, nenhum dos *fëar* dos Mortos tinha "recuperado sua morada", e que tinha sido apenas em resposta ao apelo de Manwë que Eru decretara tal possibilidade e as maneiras pelas quais ela poderia ser colocada em prática. Uma dessas maneiras é o renascimento do *fëa* como uma criança, mas aqueles dos Mortos que o desejarem devem ser entregues a Eru, para aguardar o julgamento Dele para cada caso. A outra maneira envolve a criação, por parte dos Valar, de "tal morada, em todos os particulares, como a que ele tinha antes que o mal lhe sobreviesse": a reencarnação dos Mortos num *hröa* idêntico ao que tinha sido destruído pela morte. A longa discussão que se segue ao "Colóquio" diz respeito principalmente às ideias de "identidade" e "equivalência" em relação a essa forma de reencarnação, representada como um comentário feito pelos mestres-do-saber eldarin.

Um manuscrito escrito de forma apressada em pequenos pedaços de papel, intitulado "Reencarnação dos Elfos", parece mostrar as reflexões de meu pai sobre o tema entre o abandono de *O Colóquio de Manwë e Eru* e o Comentário sobre o Athrabeth. Nessa discussão, ele se refere de maneira rápida e elíptica às dificuldades, em todos os níveis (incluindo os práticos e psicológicos) presentes na ideia da reencarnação do *fëa* como uma criança recém-nascida, filha de um segundo casal de pais, a qual, conforme cresce, recaptura a memória de sua vida prévia: "a objeção mais fatal" é que isso "contradiz a noção fundamental de que *feä* e *hröa* eram *adaptados* um ao outro: já que os *hröar* têm uma ascendência física, o corpo do renascimento, tendo pais diferentes, tem de ser diferente", e isso deve acabar acarretando dor para o *fëa* renascido.

Nesse ponto, ele estava abandonando, e de uma vez por todas, a concepção profundamente enraizada (ver pp. 321-4) de que o renascimento era o modo pelo qual os Elfos poderiam retornar à vida encarnada: com base em seu escrutínio da ideia mítica, questionando sua validade nos termos que havia adotado, parecia-lhe agora que o conceito era uma falha séria na metafísica da existência élfica. Mas, disse ele, tratava-se de um "dilema", pois a reencarnação dos Elfos "parece ser um elemento *essencial* dos contos". "A única solução", decidiu ele nessa discussão, era a ideia da recriação, em forma idêntica, do *hröa* dos Mortos segundo a maneira explicitada por Ilúvatar em *O Colóquio de Manwë e Eru*: o *fëa* retém uma memória, uma impressão, de seu *hröa*, sua "morada anterior", que é tão poderosa e precisa que a reconstrução de um corpo idêntico pode acontecer a partir dela.

A ideia de um "Colóquio" entre Manwë e Eru não foi abandonada, e, de fato, é citada em "Reencarnação dos Elfos" (mas o "Colóquio", na forma apresentada acima, já devia ter sido escrito, já que nele Eru declara expressamente que o renascimento é uma forma de reencarnação que está aberta para o *fëa* "sem-morada", enquanto na presente discussão tal ideia é firmemente rejeitada e não tem lugar na "única solução" para o "dilema"). A nova concepção, em resumo, segue o seguinte esquema. A Música dos Ainur não tinha contido nenhuma previsão da morte dos Elfos e da existência de seus *fëar* "sem-morada", uma vez que, de acordo com a natureza deles, deviam ser imortais dentro da vida de Arda. Havia muitos *fëar* desse tipo, que tinham morrido na Terra-média, nos Salões de Mandos, mas foi só depois da morte de Míriel em Aman que Manwë apelou diretamente a Eru pedindo seu conselho. Eru "aceitou e ratificou a posição" — embora deixando claro para Manwë que os Valar deviam ter contestado a dominação da Terra-média por Melkor muito antes, e que lhes tinha faltado *estel*: deveriam ter confiado que, numa guerra legítima, Eru não teria permitido que Melkor danificasse Arda tão severamente a ponto de os Filhos não conseguirem aparecer, ou não conseguirem habitá-la (cf. o QT, §20, p. 200: "E Manwë disse aos Valar: 'Este é o conselho de Ilúvatar em meu coração: que devemos retomar o comando de Arda, a qualquer custo, e libertar os Quendi das sombras de Melkor.' Então Tulkas se alegrou; mas Aulë estava entristecido, e dizem que ele (e outros dos Valar) antes disse não estavam desejosos de contender com Melkor, pressagiando as feridas do mundo que deviam vir daquela contenda").

Afirma-se então que "os *feär* dos Mortos vão todos para Mandos em Aman: ou, antes, agora são convocados para lá pela autoridade dada por Eru. Faz-se um lugar para eles". Isso parece significar que foi apenas agora que Mandos recebeu o poder de convocar os espíritos dos Mortos para Aman; mas as palavras seguintes, "Faz-se um lugar para eles", são difíceis de entender, já que parecem negar até mesmo que os Salões de Espera existiam antes que Manwë falasse com Eru (apesar da afirmação anterior em "Reencarnação dos Elfos" de que havia muitos *fëar* sem-morada reunidos em Mandos antes que o "Colóquio" tivesse lugar.)

Os Valar agora recebem a autoridade de reencarnar os *fëar* dos Elfos que morreram em *hröar* idênticos àqueles que perderam; e o texto prossegue: "O *fëa* com nova morada normalmente permanecerá em Aman. Só em casos muito excepcionais, como o de Beren e Lúthien, ele será transportado de volta à Terra-média. ... Portanto, a *morte* na Terra-média trazia mais ou menos o mesmo tipo de pesar e separação para Elfos e Homens. Mas, como Andreth percebeu, a certeza de viver de novo e de *fazer* coisas na forma encarnada fazia uma diferença vital para a morte enquanto terror pessoal" (cf. o *Athrabeth*, p. 376).

No que parece ser uma segunda opinião, meu pai então se questionou se não seria possível que o *fëa* "sem-morada" recebesse a permissão (depois de ser instruído) de reconstruir seu *hröa* a partir da própria memória (e isso, pelo que se vê em escritos muito tardios sobre o tema da reencarnação de Glorfindel de Gondolin, passou a ser sua visão firme e estável sobre tal matéria). Aqui, ele escreveu: "A memória que um *feä* tinha de suas experiências evidentemente é algo poderoso, vívido e completo. Assim, a sugestão subjacente é que a 'matéria' será incorporada pelo 'espírito' ao se tornar parte do *conhecimento* deste — e, assim, torna-se atemporal e fica sob controle do espírito. Como os Elfos que permaneciam na Terra-média lentamente 'consumiam' seus corpos — ou os transformavam em vestimentas de memória? A ressurreição do corpo (ao menos no que dizia respeito aos Elfos) era, em certo sentido, incorpórea. Mas, enquanto ele conseguia atravessar barreiras físicas à vontade, também podia, por sua vontade, opor uma barreira à matéria. Se você tocasse um corpo ressuscitado, poderia senti-lo. Ou, se fosse da vontade dele, poderia simplesmente escapar de você — desaparecer. Sua posição no espaço dependia de sua vontade".

Nem na passagem sobre o assunto da reencarnação no Comentário sobre o *Athrabeth* (p. 399, §6), nem na Nota 3 que se refere a ela (p. 408) há alguma menção de renascimento; enquanto essa última ecoa de forma muito evidente as palavras de "Ressurreição dos Elfos". Assim, fica fortemente subentendido na Nota 3, mesmo se não afirmado expressamente, que foi apenas no momento do diálogo de Manwë e Eru que Mandos de fato recebeu o poder de convocar os *fëar* dos Mortos; e a passagem que se segue a isso na Nota é muito similar ao que é dito em "Ressurreição dos Elfos":

> Ali, recebiam a escolha de permanecer sem-morada ou (se o desejassem) de receber nova morada com a mesma forma e feitio que tinham antes. Normalmente, mesmo assim, tinham de permanecer em Aman. Portanto, se habitassem a Terra-média, a perda do contato com amigos e parentela, bem como a perda dessas pessoas na Terra-média, não eram remediadas. A morte não era totalmente curada. Mas, na visão de Andreth, essa certeza acerca do futuro imediato deles após a morte, e o conhecimento de que, pelo menos, eles seriam novamente capazes, se desejassem, de fazer e criar coisas como *encarnados* e continuar a experimentar Arda, faziam com que a morte, para os Elfos, fosse uma coisa totalmente diferente da morte conforme ela parecia aos olhos dos Homens.

Um ponto interessante no que diz respeito à cronologia de composição está ligado à observação, encontrada tanto em "Reencarnação dos Elfos" quanto na Nota 3 ao Comentário, de que a morte dos Elfos e a morte dos Homens eram coisas muito diferentes "na visão de Andreth". Assim, o *Athrabeth* já existia quando "Reencarnação dos Elfos" foi escrito; mas o Comentário veio depois de "Reencarnação". Isso parece ser uma evidência clara de que houve um intervalo entre a escrita do Debate de Finrod e Andreth propriamente dito e a escrita do Comentário sobre ele.

Há mais uma passagem de "Reencarnação dos Elfos" que precisa ser mencionada. Numa espécie de digressão em relação ao curso de seus pensamentos, movimentando-se (ainda) mais rapidamente que sua caneta, meu pai afirmou que "a natureza exata da existência em Aman ou Eressëa depois de sua 'remoção' deve ser dúbia e não explicada", assim como a explicação de "como 'mortais' conseguiriam ir até lá, para começo de conversa". Sobre isso, ele observou que Eru, "muito antes", tinha encarregado Mandos também dos Mortos de povos mortais; cf. QS, §86 (V. 293): "O que acontecia a seus espíritos depois da morte, os Elfos não sabem. Alguns dizem que eles também vão para os salões de Mandos; mas seu lugar de espera ali não é aquele dos Elfos; e somente Mandos, sob Ilúvatar, salvo Manwë, sabe para onde vão depois do tempo de recolhimento naqueles salões silenciosos à beira do Mar do Oeste". "O tempo passado por Frodo" (prosseguiu ele) "em Eressëa — e depois em Mandos? — foi apenas uma forma ampliada disso. Frodo em algum momento deixaria o mundo (desejando fazê-lo). Assim, a viagem de navio era um equivalente da morte."

Podemos contrastar essas afirmações com o que ele escreveu no fim de seu relato sobre *O Senhor dos Anéis* na carta a Milton Waldman de 1951 (passagem que foi omitida em *Cartas*, mas publicada em IX.166):

> A Bilbo e Frodo é concedida a graça especial de ir com os Elfos que amavam — um final arthuriano, no qual, é claro, não fica explícito se isso é uma "alegoria" da morte, ou uma espécie de cura e restauração que conduz a um retorno.

Em sua carta a Naomi Mitchison de setembro de 1954 (*Cartas* nº 154), entretanto, ele disse:

> … a ideia mítica subjacente é a de que para os mortais, uma vez que sua "espécie" não pode ser modificada para sempre, essa é estritamente apenas uma recompensa temporária: uma cura e reparação do sofrimento. Não podem permanecer lá para sempre e, embora não possam retornar para terras mortais, podem e vão "morrer" — de livre vontade, e deixarão o mundo. (Neste cenário, o retorno de Arthur seria bastante impossível, uma fantasia vã.)

E, muito mais tarde, no esboço de uma carta de 1963 (*Cartas* nº 246), ele escreveu:

> Frodo foi enviado ou teve permissão para atravessar o Mar para curar-se — se isso pudesse ser feito, antes que morresse. Ele por fim viria a "falecer": mortal algum podia, ou pode, residir para sempre na terra ou dentro do Tempo. De modo que ele partiu tanto para um purgatório como para uma recompensa por algum tempo: um período de reflexão e paz e a aquisição de uma compreensão mais verdadeira de sua posição em pequenez e grandeza, passado ainda no Tempo no meio da beleza natural da "Arda Imaculada", a Terra não deturpada pelo mal.

[illegible]

[illegible]

[illegible]

[illegible]

[illegible]

[illegible]

[illegible]

PARTE CINCO

Mitos Transformados

Na última seção deste livro, apresento alguns escritos tardios de meu pai, de natureza variada, mas que estão ligados, de forma geral, a uma reinterpretação de elementos centrais da "mitologia" (ou *legendário*, como ele o chamava) para colocá-los em sintonia com os imperativos de uma concepção subjacente muito modificada. Alguns desses documentos (há exceções notáveis quanto a isso) oferecem dificuldades excepcionais: fluidez de ideias, formulação ambígua e alusiva, passagens ilegíveis. Mas o maior problema é que há pouquíssimas indicações firmes de datas em termos externos ou relativos: organizar esses textos numa sequência de composição, mesmo que aproximada, parece impossível (embora eu acredite que virtualmente todos eles venham dos anos nos quais foram escritos *Leis e Costumes entre os Eldar*, o *Athrabeth* e revisões tardias de partes do *Quenta Silmarillion* — o fim dos anos 1950, na sequência da publicação de *O Senhor dos Anéis*).

Nestes escritos, pode-se ler o registro de um prolongado debate interior. Anos antes dessa época, tinham aparecido os primeiros sinais de ideias emergentes que, se colocadas em prática, causariam perturbações maciças em *O Silmarillion*. Já demonstrei, creio eu, que, quando meu pai começou a revisar e reescrever pela primeira vez as narrativas existentes dos Dias Antigos, antes que *O Senhor dos Anéis* fosse concluído, ele escreveu uma versão do *Ainulindalë* que introduziu uma transformação radical do mito astronômico, mas que naquele momento ele conseguiu se segurar (pp. 15-20, 61-2). Mas depois, como veremos em muitos dos ensaios e notas que se seguem, ele passou a acreditar que tamanha reviravolta era uma necessidade, que o cosmos do antigo mito não era mais válido; e, ao mesmo tempo, ele se sentiu impelido a tentar construir uma base "teórica" ou "sistemática" mais segura para elementos do *legendário* que não podiam ser descartados. Com seus questionamentos, suas certezas que dão lugar à dúvida, suas resoluções contraditórias, esses escritos devem ser lidos com uma sensação de estresse intelectual e imaginativo diante de tal desmontagem e reconstrução, vistas como uma necessidade inescapável, mas que nunca foi alcançada.

Os textos, arranjados segundo uma sequência "temática" bastante solta, estão elencados com numerais romanos. Quase todos passaram por uma edição muito leve (questões de pontuação, inserção de palavras omitidas e coisas do tipo). Notas numeradas (que não estão presentes em todos os casos) se seguem aos textos individuais.

I

Apresento primeiro um esclarecimento curto escrito em dois pedaços de papel, que encontrei presos com alfinete a um dos textos datilografados dos *Anais de Aman*, o que significaria que eles datam de 1958 ou depois (se minhas conclusões gerais sobre a datação estiverem corretas, p. 363).

Este material descende das formas mais antigas da mitologia — quando a intenção ainda era que ela fosse não mais do que outra mitologia primitiva, embora mais coerente e menos "selvagem". Consequentemente, ela tinha uma cosmogonia de "Terra Plana" (muito mais fácil de gerenciar, de qualquer modo): a Matéria de Númenor ainda não tinha sido imaginada.

Agora está claro para mim que, de todo modo, a Mitologia tem de ser, na verdade, uma obra "humana". (Os Homens só se interessam realmente por outros Homens, e pelas ideias e visões dos Homens). Os Altos Eldar, vivendo com e tendo como tutores os seres demiúrgicos, deviam saber, ou pelo menos seus escritores e mestres-do-saber deviam saber, "a verdade" (de acordo com sua medida de entendimento). O que temos no *Silmarillion* etc. são tradições (especialmente personalizadas, e centradas em *atores*, tais como Fëanor) transmitidas por *Homens* em Númenor e, mais tarde, na Terra-média (Arnor e Gondor); mas que, já nos tempos mais remotos — desde a associação inicial dos Dúnedain e Amigos-dos-Elfos com os Eldar em Beleriand —, foram mescladas e confundidas com seus próprios mitos e concepções cósmicas humanas.

Nesse ponto (numa reconsideração das passagens cosmogônicas antigas) eu estava inclinado a manter a Terra Plana e aquele negócio astronomicamente absurdo da criação do Sol e da Lua. Mas é possível inventar histórias desse tipo quando se vive em meio a pessoas que têm o mesmo pano de fundo geral de imaginação, quando o Sol "realmente" nasce no Leste e se põe no Oeste etc. Quando, entretanto (não importa o quão pouco a maioria das pessoas conheça astronomia ou pense nela), a crença geral é de que vivemos numa ilha "esférica" no "Espaço", não é mais possível fazer isso.

Perde-se, é claro, o impacto dramático de coisas tais como os primeiros "encarnados" despertando num mundo iluminado pelas estrelas — ou a chegada dos Altos Elfos à Terra-média desfraldando suas bandeiras no *primeiro* nascer da Lua.

Apresentei essa passagem primeiro porque — embora tenha sido anotada muito rapidamente — ela é uma afirmação expressa das visões de meu pai nessa época, em três pontos principais. Os mitos astronômicos dos Dias Antigos não podem ser considerados como um registro das crenças tradicionais dos Eldar em qualquer forma pura, porque os Altos-Elfos de Aman não poderiam ser ignorantes assim; e os elementos cosmológicos em *O Silmarillion* são essencialmente um registro de ideias mitológicas, de origem complexa, que eram prevalentes entre os Homens.[1] Nessa nota, entretanto, meu pai parece ter aceitado que essas ideias, em si mesmas, não necessariamente levam a uma grande reviravolta na "estrutura de mundo" essencial de *O Silmarillion*, mas, pelo contrário, fornecem uma base para que ela seja mantida ("Nesse ponto ... eu estava inclinado a manter a Terra Plana"). A conclusão desse breve esclarecimento parece ser, então, um passo seguinte e não relacionado ao que vinha antes: a de que o mito cosmológico de *O Silmarillion* era um "erro criativo" por parte de seu criador, uma vez que ele não poderia conter verdade imaginativa para pessoas que sabiam muito bem que tal "astronomia" era ilusória.

Da maneira como está colocado, esse parece ser um argumento de natureza extremamente duvidosa, levantando, de fato, a seguinte questão: por que o mito das Duas Árvores (o qual, até onde vão os registros, ele nunca mostrou intenção nenhuma de abandonar) é mais aceitável do que o da criação do Sol e da Lua a partir da última fruta e flor das Árvores conforme morriam? Ou, de fato, se isso é verdade, como pode ser aceitável afirmar que a Estrela Vespertina é a Silmaril arrancada da coroa de Morgoth por Beren?

De qualquer modo, fica claro, pois é algo que meu pai afirmou de maneira nada ambígua, que ele passara a acreditar que a arte do "Sub-criador" não pode, ou não deve tentar, estender-se à revelação "mítica" de uma concepção da forma da Terra e da origem dos luzeiros do firmamento que contrarie as verdades físicas conhecidas de sua própria época: "Não é mais possível fazer isso". E essa opinião se transforma em algo mais complexo e de difícil discussão com o aumento da importância dos "mestres-do-saber" eldarin de Aman, cujas realizações intelectuais e conhecimento forçosamente derrubam qualquer ideia de que uma astronomia "falsa" poderia ter sido aceita entre eles. Parece-me que ele estava projetando — a partir de dentro — uma arma temível contra sua própria criação.

Nesse texto breve, ele escreveu com desdém sobre "aquele negócio astronomicamente absurdo da criação do Sol e da Lua". Creio que é possível que tenha sido a própria natureza desse mito que finalmente o tenha levado a abandoná-lo. Em sua concepção, é um mito belo, e não absurdo; mas é extremamente "primitivo". Acerca do "Conto do Sol e da Lua" original em *O Livro dos Contos Perdidos*, eu escrevi (I. 242):

> Como resultado dessa descrição completa e intensa, a origem do Sol e da Lua no último fruto e flor das Árvores tem menos mistério do que na sucinta e bela linguagem de *O Silmarillion*; mas também muito se fala aqui para enfatizar o grande tamanho do "Fruto do Meio-dia", e do aumento no calor e brilho do Navio-do-Sol depois do seu lançamento, de modo que demora muito mais para chegarmos à reflexão de que, se o Sol que ilumina fortemente a Terra inteira era um único fruto de Laurelin, então Valinor devia ter sido dolorosamente brilhante e quente nos dias das Árvores. Na história inicial, os últimos rebentos de vida das moribundas Árvores são completamente estranhos e "enormes", portentosos e até mesmo ominosos no caso de Laurelin; o Sol é impressionantemente brilhante e quente até mesmo para os Valar, que ficam atônitos e inquietos com o que foi feito (os Deuses tinham consciência de "que haviam feito algo muito maior do que sabiam a princípio"); e a cólera e a

aflição de certos Valar com a luz ardente do Sol reforça o sentimento de que, no último fruto de Laurelin, um poder terrível e imprevisto foi liberado.

Conforme o *Quenta Silmarillion* evoluía e se modificava, o mito ia diminuindo quanto à escala e energia de sua apresentação; de fato, na forma final do capítulo, e nos *Anais de Aman*, a descrição da origem propriamente dita do Sol e da Lua foi reduzida a poucas linhas.

> Mas, na hora em que a esperança fraquejou e a canção dela se interrompeu, eis que Telperion produziu enfim, num galho sem folhas, uma grande flor de prata, e Laurelin, um único fruto d'ouro.
>
> Esses Yavanna tomou consigo, e então as Árvores morreram, e seus troncos sem vida estão ainda em Valinor, um memorial da alegria desaparecida. Mas a flor e o fruto Yavanna deu a Aulë, e Manwë os consagrou; e Aulë e seu povo fizeram vasos para abrigá-los e preservar sua radiância, como se diz na *Narsilion*, a Canção do Sol e da Lua. Esses vasos os deuses deram a Varda para que se tornassem luzes do céu, superando em brilho as antigas estrelas ...

As palavras graves e tranquilas não conseguem suprimir inteiramente uma sensação de que aqui emergiu como que um afloramento sem erosão de um nível geológico mais antigo, mais fantástico, mais bizarro. Como aconteceu de fato: era essa a natureza da obra, depois de evoluir por tantos anos. Mas esse afloramento não estava presente na obra como um mito isolado, um elemento agora gratuito que podia ser extirpado; pois, unido a ele, havia o mito das Duas Árvores ("o Sol e a Lua Antigos"), trazendo luz, ao longo de extensas eras, à terra de Valinor, enquanto a Terra-média jazia nas trevas, iluminada apenas pelas estrelas no firmamento de Arda. Naquelas trevas despertaram os Elfos, o Povo das Estrelas; e, depois da morte das Árvores, a Luz antiga ficou preservada apenas dentro das Silmarils. Em 1951, meu pai tinha escrito (*Cartas* nº 131, p. 219):

> Havia a Luz de Valinor tornada visível nas Duas Árvores de Prata e Ouro. Estas foram mortas pelo Inimigo por malícia e Valinor

foi escurecida, embora delas, antes de morrerem por completo, tenham se derivado as luzes do Sol e da Lua. (Uma diferença evidente aqui entre essas lendas e a maioria das demais é que o Sol não é um símbolo divino, mas algo de segunda categoria, e "luz do Sol" (o mundo sob o sol) torna-se um termo para designar um mundo caído e uma visão imperfeita e deslocada.)

Mas: "Não é mais possível fazer isso". Nas páginas seguintes, veremos como, impulsionado por essa convicção, ele tentou desfazer o que tinha feito, mas também manter o que podia ser mantido. É impressionante que, nessa época, ele nunca pareça ter sentido que o que disse na presente nota trazia uma solução para o problema que ele acreditava existir:

> O que temos no *Silmarillion* etc. são tradições ... transmitidas por *Homens* em Númenor e, mais tarde, na Terra-média (Arnor e Gondor); mas que, já nos tempos mais remotos — desde a associação inicial dos Dúnedain e Amigos-dos-Elfos com os Eldar em Beleriand —, *foram mescladas e confundidas com seus próprios mitos e concepções cósmicas humanas.*

É tentador supor que, quando meu pai escreveu que "numa reconsideração das passagens cosmogônicas antigas" ele "estava inclinado a manter a Terra Plana e aquele negócio astronomicamente absurdo da criação do Sol e da Lua", ele estava se referindo ao *Ainulindalë* C e aos *Anais de Aman*. Se era esse o caso, isso pode explicar os desenvolvimentos do *Ainulindalë* C discutidos nas pp. 42-6, nos quais Arda passa a ser um mundo pequeno dentro da vastidão de Eä — mas mantém as características de "Terra Plana" de Ilu presentes no *Ambarkanta* e em textos anteriores.

Levando em conta a afirmação de meu pai de que as lendas de *O Silmarillion* eram tradições transmitidas por Homens em Númenor e, mais tarde, nos reinos númenóreanos na Terra-média, este é um lugar conveniente para apresentar uma nota inteiramente isolada, datilografada (mas não na máquina de escrever mais recente dele) num pedaço de papel pequeno, com o título "Memorando".

Os três Grandes Contos devem ser númenóreanos e derivados de materiais preservados em Gondor. Eram parte do *Atanatárion* (ou o Legendário dos Pais de Homens). ?Sindarin *Nern in Edenedair* (ou *In Adanath*).

São eles (1) *Narn Beren ion Barahir* também chamado de *Narn e·Dinúviel* (Conto do Rouxinol)

(2) *Narn e·mbar Hador* contendo (a) *Narn i·Chîn Húrin* (ou *Narn e·'Rach Morgoth* Conto da Maldição de Morgoth; e (b) *Narn en·Êl* (ou *Narn e·Dant Gondolin ar Orthad en·Êl*)

Não seria o caso de apresentá-los como Apêndices do *Silmarillion*?

Na questão que encerra essa nota, é de se imaginar que meu pai estivesse fazendo uma distinção entre as formas longas e curtas dos contos. — Duas outras notas nesse pedaço de papel, datilografadas na mesma época que a apresentada acima, referem-se ao "Conto de Túrin", o que sugere que ele estava trabalhando nessa narrativa naquele momento.[2] Não tenho conhecimento de nenhuma evidência precisa que permita datar o grande desenvolvimento da "Saga de Túrin", mas ele certamente está ligado a um período anterior ao dos escritos apresentados na parte final deste livro.

A ideia de que as lendas dos Dias Antigos derivavam da tradição númenóreana aparecem também no texto datilografado abandonado (AAm*) dos *Anais de Aman* que meu pai produziu (p. 87).[3] Nesse texto, o preâmbulo afirma:

Aqui principiam os "Anais de Aman". Rúmil os escreveu nos Dias Antigos, e os Exilados os guardavam na memória. Aquelas partes que aprendemos e recordarmos foram, assim, registradas em Númenor antes que a Sombra caísse sobre ela.

NOTAS

[1] Observações muito similares foram feitas na Nota 2 ao Comentário sobre o *Athrabeth* (p. 406):

Fisicamente, Arda era o que chamaríamos de Sistema Solar. Presumivelmente, os Eldar poderiam ter obtido uma quantidade tão grande e precisa de informação acerca de Arda, sua estrutura, origem e relação com o resto de Eä (o Universo) quanto seriam capazes de compreender.

Um pouco adiante na mesma nota, o texto diz:

> As tradições aqui mencionadas derivam dos Eldar da Primeira Era, por meio de Elfos que nunca tiveram contato direto com os Valar e de Homens que receberam esse "saber" dos Elfos, mas tinham mitos, lendas cosmogônicas e inferências astronômicas próprias. *Entretanto, não há nada nessas tradições que conflite seriamente com as ideias presentes dos seres humanos sobre o Sistema Solar e seu tamanho e posição em relação ao Universo.*

A frase que destaquei em itálico sugere um comprometimento seguro, no mínimo, com a reforma da antiga cosmologia. — Para referências, no Comentário do *Athrabeth*, ao papel dos Númenóreanos na transmissão das lendas dos Dias Antigos, ver pp. 411, 414, 433.

2 Essas notas são uma proposta para que Níniel (Nienor) deveria, "em sua aparência e maneiras", lembrar Túrin de Lalaeth, sua irmã, que morrera na infância (ver *Contos Inacabados*, p. 204, nota 8), e outra, marcada com um ponto de interrogação, dizendo que Túrin deveria pensar nas palavras de Saeros, o Elfo de Doriath, quando ele encontra Níniel nua nas bordas da Floresta de Brethil (*Contos Inacabados*, p. 172).

Na parte de trás desse pedaço de papel, meu pai escreveu (num garrancho furioso feito com caneta esferográfica):

> Os mitos cosmogônicos são númenóreanos, mesclando o saber élfico com o mito e a imaginação humanos. Uma nota deveria dizer que os Sábios de Númenor registraram que a criação das estrelas não aconteceu dessa maneira, nem a do Sol e da Lua. Pois o Sol e as estrelas eram todos mais antigos que Arda. Mas a disposição de Arda em meio às estrelas e sob a [?guarda] do Sol se devia a Manwë e Varda antes do assédio de Melkor.

Interpreto as palavras "os Sábios de Númenor registraram que a criação das estrelas não aconteceu dessa maneira, nem a do Sol e da Lua" como indicativo de que a criação do Sol, da Lua e das estrelas não era derivada do "saber élfico". Deve-se notar que aqui *Arda* significa "a Terra", e não "o Sistema Solar".

3 Já afirmei (p. 87) que estaria inclinado a situar o texto AAm* junto com a escrita original dos *Anais*, e não em algum momento posterior, mas isso é apenas um palpite.

II

Este é um texto de natureza extremamente problemática, um manuscrito a tinta que se divide em duas partes, as quais claramente possuem uma associação muito próxima entre si: uma discussão, com propostas para a "regeneração" da mitologia; e uma narrativa abandonada. Nenhuma delas tem título ou cabeçalho.

A Criação do Sol e da Lua *deve* ocorrer muito antes da vinda dos Elfos; e *não pode* acontecer depois da morte das Duas Árvores — caso isso tenha ocorrido por alguma ligação com o tempo que os Noldor passaram em Valinor. O tempo disponível é curto demais. E nem poderiam existir bosques e flores etc. na terra se não houvesse luz desde a derrubada das Lamparinas![1]

Mas como, mesmo assim, os Eldar podem ser chamados de "Povo-das-estrelas"?

Uma vez que a ideia é que os Eldar são mais sábios e têm conhecimento mais verdadeiro sobre a história e a natureza da Terra do que os Homens (ou os Elfos Selvagens), as lendas *deles* deveriam ter uma relação mais próxima com o conhecimento agora disponível sobre, pelo menos, a *forma* do Sistema Solar (= Reino de Arda);[2] embora elas não precisem, é claro, seguir nenhuma teoria "científica" sobre a criação ou o desenvolvimento de Arda.

Portanto, parece claro que a mitologia cosmogônica deveria representar Arda como ela é, mais ou menos: uma ilha no vazio "em meio às estrelas inumeráveis". O Sol deveria ser coetâneo da Terra, embora seu tamanho não precise ser considerado, enquanto a aparente translação do Sol em torno da Terra será aceita.*

As Estrelas, portanto, em geral corresponderão a outras partes remotas do Grande Conto de Eä, que não dizem respeito aos Valar de Arda. Embora, ainda que não de forma explícita, o pressuposto subjacente será o de que o Reino de Arda é de importância *central*, escolhido em meio a toda a vastidão imensurável de Eä como o cenário do drama principal do conflito de Melkor com Ilúvatar e os Filhos de Eru. Melkor é o espírito *supremo* da Soberba e da Revolta, *não* apenas o Vala principal da Terra que se voltou para o mal.[3]

Varda, portanto, como uma dos grandes Valar de Arda, não pode ser descrita como a que "inflamou" a estrelas, como ato subcriativo original — não, pelo menos, as estrelas em geral.[4]

* [nota marginal] Isso é ou seria, de todo modo, um "fato da vida" para qualquer inteligência que escolhesse a Terra como lugar de vida e labuta. [Não há indicação do trecho ao qual isso se refere, mas nenhum outro lugar nessa página parece adequado].

A História, ao que parecia, deveria seguir uma linha deste tipo. A entrada dos Valar em Eä no princípio do Tempo. A escolha do Reino de Arda como seu principal lugar de morada (? por parte dos mais elevados e nobres dos Ainur,[5] a quem Ilúvatar pretendera delegar a tutela dos *Eruhíni*). Manwë e seus companheiros escapam de Melkor e começam a ordenação de Arda, mas Melkor os procura e, por fim, encontra Arda[6] e disputa o reinado com Manwë.

Esse período corresponderá, grosso modo, a supostas épocas primevas antes que a Terra se tornasse habitável. Um tempo de fogo e cataclismos. Melkor desarranjou o Sol, de modo que, em certos períodos, ficava quente demais, enquanto em outros ficava frio demais. Não é preciso deixar claro se isso se devia ao estado do Sol ou a alterações na órbita da Terra: as duas coisas são possíveis.

Mas, depois de uma batalha, Melkor é expulso da Terra propriamente dita. (A Primeira Batalha?) Ele descobre que só consegue ir até lá sob grande segredo. Nessa época, começa pela primeira vez a transformar tudo em frio e escuridão. Seu primeiro desejo (e arma) tinha sido o fogo e o calor. Foi empunhando a *chama* que Tulkas (? originalmente o Vala do Sol) derrotou-o na Primeira Batalha. Melkor, portanto, vem principalmente *à noite* e especialmente ao Norte no inverno. (Foi depois da Primeira Batalha que Varda dispôs *certas estrelas* como sinais de presságio para que os habitantes de Arda as vissem.)

Os Valar, para contrabalançar isso, criam a Lua. A partir de matéria da Terra ou do Sol? A função dela é ser uma luz subsidiária para mitigar a noite*† (da maneira que Melkor a transformara) e também como uma "embarcação de vigia e guarda" que circunda o mundo.[7] Mas Melkor reuniu no Vazio espíritos de frio etc. e, de repente, a pôs sob assalto, expulsando o Vala Tilion.[8] A Lua, dali por diante, ficou muito tempo sem guia e vagante, sendo chamada *Rana* (neutro).[9]

[*Se* Tulkas veio do Sol, então *Tulkas* era a forma que esse Vala adotou na Terra, sendo, em sua origem, *Auron* (masculino). Mas o Sol é feminino; e é melhor que a Vala seja *Áren*, uma donzela

*† [nota marginal] Mas não para expulsá-la. Era necessário que houvesse uma alternância, "porque em Eä, de acordo com o Conto, nada pode persistir infinitamente sem cansaço e corrupção".

que Melkor tentou transformar em sua esposa (ou violentou);[10] ela explodiu numa chama de ira e angústia e seu espírito foi libertado de Eä, mas Melkor ficou enegrecido e queimado, e sua forma dali por diante passou a ser escura, e ele se embrenhou na escuridão. (O Sol propriamente dito era *Anar* na forma neutra, ou *Úr*, cf. *Rana*, *Ithil*.)]

O Sol continuou a ser um Fogo Solitário, poluído por Melkor, mas, depois da morte das Duas Árvores, Tilion retornou à Lua, a qual continuou a ser, portanto, uma inimiga de Melkor e seus servos e criaturas da noite — e, assim, amada pelos Elfos mais tarde etc.

Depois da captura da Lua, Melkor começa a agir com mais ousadia novamente. Estabelece bases permanentes no Norte, no fundo da Terra. Dali provém a corrupção secreta que perverte os labores dos Valar (especialmente os de Aulë e Yavanna).

Os Valar se cansam. Por fim, descobrindo Melkor e onde ele habita, buscam expulsá-lo de novo, mas Utumno se mostra forte demais.

Varda preservou algo da Luz Primeva (que era a principal preocupação original dela no Grande Conto). As Duas Árvores são criadas. Os Valar constroem seu lugar de descanso e habitações em Valinor, no Oeste.

Ora, um dos objetivos da criação das Árvores (como, mais tarde, a das Joias) era a cura das feridas causadas por Melkor, mas isso poderia facilmente incluir um aspecto *egoísta*: deter a história — não prosseguir com o Conto. Foi esse efeito que ela teve sobre os Valar. Eles ficaram cada vez mais e mais enamorados de Valinor, e iam para lá com mais frequência e lá ficavam por mais tempo. A Terra-média passou a ser muito pouco cuidada, e muito pouco protegida de Melkor.

Perto do fim dos Dias de Ventura, os Valar percebem que houve uma virada de mesa. Foram expulsos da Terra-média por Melkor e seus espíritos malignos e monstros; e só conseguem ir até lá em segredo e rapidamente (Oromë e Yavanna, principalmente).

Esse período tem de ser *breve*. Ambos os lados sabem que a vinda dos Filhos de Deus é iminente. Melkor deseja dominá-los de imediato por meio do medo e da escuridão e escravizá-los. Ele *obscurece o mundo* [*acrescentado na margem*: durante 7 anos?] barrando toda visão do céu até onde consegue, embora no extremo sul (pelo que se diz) isso não tenha tido eficácia. Desde o extremo Norte (onde [elas são] densas] até o meio (Endor),[11] grandes nuvens pairam. A Lua e as estrelas se tornaram invisíveis. O dia é apenas um crepúsculo fraco mesmo na maior claridade. A única luz [está] em Valinor.

Varda se levanta em seu poder, junto com Manwë dos Ventos, e ambos lutam com a Nuvem do Não Ver. Mas, com a mesma rapidez com que ele é rasgado, Melkor fecha o véu de novo — pelo menos sobre a Terra-média. Então veio o Grande Vento de Manwë, e o véu foi rasgado. As estrelas brilham com clareza até mesmo no Norte (*Valakirka*) e, depois do escuro prolongado, parecem terrivelmente brilhantes.

É no *escuro* pouco antes disso que os Elfos despertam. A primeira coisa que veem no escuro são as estrelas. Mas Melkor traz trevas do Leste, e as estrelas vão sumindo no oeste. Portanto, eles pensam desde o princípio na luz e na beleza do Oeste.

A Vinda de Oromë.

A Terceira Batalha e o cativeiro de Melkor. Os Eldar vão para Valinor. As nuvens se dispersam devagar depois da captura de Melkor, embora Utumno continue a arrotar. A região mais escura fica a leste, no ponto mais distante do alento de Manwë.

A Marcha dos Eldar acontece no meio de grandes Chuvas?

Os Homens despertam numa ilha em meio às enchentes e, portanto, recebem bem o Sol, que parece vir do Leste. Só quando o mundo está mais seco eles deixam a Ilha e se espalham.

São só os Homens que encontram Elfos e ouvem os rumores sobre o Oeste que seguem por esse caminho. Pois os Elfos diziam: "Se vos deleitais com o Sol, caminhareis pela trilha que ele segue".

A vinda dos Homens, portanto, terá de acontecer bem antes.[12] Será melhor assim; pois meros 400 anos são bem inadequados para produzir a variedade e os avanços (p. ex., dos Edain) na época de Felagund.[13]

Os Homens precisam despertar enquanto Melkor ainda está em Arda? — por causa da Queda deles.[14] Portanto, em algum período durante a Grande Marcha.

Esse texto termina aqui. Segue-se agora a narrativa associada a ele, cuja aparência é idêntica à discussão anterior (ambos os textos foram escritos usando a mesma caligrafia bastante incomum).

Depois que os Valar, que antes foram os Ainur da Grande Canção, adentraram Eä, aqueles que eram os mais nobres entre eles e mais entendiam a mente de Ilúvatar buscaram, no meio das regiões imensuráveis do Princípio, aquele lugar onde deveriam estabelecer o Reino de Arda no tempo do porvir. E, quando escolheram aquele ponto e aquela região onde ele deveria existir, principiaram os labores que eram necessários. Outros havia, incontáveis para o nosso pensamento, embora conhecidos uns dos outros e enumerados na mente de Ilúvatar, cujo labor se dava alhures e em outras regiões e histórias do Grande Conto, em meio a remotas estrelas e mundos além do alcance do mais longínquo pensamento. Mas desses outros nada sabemos e não temos como saber, embora os Valar de Arda, talvez, recordem a todos eles.

O principal dos Valar de Arda era aquele a quem os Eldar, mais tarde, deram o nome de Manwë, o Abençoado: o Rei Antigo, já que foi o primeiro de todos os reis em [Arda >] Eä. O irmão dele era Melkor, o Potente, e ele tinha, como já foi contado, caído na soberba e no desejo de seu próprio domínio. Portanto, os Valar o evitaram, e principiaram o construir e o ordenar de Arda sem ele. Por essa razão se diz que, embora exista agora grande mal em Arda, e muitas coisas dentro dela estejam em desacordo, de modo que o bem de uma parece ser a ferida de outra, mesmo assim as fundações deste mundo são boas, e ele se volta por natureza para o bem, curando-se a si mesmo por dentro pelo poder que ali foi posto em seu criar; e o mal em Arda fraquejaria e iria embora se não fosse renovado de fora, isto é, que ele vem de vontades e ser [*sic*] que são outros que Arda em si mesma.

E, como bem se sabe, o primaz desses é Melkor. Imensuráveis como eram as regiões de Eä, ainda no Princípio, onde ele poderia ter sido Mestre de tudo o que era feito — pois havia muitos dos Ainur da Canção dispostos a segui-lo e servi-lo, se ele chamasse — ainda assim ele não estava contente. E buscava sempre a Arda e a Manwë, seu irmão, invejoso de seu reinado, por pequeno que parecesse diante do desejo e da potência de Melkor; pois ele sabia que para aquele reinado Ilúvatar planejara dar a mais subida realeza em Eä e, sob o governo daquele trono, trazer ao mundo os Filhos de Deus. E, em seu pensamento, o qual o enganava, pois o mentiroso há de sempre mentir para si mesmo, ele acreditava que sobre os Filhos poderia ter ascendência absoluta e ser para eles único senhor e mestre, enquanto não podia sê-lo para os espíritos de sua própria natureza, por mais que lhe fossem subservientes. Pois eles sabiam que o Uno É, e tinham de assentir à rebelião de Melkor por sua própria escolha; enquanto ele tinha o propósito de subtrair aos Filhos esse conhecimento e ser para sempre uma sombra entre eles e a luz.

Não era como sombra que Melkor então concebia a si mesmo. Pois, em seu princípio, ele amava e desejava a luz, e a forma que tomara era sobremaneira luzente; e dizia em seu coração: "Para tal esplendor como sou os Filhos dificilmente hão de ousar olhar; portanto, conhecer qualquer outro esplendor ou ir além dele, ou mesmo forçar suas mentes pequenas a concebê-lo não será para o bem deles". Mas o esplendor menor que se coloca na frente do maior se torna uma escuridão. E Melkor era ciumento, portanto, em relação a todos os outros esplendores, e desejava tomara toda luz para si. Portanto, Ilúvatar, na entrada dos Valar em Eä, acrescentou um tema à Grande Canção que não estava nela no primeiro Cantar, e chamou um dos Ainur para si. Ora, esse era aquele Espírito que mais tarde se tornou Varda (e, tomando forma de fêmea, tornou-se a esposa de Manwë). A Varda Ilúvatar disse: "Dar-te-ei uma dádiva de despedida. Levarás para dentro de Eä uma luz que é sacra, tendo vindo de mim como coisa nova, não conspurcada pelo pensamento e cobiça de Melkor, e contigo ela há de adentrar Eä, e estar em Eä, mas não há de ser de Eä". Donde Varda é a mais sacra e veneranda de todos os Valar, e aqueles que pronunciam o nome da luz de Varda falam do amor a Eä que Eru tem, e se enchem de temor, que só é menor do que o temor de pronunciar o nome do Uno. Mesmo assim, essa dádiva de Ilúvatar aos Valar contém seu próprio perigo, assim como todas as dádivas que Ele dá livremente: o que, no fim, não é mais do que dizer que eles desempenham um papel no Grande Conto, para que ele se complete; pois sem perigo eles estariam sem poder, e a dádiva seria vã.

Quando, portanto, Melkor afinal descobriu o lugar de morada de Manwë e seus amigos, foi até lá com grande açodamento, feito um fogo ardente. E, percebendo que grandes labores já tinham sido realizados sem seu conselho, ele se enraiveceu e desejou desfazer o que tinha sido feito ou alterá-lo de acordo com seu próprio alvitre.

Mas isso Manwë não toleraria, e houve guerra, portanto, em Arda. Mas, como está escrito alhures, Melkor foi, naquela época, derrotado com o auxílio de Tulkas (que não estava entre aqueles que começaram a construção de Eä) e expulso de novo para o Vazio que jaz à volta de Arda. Essa é a chamada Primeira Batalha; e, embora Manwë obtivesse a vitória, grande dano foi feito à obra dos Valar; e a pior das ações advindas da ira de Melkor se viu no Sol. Ora, o Sol fora designado a ser o coração de Arda, e o propósito dos Valar era que ele levasse luz a todo aquele Reino, incessantemente e sem cansaço ou diminuição, e de sua luz o mundo haveria de receber saúde e vida e crescimento. Portanto, Varda dispôs ali o mais ardente e belo de todos aqueles espíritos que tinham adentrado Eä na sua companhia, e o nome dado a ela foi *Ār(i)*,[15] e Varda confiou a ela uma fração da dádiva de Ilúvatar, para que o Sol persistisse e fosse abençoado e ofertasse bençãos. O Sol, contam-nos os mestres-do-saber, era no princípio chamado de *Âs* (nome o qual, até onde se pode interpretá-lo, significa Calor, ao qual se juntam Luz e Consolo), e o espírito, portanto, era chamado de *Āzië* (ou, mais tarde, *Ārië*).

Mas Melkor, como já se contou, cobiçava toda luz, desejando-a para si ciumentamente. Ademais, logo percebeu que em Âs havia uma luz que tinha sido ocultada dele, e que tinha um poder no qual ele não pensara. Portanto, aceso de desejo e raiva ao mesmo tempo, ele foi até Âs [*escrito em cima:* Asa] e falou a Árië, dizendo: "Escolhi a ti, e hás de ser minha esposa, tal como Varda é a de Manwë, e juntos havemos de empunhar todo esplendor e domínio. Então o reinado de Arda há de ser meu de fato, tal como o é de direito, e tu hás de ser a companheira de minha glória".

Mas Árië rejeitou Melkor e o repreendeu, dizendo: "Não fales de direito, tu que há muito o esqueceste. Nem para ti nem por ti sozinho foi Eä feita; e não hás de ser Rei de Arda. Cuidado, portanto: pois há no coração de Ás uma luz na qual não tens parte nenhuma, e um fogo que não servir-te-á. Não estendas tua mão para tomá-lo. Pois, embora tua potência possa destruí-lo, ele queimar-te-á, e tua claridade há de se fazer escura".

Melkor não deu ouvido à advertência dela, mas gritou em sua ira: "A dádiva que me é negada eu tomo!" e violou Árië, desejando tanto conspurcá-la quanto tomar para si os poderes dela. Então o espírito de Árië inflamou-se feito uma chama de angústia e ira, e partiu para sempre de Arda;* e o Sol foi privado da Luz de Varda e manchado pelo assédio de Melkor. E, ficando por muito tempo sem governo, inflamava-se com calor excessivo ou ficava fraco demais, de modo que duras feridas foram feitas a Arda e a formação do mundo foi desfigurada e atrasada, até que, com longos trabalhos, os Valar criaram uma nova ordem.† Mas, tal como Árië predissera, Melkor se queimou e sua claridade escureceu, e ele não produziu mais luz nenhuma, mas a luz lhe causava fortíssima dor, e ele a odiava.

Mesmo assim, Melkor não deixava Arda em paz; e, acima de tudo, invejava aos Valar sua habitação na Terra, e desejava causar injúria a seus labores nela, ou fazer com que resultassem em nada, se pudesse. Portanto, retornou à Terra, mas, por medo do poderio dos Valar, e do de Tulkas mais do que o de todos os outros, vinha então em segredo. E, em seu ódio ao Sol, veio até o Norte à noite, no inverno. No início, ele partia quando o longo dia de verão chegava; mas, depois de algum tempo, tornando-se ousado de novo, e desejando um lugar de habitação para si, começou a cavar no subterrâneo a sua grande fortaleza no Norte distante, a qual, mais tarde, recebeu o nome de *Utumno* (ou *Udûn*).

Os Valar, portanto, quando se deram conta, pelos sinais malignos que se viam sobre a Terra, de que Melkor voltara, sorrateiro, buscaram-no em vão, embora Tulcas e Oromë procurassem por toda parte na Terra-média, até mesmo no extremíssimo Leste. Quando perceberam que Melkor agora empregava a escuridão e a noite para seus propósitos, como outrora buscara usar a chama, entristeceram-se; pois era parte do desígnio deles que houvesse mudança e alteração sobre a Terra, e nem perpétuo dia nem noite sem fim.‡ Pois por meio da Noite os Filhos de Arda deveriam conhecer o Dia, e perceber e amar a Luz; e, contudo, a Noite também deveria, por

* [nota marginal] De fato, alguns dizem que foi libertado de Eä.

† [nota marginal] Também alguns dos Sábios disseram que a ordenação de Arda, quanto à posição e os cursos de suas partes, foi desarranjada por Melkor, de forma que a Terra, por vezes, era atraída para perto demais do Sol, e em outras se desgarrava demais.

‡ [nota de rodapé ao texto] Pois é, de fato, da natureza de Eä e da Grande História que nada possa ficar imutável no tempo, e que as coisas que o fazem, ou parecem fazê-lo, ou buscam permanecer assim, tornam-se fonte de cansaço, e não mais são amadas (ou são, no máximo, ignoradas).

si só, ser boa e abençoada, sendo um tempo de repouso e de pensamento íntimo; e uma visão, também, de coisas elevadas e belas que existem além de Arda, mas estão veladas pelo esplendor de Anar. Mas Melkor queria transformá-la num tempo de invisível perigo, de medo sem forma, uma vigília inquieta; ou um sonho assombrado, levando, através do desespero, à sombra da Morte.

Portanto, Manwë se aconselhou com Varda, e eles chamaram Aulë para auxiliá-los. E resolveram alterar a feição de Arda e da Terra e, em seu pensamento, planejaram Ithil, a Lua. De que maneira e com quais labores tornaram real esse grande estratagema de seu pensamento, quem há de dizer: pois quais dos Filhos viram os Valar no ápice de sua força ou escutaram os conselhos deles na flor de sua juventude? Quem observou seu labor enquanto labutavam, quem viu a novidade daquilo que é novo?

Alguns dizem que foi da própria Terra[16] que Ithil foi feita, e assim Ambar[17] diminuiu; outros dizem que a Lua foi feita de coisas semelhantes à Terra e daquilo do qual a própria Eä foi feita no Conto.[18]

Ora, quando a Lua foi completada, puseram-na acima de Ambar e a destinaram a caminhar sempre em volta e em torno da Terra, trazendo alguma luz aos lugares escuros dos quais o Sol tinha partido. Mas era uma luz menor, de forma que o luar não era a mesma coisa que a luz solar, e havia ainda mudança de luz sobre a Terra; ademais, havia ainda também noite sob as estrelas, pois a Lua e o Sol, em certos tempos e estações, ficavam ambos ausentes.

Isso, pelo menos, é o que veio a ocorrer por aquela sentença pronunciada por Ilúvatar ..... o mal de Melkor haveria, apesar de si mesmo, de trazer à existências coisas mais belas do que ele imaginara ..... Pois alguns sustentaram que a Lua de início estava em chamas, mas mais tarde se tornou [?forte] e com vida .....: mais tarde, mas enquanto Arda não tinha feição e ainda estava em meio aos tumultos de Melkor.

Isso, ao menos, é conhecido dos Sábios, que Tilion — [*sic*] e que Melkor se encheu de nova ira com o surgir da Lua. Portanto, por algum tempo, ele deixou Ambar de novo e saiu para a Noite de Fora, e reuniu consigo alguns espíritos que quiseram responder ao seu chamado.

Uma página de notas rápidas e sem conexão entre si obviamente precedeu esse texto, mas deve ter sido escrita mais ou menos na mesma época: as ideias que se encontram na discussão e na sinopse que vêm antes da narrativa também se encontram aqui, tal como a "grande escuridão de sombra" criada por Melkor, que tapou o Sol. Nessas notas, meu pai ainda estava se perguntando se deveria "manter toda a história mitológica antiga da criação do Sol e da Lua, ou alterar o pano de fundo para uma versão 'terra redonda'", e observando que, no caso da segunda opção, a Lua seria uma obra de Melkor, funcionando como "uma retaguarda segura" — voltando, assim, à ideia sobre a origem da Lua presente anos antes no texto C* do *Ainulindalë* (p. 59, §31). A dúvida e a falta de uma direção certa ficam muito claros, conforme ele se debatia com os problemas intratáveis trazidos pela presença do Sol no céu sob o qual os Elfos despertaram, um céu iluminado apenas pelas estrelas.[19]

Há traços do presente texto que claramente o associam com o Comentário sobre o *Athrabeth* (ver notas 2 e 3 abaixo), entre eles o uso do nome *Arda* com o significado de Sistema Solar; mas, enquanto a Terra em si é chamada de *Imbar* no Comentário, aqui ela tem o nome mais antigo *Ambar* (ver nota 17). Não pode haver dúvida, creio eu, de que o presente texto era o mais antigo dos dois. Por outro lado, não foi encontrada nenhuma outra apresentação mais bem acabada ou completa das novas concepções em grande escala, da "nova mitologia"; e parece, de qualquer modo, provável que, embora, na cabeça dele, meu pai tivesse se decidido a abandonar o antigo mito do Sol e da Lua, ele deixou em suspenso a formulação e a expressão da nova forma dele. Pode ser — embora eu não tenha nenhuma evidência sobre a questão que seja decisiva — que ele tenha passado a perceber, com base em escritos experimentais, como este texto, que a antiga estrutura era abrangente demais, interligada demais em todas as suas peças, e, de fato, com raízes profundas demais, para que conseguisse suportar uma cirurgia tão devastadora.

NOTAS

1 Em AAm §15 (p. 73), "havia grande crescimento de árvores e ervas, e feras e aves vieram" sob a luz das Lamparinas: essa foi a Primavera de Arda. Mas, depois da destruição das Lamparinas, Yavanna "pôs um sono sobre muitas coisas belas que tinham surgido na Primavera, árvore e erva e fera e ave, de modo que não envelhecessem, mas esperassem um tempo de despertar que ainda haveria de vir" (§30, p. 95).

2 Quanto ao conhecimento astronômico que se supunha existir entre os Altos--Elfos, cf. Nota 2 ao Comentário sobre o *Athrabeth* (p. 406) — onde, tal como aqui, *Arda* corresponde ao Sistema Solar — e o Texto I (p. 446).

3 O raciocínio desse parágrafo tem um paralelo próximo com a Nota 2 do Comentário sobre o *Athrabeth* (p. 406), e a frase final é muito similar ao que se diz no Comentário propriamente dito, p. 403 ("Melkor não era apenas um Mal local da Terra ...").

4 Em AAm §24 (p. 75), conta-se que, depois da Queda das Lamparinas, "a Terra-média jazia num crepúsculo sob as estrelas que Varda fizera nas eras esquecidas de seus labores em Ëa", e, em §34 (p. 96), Varda observou o mundo desde Taniquetil "e contemplou a escuridão da Terra sob as estrelas inumeráveis, tênues e distantes", antes que começasse a criação de estrelas novas e mais brilhantes; assim também diz o *Quenta Silmarillion* revisado (p. 199, §19): "Então Varda ... fez novas estrelas, mais brilhantes, para a vinda dos Primogênitos. Donde ela, cujo nome desde as profundezas do tempo e os labores de Eä fora Tintallë, a Inflamadora, foi chamada depois disso, pelos Elfos, de Elentári, a Rainha das Estrelas". Mas, se ela ainda talvez possa ser chamada de *Elentári*, não pode mais receber o título de *Tintallë* (ver, entretanto, p. 467 e nota 3).

Numa emenda tardia ao texto final D do *Ainulindalë* (p. 51, §36), o aposto a respeito de Varda, "ela é que fez as estrelas", foi alterado para "ela é que fez as Grandes Estrelas"; e parece possível que a mudança tenha acontecido à luz das ideias apresentadas aqui.

5 Cf. a Nota 2 ao Comentário sobre o *Athrabeth* (p. 406), com a nota 13 àquela passagem.

6 Isso, claro, é totalmente diferente da forma da lenda no *Ainulindalë* (p. 29, §23): "Mas Melkor também estava lá desde o começo, e ele se intrometia em tudo o que era feito"; por outro lado, no texto C* (p. 58), Melkor adentrou Arda antes dos outros Ainur.

7 A lenda do *Ainulindalë* C* na qual o próprio Melkor fez a Lua para que ele "pudesse observar de lá tudo o que acontecia abaixo" (p. 59, §31) tinha sido abandonada (mas ver p. 462).

8 Nos AAm (p. 165, §172) e no QS (§75), Tilion não era um Vala, mas "um jovem caçador da companhia de Oromë"). Em AAm §179, aparece a história de que Morgoth atacou Tilion, "enviando espíritos de sombra contra ele", mas sem sucesso.

9 Quanto aos nomes do Sol e da Lua, ver QS §75, e o comentário (V. 285, 288–9), bem como a revisão posterior da passagem (p. 245); ver também AAm §171, e o comentário (pp. 164, 171).

10 Nos AAm (p. 167, §179), afirma-se que "a Arien Morgoth temia com grande temor, e não ousava chegar perto dela".

11 Quanto ao nome *Endor*, ver AAm §38 (pp. 97, 102).

12 Ver p. 395, nota 16.

[13] "na época de Felagund", isto é, na época em que Finrod Felagund encontrou os Homens, sendo o primeiro dos Altos-Elfos a fazê-lo (p. 372).

[14] "Os Homens precisam despertar enquanto Melkor ainda está em Arda?": "Arda" deve ser um erro, substituindo "Terra-média" (isto é, antes do cativeiro dele em Aman).

[15] Um *s* está escrito a lápis em cima do *r* de *Ār(i)*.

[16] Em cima de *Terra* meu pai escreveu *Ambar*, depois riscou a palavra e escreveu "*Mar* = Casa". Ver a próxima nota.

[17] Na Nota 2 do Comentário sobre o *Athrabeth* (p. 406, e ver a nota 12 a essa passagem), aparece o termo *Imbar*, traduzido como "a Habitação" = Terra, "a parte principal de Arda" (= o Sistema Solar).

[18] A partir desse ponto o manuscrito fica muito tosco, ilegível em alguns lugares, e logo é abandonado.

[19] Em outras notas rabiscadas (escritas ao mesmo tempo que o texto II e constituindo uma parte daquele manuscrito), meu pai escreveu que Varda deu a luz sacra que recebeu como dádiva de Ilúvatar (ver p. 459) não apenas ao Sol e às Duas Árvores, mas também para "a Estrela significativa". O sentido dessa frase não está explicado em lugar algum. Ao lado disso ele escreveu *Signifer*, e também muitos nomes experimentais em élfico, como *Taengyl, Tengyl, Tannacolli ou Tankol, Tainacolli*; e ainda uma raiz verbal, *tana*, "mostrar, indicar"; *tanna*, "sinal"; e *kolla*, "carregado, usado, especialmente no caso de uma vestimenta ou manto", com a nota "*Sindikoll-o* é uma forma masculinizada".

III

Este texto brevíssimo e apressado foi achado numa pequena coleção de notas semelhantes dobrada dentro de um jornal de abril de 1959. Foi escrito num pedaço de papel arrancado de uma conta do Merton College datada de junho de 1955; uma conta parecida, de outubro do mesmo ano, foi usada para esboçar uma passagem do *Athrabeth* (p. 424-5). Já observei (p. 368) que o uso desses documentos do ano de 1955 pode sugerir que o *Athrabeth* não foi o resultado de um único período concentrado, ainda que, se meu pai tivesse preparado um suprimento desses pedaços de papel para notas breves, passagens de esboços ou outros propósitos, a data neles poderia ser enganosa.

O que aconteceu em Valinor depois da Morte das Árvores? Aman foi "revelada" — antes, estava coberta por um *domo* (feito por Varda) de bruma ou nuvens, debaixo do qual vista nenhuma poderia alcançar ou vislumbrar nada. Esse domo era iluminado por estrelas — em imitação do grande Firmamento de Eä. Com isso, Valinor, então, ficou escura, com exceção da luz das estrelas [isto é, depois da morte das Árvores]. O domo foi removido e Aman passou a ser iluminada pelo Sol — com isso, a benção dele também foi removida. (Assim, o momento em que Melkor conspurca o Sol deve preceder as Duas Árvores, que contavam com a luz do Sol e das Estrelas antes que Melkor a [?manchasse] — ou as Árvores [?poderiam ?seriam] acesas com a luz anterior à [?Turbulência] de Melkor.)

Não tenho total certeza sobre o significado da frase final entre colchetes, que é extremamente elíptica, mas talvez se deva interpretá-la da seguinte maneira — como a exposição de um problema que surge a partir do que foi dito. O Domo de Varda deve ter sido criado após o momento que Ármë foi violentada por Melkor, para não deixar entrar a luz poluída do Sol;[1] e Aman, sob o Domo, era iluminada pelas Duas Árvores. Mas, por outro lado, é essencial a ideia de que a luz das Árvores foi derivada do Sol antes que ele fosse "manchado". Uma solução desse conflito pode ser encontrada (considerando que a palavra da última frase é "poderiam", não "seriam") na ideia de que a luz das Árvores era uma luz imaculada que foi preservada por Varda desde uma época anterior aos ataques de Melkor.

Na discussão inicial do texto II, fica claro que o Sol tinha sido maculado antes que as Duas Árvores viessem a existir: "Ora, um dos objetivos da criação das Árvores ... era a cura das feridas causadas por Melkor" (p. 455); mas também se diz que "Varda preservou algo da Luz Primeva ... As Duas Árvores são criadas". Isso parece ser a solução à qual meu pai chegou no presente texto, sugerindo assim que ele precedeu o texto II. Por outro lado, não há nenhum indício da presença do Domo de Varda no texto II, e ele dá a impressão de que meu pai estava começando uma nova história, formulando-a conforme prosseguia. É provavelmente vão tentar estabelecer uma sequência clara de composição com base nesses documentos, já que ele poderia voltar ao mesmo problema e chegar ao que parece ser a mesma solução em momentos diferentes.

Um fato notável é que o Domo de Varda aparece no trabalho final de meu pai com o texto narrativo do *Quenta Silmarillion*, Capítulo 6 (p. 347, §57). Enquanto nos AAm (p. 128, §108) conta-se que Melkor, com Ungoliantë a seu lado, observou o cenário do cume do Monte Hyarantar e "viu ao longe ... os domos prateados de Valmar brilhando na mescla das luzes de Telperion e Laurelin", no *Quenta Silmarillion* Ungoliantë (agora, na história alterada, deitada no cume sozinha) "viu *o chamejar das estrelas no domo de Varda* e a radiância de Valmar ao longe". Assim, quando, mais tarde, na reescrita final ("Do Roubo das Silmarils", p. 355, §1), conta-se que acima dos Valar, sentados no Círculo do Julgamento, "as estrelas de Varda agora chamejavam", essas devem ser as estrelas do Domo.[2]

NOTAS

1 Mas, no texto IV (p. 468), afirma-se que o Domo de Varda tinha sido construído "para manter do lado de fora qualquer um dos espíritos ou espiões de Melkor".

2 Na passagem correspondente dos *Anais de Aman* (p. 137, §117), afirma-se: "os deuses sentaram-se nas sombras, pois era noite. Mas agora era noite tal como ela pode ser em alguma região do mundo, onde as estrelas espiam tímidas através dos escombros de grandes nuvens, e nevoeiros frios deslizam da costa irritada do mar". No *Silmarillion* publicado, o texto final ("as estrelas de Varda agora chamejavam acima deles") foi usado; de fato, isso não introduz nenhuma dificuldade na narrativa, mas naquela época eu não percebi o significado dessas palavras.

IV

Há ainda mais um texto sobre o Domo de Varda num manuscrito ao qual já me referi várias vezes (VI. 568; VIII. 34; IX. 99), uma análise de todos os fragmentos em outras línguas presentes em *O Senhor dos Anéis* (ao menos era essa a intenção). A passagem que vou citar aqui vem de uma longa nota sobre a canção em louvor a Elbereth no fim do capítulo "Muitos Encontros". De passagem, podemos mencionar que meu pai anotou o seguinte sobre a palavra *menel*: "o firmamento, o aparente domo do céu. (Provavelmente uma palavra do quenya introduzida no sindarin. Seu antônimo era *kemen*, 'a Terra', como um aparente assoalho plano debaixo de *menel*. Mas essas eram palavras 'pictóricas', já que o saber dos Eldar e dos númenóreanos incluía bastante conhecimento de astronomia)".

A passagem acerca do Domo é motivada pela afirmação de que *Elbereth* tem a palavra *el-*, "estrela", como prefixo (com a nota "Mas como o *b* não sofreu mutação, o nome provavelmente deriva de **elen-barathi > elmbereth*").

A associação mitológica de Varda com as estrelas tem origem dupla. No "período demiúrgico", antes do estabelecimento de Arda, "o Reino", enquanto os Valar em geral (incluindo uma hoste de outros deles, não citados por nome, que nunca vieram até Arda)[1] estavam labutando na construção geral de Eä (o Mundo ou Universo), Varda, segundo a lenda eldarin e númenóreana, tinha projetado e colocado em seus lugares a maioria das principais estrelas; mas sendo (por destino e desejo) a futura Rainha de Arda, o que era sua função essencial, especialmente como aquela que ama e protege os Quendi, ela se ocupava não apenas das grandes Estrelas em si mesmas, mas também da relação delas com Arda, e da aparência delas nesse contexto (e também seu efeito sobre os Filhos que haviam de vir). Portanto, formas e padrões de grande escala que nós chamamos (por exemplo) de *o Arado** ou de *Órion* teriam sido desenhados por ela. Assim, a *Valacirca* ou "Foice dos Deuses", um dos nomes eldarin do Arado, tinha sido criada mais tarde, pelo que se dizia, como um sinal de ameaça e presságio de vingança sobre o Norte, que Melkor tomara para ser sua morada (Varda era a mais profética de todos os Valar, carregando a memória mais clara da Música e da Visão, na qual desempenhara apenas um papel pequeno como participante ou música, mas que escutara com extrema atenção).[2]

Mais tarde, quando os Valar buscaram um refúgio contra Melkor e a ruína iminente de Arda, construindo e fortificando Valinor em Aman, foi Varda que construiu o grande domo acima de Valinor, para manter do lado de fora qualquer um dos espíritos ou espiões de Melkor. Ele foi criado como um simulacro do firmamento verdadeiro (*Tar-menel*), e os padrões dentro dele o repetiam, mas com estrelas aparentes (ou "faíscas": *tinwi*) de tamanho relativo maior em relação à área visível total. Assim, o firmamento menor de Valinor (*Nur-menel*) era muito brilhante.

Por causa dessa obra (principalmente: mas seus labores demiúrgicos originais também eram incluídos), ela era chamada de

* Parte da constelação da Ursa Maior. [N.T.]

"Inflamadora-de-estrelas". Vale notar que √*elen* se refere mais propriamente às estrelas reais de Eä (mas poderia também, naturalmente, ser transferida para as *imagines* delas). As palavras *tinwë*, *ñillë* (√*tin*, "faísca", √*ngil*, "brilho prateado") e o sindarin *tim*, *gil* se referem mais propriamente às *imagines* valinorianas. Daí deriva o quenya *Tintallë*, de *tinta*, "fazer faiscar", mas também *Elentári*, "Rainha das Estrelas"; em sindarin *Elbereth*, mas também *Gilthoniel*.[3]

Essa nota sobre Elbereth termina com um afirmação um tanto complicada e obscura segundo a qual *Gilthoniel* deriva dos radicais √*ngil* e √*thăn* / *thān*, "inflamar, colocar luz em"; *iel* seria um sufixo feminino correspondente ao masculino *-we*.

Tais comentários sobre Varda parecem levantar outras questões. No texto II (pp. 352-3), meu pai declarou que "a mitologia cosmogônica deveria representar Arda como ela é, mais ou menos: uma ilha no vazio 'em meio às estrelas inumeráveis'"; que "as Estrelas, portanto, em geral corresponderão a outras partes remotas do Grande Conto de Eä, que não dizem respeito aos Valar de Arda"; e "Varda, portanto, como uma dos grandes Valar de Arda, não pode ser descrita como a que 'inflamou' a estrelas, como ato subcriativo original — não, pelo menos, as estrelas em geral". Considerei que o significado disso (p. 463, nota 4) é que a "criação de estrelas" de Varda deveria ficar confinada a (no máximo) a criação das "Grandes Estrelas" antes do Despertar dos Elfos. No presente texto, por outro lado, aparece a notável concepção de que a obra "demiúrgica" de Varda foi a criação e disposição de certas estrelas "principais", as quais, nas eras que viriam, depois do estabelecimento da Terra, ficariam visíveis em seus céus como figuras significativas ligadas à história de Arda — o "centro dramático" de Eä.

Embora eu considere que esse texto certamente provém do fim dos anos 1950, não parece haver maneira de datá-lo com mais precisão, seja por evidências externas ou em relação com outros escritos.

NOTAS

1 Cf. o texto II (p. 456): "Outros havia, incontáveis para o nosso pensamento ... cujo labor se dava alhures e em outras regiões e histórias do Grande Conto, em meio a remotas estrelas e mundos além do alcance do mais longínquo pensamento".

2 Um ponto curioso é o que é afirmado aqui sobre o papel de Varda na música dos Ainur repete, em grande medida, o que se conta sobre Nienna no texto

datilografado "perdido" dos *Anais de Aman* (AAm*, p. 92, §26). Ali, o texto diz que ela "teve pequeno papel" na Música, mas "escutou atenta a tudo o que ouvia. Portanto, era rica em memória e enxergava longe, percebendo como os temas se desenrolariam no Conto de Arda".

3 É interessante comparar o que se afirma aqui sobre os nomes de Varda com o que meu pai dissera sobre o assunto numa nota datada de 3 de fevereiro de 1938 (V. 237): "*Tintallë* Inflamadora pode permanecer — mas *tinwë* em quenya somente = centelha (*tinta-* inflamar, acender). Portanto *Tinwerína* > *Elerína*, *Tinwerontar* > *Elentári*".

V

Este breve comentário, intitulado "Sol As Árvores Silmarils", está presente numa única folha de papel, junto com outros escritos mais substanciais de aparência similar, que foram preservados num jornal dobrado que data de novembro de 1958.

A criação do Sol depois da Morte das Árvores agora não é apenas "mitologia" impossível — especialmente porque deve-se imaginar que os Valar conhecem a verdade sobre a estrutura de Eä (e não precisam fazer inferências míticas como os Homens) e comunicaram isso aos Eldar (e, portanto, aos Númenóreanos!) —, ela também é impossível cronologicamente na Narrativa.

O Sol existia como parte do Reino de Arda. O fato de que houve escuridão (e, consequentemente, diminuição do crescimento em Arda) quando os Valar foram para Aman se deve aos meios de obscurecimento criados por Melkor: nuvens e fumos (uma era vulcânica!).

O Sol era a fonte imediata da luz de Arda. A Ventura das Árvores (quando comparadas com outras coisas que cresciam mais tarde) era o fato de que eram inflamadas e iluminadas com a luz do Sol e da Lua *antes que eles fossem conspurcados*. O ataque de Melkor ao Sol (e à Lua), portanto, deve acontecer depois do estabelecimento de Valinor e ser um esforço de Melkor para produzir trevas.

Uma vez que as Silmarils foram inflamadas a partir das Árvores depois da Morte das Árvores, essa "luz do Sol Não Desfigurado" subsistia apenas nelas.

No texto III, a nota de meu pai sobre a remoção do Domo de Varda depois da morte das Árvores, ele foi confrontado com o problema (se a análise que fiz do que ele quis dizer estiver correta, p. 465) de que "o momento em que Melkor conspurca o Sol deve *preceder* as Duas Árvores", enquanto a luz das Árvores era derivada da luz imaculada do Sol e da Lua. Aqui, ele conclui que "o ataque de Melkor ao Sol (e à Lua), portanto, deve ser *subsequente ao* estabelecimento de Valinor".

A palavra *depois* na frase de conclusão é apenas um lapso durante um processo extremamente rápido de escrita.

VI

Este texto, intitulado *Melkor* com *Morgoth* escrito embaixo, vem da mesma coleção do texto III (encontrado num jornal datado de abril de 1959), e foi escrito em quatro pedaços de papel cortados de outras cópias dos mesmos documentos do Merton College datados de junho de 1955, tal como o esboço A do *Athrabeth* (pp. 421-2). O pedaço de papel no qual o texto III foi escrito traz ainda esboços iniciais do presente ensaio sobre Melkor.

É notável que o texto VI comece com a uma referência a "Finrod e Andreth", o qual, portanto, já existia, pelo menos de alguma forma.

Melkor Morgoth

Melkor deve ser retratado como alguém *muito mais poderoso* em sua natureza original (cf. "Finrod e Andreth"). O maior poder abaixo de Eru (isto é, o maior poder criado).[1] (Ele devia criar / projetar / começar; Manwë — um pouco menos grandioso — devia melhorar, pôr em prática, completar.)

Mais tarde, *nem* todos os Valar combinados devem ser capazes de controlá-lo ou "acorrentá-lo". Note-se que, na era inicial de Arda, ele foi capaz, sozinho, de fazer os Valar baterem em retirada da Terra-média.

A guerra contra Utumno só foi empreendida pelos Valar com relutância e sem esperança de vitória real, mais como uma ação de cobertura ou diversionista, para que conseguissem tirar os Quendi da esfera de influência dele. Mas Melkor já tinha sofrido parte do processo rumo a se tornar "o Morgoth, um tirano (ou tirania e vontade centralizadas) + seus agentes".[2] Apenas a *soma* disso continha o antigo poder do Melkor completo; de modo que, se "o Morgoth" pudesse ser alcançado ou temporariamente separado de seus agentes, ele ficaria muito mais próximo de ser controlado, num nível de poder semelhante ao dos Valar. Os Valar descobrem que conseguem lidar com seus agentes (isto é, exércitos, Balrogs etc.) separadamente. De modo que chegam afinal até a própria Utumno e descobrem que "o Morgoth" não tem mais, naquele momento, "força" suficiente (em qualquer sentido) para se defender do ataque pessoal direto. Manwë, enfim, depara-se com Melkor de novo, o que não ocorrera desde sua entrada em Arda. Ambos ficam assombrados: Manwë ao perceber a *diminuição* de Melkor enquanto *pessoa*; Melkor ao perceber isso também do seu ponto de vista: ele agora tem menos força pessoal do que Manwë e não consegue mais intimidá-lo com seu olhar.

Ou Manwë deve dizer isso a ele, ou ele próprio de repente se dá conta de que isso aconteceu (ou ambas as coisas): ele "se dispersou". Mas o desejo de se valer de criaturas que estão abaixo de si, dominadas, tornou-se habitual e necessário para Melkor, de modo que, mesmo se o processo fosse reversível (possivelmente seria apenas por meio de uma auto-humilhação e de um arrependimento absolutos e não fingidos), ele não conseguiria se forçar a revertê-lo.* Tal como ocorre com todos os outros personagens, tem de haver um *momento de estremecimento*: ele quase se arrepende — e não o faz, e se torna muito mais perverso, e mais insensato.

Possivelmente (e ele acha que isso é possível), Melkor então poderia, *naquele momento*, ser humilhado contra sua própria vontade e "acorrentado" — se e antes que suas forças dispersas se reúnam. Assim — no exato momento em que rejeitou mentalmente o arrependimento —, ele (exatamente como Sauron mais tarde, seguindo esse modelo) exibe uma versão falsificada da auto-humilhação e do arrependimento. Com o que, na verdade, ele obtém uma espécie de prazer pervertido, semelhante ao de profanar algo sacro — [pois a mera cogitação da possibilidade de arrependimento genuíno, se não veio especialmente de Eru como uma graça direta, era pelo menos um último vislumbre de sua verdadeira natureza

* [nota de rodapé ao texto] Uma das razões para o autoenfraquecimento de Melkor é que ele deu a suas "criaturas", os Orques, Balrogs etc. o *poder de recuperação e multiplicação*. De forma que eles vão se reunir de novo sem outras ordens específicas. Parte do seu poder criativo nato saiu dele quando produziu um crescimento maligno independente, fora de seu controle.

primeva.][3] Ele *finge* remorso e arrependimento. Chega até a se ajoelhar diante de Manwë e se rende — no primeiro caso, para evitar ser acorrentado com a Corrente Angainor, a qual, uma vez colocada, ele teme nunca mais ser capaz de quebrar. Mas também, de repente, ele tem a ideia de penetrar na afamada fortaleza de Valinor e arruiná-la. Assim, ele se oferece para se tornar "o menor dos Valar" e serviçal de todos eles, para ajudar (com seu conselho e engenho) a reparar todos os males e todas as feridas que causou. É essa oferta que seduz ou ilude Manwë — Manwë tem de ser retratado como alguém que tem sua própria falha inerente (embora não pecado):* ele ficou totalmente preso (em parte por puro medo de Melkor, em pare pelo desejo de controlá-lo) à ideia de emendar, curar, reordenar — e mesmo de "manter o status quo" —, o que ocasiona a perda de poder criativo e mesmo a fraqueza na hora de lidar com situações difíceis e perigosas. Contra o conselho de alguns dos Valar (tais como Tulkas), ele cede aos rogos de Melkor.

Melkor é levado de volta a Valinor, indo por último (com exceção de Tulkas,† que o segue carregando Angainor e sacudindo-a, para que Melkor não se esqueça dela).

Mas, durante o conselho, Melkor não recebe a liberdade imediatamente. Os Valar, em sua assembleia, não vão tolerar isso. Melkor é levado a Mandos (para ficar lá em "reclusão", meditar e completar seu arrependimento — e também seus planos de recuperação).[4]

Então ele começa a duvidar do bom senso de sua própria estratégia e poderia ter rejeitado tudo isso e explodir em rebelião incendiária — mas agora está absolutamente isolado de seus agentes e em território inimigo. Não é capaz de fazer isso. Portanto, engole seu orgulho (mas é algo que aumenta muito o seu ódio, e depois disso sempre acusou Manwë de não ter palavra).

---

* Toda criatura finita precisa ter alguma fraqueza: isto é, alguma inadequação para lidar com certas situações. Não é algo pecaminoso quando não deriva da vontade, e quando a criatura faz o seu melhor (mesmo quando não é o que deveria ser feito) conforme enxerga a situação — com a intenção consciente de servir a Eru.

† [nota de rodapé ao texto] Tulkas representa o lado bom da "violência" na guerra contra o mal. Trata-se de uma ausência de qualquer meio-termo, a qual admite até males aparentes (tais como a guerra) em vez de negociar; e acha (sem qualquer tipo de orgulho) que ninguém menor do que Eru é capaz de consertar isso, ou reescrever o conto de Arda.

O resto da história, com a libertação de Melkor e a permissão para que ele participe do Concílio sentado aos pés de Manwë (seguindo o padrão dos conselheiros malignos de épocas posteriores, o que, poder-se-ia dizer, derivam desse modelo primevo?), pode então prosseguir mais ou menos como já foi narrado.

Nesse ensaio curto, pode-se ver como, em suas reflexões sobre a natureza de Melkor, a vastidão de seu poder e sua "dispersão", meu pai tinha sido levado a propor certas alterações importantes nas narrativas das lendas conforme foram contadas no *Quenta Silmarillion* (pp. 201, 230-1) e nos *Anais de Aman* (pp. 101, 107, 122). No formato de então da narrativa, que acabou se mantendo,[5] não há sugestão nenhuma de que Melkor fingiu arrependimento quando (depois de não conseguir mais "intimidá-lo com seu olhar") ele ficou cara a cara com Manwë em Utumno — já acalentando "a ideia de penetrar na afamada fortaleza de Valinor e arruiná-la". Pelo contrário, "Tulkas se adiantou como o campeão dos Valar e lutou com ele e o derrubou sobre seu rosto, e o prendeu com a corrente Angainor"[6] (um elemento antigo, que remonta ao relato ricamente pictórico e "primitivo" na história de "O Acorrentamento de Melko" em *O Livro dos Contos Perdidos*, I. 125–131). Além do mais, no texto presente, é nesse momento, derrotado em Utumno, que Melkor propôs se tornar "o menor dos Valar" e ajudá-los a remediar todos os males que tinha provocado, enquanto nas narrativas ele fez isso quando veio diante dos Valar depois de ter suportado as eras de seu encarceramento em Mandos e suplicado perdão. Sobre Manwë o que se afirma é que, quando Melkor recebeu permissão de andar livremente por Valinor, ele acreditou que seu mal tinha sido curado: "pois ele próprio é livre do mal e não conseguia compreendê-lo". Nenhuma fraqueza ou "falha inerente" em Manwë, como a que é descrita neste ensaio, é sugerida;[7] embora a narrativa conte que Ulmo e Tulkas duvidaram da sabedoria de tal clemência — e esse também é um elemento que já aparece em *O Livro dos Contos Perdidos*: "Essa foi a sentença de Manwë ... mas Tulkas e Palúrien acharam-na arriscadamente piedosa" (I. 133).

NOTAS

1 Cf. as palavras de Finrod no *Athrabeth* (p. 389): "não há poder algum concebivelmente maior que Melkor, salvo apenas Eru".

[2] A mais antiga referência à ideia da "dispersão" do poder original de Melkor se encontra nos *Anais de Aman*, §179 (p. 167):

> Pois, conforme crescia em malícia, e lançava adiante de si o mal que concebia em mentiras e criaturas de perversidade, seu poder passava-se para eles e ficava disperso, e ele próprio se tornou cada vez mais preso à terra, não desejoso de sair de suas praças-fortes sombrias.

Cf. também *Anais*, §128 (p. 141). — A expressão "o Morgoth" é usada várias vezes por Finrod no *Athrabeth*.

[3] Os colchetes foram inseridos depois que a passagem foi escrita.

[4] "seus planos de recuperação": isto é, recuperação em relação aos males que causara.

[5] A segunda passagem no QS, na qual o perdão a Melkor é recontada (p. 230, §48), foi alterada na reescrita final do Capítulo 6: ver p. 332, §48. Mas, embora o texto alterado tenha introduzido a ideia de que uma reversão completa dos males gerados por Melkor era impossível, e de que ele tinha sido "em seu princípio o maior dos Poderes", a narrativa não foi alterada com base nas mudanças planejadas neste ensaio (ver nota 7).

[6] A alteração na antiga história sobre o confronto em Utumno poderia ter acontecido se o Capítulo 3 do QS (no qual a cena é recontada) tivesse feito parte da reescrita tardia que transformou o antigo Capítulo 6; mas ver nota 7.

[7] Na reescrita final do Capítulo 6 do QS (p. 332, §48), a situação ainda é essa (nota 5); e também foi mantida a história original de que foi em Valinor, depois de seu aprisionamento, e não em Utumno, que Melkor fez suas promessas de serviço e reparação. Isso poderia sugerir que o presente ensaio foi escrito *depois* do trabalho de renovação com o QS (datando quase certamente do fim dos anos 1950, p. 364), dando apoio à ideia de que a data dos documentos nos quais o ensaio foi escrito (1955) é enganosa (ver p. 464).

VII

Existem duas formas deste ensaio. A primeira ("**A**") é um texto relativamente breve de quatro páginas manuscritas, intitulado "Algumas notas acerca da 'filosofia' do *Silmarillion*"; foi escrito com rapidez e não traz uma conclusão clara. O segundo ("**B**") é uma versão muito expandida de doze páginas, também manuscrita, com formulação muito mais cuidadosa e que se inicia com uma caligrafia apurada, mas que se interrompe sem conclusão — aliás, no meio de uma frase. O título dessa variante é "Notas acerca de motivações no *Silmarillion*".

A relação entre as duas formas é tal que, no caso da maior parte do texto, não há necessidade de apresentar nenhum trecho da versão A, pois todo o seu conteúdo se encontra inserido em B. A partir do ponto (p. 482) no qual os Valar são condenados por erguer as Pelóri, entretanto, os textos divergem. Em B, meu pai introduziu um longo abrandamento das críticas à conduta dos Valar, e o ensaio se interrompe antes que o conteúdo da seção de conclusão de A fosse alcançado (ver nota 6); esse trecho, portanto, é apresentado no fim de B.

O segundo texto foi, mais tarde, dividido e marcado, perfazendo três seções distintas, aqui numeradas (i), (ii) e (iii).

Notas acerca de motivações no Silmarillion

(i)

Sauron tinha se tornado efetivamente "maior" na Segunda Era do que Morgoth no fim da Primeira. Por quê? Porque, embora fosse muito menor em sua estatura natural, ainda não tinha decaído tanto. No fim das contas, também desperdiçou o poderio (de seu ser) na empresa de ganhar controle sobre outrem. Mas não foi obrigado a despender tanto de si mesmo. Para ganhar domínio sobre Arda, Morgoth tinha feito com que a maior parte de seu ser adentrasse os constituintes *físicos* da Terra — daí o fato de que todas as coisas que nasciam na Terra e viviam nela e por ela, animais ou plantas ou espíritos encarnados, eram suscetíveis a ser "conspurcadas". Morgoth, na época da Guerra das Joias, tinha se tornado permanentemente "encarnado": por essa razão, tinha medo, e conduzia a guerra quase inteiramente por meio de aparatos, ou de criaturas subordinadas e dominadas.

Sauron, entretanto, herdou a "corrupção" de Arda, e só despendeu seu poderio (muito mais limitado) nos Anéis; pois eram as *criaturas* da Terra, em suas *mentes e vontades*, que ele desejava dominar. Dessa maneira, Sauron também era mais sábio do que Melkor-Morgoth. Sauron não foi um iniciador do desacordo; e provavelmente sabia mais sobre a "Música" do que Melkor, cuja mente sempre estivera repleta de seus próprios planos e artifícios, e que dava pouca atenção a outras coisas. O tempo do maior poder de Melkor, portanto, foi o dos princípios físicos do Mundo; um vasto desejo demiúrgico pelo poder e pela realização de sua própria vontade e desígnios, numa escala enorme. E mais tarde, depois que as coisas se tornaram mais estáveis, Melkor passou a se interessar mais por, e se tornou mais capaz de lidar com, uma erupção vulcânica, por exemplo, do que com (digamos) uma árvore. De fato, é provável que ele simplesmente não estivesse ciente das produções menores e mais delicadas de Yavanna, tais como pequenas flores.*

Assim, no papel de "Morgoth", quando Melkor era confrontado com a existência de outros habitantes de Arda, com outras vontades e inteligências, ficava enfurecido com o mero fato da existência delas, e sua única ideia sobre como lidar com elas era usar a força física, ou o temor dela. Seu único objetivo final era a destruição delas. Os Elfos, e ainda mais os Homens, ele desprezava por causa de sua "fraqueza": isto é, sua falta de força física, ou poder sobre a "matéria"; mas também tinha medo deles. Estava ciente, pelo menos originalmente, quando ainda era capaz de pensamento racional, que não era capaz de "aniquilá-los":† isto é, destruir o ser deles; mas a "vida" física deles, e sua forma encarnada, tornaram-se cada vez mais, na cabeça de Melkor, a única coisa que valia ser levada em conta.‡ Ou ele alcançou um estágio tão avançado no Mentir que mentia até para si mesmo, e fingia ser capaz de destruí-los e livrar Arda deles de todo. Daí sua tentativa de sempre alquebrar vontades e subordiná-las ou absorvê-las em sua própria vontade e ser, antes de destruir seus corpos. Isso era niilismo puro, e a negação era seu único objetivo final: Morgoth, sem a menor dúvida, se tivesse sido vitorioso, teria destruído, em última instância, até as suas próprias "criaturas", tais como os Orques, depois que tivessem cumprido seu único propósito ao usá-las: a destruição de Elfos e Homens. A impotência e o desespero definitivos de Melkor vinham disto: que, enquanto os Valar (e, em seu próprio grau, Elfos e Homens), ainda eram capazes de amar

---

* [nota de rodapé ao texto] Se ele fosse forçado a dar atenção a tais coisas, enraivecia-se e as odiava, por virem de mentes diferentes da sua.

† [nota entre colchetes inserida no texto] Melkor não era capaz de aniquilar nenhum tipo de matéria, é claro; podia apenas arruinar ou destruir ou corromper as formas dadas à matéria por outras mentes em suas atividades subcriativas.

‡ [nota de rodapé sem indicação de referência no texto] Por essa razão, ele próprio começou a temer a "morte" — a destruição da forma corpórea que assumira — acima de tudo, e buscava evitar qualquer forma de ferimento a essa sua forma.

"Arda Desfigurada", isto é, Arda com um ingrediente-Melkor, e ainda eram capazes de curar esta ou aquela ferida, ou produzir a partir de sua própria desfiguração, de seu estado presente, coisas belas e adoráveis, Melkor não era capaz de fazer nada com Arda, a qual não procedia da própria mente dele e estava entrelaçada com a obra e os pensamentos de outros: mesmo se ficasse sozinho, ele apenas conseguiria continuar com sua fúria descontrolada, até que tudo fosse aplainado de novo num caos sem forma. E, no entanto, mesmo assim ele acabaria derrotado, porque esse caos ainda teria "existido", como algo independente de sua própria mente, e como um mundo em potencial.

Sauron nunca atingira esse estágio de loucura niilista. Não tinha objeções quanto à existência do mundo, desde que pudesse fazer com ele o que quisesse. Ainda carregava resquícios de propósitos positivos, que provinham do bem da natureza com a qual principiara: sua virtude (e, portanto, também a causa de sua queda e de sua recaída) tinha sido o fato de que ele amava a ordem e a coordenação, e não gostava de nenhuma confusão ou fricção perdulária (Foram a aparente vontade e o poder de Melkor para colocar em prática seus desígnios de forma rápida e com maestria que atraíram Sauron até ele originalmente.) Sauron, de fato, tinha sido muito semelhante a Saruman, e, assim, ainda o entendia rapidamente e era capaz de inferir o que provavelmente pensaria e faria, mesmo sem a ajuda das *palantíri* ou de espiões; enquanto Gandalf lhe escapava e o confundia. Mas, como todas as mentes de seu feitio, o amor (originalmente) ou (mais tarde) a mera compreensão de Sauron quanto a outras inteligências individuais era proporcionalmente mais fraco; e, embora o único verdadeiro bem ou motivação racional por trás de toda essa ordenação, planejamento e organização fosse o bem de todos os habitantes de Arda (mesmo que se admitisse o direito de Sauron de ser o senhor supremo deles), seus "planos", a ideia proveniente de sua própria mente isolada, tornou-se o único objeto de sua vontade, e um fim, o Fim, em si mesmo.*

* [nota de rodapé ao texto] Mas sua capacidade de corromper outras mentes, e mesmo a de submetê-las a seu serviço, era um resíduo do fato de que seu desejo original de "ordem" realmente tinha pressuposto o bom estado (especialmente o bem-estar físico) de seus "súditos".

Morgoth não tinha um "plano": a menos que a destruição e a redução a *nil* de um mundo no qual ele tivera apenas uma *parte* possa ser chamado de "plano". Mas dizer isso, é claro, corresponde a uma simplificação da situação. Sauron não servira a Morgoth, mesmo em seus estágios finais, sem ficar infectado com o seu desejo por destruição, e com o seu ódio a Deus (cujo final é necessariamente o niilismo). Sauron, é claro, não tinha como ser um ateu "sincero". Embora fosse um dos espíritos menores criados antes do mundo, ele conhecia Eru, de acordo com sua medida. Ele provavelmente se iludia com a ideia de que, com o fracasso dos Valar (inclusive Melkor), Eru tinha simplesmente abandonado Eä, ou pelo menos Arda, e não iria se preocupar mais com ela. Ao que parece, interpretou a "mudança do mundo" na Queda de Númenor, quando Aman foi retirada do mundo físico, nesse sentido: Valar (e Elfos) foram retirados do controle efetivo, e os Homens ficaram sob a maldição e a ira de Deus. Se pensasse nos *Istari*, especialmente Saruman e Gandalf, imaginava-os como emissários dos Valar, buscando reestabelecer seu poder perdido mais uma vez e "colonizar" a Terra-média, como um mero esforço de imperialistas derrotados (sem conhecimento ou sanção de Eru). Seu cinismo, o qual (sinceramente) considerava que as motivações de Manwë eram precisamente as mesmas que as suas, parecia plenamente justificado no caso de Saruman. Gandalf era alguém que ele não compreendia. Mas é certo que Sauron já se tornara suficiente maligno, e, portanto, estúpido, a ponto de imaginar que o comportamento diferente de Gandalf se devia simplesmente a uma inteligência mais fraca e a uma falta de propósito firme e dominante. Ele era apenas um Radagast bem mais esperto — mais esperto porque é mais vantajoso (produz mais poder) ficar absorvido com o estudo de pessoas do que com o de animais.

Sauron não era um ateu "sincero", mas pregava o ateísmo porque isso enfraquecia a resistência a ele (e tinha deixado de temer a ação de Deus em Arda). Mas nesse ponto se vê o efeito de Melkor sobre Sauron: ele falava de Melkor nos próprios termos do antigo mestre: como um deus, ou mesmo como Deus. Isso pode ter sido o resíduo de um estado que era, em certo sentido, uma sombra do bem: a capacidade que Sauron um dia tivera de pelo menos admirar ou admitir a superioridade de um ser que não fosse ele mesmo. Melkor, e o próprio Sauron mais ainda, mais tarde, aproveitavam-se dessa sombra obscurecida do bem e dos serviços de "adoradores". Mas pode-se duvidar se até mesmo uma sombra do bem como essa ainda operava de forma sincera em Sauron naquela época. Sua motivação matreira provavelmente pode ser expressa da seguinte maneira. Para desviar um dos tementes a Deus de sua lealdade a Ele, é melhor propor outro objeto *invisível* de lealdade e outra esperança de benefícios; propor a ele um Senhor que sancione o que ele deseje, e não o proíba. Sauron, aparentemente um rival derrotado na luta pelo domínio mundial, agora um mero refém, não tem como colocar a si mesmo nesse papel; mas, como o antigo serviçal e discípulo de Melkor, a adoração a Melkor é capaz de fazer com que ele passe de refém a sumo-sacerdote. Mas, embora a verdadeira motivação de Sauron fosse a destruição dos Númenóreanos, havia a questão da vingança particular contra Ar-Pharazôn, por causa da humilhação sofrida. Sauron (ao contrário de Morgoth) ficaria contente que os Númenóreanos continuassem a existir, *como seus súditos*, e, de fato, usou muitos deles, que conseguiu corromper, tornando-os leais a ele.

(ii)

Ninguém, nem mesmo um dos Valar, é capaz de ler as mentes de outros "seres iguais":* isto é, não é possível "vê-las" ou compreendê-las de forma completa e direta por meio de uma simples inspeção. Pode-se *deduzir* muito do que pensam, a partir de comparações gerais que levam a conclusões acerca da natureza e das tendências das mentes e do pensamento, e a partir do conhecimento sobre indivíduos em particular, e circunstâncias especiais. Mas isso não é mais uma leitura ou inspeção de outra mente do que é a dedução acerca dos conteúdos de um aposento fechado, ou de eventos que têm lugar longe da vista. Nem é a chamada "transferência de pensamento" um processo de leitura da mente: ela não passa da recepção, e interpretação por parte da mente receptora, do impacto de um pensamento ou de um padrão de pensamento, emanando de outra mente, o qual não está mais

* [nota marginal] Todas as mentes racionais / espíritos derivados diretamente de Eru são "iguais" — em ordem e status – ainda que não necessariamente "coetâneos" ou de poder original similar.

próximo da mente como um todo ou em si mesma do que a visão distante de um homem correndo chega a ser o homem em si. As mentes podem se exibir ou se revelar para outras mentes pela ação de suas próprias vontades (embora haja dúvidas se, mesmo quando disposta ou desejosa disso, uma mente de fato é capaz de se revelar completamente a outra mente). Assim, uma tentação para as mentes de maior poder é governar ou restringir a vontade outras mentes, mais fracas, de maneira a induzi-las ou forçá-las a se revelar. Mas forçar tal revelação, ou induzi-la por meio de alguma mentira ou engodo, mesmo que para propósitos supostamente "bons" (incluindo o "bem" da pessoa assim persuadida ou dominada), é algo absolutamente proibido. Fazê-lo é um crime, e o "bem" nos propósitos daqueles que cometem esse crime rapidamente se torna corrompido.

Muita coisa, assim, podia "acontecer pelas costas de Manwë": de fato, o ser mais íntimo de todas as outras mentes, grandes e pequenas, estava oculto dele. E, no que diz respeito particularmente ao Inimigo, Melkor, ele não era capaz de penetrar o pensamento e os propósitos dele por meio da visão da mente, já que Melkor continuava a manter a vontade fixa e poderosa de encobrir sua mente: a qual, fisicamente expressa, tomava forma na escuridão e nas sombras que o cercavam. Mas Manwë podia, é claro, usar, e de fato usava, seu grande conhecimento, sua vasta experiência das coisas e das pessoas, sua memória da "Música", e sua própria visão penetrante, assim como as novas trazidas por seus mensageiros.

Ele, tal como Melkor, praticamente nunca é visto ou ouvido fora ou longe de seus próprios salões e residência permanente. Por que isso acontece? Por uma razão que não é nada profunda. O Governo fica sempre em Whitehall. O Rei Arthur normalmente está em Camelot ou Caerleon, e as notícias e aventuras chegam até lá e começam lá. O "Rei Antigo" obviamente não vai sofrer uma derrota definitiva ou ser destruído, pelo menos não antes de algum "Ragnarök"[1] final — o qual, mesmo para nós, ainda está no futuro, de maneira que ele não é capaz de ter "aventuras" verdadeiras. Mas, se a narrativa o deixa *em casa*, o resultado de qualquer evento em particular (já que não pode, então, resultar num "xeque-mate" final) pode permanecer em suspense literário. Até na guerra final contra Morgoth, é Fionwë, filho de Manwë, que lidera o poderio dos Valar. Quando movimentarmos Manwë, será a última batalha, e o fim do Mundo (ou de "Arda Desfigurada"), como diriam os Eldar.

[O fato de que Morgoth fica "em casa" tem, conforme descrito acima, uma razão bastante diferente: seu medo de ser morto ou mesmo ferido (a motivação literária não está presente, pois, já que ele se confronta com o Rei Antigo, o resultado de qualquer uma de suas empresas sempre fica em dúvida).]

Melkor se "encarnou" (como Morgoth) permanentemente. Fez isso para controlar o *hroa*,[2] a "carne" ou matéria física, de Arda. Tentou se identificar com ela. Um procedimento mais vasto, e mais perigoso, ainda de que de tipo similar, do que as operações de Sauron com os Anéis. Assim, fora do Reino Abençoado, toda "matéria" provavelmente tinha um "ingrediente Melkor",[3] e aqueles que tinham corpos, nutridos pelo *hroa* de Arda, tinham, por assim dizer, uma tendência, pequena ou grande, rumo a Melkor: nenhum deles era totalmente livre dele em suas formas encarnadas, e seus corpos tinham algum efeito sobre seus espíritos.

Mas, dessa maneira, Morgoth perdeu (ou trocou, ou transmutou) a maior parte de seus poderes "angélicos" originais, de mente e de espírito, ganhando, em contrapartida, uma influência terrível sobre o mundo físico. Por essa razão, ele *tinha* de ser combatido, principalmente por meio da força física, e uma enorme ruína material seria uma consequência provável de qualquer combate direto com ele, vitorioso ou não. Essa é a principal explicação para a relutância constante dos Valar quanto a enfrentar uma batalha aberta contra Morgoth. A tarefa e o problema de Manwë eram muito mais difíceis que os de Gandalf. O poder relativamente menor de Sauron estava *concentrado*; o vasto poder de Morgoth estava *disseminado*. O todo da "Terra-média" era o Anel de Morgoth, embora temporariamente a atenção dele estivesse voltada principalmente para o Noroeste. A não ser que tivesse sucesso rapidamente, a Guerra contra ele poderia muito bem acabar reduzindo toda a Terra-média ao caos, e possivelmente até toda Arda. É fácil dizer: "Era a tarefa e a função do Rei Antigo governar Arda e fazer com que fosse possível para os Filhos de Eru viverem nela sem ser molestados". Mas o dilema dos Valar era este: Arda só podia ser libertada por meio de uma batalha física; mas um resultado provável de tal batalha seria a ruína irrecuperável de Arda. Além do mais, a erradicação final de Sauron (enquanto um poder que dirigia o mal) era viável por meio da destruição do Anel. Nenhuma erradicação de Morgoth como essa era possível, uma vez que isso exigia a completa desintegração da "matéria" de Arda. O poder de Sauron não estava no ouro enquanto tal (por exemplo), mas numa forma ou feitio particular, feito a partir de uma porção específica da totalidade do ouro. O poder de Morgoth estava disseminado em todo Ouro; ainda que não fosse absoluto em lugar algum (pois ele não criara o Ouro), não estava ausente em lugar nenhum. (Esse elemento-Morgoth da matéria, de fato, era o pré-requisito para todas as "magias" e outros males que Sauron praticava com ela e sobre ela.)

É bastante possível, claro, que certos "elementos" ou condições da matéria tivessem atraído a atenção especial de Morgoth (principalmente, exceto no passado remoto, por razões ligadas a seus próprios planos). Por exemplo, todo ouro (na Terra-média) parece ter tido uma tendência especialmente "maligna" — mas não a prata. A água é representada como algo quase inteiramente livre de Morgoth. (Isso, é claro, não significa que algum mar, córrego, rio, poço ou mesmo vasilha com água não pudesse ser envenenado ou conspurcado — como todas as coisas podiam ser.)

(iii)

Os Valar se "desvanecem" e se tornam mais impotentes precisamente na proporção que a forma e a constituição das coisas se tornam mais definidas e assentadas. Quanto mais longo o Passado, mais perto de estar definido fica o Futuro, e menor o espaço para mudanças importantes (ações desimpedidas, no plano físico, que não sejam com propósito destrutivo). O Passado, uma vez "atingido", se torna parte da "Música enquanto ser". Só Eru tem a liberdade ou a capacidade de alterar a "Música". O último esforço de grande escala com esse caráter demiúrgico realizado pelos Valar foi o soerguimento da cordilheira das Pelóri a uma grande altura. É possível enxergar essa atitude como, se não como uma ação de fato ruim, pelo menos como um equívoco. Ulmo a desaprovava.[4] Ela tinha um objetivo bom e legítimo: preservar a incorruptibilidade de pelo menos uma parte de Arda. Mas parecia ter também uma motivação egoísta ou negligente (ou derivada do desespero): pois o esforço de preservar a incorruptibilidade dos Elfos de lá se revelara um fracasso uma vez que a liberdade deles foi mantida: muitos tinham se recusado a vir ao Reino Abençoado, muitos tinham se revoltado e o abandonaram. Ao mesmo tempo, no que diz respeito aos Homens, Manwë e todos os Valar sabiam muito bem que eles não podiam ir até Aman de modo algum; e a longevidade (coextensiva com a vida de Arda) dos Valar e dos Eldar era expressamente não permitida aos Homens. Assim, a "Ocultação de Valinor" ficou perto de contrabalançar a possessividade de Morgoth com uma possessividade rival, estabelecendo um domínio privado da luz e da ventura contra outro de treva e dominação: um palácio e um jardim de delícias[5] (bem cercado) que se opõe a uma fortaleza e uma masmorra.[6]

Essa aparência de *fainéance** egoísta por parte dos Valar na mitologia, da maneira como ela é contada (embora eu não a tenha explicado ou comentado) é, creio eu, apenas uma "aparência", a qual estamos aptos a aceitar como verdade, uma vez que somos todos, em algum grau, afetados pela sombra e pelas mentiras do Inimigo deles, o Caluniador. É preciso recordar que a "mitologia" é apresentada como algo que está a dois graus de separação de um registro verdadeiro: ela é baseada primeiro em registros e saberes élficos sobre os Valar e os próprios contatos dos Elfos com eles; e esses registros chegaram até nós (em fragmentos) apenas através das tradições númenóreanas (humanas), derivadas dos Eldar em suas partes iniciais, embora, em tempos posteriores, tenham sido suplementadas com histórias e contos antropocêntricos.[7] Esses, é verdade, foram transmitidos através dos "Fiéis" e seus descendentes na Terra-média, mas não podiam escapar totalmente do obscurecimento desse quadro devido à hostilidade dos Númenóreanos revoltosos em relação os Valar.

Mesmo assim, e com base nas histórias conforme foram recebidas, é possível enxergar a questão de outro modo. O fechamento de Valinor diante dos Noldor rebeldes (que a deixaram voluntariamente e depois de serem advertidos) era, por si só, justo. Mas, se ousamos tentar adentrar a mente do Rei Antigo, atribuindo motivações e achando erros, há coisas que devem ser lembradas antes que declaremos nossa sentença. Manwë era o espírito de

* Indolência, inatividade. [N.T.]

maior sabedoria e *prudência* em Arda. Ele é representado como alguém que tinha o maior conhecimento sobre a Música, como um todo, possuído por qualquer mente finita; e apenas ele, entre todas as pessoas ou mentes daquele tempo, é representado como alguém que tem o poder de recurso *direto* a, e comunicação com, Eru. Manwë deve ter captado com grande clareza o que até nós podemos perceber de forma imprecisa: que o modo essencial do processo da "história" em Arda era o de que o mal haveria de surgir constantemente, e que disso um novo bem haveria de vir constantemente. Um aspecto especial disso é a estranha maneira pela qual os males do Desfigurador, ou de seus herdeiros, são transformados em armas contra o mal. Se considerarmos a situação depois da fuga de Morgoth e do reestabelecimento de sua morada na Terra-média, veremos que os Noldor heroicos eram a melhor arma possível com a qual manter Morgoth encurralado, virtualmente sob cerco, e, de qualquer modo, totalmente ocupado, na franja norte da Terra-média, sem provocá-lo a cair num frenesi de destruição niilista. E, nesse meio-tempo, os Homens, ou os melhores elementos da Gente dos Homens, escapando de sua sombra, entraram em contato com um povo que realmente tinha visto e experimentado o Reino Abençoado.

Em sua associação com os Eldar guerreiros, os Homens foram elevados à sua maior estatura possível, e, por meio dos dois casamentos, a transferência a eles, ou infusão na Gente dos Homens, da mais nobre estirpe-élfica foi realizada, preparando os dias ainda distantes, mas que inevitavelmente se aproximavam, nos quais os Elfos iriam se "desvanecer".

A última intervenção dos Valar usando a força física, que terminou com a destruição das Thangorodrim, pode, então, ser vista não como algo de fato relutante ou mesmo indevidamente adiado, mas como algo sincronizado com precisão. A intervenção veio antes da aniquilação dos Eldar e dos Edain. Morgoth, embora fosse localmente triunfante, tinha negligenciado a maior parte da Terra-média durante a guerra; e, com isso, na verdade, tinha ficado *enfraquecido*: em poder e prestígio (tinha perdido e não conseguira recuperar uma das Silmarils), e, acima de tudo, em sua mente. Ficaria absorvido em seu "reinado", e, embora fosse um tirano do tamanho de um ogro e de poder monstruoso, isso era uma queda vasta mesmo em relação à sua antiga perversidade de ódio e a seu terrível niilismo. Ele tinha decaído a ponto de *gostar* de ser um rei-tirano com escravos aprisionados e vastos exércitos obedientes.[8]

A guerra foi bem sucedida, e a ruína ficou limitada à pequena (ainda que bela) região de Beleriand. Morgoth, assim, de fato *se tornou cativo em sua forma física*,[9] e, nessa forma, foi levado como mero criminoso até Aman e entregue a Námo Mandos, juiz — e executor. Ele foi julgado e, por fim, retirado do Reino Abençoado e *executado*: isto é, *morto* como um dos Encarnados. Foi então que ficou claro (ainda que Manwë e Námo devam ter compreendido isso de antemão) que, embora ele tivesse "disseminado" seu poder (sua vontade maligna, possessiva e revoltosa) amplamente pela matéria de Arda, tinha perdido o controle direto sobre esse processo, e tudo o que "ele", como um resto sobrevivente de seu ser integral, ainda retinha como "seu eu", sob controle, era o espírito terrivelmente encolhido e reduzido que habitava seu corpo autoimposto (mas agora amado). Quando aquele corpo foi destruído, ele ficou fraco e profundamente "sem-morada", e naquele momento estava desnorteado e "sem firmeza", por assim dizer. Lemos que então ele foi lançado no Vazio.[10] Isso deve significar que ele foi colocado para fora do Tempo e do Espaço, totalmente do lado de fora de Ëa; mas, se foi isso o que aconteceu, é algo que implicaria uma intervenção direta de Eru (com ou sem a súplica dos Valar). Entretanto, pode ser uma referência imprecisa* à extrusão ou fuga do espírito dele de Arda.

De qualquer modo, ao tentar absorver a matéria, ou melhor, infiltrar-se nela, o que então sobrou dele não era mais poderoso o suficiente para adquirir vestimenta de novo. (Esse resto agora manteria uma *fixação* no *desejo* de fazê-lo. Não havia *nenhum* "arrependimento" ou possibilidade de arrependimento: Melkor tinha abandonado para sempre todas as ambições "espirituais" e existia quase unicamente como um desejo de possuir e dominar a matéria, e Arda em particular.) Ou, pelo menos, *ainda* não conseguia adquirir vestimenta. Não precisamos supor que Manwë tinha

* [nota de rodapé ao texto] Uma vez que as mentes dos Homens (e mesmo as dos Elfos] estavam inclinadas a confundir o "Vazio", enquanto conceito do estado de Não Ser, fora da Criação ou de Ëa, com o conceito dos vastos *espaços* dentro de Ëa, especialmente aqueles concebidos como existentes em volta de todo o "Reino de Arda" insular (o qual provavelmente deveríamos chamar de Sistema Solar).

se iludido ao imaginar que essa tinha sido uma guerra para acabar com as guerras, ou mesmo para acabar com Melkor. Melkor não era Sauron. Falamos dele como algo que foi "enfraquecido, encolhido, reduzido"; mas isso é em comparação com os grandes Valar. Ele fora um ser de imensa potência e vitalidade. Os Elfos certamente sustentavam e ensinavam que *fëar* ou "espíritos" são capazes de crescer a partir de sua própria vida (independentemente do corpo), assim como podem ser feridos e curados, diminuir e ser renovados.[11] Poderíamos esperar, portanto, que o espírito sombrio do "restante" de Melkor, em algum momento e depois de longas eras, aumentasse de novo, até mesmo (como alguns sustentavam) atraindo de volta a si algo de seu poder antes dissipado. Ele faria isso (mesmo se Sauron não pudesse) por causa de sua grandeza relativa. Não se arrependeu nem deixou sua obsessão de lado, no fim das contas, mas mantinha ainda resquícios de sabedoria, de modo que ainda podia perseguir seu objetivo de forma indireta, e não de modo meramente cego. Descansaria, buscaria se curar, distrairia a si mesmo com outros pensamentos e desejos e estratagemas — mas tudo serviria simplesmente para recuperar força suficiente para retomar o ataque aos Valar e sua antiga obsessão. Conforme crescesse de novo, tornar-se-ia, por assim dizer, uma sombra tétrica, pairando nos confins de Arda e ansiando por ela.

Mesmo assim, a destruição das Thangorodrim e a extrusão de Melkor foram o fim de "Morgoth" enquanto tal, naquela era (e em muitas eras que se seguiram). Desse modo, esse foi também, em certo sentido, o fim da função e tarefa primordial de Manwë como Rei Antigo, até o Fim. Ele fora o Adversário do Inimigo.

É muito razoável supor que Manwë estava ciente de que, em breve (da maneira como ele percebia o "tempo"), o Domínio dos Homens tinha de começar, e que a criação da história seria então confiada a eles: para a luta dos Homens contra o Mal, arranjos especiais tinham sido feitos! Manwë conhecia Sauron, é claro. Tinha ordenado que Sauron viesse diante dele para ser julgado, mas deixara espaço para o arrependimento e, em última instância, a reabilitação. Sauron recusara, fugira e se escondera. Sauron, entretanto, era um problema que, no fim das contas, os Homens tinham de resolver: a primeira das muitas concentrações do Mal em pontos de poder definidos que eles teriam de combater, tal como era também a última das que tinham uma forma "mitológica" personalizada (mas não humana).

Pode-se notar que a primeira derrota de Sauron foi causada exclusivamente pelos Númenóreanos (embora Sauron, na verdade, não tivesse sido derrotado pessoalmente: seu "cativeiro" foi voluntário, um truque). Na primeira derrota e desincorporação de Sauron na Terra-média (deixando de lado a questão de Lúthien)[12]

> Aqui a versão longa B termina, no pé de uma página. Apresento agora a conclusão da versão A a partir do ponto em que os textos divergem (ver p. 474 e nota 6), começando com a frase correspondente à seguinte do texto B (p. 482), "O último esforço de grande escala com esse caráter demiúrgico realizado pelos Valar ..."

O último esforço desse tipo realizado pelos Valar foi o soerguimento das Pelóri — mas esse não foi um bom ato: chegou perto de contrabalançar Morgoth atuando ao modo dele — além do elemento de egoísmo em seu objetivo de preservar Aman como uma região venturosa na qual podiam viver.

Os Valar eram como arquitetos trabalhando num plano "aprovado" pelo Governo. Foram se tornando cada vez menos importantes (estruturalmente!) conforme o plano ficava cada vez mais próximo de ser completado. Mesmo na Primeira Era, nós os vemos depois de incontáveis eras de trabalho, perto do fim de seu tempo de trabalho — mas não o de sabedoria ou conselho. (Quanto mais sábios se tornavam, menos poder tinham para *fazer* qualquer coisa — exceto por meio de conselhos.)

Da mesma forma, os Elfos se desvaneceram, tendo introduzido "as artes e as ciências".[13] Os Homens também vão "se desvanecer", *caso* seja revelado que o plano é que as coisas ainda hão de continuar quando eles completarem sua função. Mas mesmo os Elfos tinham a percepção de que isso não aconteceria: de que o fim dos Homens estaria, de alguma forma, ligado ao fim da história, ou, como eles diziam, a "Arda Desfigurada" (*Arda Sahta*) e à realização de "Arda Curada" (*Arda Envinyanta*).[14] (Eles não parecem ter sido muito claros ou precisos — como poderiam ser? — quanto à possibilidade de *Arda Envinyanta* ser um estado permanente de realização, o qual, portanto, só poderia ser desfrutado "fora do Tempo", por assim dizer: observando o Conto como um todo englobado; ou um estado de ventura não desfigurado dentro do Tempo e num "lugar" que, em certo sentido, descenderia de forma linear e histórica do nosso mundo, ou "Arda Desfigurada". Muitas vezes, parece que eles se referiam a ambas as coisas. "Arda Não Desfigurada" não existia de verdade, mas permanecia no pensamento — Arda sem Melkor, ou, antes, sem os efeitos da transformação dele num ser maligno; mas ela é a fonte da qual derivam todas as ideias de ordem e perfeição. "Arda Curada", assim, é tanto a completude do "Conto de Arda", que absorveu todos os feitos de Melkor, mas deve, de acordo com a promessa de Ilúvatar, ser considerada boa; e também um estado de recuperação e ventura além dos "círculos do mundo".)[15]

O mal é fissíparo. Mas, em si mesmo, estéril. Melkor não era capaz de "gerar", ou de ter qualquer esposa (embora tenha tentado violentar Arien, foi algo para destruí-la e "lançar nódoa"[16] sobre ela, não para produzir uma prole ígnea). A partir dos *desacordos* da Música — ou seja, não diretamente a partir de nenhum dos temas,[17] nem o de Eru, nem o de Melkor, mas a partir da dissonância de cada um deles em relação ao outro — apareceram coisas malignas em Arda, as quais não descendiam de nenhum plano ou objetivo direto de Melkor: eles *não* eram "seus filhos"; e, portanto, uma vez que todo mal odeia, odiavam-no também. A progenitura das coisas ficava corrompida. Daí os *Orques*? Parte da ideia Elfo-Homem que deu errado. Ainda que, no caso dos Orques, os Eldar acreditassem que Morgoth na verdade os havia "procriado" capturando Homens (e Elfos) cedo e aumentando ao extremo quaisquer tendências corruptas que possuíssem.

Apesar de seu estado incompleto (seja devido à perda da conclusão da forma totalmente desenvolvida do ensaio ou a seu abandono, ver nota 6), este é o relato mais abrangente escrito por meu pai sobre como, em seus anos posteriores, ele viera a "interpretar" a natureza do Mal em sua mitologia; ele nunca escreveu em outro lugar uma explicação desse tipo sobre a natureza de Morgoth, seu declínio e a corrupção que promoveu em Arda, nem traçou a distinção entre Morgoth e Sauron: "o todo da Terra-média era o Anel de Morgoth".

Encaixar este ensaio com algum grau de certeza numa relação sequencial junto aos outros escritos "filosóficos" ou "teológicos" apresentados neste livro parece quase impossível, embora a expressão

"Fionwë, filho de Manwë" na p. 480 (no lugar de "Ëonwë, arauto de Manwë") possa sugerir que ele é relativamente antigo perto dos demais (ver pp. 189-90). O texto revela uma clara semelhança de tom com as muitas cartas explicativas que meu pai escreveu no fim dos anos 1950, e, de fato, parece-me bastante possível que a troca de correspondências que se seguiu à publicação de *O Senhor dos Anéis* tenha desempenhado um papel significativo no desenvolvimento de sua análise das "imagens e eventos" da mitologia.[18]

NOTAS

1 *Ragnarök*: "a Sina dos Deuses" (em escandinavo antigo): ver IX. 347.

2 *hroa*: palavra grafada dessa maneira aqui e na segunda ocorrência abaixo (e no texto A), não, como em outros lugares, sempre com a forma *hröa*, significando o corpo de um ser encarnado. A palavra usada para designar a "matéria física" em *Leis e Costumes* era *hrón*, depois alterada para *orma* (p. 269 e nota 26); no Comentário sobre o *Athrabeth* e no "Glossário" de nomes, a palavra é *erma* (pp. 408, 421).

3 Quanto à essa frase, ver p. 330.

4 Uma condenação aberta da Ocultação de Valinor por parte dos Valar, usando termos fortes, pode ser encontrada na narrativa com esse nome em *O Livro dos Contos Perdidos* (I. 251–2), mas desaparece nas versões posteriores. A respeito da história antiga, observei (I. 268) que "em *O Silmarillion* não há vestígio do concílio tumultuado, nenhuma sugestão de desacordo entre os Valar, com Manwë, Varda e Ulmo desaprovando a obra energicamente e mantendo-se alheios a ela", e comentei:

> É curiosíssimo observar que a ação dos Valar, aqui, decorreu essencialmente da indolência misturada ao temor. Em nenhum outro lugar aparece tão claramente a concepção primitiva de meu pai acerca dos Deuses madraceiros. Ademais, ele deixou bastante explícito que o fracasso deles em fazer guerra a Melko ali, naquela hora, foi um grave erro que os diminuiu e era (ao que parece) irreparável. Nesse escrito posterior, a Ocultação de Valinor permaneceu, de fato, mas apenas como um grande fato da antiguidade mitológica; nada se diz sobre sua reprovação.

As últimas palavras se referem às narrativas do *Silmarillion* propriamente ditas. A desaprovação de Ulmo agora reaparece, e é mais uma evidência de seu isolamento nos concílios dos Valar (ver p. 308, nota 11); cf. suas palavras a Tuor em Vinyamar (depois de falar com ele sobre, entre outras coisas, a "ocultação do Reino Abençoado", embora não se registre o que ele disse): "Portanto, embora nestes dias de trevas eu pareça me opor à vontade de meus irmãos, os Senhores do Oeste, esse é meu papel entre eles, ao qual fui designado antes que fosse feito o Mundo" (*Contos Inacabados*, p. 51).

5 *pleasaunce* (= *pleasance*): termo [usado no original em inglês] que corresponde a "jardim de prazeres". Meu pai usou essa palavra várias vezes em *O Livro dos Contos Perdidos* (ver I. 331, *pleasance*), para se referir, por exemplo, aos jardins de Lórien.*

6 Nesse ponto, meu pai escreveu mais tarde no manuscrito: "Ver forma curta original sobre Desvanecimento de Elfos (e Homens)". Ver p. 474. Essa parece ser uma indicação clara de que o texto B não estava concluído, ou que, se chegou a ser terminado, sua conclusão logo se perdeu.

7 Cf. a afirmação sobre esse assunto no breve texto I, p. 446.

8 Já que essa discussão é inserida no texto como forma de justificar a Ocultação de Valinor, a base do argumento parece ser que a história da Terra-média nos últimos séculos da Primeira Era não teria podido chegar a uma conclusão satisfatória se Valinor tivesse ficado aberta ao retorno dos Noldor.

9 Tal como, é claro, tinha acontecido com Melkor muito antes, depois do saque de Utumno.

10 Cf. a conclusão do QS (V. 398–9, §29): "Mas o próprio Morgoth os Deuses lançaram através da Porta da Noite que dá para o Vazio Atemporal, para além das Muralhas do Mundo".

11 A seguinte passagem foi acrescentada numa das margens depois que a página foi escrita:

> Se não descerem abaixo de certo nível. Já que nenhum *fëa* pode ser aniquilado, reduzido a zero ou à não existência, n[ão] está claro qual é o significado disso. Assim, *afirma-se* que Sauron desceu abaixo do ponto que permitiria que ele se recuperasse, embora tivesse conseguido fazer isso anteriormente. O significado provável é que um espírito "perverso" acaba se fixando em certo desejo ou ambição e, se não consegue se arrepender, então esse desejo se torna virtualmente todo o seu ser. Mas tal desejo pode estar totalmente além da fraqueza na qual decaiu, e então o espírito será incapaz de desviar sua atenção do desejo impossível de obter, até mesmo para dar atenção a si mesmo. Assim, permanecerá preso para sempre a um desejo impotente ou à memória desse desejo.

12 Referência à lenda da derrota de Sauron enfrentando Lúthien e Huan na ilha de Tol-in-Gaurhoth, onde Beren estava aprisionado (*O Silmarillion*, pp. 239–240).

---

* A palavra foi traduzida algumas vezes como "jardim" ou "arboreto" na edição brasileira do volume. [N.T.]

13 Cf. *Cartas*, nº 181 (1956): "Nesse mundo mitológico, os Elfos e os Homens em suas formas encarnadas são aparentados, mas na relação de seus 'espíritos' com o mundo no tempo representam 'experiências' diferentes, cada qual possuidor de suas próprias tendências naturais e fraquezas. Os Elfos representam, por assim dizer, os aspectos artísticos, estéticos e puramente científicos da natureza Humana elevados a um nível superior àquele que de fato é visto nos Homens".

14 No texto FM2 de "Finwë e Míriel" (p. 310, nota de rodapé), "Arda Desfigurada" é a tradução de *Arda Hastaina*. *Arda Envinyanta*, em ambas as ocorrências, foi escrita originalmente como *Arda Vincarna*.

15 Sobre essa passagem entre colchetes, cf. especialmente a nota (iii) no fim de *Leis e Costumes* (p. 307); também as pp. 299, 310 (nota de rodapé), 385.

16 *distain* [no texto original]: um verbo arcaico com o sentido de "manchar", "descolorir", "profanar".

17 Os Três Temas de Ilúvatar na Música dos Ainur aqui são tratados como um tema único, em oposição ao "tema" discordante de Melkor.

18 Em uma carta de junho de 1957 (*Cartas*, nº 200), ele escreveu:

> Lamento se tudo isso parece sombrio e "pomposo". Mas assim se parecem todas as tentativas de 'explicar' as imagens e eventos de uma mitologia. Naturalmente as histórias vêm primeiro. Mas suponho que seja algum teste da consistência de uma mitologia como tal, se ela for capaz de alguma espécie de explicação racional ou racionalizada.

VIII

Na última frase da versão curta original do texto VII (p. 488), meu pai escreveu que os Eldar acreditavam que Morgoth gerara os Orques "capturando Homens (e Elfos) cedo" (isto é, nos dias iniciais da existência deles). Isso indica que suas visões sobre esse tema tinham mudado desde os *Anais de Aman*. Para a teoria da origem dos Orques, no estágio que tinha — no que diz respeito ao registro escrito nas narrativas — nessa época, ver AAm §§42–5 (pp. 98-9, e comentário na p. 104-5), e §127 (pp. 140-1, e comentários nas pp. 156-7). Na forma final nos AAm (p. 99), o texto diz "isto é considerado verdadeiro pelos sábios de Eressëa":

> que todos aqueles dos Quendi que caíram nas mãos de Melkor, antes que Utumno fosse destroçada, lá foram postos na prisão e, por lentas artes de crueldade e perversidade, foram corrompidos

e escravizados. Assim Melkor gerou a raça hedionda dos Orkor, em inveja e zombaria dos Eldar, de quem foram depois os inimigos mais amargos. Pois os Orkor tinham vida e se multiplicavam à maneira dos Filhos de Ilúvatar; e nada que tivesse vida por si mesmo, nem a semelhança de vida, podia Melkor jamais criar desde sua rebelião no Ainulindalë antes do Princípio: assim dizem os sábios.

No texto datilografado dos AAm, meu pai fez a seguinte anotação ao lado desse relato sobre a origem dos Orques: "Alterar isto. Orques não são élficos" (p. 107).

O presente texto, intitulado "Orques", é um ensaio curto (muito próximo de um registro de alguém "pensando com a caneta"), encontrado na mesma coleção pequena dentro de um jornal de 1959, tal como os textos III e VI. Tal como eles, foi escrito em papéis do Merton College de 1955; e, tal como o texto VI, o ensaio faz referências a "Finrod e Andreth" (ver as pp. 464, 470).

Orques

A natureza e a origem deles requerem mais reflexão. Não é fácil imbricá-los na teoria e no sistema.

(1) Como o caso de Aulë e dos Anãos mostra, só Eru podia fazer criaturas com vontades independentes, e com poderes de raciocínio. Mas os Orques parecem ter ambos: podem tentar enganar Morgoth / Sauron, rebelar-se contra ele, ou criticá-lo.

(2) ? Portanto, devem ser *corrupções* de algo pré-existente.

(3) Mas os Homens ainda não tinham aparecido quando os Orques já existiam. Aulë construiu os Anãos a partir de sua memória da Música; mas Eru não sancionaria a obra de Melkor de maneira a permitir a independência dos Orques. (Não a menos que os Orques fossem, em última instância, remediáveis, ou pudessem ser emendados e "salvos"?)

Também parece claro (ver "Finrod e Andreth") que, embora Melkor pudesse corromper e arruinar completamente certos indivíduos, não é possível imaginar a perversão absoluta de um povo inteiro, ou grupo de povos, por parte dele, nem que *ele fizesse com que esse estado se tornasse herdável.*[2] [*Acrescentado posteriormente:* Essa segunda possibilidade deve ser (caso seja um fato) um ato de Eru.]

Nesse caso, os Elfos, como fonte, são muito improváveis. E será que os Orques são "imortais", no sentido élfico? E os trols? *O Senhor dos Anéis* parece implicar claramente que os trols existiam por si sós, mas foram "manipulados" por Melkor.[3]

(4) E quanto a animais falantes e aves com raciocínio e fala? Eles foram adotados, de forma bastante leviana, de mitologias menos "sérias", mas desempenham um papel que, agora, não pode ser extirpado. Certamente eles são "exceções" e não são muito usados, mas é o suficiente para mostrar que são um traço reconhecível do mundo. Todas as outras criaturas os aceitam como algo natural, ainda que não comum.

Mas verdadeiras criaturas "racionais", "povos que falam", são todos de forma humana / "humanoide". Apenas os Valar e Maiar são inteligências que podem assumir formas de Arda à vontade. Huan e Sorontar podem ser Maiar — emissários de Manwë.[4] Mas infelizmente, em *O Senhor dos Anéis*, afirma-se que Gwaehir e Landroval são *descendentes* de Sorontar.[5]

De qualquer modo, é provável ou possível que até mesmo os menores dos Maiar se tornassem Orques? Sim: tanto fora de Arda quanto dentro dela, antes da queda de Utumno. Melkor tinha corrompido muitos espíritos — alguns grandes, como Sauron, ou menores, como os Balrogs. Os menores de todos poderiam ser Orques primitivos (e muito mais poderosos e perigosos); mas, ao praticar a procriação quando incorporados, eles (cf. Melian) [acabariam se tornando] mais e mais presos à terra, incapazes de voltar ao estado espiritual (mesmo que em forma de demônio) até que fossem liberados pela morte (sendo abatidos), e diminuiriam em força. Quando liberados, é claro que eles, como Sauron, cairiam em "danação": isto é, ficariam reduzidos à impotência, numa recessão infinita: ainda cheios de ódio, mas cada vez mais incapazes de tornar esse ódio eficaz de forma física (ou será que o estado muito diminuído de um Orque morto não seria um poltergeist?).

Mas, de novo — será que Eru providenciaria *fëar* para tais criaturas? Para as Águias etc. talvez. Mas não para Orques.[6]

O mais adequado parece, entretanto, enxergar o poder corruptor de Melkor como algo que sempre começa, ao menos, no nível moral ou teológico. Qualquer criatura que o tomasse como Senhor (e especialmente aquelas que, de modo blasfemo, chamassem-no de Pai ou Criador) logo acabaria se corrompendo em todas as partes de seu ser, com o *fëa* arrastando para baixo o *hröa* em sua descida rumo ao Morgothismo: ódio e destruição. Quanto aos Elfos serem "imortais": na verdade, tinham apenas vidas enormemente longas, e eles próprios estavam se "desgastando" fisicamente, e sofrendo um enfraquecimento lento e progressivo de seus corpos.

Em suma: acho que se deve supor que "falar" não necessariamente é o sinal da posse de uma "alma racional" ou *fëa*.[7] Os Orques eram *feras* de forma humanizada (para arremedar Homens e Elfos) deliberadamente pervertidas / transformadas numa semelhança mais próxima à dos Homens. Sua "fala" era, na verdade, a reprodução de "gravações" implantadas neles por Melkor. Até suas palavras rebeldes e de crítica — ele sabia delas. Melkor lhes ensinara *fala* e, conforme se reproduziam, passaram a herdar isso; e tinham tanta independência quanto, digamos, cães ou cavalos em relação a seus mestres humanos. O que diziam era, em larga medida, ecoico (como os papagaios). Em *O Senhor dos Anéis*, afirma-se que Sauron *inventou uma língua* para eles.[8]

O mesmo tipo de coisa pode ser dito a respeito de Húan e das Águias: os Valar lhes ensinaram uma língua e os elevaram a um nível superior — mas ainda assim não tinham *fëar*.

Mas Finrod provavelmente foi longe demais na sua afirmação de que Melkor *não poderia* corromper totalmente nenhuma obra de Eru, ou de que Eru (necessariamente) interviria para ab-rogar a corrupção, ou para encerrar o ser de Suas próprias criaturas porque elas tinham sido corrompidas e caído no mal.[9]

Portanto, continua sendo terrivelmente possível que os Orques tivessem alguma ascendência élfica.[10] Esses, então, poderiam até ter sido cruzados com feras (estéreis!) — e, mais tarde, com Homens. Seu tempo de vida teria diminuído. E, morrendo, iriam para Mandos e ficariam na prisão até o Fim.

> O texto, conforme escrito, termina aqui, mas meu pai, mais tarde, acrescentou a seguinte passagem. As palavras que a iniciam são uma referência ao texto VI, *Melkor Morgoth* (p. 470).

Ver "Melkor". Ali ver-se-á que as *vontades* dos Orques e Balrogs etc. são parte do poder de Melkor que foi "disperso". O espírito deles é de ódio. Mas o ódio é não-cooperativo (exceto sob medo direto). Daí as rebeliões, os motins etc. quando Morgoth parece estar distante. Orques são feras, e Balrogs, Maiar corrompidos. Além disso (n.b.), Morgoth, e não Sauron, é a fonte das vontades dos Orques. Sauron é só outro agente (ainda que maior). Orques são capazes de se rebelar contra ele sem perder sua própria vassalagem irremediável ao mal (Morgoth). *Aulë* queria amor. Mas, é claro, não tinha intenção nenhuma de dispersar seu poder. Apenas Eru é capaz de dar *amor e independência*. Se um sub-criador finito tenta fazer isso, o que ele realmente quer é uma obediência amorosa e absoluta, mas ela se transforma em servidão robótica e se torna algo maligno.

NOTAS

[1] Numa longa carta para Peter Hastings, de setembro de 1954, que não chegou a ser enviada (*Cartas* nº 153), meu pai escreveu o seguinte acerca da dúvida sobre os Orques "poderiam ter 'almas' ou 'espíritos'":

> ... uma vez que em meu mito de qualquer forma não concebo a criação de almas ou espíritos, coisas de uma ordem igual se não de um poder igual ao dos Valar, como uma 'delegação' possível, representei ao menos os Orques como seres reais preexistentes sobre os quais o Senhor Sombrio exerceu a plenitude de seu poder remodelando-os e corrompendo-os, não os fazendo ... poderia haver outras 'fabricações' que fossem mais como bonecos preenchidos (apenas de longe) com a mente e a vontade de seu fabricador, ou como formigas operando sob a direção do centro onde se encontra a rainha.

Num ponto anterior dessa carta, ele tinha citado as palavras de Frodo a Sam no capítulo "A Torre de Cirith Ungol": "A Sombra que os gerou só pode zombar, não pode fazer; não coisas novas e reais por si mesma. Não acho que tenha dado vida aos orques, apenas os arruinou e perverteu"; e depois continuou: "Nas lendas dos Dias Antigos é sugerido que o Diabolus subjugou e corrompeu alguns dos primeiros Elfos". Disse também que os Orques "são fundamentalmente uma raça de 'criaturas encarnadas' racionais".

[2] No *Athrabeth* (p. 378), Finrod declarou:

> Mas nunca, mesmo na noite, acreditamos que ele pudesse prevalecer contra os Filhos de Eru. Este ele poderia iludir, ou aquele ele poderia corromper; mas mudar o destino de todo um povo dos Filhos, roubá-los de sua herança: se ele pudesse fazer tal coisa à revelia de Eru, então de longe maior e mais terrível é ele do que imaginávamos...

3 Em *O Senhor dos Anéis,* Apêndice F (I), afirma-se o seguinte sobre os Trols:

> Em seus começos, na remota penumbra dos Dias Antigos, eram criaturas de natureza obtusa e informe, e não tinham mais linguagem que as feras. Mas Sauron fizera uso deles, ensinando-lhes o pouco que podiam aprender e aumentando sua inteligência com maldade.

Na longa carta de setembro de 1954 citada na nota 1, meu pai escreveu o seguinte sobre eles:

> Não tenho certeza sobre os Trols. Acredito que sejam meras "imitações" e, portanto (embora aqui, é claro, eu esteja apenas usando elementos de antiga criação mítica bárbara que não possuía uma metafísica "consciente"), voltam a ser meras imagens de pedra quando não estão no escuro. Mas há outras espécies de Trols além desses extremamente ridículos, ainda que brutais, Trols-de-pedra, para os quais outras origens são sugeridas. É claro que ... ao se fazer com que Trols falem, é-lhes dado um poder que no nosso mundo (provavelmente) significa a posse de uma "alma".

4 Ver p. 173-4. – Ao pé da página que traz o breve texto V (p. 469), meu pai rabiscou o seguinte parágrafo, inteiramente desconectado da matéria do texto:

> Coisas viventes em Aman. Assim como os Valar costumavam se trajar como os Filhos, muitos dos Maiar se trajavam como outras coisas viventes menores, como árvores, flores, feras. (Huan.)

5 "Vieram Gwaihir, Senhor-dos-Ventos, e seu irmão Landroval, maior de todas as Águias do Norte, mais poderoso dos descendentes do velho Thorondor" ("O Campo de Cormallen" em *O Retorno do Rei.*)

6 Nesse ponto há uma nota que começa com o título "Críticas de (1) (2) (3) acima" (isto é, os pontos que abrem esse texto, p. 492) e depois se refere de forma obscura à "última batalha e queda de Barad-dûr etc." em *O Senhor dos Anéis*. Em vista do que se segue, meu pai presumivelmente estava pensando nesta passagem do capítulo "O Monte da Perdição":

> De todos os planos e teias de medo e traição, de todos os estratagemas e guerras sua mente se libertou com um golpe; e por todo o seu reino perpassou um tremor, seus escravos se acovardaram, seus exércitos pararam e seus capitães, subitamente desgovernados, despojados de vontade, titubearam e se desesperaram. Pois estavam esquecidos.

A nota prossegue:

> Eles tinham pouca ou nenhuma *vontade* quando não estavam de fato "recebendo a atenção" da mente de Sauron. Será que suas trapaças e rebeliões vão além do possível para animais como cães etc.?

7 Cf. o fim da passagem citada na carta de 1954 na nota 3.

8 Apêndice F (I): "Diz-se que a língua negra foi inventada por Sauron nos Anos Sombrios".

9 Ver a citação do *Athrabeth* na nota 2. Finrod não assevera, na verdade, a segunda parte da opinião atribuída aqui a ele.

10 A afirmação de que "portanto, continua sendo terrivelmente possível que os Orques tivessem alguma ascendência élfica" parece simplesmente contradizer o que foi dito sobre eles não serem mais do que "feras falantes" sem acrescentar nenhuma consideração nova. Na passagem acrescentada no fim do texto, a afirmação de que "Orques são feras" é repetida.

IX

> Esta é outra nota, totalmente separada, sobre a origem dos Orques, escrita rapidamente a lápis e sem qualquer indicação de data.

Isso sugere — embora não fique explícito — que os "Orques" eram de origem élfica. A origem deles é abordada com mais clareza em outro texto. Um ponto apenas é certo: Melkor não podia "criar criaturas" vivas com vontades independentes.

Ele (e todos os "espíritos" dos "Primeiro-criados", de acordo com sua medida) podiam assumir formas corporais; e ele (assim como eles) podia dominar as mentes de outras criaturas, incluindo Elfos e Homens, por força, medo, ou engodos, ou simples magnificência.

Os Elfos, desde as épocas mais antigas, inventaram e usaram uma palavra ou palavras com a base *(o)rok* para denotar qualquer coisa que causasse medo e/ou horror. Originalmente, teria sido aplicada a "fantasmas" (espíritos que assumiam formas visíveis), bem como a quaisquer criaturas com existência independente. A aplicação da palavra (em todas as línguas élficas) de forma específica para as criaturas chamadas *Orkes* — é assim que grafarei o nome em *O Silmarillion* — veio depois.

Já que Melkor não conseguia "criar" uma espécie independente, mas tinha imensos poderes de corrupção e distorção daquelas que caíam em seu poder, é provável que esses *Orkes* tivessem uma origem mista. A maioria deles claramente (e biologicamente) eram corrupções dos Elfos (e provavelmente, mais tarde, também dos Homens). Mas sempre, no meio deles (como servos especiais e espiões de Melkor, e como líderes) devem ter existido numerosos espíritos corrompidos menores que assumiram formas corpóreas similares. (Esses exibiriam características aterrorizantes e demoníacas.)

Os Elfos teriam classificado as criaturas chamadas de "trols" (em *O Hobbit* e *O Senhor dos Anéis*) como Orques — por suas características e origem —, mas eles eram maiores e mais lentos. Pareceria evidente que eram corrupções de tipos humanos primitivos.

No pé dessa página, meu pai escreveu: "Ver *O Senhor dos Anéis* Apêndice p. 410";* trata-se da passagem do Apêndice F sobre os Trols.

Parece possível que as palavras de abertura dele nessa nota, "Isso sugere — embora não fique explícito — que os 'Orques' eram de origem élfica", na verdade se refiram ao texto anterior apresentado aqui, o de número VIII, no qual ele escreveu que "os Elfos, como fonte, são muito improváveis", mas depois concluiu que "continua sendo terrivelmente possível que os Orques tivessem alguma ascendência élfica". Mas, se for esse o caso, as palavras seguintes, "A origem deles é abordada com mais clareza em outro texto", deve se referir a algum outro texto.

Ele agora afirma expressamente a visão anterior (ver p. 490-1 e nota 1) segundo a qual os Orques eram, em sua origem, Elfos corrompidos, mas observa que "mais tarde" alguns provavelmente foram derivados de Homens. Ao dizer isso (como o último parágrafo e a referência ao Apêndice F de *O Senhor dos Anéis* sugere) ele parece estar pensando nos Trols, e mais especificamente nos *Olog-hai*, os grandes Trols que apareceram no fim da Terceira Era (conforme afirma o Apêndice F): "Ninguém duvidava de que Sauron os tivesse gerado, mas não se sabia de qual origem. Alguns afirmavam que não eram Trols, e sim Orques gigantescos; mas os Olog-hai eram, na natureza do corpo e da mente, bem diversos até dos maiores da raça dos Orques, aos quais muito superavam em tamanho e poder".

* A numeração é da edição original que Tolkien tinha consigo. [N.T.]

A concepção de que, entre os Orques, "devem ter existido numerosos espíritos corrompidos menores que assumiram formas corpóreas similares" aparece também no texto VIII (p. 493): "Melkor tinha corrompido muitos espíritos — alguns grandes, como Sauron, ou menores, como os Balrogs. Os menores de todos poderiam ser Orques primitivos (e muito mais poderosos e perigosos)".

X

Apresento aqui um texto de tipo totalmente diferente, um ensaio muito bem acabado sobre a origem dos Orques. É necessário explicar algo sobre as relações entre esse texto e os demais.

Existe uma obra de fôlego, que espero publicar em *A História da Terra-média*, intitulada *Essekenta Eldarinwa* ou *Quendi e Eldar*. Está preservada num texto datilografado de boa qualidade feito por meu pai em sua máquina de escrever tardia, tanto na versão original quanto na cópia em papel-carbono; e antes do texto, em ambas as cópias, há uma página manuscrita que descreve o conteúdo da obra:

> Investigação acerca das origens dos nomes élficos para Elfos e suas variedades, clãs e divisões: com Apêndices a respeito de seus nomes para os outros Encarnados: Homens, Anãos e Orques; e acerca da análise deles de seu próprio idioma, o quenya: com uma nota acerca do "Idioma dos Valar".

Somando os apêndices, *Quendi e Eldar* chega a ter quase cinquenta páginas datilografadas em espaçamento simples, e, por ser uma obra altamente cuidada e clara, é do máximo interesse.

Em uma das páginas de rosto, meu pai acrescentou o seguinte:

> À qual está apensada uma abreviação do *Ósanwe-kenta* ou "Comunicação de Pensamento", que Pengolodh dispôs no fim de seu *Lammas*, ou "Relato de Línguas"

Trata-se de uma obra separada, com oito páginas datilografadas, numeradas separadamente, mas que se encontra junto com ambas as cópias de *Quendi e Eldar*. Além disso, sem ter sido citado nas páginas de rosto, há ainda outro texto datilografado de quatro páginas (também encontrado com ambas as cópias de *Quendi e Eldar*) intitulado *Orques*; e esse é o texto apresentado aqui.

Todos os três textos têm aparência, em geral, idêntica, mas *Orques* se distingue dos outros por não trazer nenhuma implicação linguística; e, em vista disso, achei que seria legítimo tirá-lo de seu contexto e publicá-lo neste livro junto com as outras discussões sobre a origem dos Orques apresentadas nos textos VIII e IX.

Quanto à data do conjunto, uma das cópias foi preservada dentro de um jornal dobrado correspondente a março de 1960. Nele, meu pai escreveu: "'Quendi e Eldar' com Apêndices"; embaixo há uma breve lista desses Apêndices, com itens todos escritos na mesma época, os quais incluem tanto *Ósanwe* quanto *Origem dos Orques* (o mesmo vale para a capa da outra cópia do conjunto *Quendi e Eldar*). Todo o material, assim, já existia quando o jornal foi usado para esse propósito, e embora, tal como em outros casos parecidos, isso não fornece um *terminus ad quem* perfeitamente certo, parece não haver razão para duvidar de que o conjunto foi escrito em 1959–1960 (cf. p. 369).

O Apêndice C de *Quendi e Eldar*, "Nomes élficos para os Orques", tem a etimologia como sua preocupação principal, mas o texto abre com a seguinte passagem:

Não é aqui o lugar para debater a questão da origem dos Orques. Eles foram gerados por Melkor, e sua geração foi a mais perversa e lamentável de suas obras em Arda, mas não a mais terrível. Pois claramente ele pretendia, em sua malícia, fazer deles um arremedo dos Filhos de Ilúvatar, totalmente subservientes à sua vontade e nutridos por um ódio insaciável contra Elfos e Homens.

Os Orques das guerras posteriores, depois da fuga de Melkor-Morgoth e seu retorno à Terra-média, não eram nem espíritos nem fantasmas, mas criaturas vivas, capazes de falar e de certas artes e organização, ou ao menos capazes de aprender tais coisas com criaturas superiores ou com seu Mestre. Geravam prole e se multiplicavam rapidamente quando quer que não fossem perturbados. É improvável, tal como uma consideração da origem última dessa raça deixaria bem claro, que os Quendi tivessem encontrados algum Orque desse tipo antes de serem achados por Oromë e da separação dos Eldar e dos Avari.

Mas é sabido que Melkor tomara consciência dos Quendi antes que os Valar começassem sua guerra contra ele, e o regozijo dos Elfos na Terra-média já tinha sido obscurecido por sombras de medo. Formas horrendas tinham começado a assombrar as fronteiras de suas moradas, e alguns de seu povo desapareciam na escuridão, e não se ouvia mais falar deles. Algumas dessas coisas podem ter sido fantasmas e ilusões; mas algumas eram, sem dúvida, formas assumidas pelos serviçais de Melkor, arremedando e degradando as próprias formas dos Filhos. Pois Melkor tinha a seu serviço grandes números dos Maiar, que tinham o poder, tal como o tinha seu Mestre, de tomar forma visível e tangível em Arda.

> Sem dúvida, meu pai foi levado, a partir de suas palavras aqui, "É improvável, tal como uma consideração da origem última dessa raça deixaria bem claro, que os Quendi tivessem encontrados algum Orque desse tipo antes de serem achados por Oromë", a escrever essa "consideração", que segue aqui. Ver-se-á que uma passagem desse pequeno texto inicial foi reutilizada.

Orques

A origem dos Orques é matéria de debate. Alguns já os chamaram de *Melkorohíni*, os Filhos de Melkor; mas os sábios dizem: não, os escravos de Melkor, mas não os seus filhos; pois Melkor não gerou filhos.[1] Mesmo assim, foi pela malícia de Melkor que os Orques surgiram, e claramente a meta dele era que fossem um arremedo dos Filhos de Eru, sendo gerados para ser totalmente subservientes à sua vontade e cheios de ódio insaciável contra Elfos e Homens.

Ora, os Orques das guerras posteriores, depois da fuga de Melkor-Morgoth e seu retorno à Terra-média, não eram "espíritos", nem fantasmas, mas criaturas vivas, capazes de falar e de certas artes e organização; ou ao menos capazes de aprender essas coisas com criaturas superiores e com seu Mestre. Geravam prole e se multiplicavam rapidamente quando quer que não fossem perturbados. Até onde é possível investigar a partir das lendas que chegaram até nós de nossos dias mais antigos,[2] ao que parece os Quendi ainda não tinham encontrado nenhum Orque desse tipo antes da chegada de Oromë a Cuiviénen.

Aqueles que acreditam que os Orques foram gerados a partir de alguma estirpe de Homens, capturados e pervertidos por Melkor, afirmam que era impossível para os Quendi ter conhecimento dos Orques antes da Separação e da partida dos Eldar. Pois, embora o momento do despertar dos Homens não seja conhecido, até os cálculos dos mestres-do-saber que o colocam em tempo mais recuado não propõem uma data muito anterior ao começo da Grande Marcha,[3] certamente não antes o suficiente para acomodar a corrupção dos Homens que se tornaram Orques. Por outro lado, está claro que, logo depois de seu retorno, Morgoth tinha às suas ordens um grande número dessas criaturas, com as quais, depois de não muito tempo, começou a atacar os Elfos. Havia ainda menos tempo entre seu retorno e esses primeiros ataques para a geração dos Orques e a transferência de suas hostes para o oeste.

Essa visão da origem dos Orques, assim, enfrenta dificuldades de cronologia. Mas, embora os Homens possam se sentir confortados com isso, a teoria, não obstante, continua sendo a mais provável. Ela está de acordo com tudo o que se sabe sobre Melkor, e com a natureza e o comportamento dos Orques — e dos Homens. Melkor era impotente para produzir qualquer coisa viva, mas hábil na corrupção de coisas que não procediam de si mesmo, se pudesse dominá-las. Mas, se de fato tivesse tentado fazer criaturas só suas, em imitação ou arremedo dos Encarnados, ele, como Aulë, só teria conseguido produzir fantoches: suas criaturas teriam agido apenas quando a atenção da vontade de Melkor pousasse sobre eles e não mostrariam nenhuma relutância para executar qualquer ordem sua, mesmo que fosse para destruir a si mesmas.

Mas os Orques não eram algo desse tipo. Certamente eram dominados por seu Mestre, mas esse domínio se dava por meio do medo, e eles estavam cientes desse medo e o odiavam. Ficaram, de fato, tão corrompidos que eram impiedosos, e não havia crueldade ou perversidade que não cometessem; mas essa era a corrupção de vontades independentes, e eles obtinham prazer com seus feitos. Eram capazes de agir por conta própria, fazendo malfeitos sem que lhes mandassem, para seu divertimento; ou, se Morgoth e seus agentes estivessem distantes, podiam negligenciar as ordens dele. Às vezes lutavam [> odiavam uns aos outros e amiúde lutavam] entre si mesmos, em detrimento dos planos de Morgoth.

Ademais, os Orques continuaram a viver e a procriar, e a seguir adiante com seu hábito de destroçar e saquear, depois que Morgoth foi sobrepujado. Tinham outras características dos Encarnados também. Tinham idiomas só seus e falavam entre si em várias línguas de acordo com diferenças de estirpe que eram discerníveis entre eles. Precisavam de comida e de bebida, e de descanso, embora muitos fossem, por treino, tão rijos quanto os Anãos ao resistir a privações. Podiam ser mortos e estavam sujeitos a doenças; mas, além desses males, morriam e não eram imortais, mesmo que de acordo com a maneira dos Quendi; de fato, pareciam ser, por natureza, de vida curta comparados com o tempo dos Homens de mais alta raça, como os Edain.

Esse último detalhe não era bem compreendido nos Dias Antigos. Pois Morgoth tinha muitos serviçais, dos quais os mais velhos e mais potentes eram imortais, pertencendo, de fato, em seu princípio, aos Maiar; e esses espíritos malignos, como seu Mestre, podiam tomar formas visíveis. Aqueles cuja tarefa era comandar os Orques amiúde tomavam formas órquicas, embora fossem maiores e mais terríveis.[4] Eis porque as histórias falam de Grandes Orques ou Capitães-orques que não eram mortos, e que reapareciam em batalha através de anos muito mais longos que o tempo das vidas dos Homens.*[5]

Por fim, há outro detalhe relevante, ainda que seja horrível de se relatar. Tornou-se claro, com o tempo, que indubitavelmente os Homens, sob o domínio de Morgoth ou seus agentes, podiam, em poucas gerações, ser reduzidos quase ao nível dos Orques quanto à mente e aos hábitos; e então podiam cruzar, ou ser levados a cruzar, com Orques, produzindo novas estirpes, muitas vezes maiores e mais matreiras. Não há dúvida de que, muito mais tarde, na Terceira Era, Saruman redescobriu essa possibilidade, ou ficou sabendo dela pela tradição, e, em sua luxúria pelo domínio, cometeu este ato, o mais perverso de todos: o cruzamento de Orques e Homens, produzindo Orques-homens grandes e matreiros, e Homens-orques traiçoeiros e vis.

Mas antes mesmo que essa perversidade de Morgoth fosse suspeitada, os Sábios, nos Dias Antigos, sempre ensinaram que os

* [nota de rodapé ao texto] *Boldog*, por exemplo, é um nome que ocorre muitas vezes nos contos da Guerra. Mas é possível que *Boldog* não fosse um nome pessoal, mas um título, ou então o nome de um tipo de criatura: os Maiar com forma de Orques, menos temíveis apenas que os Balrogs.

Orques não tinham sido "feitos" por Melkor e, portanto, não eram, em sua origem, malignos. Podiam ter se tornado irredimíveis (ao menos pela ação de Elfos e Homens), mas permaneciam dentro da Lei. Isto é, embora, por necessidade, sendo eles os dedos da mão de Morgoth, devessem ser combatidos com a máxima severidade, não deviam ser tratados em seus próprios termos de crueldade e traição. Os prisioneiros não deviam ser atormentados, nem mesmo para descobrir informações para a defesa dos lares de Elfos e Homens. Se quaisquer Orques se rendessem e suplicassem misericórdia, deviam recebê-la, mesmo que isso tivesse um custo.* Esse era o ensinamento dos Sábios, embora, no horror da Guerra, não fosse sempre escutado.

É verdade, claro, que Morgoth mantinha os Orques no mais completo cativeiro; pois, em sua corrupção, tinham perdido quase todas as possibilidades de resistir à dominação da vontade dele. Tão grande, de fato, tornou-se essa pressão sobre eles antes que Angband caísse que, se Morgoth voltava seu pensamento na direção de seus servos, ficavam conscientes de seu "olho" onde quer que estivessem; e, quando Morgoth afinal foi removido de Arda, os Orques que sobreviveram no Oeste ficaram dispersos, sem líder e quase sem juízo, e continuaram, durante muito tempo, sem controle ou propósito.

Essa servidão a uma vontade central, que quase reduzia os Orques a uma vida semelhante à das formigas, viu-se ainda mais claramente na Segunda e Terceira Eras, sob a tirania de Sauron, principal lugar-tenente de Morgoth. Sauron, de fato, obteve um controle ainda maior sobre seus Orques do que Morgoth. Ele estava, é claro, operando numa escala menor, e não tinha nenhum inimigo tão grande e tão fero quanto os Noldor no auge de seu poderio nos Dias Antigos. Mas também tinha herdado daqueles dias dificuldades como a diversidade dos Orques em estirpes e línguas, e as rixas entre eles; enquanto em muitos lugares da

* [nota de rodapé ao texto] Poucos Orques jamais chegaram a fazê-lo nos Dias Antigos, e em tempo nenhum Orque algum aceitou tratar com algum Elfo. Pois uma coisa que Morgoth alcançara foi convencer os Orques, além de qualquer refutação, de que os Elfos eram mais cruéis do que eles mesmos, fazendo prisioneiros apenas por "divertimento", ou para comê-los (como os Orques faziam se precisassem).

Terra-média, depois da queda das Thangorodrim e durante a ocultação de Sauron, os Orques, recuperando-se de seu desamparo, tinham estabelecido reinos minúsculos só seus e se acostumado à independência. Mesmo assim, Sauron, com o tempo, conseguiu uni-los a todos num ódio irracional aos Elfos e aos Homens que se associavam a eles; enquanto os Orques de seus próprios exércitos treinados estavam tão completamente sob sua vontade que podiam se sacrificar sem hesitação à ordem de Sauron.* E ele se mostrou ainda mais hábil que seu Mestre também na corrupção dos Homens que estavam além do alcance dos Sábios, e em reduzi-los a uma vassalagem na qual podiam marchar ao lado dos Orques e rivalizar com eles em crueldade e destruição.

Assim, é provavelmente Sauron que devemos levar em conta em busca de uma solução para o problema de cronologia. Embora de poder nativo imensamente menor que o de seu Mestre, ele permaneceu menos corrompido, mais frio e mais capaz de ser calculista. Ao menos nos Dias Antigos, e antes que fosse privado de seu senhor e caísse na insensatez de imitá-lo e de buscar se tornar ele próprio o Senhor supremo da Terra-média. Enquanto Morgoth ainda estava de pé, Sauron não buscou sua própria supremacia, mas trabalhou e arquitetou planos por outro, desejando o triunfo de Melkor, a quem, no princípio, tinha adorado. Assim, amiúde era capaz de realizar coisas, concebidas primeiro por Melkor, as quais seu mestre não completava ou não podia completar na pressa furiosa de sua malignidade.

Podemos considerar, portanto, que a ideia de gerar os Orques veio de Melkor, talvez não tanto, de início, para a provisão de serviçais ou infantaria para suas guerras de destruição, quanto para a profanação dos Filhos e o arremedo blasfemo dos desígnios de Eru. Os detalhes da realização dessa perversidade foram deixados, entretanto, principalmente à mercê das sutilezas de Sauron. Nesse caso, a concepção dos Orques na mente pode remontar à noite do pensamento de Melkor, embora o princípio de sua geração propriamente dita tivesse de esperar pelo despertar dos Homens.

---

* [nota de rodapé ao texto] Mas aqui subsistia uma falha em seu controle, que era inevitável. No reino do ódio e do medo, a coisa mais forte é o ódio. Todos os Orques se odiavam — e tinham de ser mantidos sempre em guerra com algum "inimigo" para impedir que matassem uns aos outros.

Quando Melkor foi feito prisioneiro, Sauron escapou e ficou oculto na Terra-média; e, desse maneira, pode-se compreender como a geração dos Orques (sem dúvida já iniciada) prosseguiu com velocidade crescente durante a era em que os Noldor habitaram em Aman; de modo que, quando retornaram à Terra-média, encontraram-na já infestada com essa praga, para tormento de todos aqueles que habitavam lá, Elfos ou Homens ou Anãos. Foi também Sauron quem reparou Angband secretamente para auxílio de seu Mestre quando ele retornasse;[6] e ali os lugares escuros debaixo da terra já eram ocupados por hostes dos Orques quando Melkor voltou afinal, como Morgoth, o Inimigo Sombrio, e as enviou para levar ruína a tudo o que era belo. E, embora Angband tenha caído e Morgoth tenha sido removido, ainda assim eles saem dos lugares sem luz na escuridão de seus corações, e a terra fenece sob seus pés impiedosos.

Essa então, ao que parece, era a visão final de meu pai sobre a questão: os Orques foram gerados a partir dos Homens, e se "a concepção dos Orques na mente pode remontar à noite do pensamento de Melkor", foi Sauron que, durante as eras do cativeiro de Melkor em Aman, trouxe à existência os exércitos sombrios que estavam disponíveis para seu Mestre quando ele retornou.

Mas, como sempre, a situação não é assim tão simples. Acompanhando uma cópia do texto datilografado desse ensaio, temos algumas páginas manuscritas que correspondem ao verso em branco de documentos enviados pelos editores de meu pai, datados de 10 de novembro de 1969. Essas páginas trazem duas notas sobre o ensaio dos "Orques": uma delas, discutindo a grafia da palavra, está p. 508; a outra é uma nota provocada por algum elemento do ensaio que não foi indicado, mas que obviamente é a passagem na p. 501-2 discutindo a natureza, semelhante à de fantoches, inevitável em criaturas trazidas à existência por um dos próprios grandes Poderes: a intenção é que a nota comentasse as palavras "Mas os Orques não eram algo desse tipo".

Os *orkes*, é verdade, às vezes parecem ter sido reduzidos a uma condição muito similar a essa, embora, na verdade, ainda haja uma diferença profunda. Aqueles *orkes* que viveram muito tempo sob a atenção imediata da vontade dele — como guarnições de suas praças-fortes ou elementos de exércitos treinados para propósitos especiais em seus desígnios de guerra — tendiam a agir como rebanhos, obedecendo instantaneamente, como se com uma única vontade, aos seus comandos, mesmos que lhes fosse ordenado sacrificar suas vidas a serviço dele. E, como se viu quando Morgoth afinal foi sobrepujado e lançado fora, aqueles *orkes* que tinham sido tão absorvidos se espalharam, desamparados, sem propósito de fugir ou de lutar, e logo morreram ou mataram a si mesmos.

Outras criaturas originalmente independentes, e entre elas Homens (mas não Elfos nem Anãos), também podiam ser reduzidas a semelhante condição. Mas "fantoches", sem nenhuma vida ou vontade independente, simplesmente deixariam de se movimentar ou de fazer qualquer coisa que fosse quando a vontade de seu criador se tornasse nula. De qualquer modo, o número de *orkes* que foram "absorvidos" assim sempre foi apenas uma pequena parte do total deles. Mantê-los em servidão absoluta exigia um grande dispêndio de vontade. Morgoth, embora, em sua origem, possuísse vasto poder, era finito; e foi esse dispêndio com os *orkes*, e ainda mais com as criaturas muito mais poderosas a seu serviço, que, por fim, tanto dissipou seus poderes mentais que a derrocada de Morgoth se tornou possível. Assim, a maior parte dos *orkes*, ainda que sob suas ordens e sob a sombra tétrica do medo que lhe tinham, eram apenas objetos intermitentes de seu pensamento e sua preocupação imediatos, e, quando esses eram removidos, recaíam na independência e se tornavam cônscios do ódio que tinham a ele e à sua tirania. Então, podiam negligenciar suas ordens, ou se ocupar com

Aqui o texto se interrompe. Mas o curioso é que esboços iniciais para o segundo parágrafo desta nota (escritos no mesmo papel, com a mesma data) começam assim:

Mas os Homens podiam (e ainda podem) ser reduzidos a tal condição. "Fantoches" simplesmente deixariam de se movimentar ou "viver" de todo, quando não colocados em movimento pela vontade direta de seu criador. De qualquer modo, embora o número de orkes no ápice do poder de Morgoth, e *mesmo depois de seu retorno do cativeiro*, parece ter sido muito grande, aqueles que foram "absorvidos" sempre eram uma pequena parte do total.

As palavras que destaquei em itálico negam uma concepção essencial do ensaio.

A outra nota diz o seguinte:

Orques/Orcs

Essa grafia foi tirada do inglês antigo. A palavra parecia, em si mesma, muito adequada para as criaturas que eu tinha em mente. Mas o significado de *orc* em inglês antigo — até onde é conhecido — não é adequado.[7] Além disso, a grafia de um termo que, na situação linguística mais organizada posterior, deve ter sido a forma em fala comum de uma palavra ou grupo de palavras similares, deveria ser *ork* [orke]. Até por conta das dificuldades ortográficas em inglês moderno: faz-se necessário um adjetivo *orc* + *ish*, e *orcish* ["órcico", e não "órquico", como em português] não funciona.[8] Em qualquer publicação futura, vou usar a forma *ork* [orke].

No texto IX (o ensaio breve no qual meu pai declarou que a teoria da origem élfica estava correta) ele escreveu a palavra como *Orks* [Orkes] e disse "é assim que grafarei o nome em *O Silmarillion*". No presente ensaio, obviamente posterior ao texto IX, a grafia é *Orcs* [Orques]; mas agora, em 1969 ou depois, ele afirma de novo que deve ser *Orks* [Orkes].

NOTAS

1 Ver o texto VII, p. 488. — Em uma cópia do texto, meu pai escreveu a lápis, ao lado dessa frase, os nomes *Erusēni, Melkorsēni.*

2 "lendas que chegaram até nós de nossos dias mais antigos": dá-se a entender, então, que este é um texto élfico. Sauron é mencionado, mais tarde, como algo do passado ("Essa servidão a uma vontade central ... viu-se ainda mais claramente na Segunda e Terceira Eras, sob a tirania de Sauron", p. 504); mas, na última frase do ensaio, os Orques são uma praga que ainda aflige o mundo.

3 O tempo do Despertar dos Homens agora é recuado muito para trás; cf. o texto II (p. 456): "A Marcha dos Eldar acontece no meio de grandes Chuvas? Os Homens despertam numa ilha em meio às enchentes"; "A vinda dos Homens, portanto, terá de acontecer bem antes"; "Os Homens precisam despertar enquanto Melkor ainda está [na Terra-média] — por causa da Queda deles. Portanto, em algum período durante a Grande Marcha" (ver p. 464, nota 14). Na cronologia dos *Anais de Aman* e dos *Anais Cinzentos*, a Grande Marcha começa no Ano das Árvores de 1105 (p. 110), e as companhias de

vanguarda dos Eldar chegaram às costas do Grande Mar em 1125; os Homens despertaram em Hildórien no ano do primeiro nascer do Sol, que foi o Ano das Árvores de 1500. Assim, se o despertar dos Homens for colocado, mesmo que muito tardiamente, no período da Grande Marcha dos Eldar, ele recuará mais de 3.500 Anos do Sol. Ver ainda p. 517, nota 5.

4 Cf. o texto IX, p. 498: "Mas sempre, no meio deles (como servos especiais e espiões de Melkor, e como líderes) devem ter existido numerosos espíritos corrompidos menores que assumiram formas corpóreas similares"; ver também o texto VIII, p. 493.

5 A nota de rodapé nesse ponto, afirmando que "*Boldog*, por exemplo, é um nome que ocorre muitas vezes nos contos da Guerra", e talvez não fosse um nome pessoal, é curiosa. *Boldog* aparece várias vezes na *Balada de Leithian* como o nome do capitão dos Orques que liderou uma incursão em Doriath (referências no Índice Remissivo de *As Baladas de Beleriand*); ele reaparece no *Quenta* (IV. 133), mas não é mencionado depois disso. Não conheço nenhuma outra referência a um Orque chamado *Boldog*.

6 Quanto à história mais tardia de que Angband foi construída por Melkor nos dias antigos e de que era comandada por Sauron, ver p. 195, §12. Não há referência aos reparos de Angband em preparação ao retorno de Morgoth, e cf. o último desenvolvimento narrativo do *Quenta Silmarillion* na história de seu retorno (p. 358, §14): Morgoth e Ungoliant estavam "se aproximando das ruínas de Angband, onde sua grande fortaleza ocidental estivera".

7 Ver p. 157.

8 "*orcish* não funciona": porque seria pronunciado como "orsish". A língua *Orkish* [órquica] foi grafada assim em *O Senhor dos Anéis* desde a primeira edição [original inglesa].

XI

Esse texto de conclusão, intitulado *Aman*, é um manuscrito claro, produzido com pouca hesitação e poucas correções. Eu havia considerado que se tratava de um ensaio independente e, em dúvida sobre o melhor lugar onde colocá-lo, deixara-o para o fim; mas, quando este livro já estava totalmente completo e preparado para a publicação, percebi que, na verdade, ele tem uma relação muito próxima com o manuscrito de *Athrabeth Finrod ah Andreth*.

Aquele manuscrito se inicia com uma seção introdutória (apresentada na versão datilografada que meu pai fez mais tarde, pp. 368-9), começando com a afirmação de que alguns Homens acreditavam que seus *hröar* não eram de vida curta por natureza, mas tinham ficado assim por conta da malícia de Melkor. Eu não tinha atentado para o significado de algumas linhas no alto dessa primeira página do *Athrabeth*, que mais tarde foram riscadas por meu pai: essas linhas começam com as palavras "o *hröa*, e ele continuaria a vier, um corpo sem juízo, nem mesmo um bicho, mas um monstro" e terminam com " ... a própria Morte, seja em agonia ou horror, entraria, com os Homens, na própria Aman". Ora, essa passagem é virtualmente idêntica à conclusão do presente texto, cuja última página começa precisamente no mesmo ponto.

Fica claro, portanto, que *Aman* originalmente levava ao *Athrabeth*, mas que meu pai retirou o primeiro texto e fez dele uma obra separada, copiando a passagem de conclusão numa folha à parte. Ao mesmo tempo, presumivelmente, deu ao resto do conjunto (o *Athrabeth* e sua introdução) os títulos *Da Morte e dos Filhos de Eru, e da Desfiguração dos Homens* e *O Colóquio de Finrod e Andreth*.[1]

Poderia ter sido preferível colocar *Aman* junto com o *Athrabeth* na Parte Quatro; mas achei desnecessário, num estágio tão tardio, embarcar numa reformulação de grande porte da estrutura do livro, e assim deixei que o texto ficasse em separado aqui.

Aman

Em Aman as coisas eram em tudo diferentes da Terra-média. Mas se assemelhavam ao modo de vida élfico, tal como os Elfos se assemelhavam mais proximamente aos Valar e Maiar do que os Homens.

Em Aman, o comprimento da unidade do "ano" era o mesmo que para os Quendi. Mas por uma razão diferente. Em Aman, esse comprimento foi atribuído pelos Valar para seus próprios propósitos e estava relacionado àquele processo que pode ser chamado de "Envelhecimento de Arda". Pois Aman ficava dentro de Arda e, portanto, dentro do Tempo de Arda (a qual não era eterna, fosse Não Desfigurada ou Desfigurada). Portanto, Arda e todas as coisas nela devem envelhecer, por mais devagar que isso ocorra, conforme ela procede do princípio ao fim. Esse envelhecimento podia ser percebido pelos Valar por volta daquele comprimento de tempo (proporcional ao todo do tempo designado para Arda) ao qual eles chamavam de um Ano; mas não num período menor.[2]

Mas, quanto aos Valar propriamente ditos, e aos Maiar também, em seu grau: eles podiam viver em qualquer velocidade de pensamento ou movimento que escolhessem ou desejassem.*[3]

* Podiam se movimentar para trás ou para a frente em pensamento e voltar de novo tão celeremente que, para aqueles que estavam em sua presença, não pareciam ter se movimentado. Tudo que era passado eles podiam perceber plenamente; mas, estando agora no Tempo, o futuro eles podiam apenas perceber ou explorar até o ponto em que seu desígnio se fizera claro para eles na Música, ou como cada um deles estava especialmente preocupado com esta ou aquela parte do desígnio de Eru, sendo Seu agente ou Subcriador. Por meio dessa maneira de percepção, não podiam prever nenhum dos atos dos Filhos, Elfos e Homens, em cuja concepção e introdução em Ea nenhum dos Valar tinha desempenhado parte alguma; acerca dos Filhos, conseguiam deduzir apenas a probabilidade, da mesma maneira que os próprios Filhos conseguem, embora a partir de um conhecimento muito maior dos fatos e dos eventos contributórios do passado, e com muito maior inteligência e sabedoria. Contudo, sempre permanecia uma incerteza no tocante às palavras e aos feitos de Elfos e Homens num Tempo que ainda não se desenrolou.

A unidade, ou Ano Valiano, assim, não estava relacionada, em Aman, às taxas naturais de "crescimento" de qualquer pessoa ou coisa que habitasse lá. O tempo em Aman era o tempo real, não meramente um modo da percepção. Tal como, digamos, 100 anos transcorriam na Terra-média enquanto parte de Arda, assim também 100 anos passavam em Aman, a qual também era uma parte de Arda. Foi, entretanto, o fato de que a velocidade élfica de "crescimento" estava de acordo com a unidade de tempo valiano[†] que tornou possível para os Valar trazerem os Eldar para habitar em Aman.

[†] Não por desígnio dos Valar, embora sem dúvida não por acaso. Isto é, pode ser que Eru, ao desenhar as naturezas de Elfos e Homens e suas relações uma com a outra e com a dos Valar, estabeleceu que o "crescimento" dos Elfos deveria estar de acordo com a percepção valiana da progressão ou envelhecimento de Arda, de modo que os Elfos fossem capazes de coabitar com os Valar e Maiar. Já que os Filhos apareceram na Música, e também na Visão, os Valar sabiam algo, ou, aliás, muito das naturezas estabelecidas para Elfos e Homens antes que eles viessem à existência. Sabiam, certamente, que os Elfos deveriam ser "imortais" ou de vida muito longa, e os

> Homens, de vida breve. Mas foi provavelmente apenas durante a estadia de Oromë entre os pais dos Quendi que os Valar descobriram precisamente qual era o modo de suas vidas no que diz respeito à passagem do Tempo.

Em um ano valiano, os Eldar que lá habitavam cresciam e se desenvolviam de maneira muito semelhante ao dos mortais durante um ano na Terra-média. Ao recordar os eventos em Aman, portanto, podemos, tal como faziam os próprios Eldar, usar a unidade valiana,[4] embora não devamos esquecer que, dentro de qualquer de tais "anos", os Eldar gozavam de uma imensa série de deleites e realizações que até os mais agraciados dos Homens não conseguiriam alcançar em doze vezes doze anos mortais.[5] Mesmo assim, os Eldar "envelheciam" em Aman na mesma velocidade com que o tinham feito em seu princípio sobre a Terra-média.

Mas os Eldar não eram *nativos* de Aman, região a qual não tinha sido, por parte dos Valar, desenhada para eles. Em Aman, antes da vinda dos Elfos, tinham habitado apenas os Valar e sua parentela menor, os Maiar. Mas, para o deleite e o uso deles, havia em Aman também uma grande multidão de criaturas, sem *fëar*, de muitos tipos: animais, ou criaturas que se movem, e plantas, que são paradas. Ali havia, conforme se crê, as contrapartes de todas as criaturas que existem ou existiram na Terra,[6] e outras também, que foram feitas para Aman apenas. E cada estirpe tinha, como na Terra, sua própria natureza e velocidade natural de crescimento.

Mas, uma vez que Aman foi feita para os Valar, para que eles tivessem paz e deleite dentro dela, todas aquelas criaturas que foram para lá transplantadas ou foram treinadas ou cruzadas ou trazidas ao ser para o propósito de habitarem em Aman receberam uma velocidade de crescimento tal que um ano da vida natural para suas estirpes na Terra seria em Aman um Ano Valiano.

Para os Eldar, isso era fonte de regozijo. Pois em Aman o mundo lhes parecia como parece aos Homens na Terra, mas sem a sombra da morte logo a chegar. Enquanto na Terra, para eles, todas as coisas em comparação consigo mesmos eram passageiras, céleres para mudar e morrer ou desaparecer, em Aman elas duravam e não tão cedo frustravam o amor com sua mortalidade. Na Terra, enquanto uma criança-élfica apenas crescia e se tornava um homem ou uma mulher, em uns 3.000 anos, florestas se erguiam e caíam, e toda a face da terra mudava, enquanto inumeráveis aves e flores nasciam e morriam em *löar* sobre *löar* debaixo do Sol a rodar.

Mas, além de tudo isso, Aman é chamada também de o Reino Abençoado, e nisso se encontrava sua benção: na saúde e no regozijo. Pois em Aman nenhuma criatura sofria de qualquer enfermidade ou desordem de sua natureza; nem havia nenhuma decadência ou envelhecimento mais céleres do que o envelhecimento vagaroso da própria Arda. De modo que todas as coisas, chegando afinal à plenitude da forma e da virtude, permaneciam naquele estado, cheias de benção, sendo o envelhecimento e o desgaste de suas vidas e ser não mais célere do que o dos próprios Valar. E essa benção era também concedida aos Eldar.

Na terra, os Quendi não sofriam de enfermidade alguma, e a saúde de seus corpos era sustentada pelo poder dos *fëar* longevos. Mas seus corpos, sendo da matéria de Arda, eram, não obstante, não tão duradouros quanto seus espíritos; pois a longevidade dos Quendi era derivada principalmente de seus *fëar*, cuja natureza ou "sina" era permanecer em Arda até o fim dela. Portanto, depois que a vitalidade do *hröa* era despendida em alcançar o crescimento pleno, ele começava a se enfraquecer ou a se tornar cansado. De modo deveras muito lento, mas, para todos os Quendi, perceptível. Por algum tempo, era fortificado e mantido pelo *fëa* que nele habitava, e então sua vitalidade começava a refluir, e seu desejo por vida e regozijo físicos o ia deixando cada vez mais celeremente. Então o Elfo começava (como dizem agora, pois essas coisas não apareciam plenamente nos Dias Antigos) a "se desvanecer", até que era como que se o *fëa* fosse consumido pelo *hröa*, quando permanecia apenas pelo amor e pela memória do espírito que o tinha habitado.

Mas em Aman, já que sua benção descera sobre os *hröar* dos Eldar, tal como sobre todos os outros corpos, os *hröar* só envelheciam no mesmo passo que os *fëar*, e os Eldar que permaneceram no Reino Abençoado persistiam em maturidade plena e poder não obscurecido de corpo e espírito conjuntos, durante eras além da nossa compreensão mortal.

Aman e os Homens Mortais[7]

Se é assim em Aman, ou era, antes da Mudança do Mundo, e dentro dela os Eldar tinham saúde e regozijo duradouro, o que havemos de dizer dos Homens? Nenhum Homem jamais pôs pé em Aman, ou pelo menos nenhum jamais retornou de lá; pois os Valar o proíbem. Por quê? Aos Númenóreanos eles disseram que o faziam porque Eru lhes tinha proibido admitir Homens ao Reino Abençoado; e declararam também que os Homens não seriam abençoados lá (como imaginavam), mas amaldiçoados, e "murchariam tal como uma mariposa numa chama forte demais".

Além dessas palavras só podemos prosseguir por inferências. Contudo, podemos considerar a matéria assim. Os Valar não apenas foram proibidos por Eru de tentar, eles *não eram capazes* de alterar a natureza, ou "sina" de Eru, de qualquer um dos Filhos, na qual estava incluída a velocidade de seu crescimento (relativa à vida inteira de Arda) e o comprimento do seu tempo de vida. Até os Eldar, nesse aspecto, permaneceram inalterados.

Suponhamos então que os Valar também tivessem admitido a Aman alguns dos Atani e (para que possamos considerar uma vida inteira de um Homem em tal estado) que crianças "mortais" ali nascessem, como nasciam as crianças dos Eldar. Então, mesmo estando em Aman, uma criança mortal ainda chegaria à maturidade em uns vinte anos do Sol, e o tempo natural de sua vida, o período de coesão de *hröa* e *fëa*, não seria mais do que, digamos, 100 anos. Não muito mais do que isso, ainda que seu corpo não sofresse nenhuma enfermidade ou desordem em Aman, onde nenhum mal como esses existia. (A menos que os Homens trouxessem esses males consigo — e por que não o fariam? Até os Eldar trouxeram para o Reino Abençoado alguma mancha da Sombra sobre Arda na qual vieram a existir.)

Mas em Aman tal criatura seria uma coisa transitória, entre todos os bichos o de mais célere passamento. Pois a sua vida inteira duraria pouco mais do que um meio-ano, e, enquanto todas as outras criaturas viventes mal parecer-lhe-iam mudar, mas permaneceriam constantes em vida e regozijo com esperança de anos sem-fim não ensombrecidos, ele surgiria e passaria — tal como, sobre a Terra, a relva pode surgir na primavera e fenecer antes do inverno. Então ele ficaria repleto de inveja, julgando-se uma vítima de injustiça , sendo-lhe negadas as graças dadas a todas as outras coisas. Ele não daria valor ao que tinha, mas, sentindo que estava entre as menores e mais desprezadas de todas as criaturas, logo passaria a escarnecer de sua humanidade e a odiar aqueles mais ricamente dotados. Não escaparia do medo e da tristeza de sua célere mortalidade, que é o que lhe cabe sobre a Terra, em Arda Desfigurada, mas sofreria o fardo dela de forma insuportável, até a perda de todo deleite.

Mas, se alguém perguntasse: por que, em Aman, não poderia a benção da longevidade ser concedida a ele, como foi concedida aos Eldar? Esta deve ser a resposta. Porque isso traria regozijo aos Eldar, sendo sua natureza diferente da dos Homens. A natureza de um *fëa* élfico era suportar o mundo até o fim, e um *hröa* élfico era também longevo por natureza; de modo que um *fëa* élfico, descobrindo que seu *hröa* durava junto consigo, dando apoio à sua habitação dentro dele e permanecendo não cansado, em deleite corpóreo, teria aumentado e mais duradouro regozijo [*sic*]. De fato, alguns dos Eldar duvidam que qualquer graça ou benção especial foi dada a eles, além de serem admitidos a Aman. Pois sustentam que o fracasso de seus *hröar* para durar, em vitalidade incansável, tanto quanto seus *fëar* — um processo que só foi observado nas eras posteriores — se deve à Desfiguração de Arda, e vem da Sombra, e da mancha de Melkor, que toca toda a matéria (ou *hröa*)[8] de Arda, se não, de fato, a de toda Ëa. De modo que a única coisa que aconteceu em Aman foi que essa fraqueza dos *hröar* élficos não se desenvolveu na saúde de Aman e à Luz das Árvores.

Mas suponhamos que a "benção de Aman" também fosse concedida aos Homens.* E então? Seria esse um grande bem para eles? Seus corpos ainda chegariam celeremente ao crescimento pleno. Ao longo da sétima parte de um ano, um Homem poderia nascer e se tornar adulto, tão celeremente quanto, em Aman, um pássaro saía do ovo e partia voando do ninho. Mas, depois, ele não feneceria ou envelheceria, mas persistiria em vigor e no deleite da vida corporal. Mas e quanto ao *fëa* daquele Homem? Sua natureza e "sina" não poderiam ser alteradas, nem pela saúde de Aman nem pela vontade do próprio Manwë. Contudo, é (como sustentam os Eldar) a natureza e sina desse *fëa*, sob a vontade de Eru, que ele *não* persistisse em Arda longamente, mas que partisse e fosse para alhures, retornando, talvez, diretamente para Eru, para outra sina ou outro propósito que está além do conhecimento ou da imaginação dos Eldar.

* Ou (tal como sustentam alguns Homens) que os seus *hröar não* sejam por natureza de vida curta, mas tenham se tornando assim

por meio da malícia de Melkor, superando a desfiguração geral de Arda, e que essa ferida pudesse ser curada e desfeita em Aman.

Muito rapidamente, então, o *fëa* e o *hröa* de um Homem em Aman não estariam unidos e em paz, mas estariam em oposição, para a grande dor de ambos. O *hröa*, estando em pleno vigor e regozijo da vida, apegar-se-ia ao *fëa*, para que, ao partir, ele não trouxesse a morte; e contra a morte ele revoltar-se-ia, como se fora uma grande fera na plenitude da vida que ou foge do caçador ou se volta selvagemente contra ele. Mas o *fëa* estaria, por assim dizer, na prisão, tornando-se cada vez mais cansado de todos os deleites do *hröa*, até que eles lhe fossem abomináveis, ansiando cada vez mais e mais por partir, até que todas aquelas matérias para seu pensamento que recebia através do *hröa* e seus sentidos se tornassem sem sentido. Esse Homem não seria abençoado, mas amaldiçoado; e amaldiçoaria os Valar e Aman e todas as coisas de Arda. E não deixaria Aman por sua vontade, pois isso significaria morte rápida, e teria de ser lançado fora dela com violência. Mas, se permanecesse em Aman,[9] em que transformar-se-ia, antes que Arda por fim se cumprisse e ele achasse libertação? Ou seu *fëa* seria totalmente dominado pelo *hröa*, e ele tornar-se-ia mais semelhante a uma fera, embora de um tipo atormentado por dentro. Ou então, se seu *fëa* fosse forte, ele deixaria o *hröa*. Depois, uma destas duas coisas aconteceria: ou isso seria realizado apenas em ódio, por violência, e o *hröa*, na plenitude da vida, rasgar-se-ia e morreria em repentina agonia; ou então o *fëa*, em asco e sem piedade, abandonaria o *hröa*, e esse continuaria a vier, um corpo sem juízo, nem mesmo uma fera, mas um monstro, uma vera obra de Melkor no meio de Aman, a qual os próprios Valar de bom grado destruiriam.

Ora, essas coisas não passam de matéria para o pensamento, que poderiam ter sido; pois Eru e os Valar sob Ele não permitiram que Homens, tal como o são,[10] habitassem Aman. Contudo, ao menos, pode-se ver que os Homens em Aman não escapariam ao terror da morte, mas haveriam de senti-lo em maior grau e durante longas eras. E, ademais, parece provável que a própria morte, seja em agonia ou horror, entraria, com os Homens, na própria Aman.

Nesse ponto, *Aman*, conforme originalmente escrito (ver p. 510), continuava com as palavras "Ora, alguns Homens sustentavam que seus *hröar* não eram, de fato, por natureza de vida curta ...", frase que se tornou o início da passagem introdutória do *Athrabeth* (ver p. 368).

NOTAS

1 O número III e um novo título, *A Desfiguração dos Homens* (sendo mantidos os outros títulos) foram atribuídos à segunda parte, enquanto *Aman* recebeu o número II. Não encontrei nenhum texto numerado como I.

2 Ver-se-á que, como consequência da transformação do "mito cosmogônico", uma concepção inteiramente nova do "Ano Valiano" tinha sido criada. Os complexos cálculos sobre o Tempo nos *Anais de Aman* (ver pp. 69-72, 80-1) estavam baseados no "ciclo" das Duas Árvores, que tinha deixado de existir em relação ao movimento diurno do Sol que tinha passado a existir — havia agora uma "nova contagem". Mas o "Ano Valiano" agora é, conforme aparece, uma "unidade de percepção" da passagem do Tempo de Arda, derivada da capacidade dos Valar de perceber, a tais intervalos, o processo de envelhecimento de Arda, desde seu princípio até seu fim. Ver nota 5.

3 Meu pai escreveu a seguinte passagem ("Podiam se movimentar para trás ou para a frente em pensamento ...") no corpo do manuscrito nesse ponto, mas usando uma letra pequena e em itálico, e preservei essa forma no texto publicado; o mesmo vale para a passagem seguinte que interrompe o texto principal nas palavras "a unidade de tempo valiano".

4 "podemos ... usar a unidade valiana": em outras palavras, presumivelmente, a antiga estrutura de datas na crônica de Aman pode ser mantida, embora o significado dessas datas em termos da Terra-média seja radicalmente diferente. Ver nota 5.

5 Há agora uma vasta discrepância entre Anos Valianos e "anos mortais"; cf. também "a sua vida inteira duraria pouco mais do que um meio-ano" (p. 514), "Ao longo da sétima parte de um ano, um Homem poderia nascer e se tornar adulto" (p. 515). Em notas não apresentadas neste livro, nas quais meu pai estava calculando, a partir dessa base, o momento do Despertar dos Homens, ele afirmou expressamente que 144 Anos do Sol = 1 Ano Valiano (a esse respeito, ver o Apêndice D de *O Senhor dos Anéis*: "Parece claro que os Eldar da Terra-média ... calculavam em períodos longos, e a palavra quenya *yén* ... significa na realidade 144 dos nossos anos"). Colocando o evento "depois ou por volta da época do saque de Utumno, Ano Valiano 1100" (ver pp. 75, 107), um lapso gigantesco de tempo podia agora ser concebido entre o "surgimento" dos Homens e seu primeiro aparecimento em Beleriand.

6 Para o uso do termo "Terra" em oposição a "Aman", muito frequente nesse ensaio, ver p. 342.

7 O subtítulo *Aman e os Homens Mortais* foi um acréscimo posterior.

[8] Quanto a esse uso da palavra *hröa*, cf. o texto VII, p. 481: "o *hroa*, a 'carne' ou matéria física, de Arda".

[9] Essa passagem a partir de "E não deixaria Aman por sua vontade ...", foi um acréscimo posterior. Conforme o texto foi escrito, ele continuava de "todas as coisas de Arda" a "em que transformar-se-ia ...".

[10] As palavras "tal como o são" foram um acréscimo correspondente ao mesmo momento daqueles citados nas notas 7 e 9.

Apêndice

SINOPSES DOS TEXTOS

A intenção é que esta lista sirva apenas como uma descrição muito concisa dos manuscritos e textos datilografados citados neste livro (exceto os da Parte Cinco).

Ainulindalë

B Manuscrito, datado dos anos 1930, apresentado em V. 186 e seguintes.

C* Texto datilografado pelo autor, introduzindo mudanças radicais na cosmologia, já completado em 1948; ver pp. 15-21, 57 e seguintes.

C Reescrita do texto B, usando o manuscrito antigo (ver pp. 15, 21); apresentado na íntegra nas pp. 22 e seguintes.

D Manuscrito cuidadoso, última versão do *Ainulindalë*, desenvolvido a partir de C; apresentado parcialmente nas pp. 45 e seguintes.

Anais de Valinor

AV 1 "A Primeira Versão dos Anais de Valinor", texto apresentado em IV. 310 e seguintes.

AV 2 "Os Anais Tardios de Valinor", texto apresentado em V. 134 e seguintes.

– Para a versão reescrita da abertura do AV 2 que precede os *Anais de Aman*, ver p. 67.

Anais de Aman

AAm Manuscrito, datando do começo dos anos 1950, apresentado de forma completa nas pp. 68 e seguintes; dividido editorialmente em seis seções seguidas de notas e comentário.

AAm* Texto datilografado pelo autor para a abertura dos AAm, com muitas diferenças em relação ao manuscrito (pp. 86-93, 106-7).

AAm datilografado Escrito a máquina por secretário, datando por volta de 1958 (ver pp. 177-8, 363). Anotações e alterações feitas nele são apresentadas no fim dos comentários em cada uma das seções dos AAm.

Quenta Silmarillion

Q "O Quenta" (*Qenta Noldorinwa*), datando de 1930, apresentado em IV. 95 e seguintes.

QS *Quenta Silmarillion*, manuscrito cuidadoso abandonado no fim de 1937, apresentado em V. 242 e seguintes.

QS datilografado Escrito a máquina pelo autor; novo texto (intitulado *Eldanyárë*) dos capítulos de abertura, datado de dezembro de 1937–janeiro de 1938 (ver p. 180).

QT 1 "Quenta Tardio 1", texto datilografado por secretário do QS revisado, feito em 1951(–2); ver p. 177.

QT 2 "Quenta Tardio 2", texto datilografado por secretário incorporando todas as alterações feitas ao QT 1, produzido por volta de 1958; ver as pp. 177-8.

QT Para o uso dessa abreviação, ver pp. 228, 247-8.

Leis e Costumes entre os Eldar

A Manuscrito, apresentado na íntegra em sua parte final (pp. 286 e seguintes), a partir do ponto onde o texto datilografado B é interrompido (ver p. 257-8).

B Texto datilografado pelo autor, inacabado, apresentado na íntegra nas pp. 259 e seguintes.

Reformulações e desenvolvimentos tardios de partes de O Silmarillion

Vq 1 Texto datilografado pelo autor, desenvolvido a partir de QT 2, Capítulo 1, "Dos Valar" (ver as pp. 247-8).

Vq 2 Texto datilografado pelo autor que se seguiu ao Vq 1, intitulado *Valaquenta* (pp. 247 e seguintes)

FM 1 Inserção manuscrita no QS; o primeiro texto a abordar a história de Finwë e Míriel (pp. 254 e seguintes).

FM 2 Texto datilografado pelo autor, segunda narrativa sobre Finwë e Míriel (pp. 309-11 e seguintes).

FM 3 Texto datilografado pelo autor, substituído por FM 4; ver pp. 312.

FM 4 Texto datilografado pelo autor, narrativa final sobre Finwë e Míriel; apresentado na íntegra nas pp. 312 e seguintes.

A Texto datilografado pelo autor (continuação do FM 3); substituído por B; ver pp. 447-9, 331.

B Texto datilografado pelo autor (continuação do FM 4), o último texto, extensivamente desenvolvido, do restante do Capítulo 6 original e do início do Capítulo 7 (pp. 331 e seguintes).

Athrabeth

A Manuscrito, apresentado (junto com a versão datilografada pelo autor da seção introdutória) na íntegra nas pp. 368 e seguintes.

B, C Textos datilografados por secretário (ver p. 367).

Comentário Texto do Comentário sobre o *Athrabeth* datilografado pelo autor, com extensas notas; apresentado na íntegra nas pp. 397 e seguintes.

Índice Remissivo

Neste livro, certos nomes aparecem com extrema frequência ao longo de todo o texto — nos casos mais extremos, *Valar* e *Melkor*, o número de referências supera a metade do número de páginas do livro. Esses grandes blocos de números devem ser de utilidade duvidosa, mas, no fim das contas, incluía todas as referências no índice, descontando-se o uso ocasional (tal como em volumes anteriores) da palavra *passim* para englobar uma longa lista de referências da qual apenas uma única página está faltando aqui e ali. Além disso, listei as referências a certos temas centrais e recorrentes. Nas pp. 538-9 podemos encontrar um apêndice ao índice, no qual reuni separadamente o grande número de palavras (muitas das quais são termos especializados) das línguas élficas que ocorrem no livro.

Os nomes que estão presentes nos títulos de capítulos e em outras subdivisões normalmente não são indexados, e o mesmo vale para os nomes de destinatários de cartas; e "Contos Perdidos" individuais não são citados em verbetes separados.

Nomes de estrelas

Os nomes de estrelas e constelações que aparecem na p. 200 em geral não são identificados no índice, apesar do muito que tem sido escrito sobre o tema desde a publicação de *O Silmarillion*; e este é um lugar conveniente para me referir a uma matéria que deixei de mencionar no texto do livro. Trata-se de uma folha manuscrita isolada que foi preservada junto com os textos de *O Senhor dos Anéis* na Universidade Marquette; e sou muito grato ao Sr. Charles B. Elston, da universidade, por sua ajuda quanto a essa questão.

Um dos lados dessa folha traz esboços iniciais para uma passagem do Capítulo 3 (*Da Vinda dos Elfos*) do *Quenta Silmarillion* (§§18a–19), e o outro um segundo rascunho dessa mesma passagem, o qual, embora escrito de forma muito desleixada, quase chega ao texto impresso nas pp. 199-200. Já observei (p. 198) que, no caso do Capítulo 3, meu pai fez, ele próprio, um novo texto, que corresponde ao momento entre a revisão feita nos antigos textos pré-*Senhor dos Anéis* e a versão datilografada por um secretário QT 1; foi nessa variante do capítulo ("Texto A") que o novo material em §§18a–19 surgiu (ver p. 206, §19). A posição da folha preservada na Universidade Marquette assim, está definida de forma muito clara: sendo um esboço para a passagem do Texto A, ela faz parte da revisão de 1951 de *O Silmarillion*.

No segundo rascunho, que é praticamente a versão final, vemos meu pai durante o processo de criação dos nomes das constelações, com várias formas experimentais antes que aquelas que aparecem no texto final fossem alcançadas; mas ele colocou o nome das estrelas no papel sem nenhuma hesitação, com estas formas: *Karnil*, *Luinil*, *Nénar*, *Lumbar*, *Alkarinque*, *Elemmire*. Acima de *Karnil* ele colocou um "M", um "S" em cima de *Lumbar*, "Jup" no caso de *Alkarinque* e, em cima de *Elemmire*, novamente um "M". Não há nenhuma letra acima de *Luinil*, mas no caso de *Nénar* há um "N" que foi riscado (o Sr. Elston me informou que esse "N" está perfeitamente claro no original e que nenhuma outra interpretação é possível).

Ora, se *Alkarinque* é Júpiter, então uma grande estrela vermelha chamada *Karnil* e marcada com "M" deve ser Marte (cf. o nome *Karan*, usado por Michael Ramer para se referir a Marte, IX. 272) — o que, por sua vez, leva à identificação de *Lumbar* ("S") com Saturno e *Elemmire* ("M") com Mercúrio. Num artigo assinado por Jorge Quiñonez e Ned Raggett, *Nólë i Meneldilo, Lore of the Astronomer*, publicado no periódico *Vinyar Tengwar* nº 12 (julho de 1990), os autores concluíram que meu pai originalmente pretendia que *Nénar* ("N") fosse o planeta Netuno, mas transferiu essa identificação para *Luinil*, de modo que *Nénar* passou a ser Urano. Os seis nomes, portanto, são os nomes élficos dos planetas, com exceção de Vênus (*Eärendil*); e essa conclusão não parece ser mera dedução engenhosa, mas derivar das próprias indicações claras de meu pai.

Não obstante, acho a lista tão extraordinária que chega a ser absolutamente incrível. Deve-se lembrar que os seis nomes aparecem no contexto da criação, por parte de Varda, de "novas e mais brilhantes estrelas para a vinda dos Primogênitos": eles devem ser os nomes de objetos muito conspícuos nos céus de Arda. Que Marte e Júpiter, se não Saturno, deveriam aparecer entre eles pode parecer inevitável, considerando que, no mito astronômico criado por meu pai, os planetas nunca eram distinguidos das "estrelas fixas"; mas como é possível achar que *Nénar* e *Luinil*, claramente nomes de grandes luzeiros nas regiões de Ilmen, poderiam se referir a Urano e Netuno, de luz fraca e minúsculos em meio "às estrelas inumeráveis", o primeiro quase invisível a olho nu, o segundo nem isso? Nesse caso, mencionar as extraordinárias capacidades visuais dos Elfos não faz muito sentido — isso porque, com base no mito astronômico conforme apresentado nos *Anais de Aman* e na primeira revisão pós-*Senhor dos Anéis* do *Quenta Silmarillion*, a totalidade da base conceitual por meio da qual os planetas remotos do Sistema Solar puderam ser descobertos deve, por sua própria natureza, estar ausente. Mas o que então dizer da letra "N" escrita acima do nome *Nénar*?

Parece-me bastante possível que os seis nomes existiam antes da escrita da página de rascunho que agora está em Marquette, mesmo se nunca tivessem sido colocados no papel, e, além disso, que alguns deles não tinham identificações específicas com os nossos nomes — embora *Karnil* certamente sempre fosse Marte, e *Alkarinque*, sem dúvida, Júpiter. Com base nessa hipótese, eu poderia muito bem imaginar (isso seria até característico dele) que, conforme refletia sobre esses nomes, meu pai se divertiu ampliando a lista para incluir todos os planetas (com exceção da Estrela Vespertina — e de Plutão!), e, de brincadeira, poder-se-ia dizer, intuindo tanto a adequação (ao associar o radical *nen-*, "água", com o deus do mar) quanto a inadequação essencial da palavra, escreveu o N de Netuno em cima de *Nénar*.

As ideias acima não estão sendo formuladas, é claro, como uma proposta formal e precisa de explicação para esse fato extremamente intrigante, mas realmente me parece que algo nessa linha é muito mais provável do que dizer que ele pretendia que o nome *Nénar* correspondesse ao planeta Netuno.

APÊNDICE DO ÍNDICE

Palavras e expressões élficas

Este livro foi impresso em 2025, pela Ipsis, para a HarperCollins Brasil.
A fonte usada no miolo é Garamond corpo 10. O papel do miolo é
pólen natural 70 g/m² e o da capa é couchê 150 g/m².

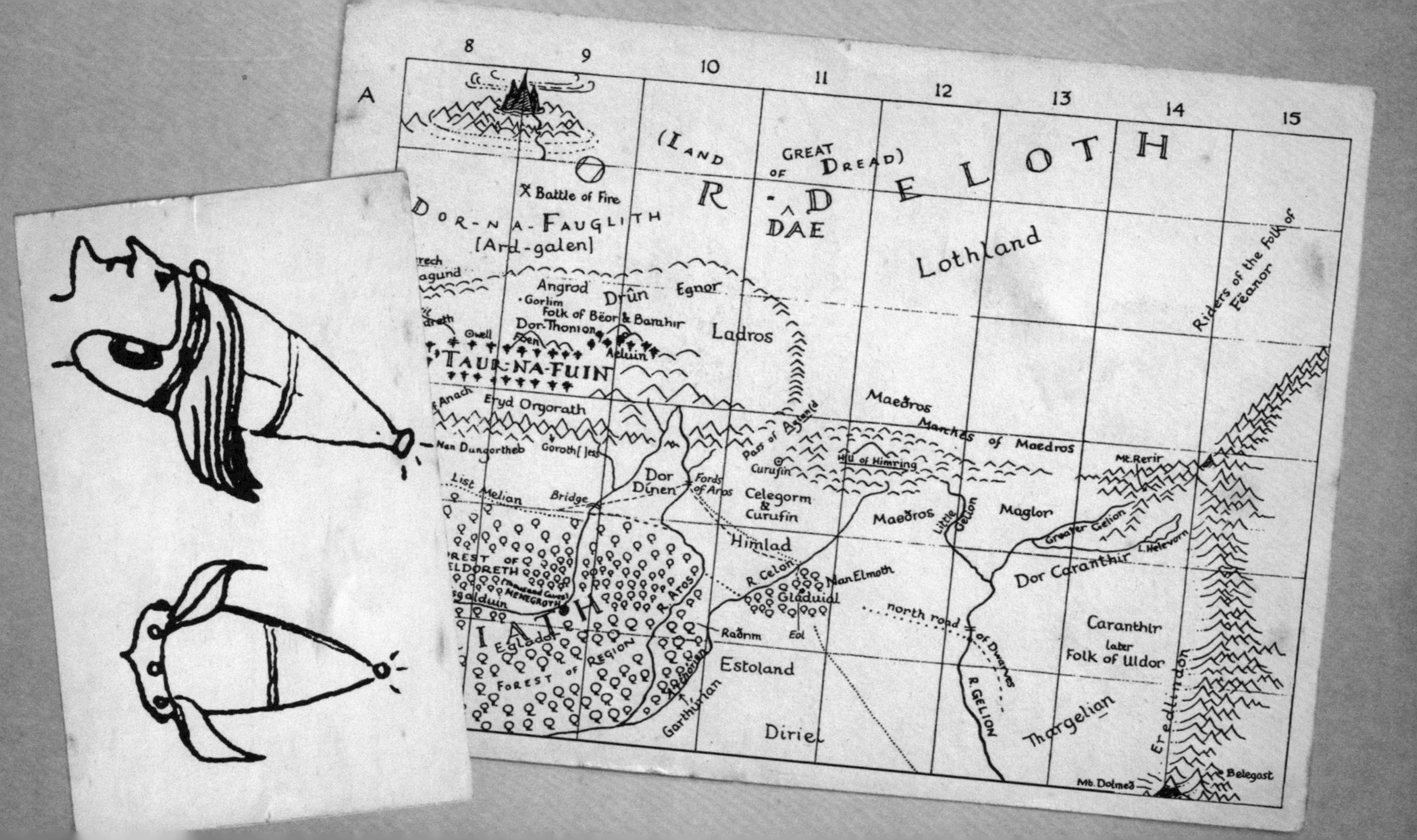

(Land of Great Dread)
Dor-na-Fauglith
[Ard-galen]
Battle of Fire
Angrod
Gorlim
Drûn
Egnor
Folk of Bëor & Barahir
Dor-Thonion
Ladros
Taur-na-Fuin
Aeluin
Eryd Orgorath
Nan Dungortheb
Maedros
Marches of Maedros
Pass of Aglond
Hill of Himring
Curufin
Lothland
Riders of the Folk of Fëanor
Mt. Rerir
Dor Dinen
Fords of Aros
Celegorm & Curufin
Maedros
Little Gelion
Maglor
Greater Gelion
L. Helevorn
List Melian
Bridge
Himlad
Forest of Eldoreth
Menegroth
R. Celon
Nan Elmoth
Gladuial
Dor Caranthir
R. Aros
Radrim
Eol
north road of Dwarves
Caranthir
later
Folk of Uldor
Egladar
Forest of Region
Estoland
R. Gelion
Garthurian
Diriel
Thargelian
Eredlindon
Mt. Dolmed
Belegost

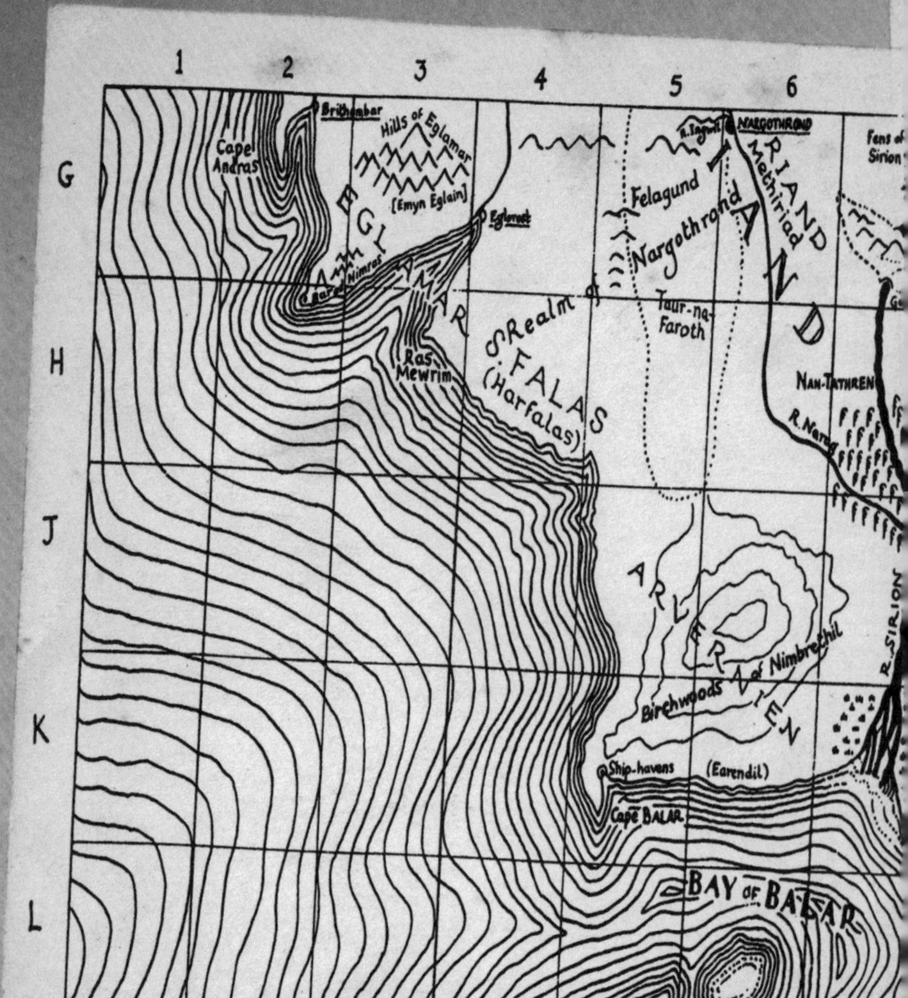

1
2
3
4
5
6
G
H
J
K
L
M
Brithombar
Cape Andras
Hills of Eglamar
[Emyn Eglain]
Eglarest
EGLAMAR
Ras Mewrim
Realm of FALAS
(Harfalas)
Felagund
Nargothrond
NARGOTHROND
Taur-na-Faroth
NAN-TATHREN
R. Narog
Fens of Sirion
R. SIRION
ARVERNIEN
Birchwoods of Nimbrethil
Ship-havens
(Earendil)
Cape BALAR
BAY OF BALAR
Isle of Balar